U0839892

# 中國鄉土小說名作大系

平凹题

中篇小说系列（一九七七年至二〇一二年）

第三十四卷

主编 郑电波

中原出版传媒集团
大地传媒
中原农民出版社

**图书在版编目(CIP)数据**

中国乡土小说名作大系.第34卷/郑电波主编.—郑州:中原出版传媒集团,中原农民出版社,2014.12
ISBN 978-7-5542-1008-6

Ⅰ.①中… Ⅱ.①郑… Ⅲ.①中篇小说-小说集-中国-当代 Ⅳ.①I247

中国版本图书馆CIP数据核字(2014)第278506号

**中国乡土小说名作大系**

| | | | |
|---|---|---|---|
| **出版人** | 刘宏伟 | | |
| **总编审** | 汪大凯 | | |
| **总策划** | 刘宏伟 | | |
| **策划编辑** | 郑电波 | | |
| **责任编辑** | 郑电波　高燕燕 | | |
| **责任校对** | 肖攀锋 | | |
| **装帧设计** | 吴丹青 | | |
| **装帧制作** | 董　雪 | | |
| **封面题字** | 贾平凹 | | |
| **插　　图** | 董　钺 | | |
| **出版发行** | 中原出版传媒集团　中原农民出版社 | | |
| **地　　址** | 河南省郑州市经五路66号 | **邮　编** | 450002 |
| **网　　址** | http://www.zynm.com | **电　话** | 0371-65751257 |
| **邮购热线** | 0371-65724566 | **传　真** | 0371-65751257 |
| **承印单位** | 河南省瑞光印务股份有限公司 | | |
| **开　　本** | 787mm×1092mm | 1/16 | |
| **印　　张** | 23.5 | | |
| **字　　数** | 460千字 | | |
| **版　　次** | 2014年12月第1版 | **印　次** | 2014年12月第1次印刷 |
| **书　　号** | ISBN 978-7-5542-1008-6 | **定　价** | 98.00元 |

本书如有印装质量问题,由承印厂负责调换

# 《中国乡土小说名作大系》
# 编辑工作委员会

# 凡 例

本大系全套共36卷，精选了1977年至2012年在中国国内公开发表、出版的乡土小说作品中的短、中篇名作。其中前6卷为短篇小说，后30卷(7卷一36卷)为中篇小说。其中包括荣获全国大奖的乡土短、中篇小说；被小说选刊选载且极具影响力的作品；在当时受到社会广泛关注、在读者记忆中留下深刻印象的优秀作品。

本套书的选编原则上是以发表、出版的时间顺序排列的，每卷从作品的品质考量前后有所微调，但大的格局不变。

上世纪整个80年代，是中篇乡土小说创作的黄金时段，名作灿若群星，该大系收录此时段的作品较多。短篇小说系列每卷分上、中、下三部分，而中篇小说系列不作界分。

每卷的字数大致相当。由于上世纪80年代及90年代初，一般中篇小说的篇幅比后来的较长，因此每卷的篇数较少，这也是全套各卷选篇数目不均的原因。

# 卷首语

三十多年来，中国农村发生了翻天覆地的变化，而中国农村题材小说的创作，正是对应了这段历史。它们是如此的丰富、瑰丽、饱满和激越，如此的斑驳陆离色彩纷呈。它们是心史，是一次不曾间歇的歌哭相随——过人的敏感，欣悦和忧郁，惊愕与绝望，大喜过望以及突如其来的沮丧，肤浅的赞许和陡峭的情感——这一切情愫一切境遇的全面记录和生动描摹。

张 炜

2013 年春

# 卷首语

中原农民出版社出版《中国乡土小说名作大系》，是当今文化界一个大事件。

中国现代文学过去多少年取得的成就主要是乡土小说。

现在我们国家的改革进入到了城乡一体化阶段，农民进城，小城镇的人到县上，县上的人到省城，省城的人到北京上海等大城市，中国社会已是迁徙的社会。我估计将来再过一两代人，乡土小说类型慢慢就要消退了，肯定不会再成为中国文学的主流了。但是，消亡我觉得是不可能的，因为大量的农村还在，更重要的是中国农村文明的思维还在，只要土地在，思维在，农耕的思维观念在，不管在哪儿，就是你在美国，到月球上去，你还是中国的，中国式的，写中国人的文学就不会消失，因此乡土小说也不会真的消失。

在中国，你想真正了解这个社会，获得一些更深层的东西，就去看一看乡土小说。乡土小说就好像馆藏一样，那里有丰富的宝藏。现在它已经不出现在街头了，就像庙堂或者说茶室一样，有闲时可以去坐一坐，静一静，慢慢品味它。

贾平凹

2014 年春

# 前言

中国是一个乡土性很强的大国，诚如社会学家费孝通所说，中国是一个“乡土中国”。

乡土，几乎是每个中国人的精神家园。

在新时期文学中，乡土文学堪称最敏感的文化神经。新时期当代文化思潮的演进变化，许多是从乡土小说中透露出重要信息的。应该说，从中国乡土小说中可以读懂当代中国。

农民在我国的文学中，历来处于一个突出而显赫的地位。农民的社会地位不高，而文学地位不低。这是由中国作家的乡土情结、生活阅历、审美情趣及价值取向所决定的。在文学对民族文化心理的反思中，农民作为民族文化心理的主要载体，自然成为小说家关注和表现的对象，故乡土小说天然地在新时期小说中，有着举足轻重的地位。

改革开放的三十多年，这是一个伟大的时代，一个中国前所未有的大变革时代。农村生活的改变，农民心气的勃发，新一代农民在精神、意识、思想上的吐故纳新，新与旧在现实生活中的冲突与较量，以及对于腐败现实的理性批判，随后成为乡土小说在一个时期里反复吟唱的主旋律。作家成了这个时期乡村广大农民理想的抒发者和愿景诉求的代言人。农民在内心理想的感召下奋发向前，作家与之击鼓前行。

改革开放以来的文学，我们称之为新时期文学。新时期文学有三个相互联系的阶段:“伤痕文学”、“反思文学”和“改革文学”。许多作品系统地反映了农村农民生活命运的变化，社会的深层变革，抒写了自己的社会理想。有些作家把思想的锋芒指向乡土文化与农耕文明，以自己的眼光与理性来发现和表现乡土中国的浑重、复杂与嬗变。当然，也有不少作家在作品中多有对自身命运的描述和情感宣泻。

新时期文学初期，印象深、乡土味儿较浓的有何士光的短篇小说《乡场上》，高晓生的《陈奂生上城》《李顺大造屋》，张炜的《一潭清水》，贾平凹的《黑氏》，铁凝的《哦，香雪》，邵振国的《麦客》，张石山的《镢柄韩宝山》，王润滋的《内当家》，史铁生的《我的遥远的清平湾》，田中禾的《五月》，乔典运的《满票》等。中篇小说有郑义的《老井》，路遥的《人生》，张贤亮的《绿化树》，张一弓的《犯人李铜钟的故事》，叶蔚林的《在没航标的河流上》，莫言的《红高粱》，张炜的《秋天的愤怒》，映泉的《桃花湾的娘儿们》，王安忆的《小鲍庄》等等。

新时期文学的早期，是一个激动人心的时期，是一个重建希望的时代，人的内心如同枯木逢春，激情被时代精神所鼓舞并迅速地再度燃烧起来。人们在思想解放运动的昭示下又一次看到了未来的希望，并热情地期许这一切尽快变成现实。深怀理想主义文化信念的作家，无论用什么样的创作方法，骨子里都潜伏着浓重的浪漫主义基因，时代气氛使这浪漫潜滋暗长。那个时代的作家极少悲观，历经再多的苦难也不能告别乐观。作家几乎对未来用承诺的方式描绘着生活，读者的期待使写出好作品的作家一夜成名，自发阅读小说的人超过以往任何时代。人们最大的自由就是对美好的向往，人们在想象的话语中得到满足。

时间在飞驰，中国的变革在加深、加快。二十世纪九十年代引发的经济热潮、商业大潮席卷而来，文学受到很大冲击，一些作家纷纷下海弃文经商，文学创作受到了影响。然而乡土小说的创作，因与政治思潮、商品大潮都有一定程度的疏离，也由于作家的坚守，似乎并没有出现中断或萎缩的情形，无论是中、短篇小说还是长篇小说，都在坚守中有所拓展，且成就了乡土小说创作的特有景观，其作家创作形成了楚文化群落、吴越文化群落、齐鲁文化群落、燕赵文化群落、秦晋文化群落、中原文化群落、东北文化群落、巴蜀滇黔文化群落等，乡土小说内容丰富，五彩斑斓。

九十年代的乡土小说不再是单色的，而是多色的，很耐人寻味。如陈源斌的《万家诉讼》，李佩甫的《无边无际的早晨》，关仁山的《九月还乡》，余华的《活着》，迟子建的《雾月牛栏》，张宇的《乡村情感》，韩少功的《马桥人物》，杨争光的《公羊串门》，赵德发的《通腿儿》等等。

这一时期的长篇小说数量不太多，但质量很高，作家开始向家族、人生命运深处思考，审察人性、反思历史、反观传统，因此作品更显得有分量。长篇小说取得了重大成就。先有张炜的《古船》初现端倪，继有陈忠实的《白鹿原》，莫言的《丰乳肥臀》，阿来的《尘埃落定》的联袂冲刺，掀起长篇小说创作的第二个新高潮，是继八十年代古华的《芙蓉镇》，路遥的《平凡的世界》，贾平凹的《浮躁》之后第二个创作高峰。

新世纪阶段比之于前二十年文学文化领域，因面临着商业文化、传媒文化与信息科技的多重冲击，更由于人们价值观的变化，乡土小说读者的减少，作家浪漫情怀的式微，总体来说乡土小说创作出现了下滑和萎缩的趋势。然而，乡土小说并未到这部乐曲的尾声，不少乡土作家还在这片“土地”上耕耘，他们的笔墨自由而灵动，多元的叙事与多元化的观念已出现，令人感到振奋的是长篇小说的进一步繁荣，乡土长篇小说的创作出现了新的景观。贾平凹的《秦腔》，蒋子龙的《农民帝国》，孙慧芬的《歇马山庄》，铁凝的《笨花》，张炜的《你在高原》，刘震云的《一句顶一万句》，莫言的《蛙》等，其中有的作品的水平，已达到乡土长篇小说的新高。这是由于一些乡土小说作家一直在创作的深刻思考之中，他们甘于寂寞，其思考已抵达生活、社会、历史、人生甚至哲学的深处。

中国乡土小说可以说是新时期文学的精华与支撑，几乎所有的小说名篇都与“乡土”血脉相连，这不但有广泛的共识，也是不争的事实，它们占据了文学、文化、出版价值的制高点。

它是我们这个时代特有的文学形态，具有深厚的人文价值，就中国乡土小说而言，可以说达到了中国文学史上“前无古人”的思想和艺术高度，而且由于我们社会的深度变革，农耕文明的逐渐瓦解，这种形式的文学必将终结，因此可以说，它不仅是空前的，也是绝后的，它的辉煌如同唐诗宋词在中国文学史上的辉煌一样。

乡土小说植根于中华民族精神深处汲取营养，又表现并滋润着民族精神和意识，形成了新时期的文化景观。它不但被中国有识之士充分肯定和赞许，同时也被世界看重。“越是民族的，越是世界的”，莫言获诺贝尔文学奖，就是一个有力的证明。

多年来，从鲁迅到沈从文，中国作家无不有着共同的诺贝尔文学梦，可是直到去年，莫言才为中国作家实现了这个梦想。我认为，莫言获诺贝尔奖，不是他一个人的胜利，而是一大群中国乡土小说作家的胜利。这片热土，造就了这一批作家；这个时代的气候，滋润了这一批作家的成长。如张炜、贾平凹、陈忠实等一批作家，其文学创作的实绩和水平，也大都进入了这个层面。我们为中国乡土作家的成功而鼓掌，为中国乡土小说的辉煌而欢呼。

这是一套乡土小说的精选本，我们这套书重在推出改革开放35年(1977—2012)来中国乡土小说的精华部分，它们绝大部分是获奖名篇或被小说选刊选载、被评论家和广大读者所关注、极具影响力的作品。这些作品是时代的一面镜子，较深刻地反映了一个时期的社会现实。

本套书重时代感，所选作品的排序按照原作初次发表的时间先后顺延。选篇首重乡土气息、时代精神和文学价值，以作品品质为标杆(作家名气、地位作第二位考虑)以期展示35年中国农村变革、农民精神嬗变的文明进程，使内涵巨大的乡土小说所构成的文字画卷，具有以文学纪录时代史诗般的价值。

虽然过去也有一两家出版社出版过一些乡土小说选集版本，但大多是以作家为标杆选择篇目，规模小，不全面；而这套书以整个大改革时代为着眼点，登高望远，选篇宏观铺陈，将散失于长达35年间奇珍般的乡土小说，用一根乡土彩线串系在一起，这是对乡土小说的寻找与抢救，也是在打造我们中国人共同的心灵家园。

由于书的印张所限，有不少影响大、水平高的乡土小说未能选入，对此我们深感遗憾。我们希望这套书的出版，不但能让热爱乡土小说的读者喜欢，而且能让更多的农民兄弟读到。让农民了解农民，了解农村的变化，关心自身命运，关心社会变革，这是我们的初衷。

郑电波

2013年初春

# 目　录

# 一树槐香

孙惠芬

## 一

黄昏时分，小馆里没有客人，只有二妹子和苍蝇。这个时候的二妹子，往往是手握苍蝇拍儿，坐在那儿静静地看着苍蝇在她眼前飞舞。它们喜欢沾有油腥味的桌面，然而并不在那里长久停留，它们喜欢桌面的唯一标志是不时地飞走，再不时地返回，就像外出干活的民工不时地出走又不时地返回。它们飞走时，是孤独的，有的向上，飞向了玻璃，飞向了天棚，飞向了天棚上的灯罩；有的则平飞，从一张桌子飞向另一张桌子，落到另一张桌子的酱油瓶上。只有这时，只有眼见着苍蝇落到酱油瓶上，二妹子才舞一下手中的拍子，也仅仅是舞一下而已。更多的时候，二妹子都只是静静地看。看它们从哪里起飞，又在哪里落下。看它们翅膀的颜色是如何的不同，腿脚又如何的灵活麻利。当然看着看着，总能看到这样的情景，一只苍蝇在半空飞舞时，还是独自，可是当返回圆桌桌面，会突然变成一对。它们变成一对，往往是一只扎在另一只的背上，长时间地舞动着翅膀和腿，发出嗡嗡的声音，仿佛常在她耳边回响的拖拉机的声音。每当这时，二妹子会突然站起，离开凳子，握苍蝇拍的手闪电般地舞了起来，随之，屋子里回荡起比风短促的飕飕的声音。

二妹子的苍蝇拍在空中一阵狂轰乱舞时，不是对着某一只苍蝇，而是毫无目标，而是东一下西一下，使那些刚才还悠闲自得的家伙，不得不顺着小馆珠子门帘的缝隙仓皇逃窜。

这是每天晚上都要重复的局面，二妹子先是静静地看苍蝇飞舞，之后把目光盯到一对苍蝇上，之后在听到一对苍蝇在耳边拖拉机一样嗡叫时，神经病发作般毫不留情地追赶苍蝇，之后，不无沮丧地关门上锁，转到后厨，喊正在玩棋子的外甥睡觉，最后，对着被自己追赶得无处逃窜、从餐厅逃进睡屋里的一只苍蝇发呆。

在二妹子看来，她就是这只被追赶得无处逃窜的苍蝇。只不过追赶她的不是人，而是隐在身后看不见摸不着的命运，只不过那命运的蝇拍在风中划过时，留下的声音并不短促，而是天塌地陷般的一声巨响。当街上有人喊“他嫂子不好啦，他哥翻车被车轧死啦——”她的耳鼓一下子就炸开了，随之，是长时间的、无休无止的耳鸣。

如果只是耳鸣，也许还好办，难办的是，埋了丈夫之后，她的耳朵里回响的全是拖拉机的声音。她的丈夫开拖拉机，长年在老黑山的石矿拉矿石。那声音突突突的，似近又远，似远又近。那声音每在耳边响起，都如一把钩子钩住她的魂，使她动不动就一个人跑到了大街，在那里痴呆呆地朝远处张望。奇怪的是，在屋子里，她明明听到有一辆拖拉机正从远处开过来，可是出了大街，那声音又朝远处去了，越去越远。望不到拖拉机，失魂落魄回转身子，往院子走，身后的屋子一瞬间就长出荒草，使她再也不愿迈近一步。

从海边的婆家回到歇马山庄，只不过是一个失了魂的乡村女人毫无目的地游走，她的世界就两个地方，一个是婆家，一个是娘家。一个在眼前，一个在身后。三年前，她坐着130从歇马山庄嫁到海边，那歇马山庄的家就永远成了她的身后。虽然身后的娘家父母早就不在了，只有哥哥嫂子。可是当眼前的屋子长满荒草，她只有转身，返回身后。对一个乡村女人来说，生活永远都是这样的，院子是大街的后方，屋子是院子的后方，娘家是婆家的后方。然而，二妹子即使做一百次梦，也不会梦到这样的结果：这个在她生活中早就变成后方的地方，会在三年之后的某一个时辰，再次成为她的眼前。她的哥哥在听了她一席诉说之后，一分钟都没停，就说：“那就回来吧，在三岔路口开个小馆，保证天天都能看到拖拉机。”

她的哥哥是歇马山庄村长，他当村长三年来，村上许多吃吃喝喝的钱都花在了镇边的小馆，要是自家有个小馆，实在是再方便不过。

于是，一对被拍死一只只剩下另一只的苍蝇，在另一个日光分外温暖的正午，拎着一包衣服回来了，回到这个离歇马山庄只有二里路的三岔路口。

在早，在海边的家里，也是忙碌，鸡呀鸭呀猪呀，还有地里的庄稼，可是在早的忙碌全是自己在忙，和外人没有关系。和外人没有关系，你怎么忙都觉得是自在的、踏实的。现在不同了，现在一打开门，你就觉得用不多久肯定会有人来，你要买菜、买肉、买鱼，你要在锅底蓄着炭火，不时地吹一吹，你要打扮得利索一些，头发梳得光一些。关键是，你时时刻刻都要动脑筋算计，赚了几块钱，又赚了几块钱，二妹子最不愿意过算计的日子，算计使她感到紧张，不自在。当然，恰是这紧张和不自在，让二妹子暂时忘掉了拖拉机，忘掉了丈夫。实际上，小馆开业后有很长一段时间，二妹子都不再留心三岔路口的拖拉机了。可是，与一天的紧张做比较，当夜晚来临，小馆突然寂静下来，身心自在下来，她会像一辆翻在悬崖里的汽车，轱辘不可遏制地在半空旋转，让她有种被悬空的眩晕。

二妹子的身体像车轱辘一样空转的时候，往往自觉不自觉就看到了一张面孔，那面孔在最初的夜晚，并不清晰，仿佛丈夫死后响在耳边的拖拉机，你不看时，觉得他就在眼前，可你一旦细看，又什么都看不见。然而这个夜晚，在我们故事开始的这个夜晚，他的面孔不知怎么就变得清晰起来，血肉模糊得清晰，鼻梁骨深深地塌进去，两腮气球样肿起来，嘴唇上淤着厚厚的血块。那血肉模糊的面孔，就像夜的使者，天一黑，就飘进小馆，跟在苍蝇后边，到处乱飞。当她疯了一样追散苍蝇，躲回自己睡屋，他居然随那飞进来的苍蝇一道，跟了进来。

于是，像掉进悬崖又栽进了水里，二妹子的脸和枕头，包括她的身体，一瞬间就在湿漉漉的水里漂了起来，使她不知道自己身在何处，使她误把自己的哭声当成了白天柏油路上拖拉机的声音，突突突的。

## 二

后半夜，她一点点平静了下来，仿佛沉到最底，再也无处可沉了，仿佛一条鱼游到江边，再不回头便无路可走了，她游回来，静静地看着天棚，直到天亮。

然而，谁都难以想象，当这样的夜晚宣告结束，当远处地平线上的日光爬过大地，射进小馆的窗玻璃，另一个二妹子居然如初升的太阳一样，湿漉漉地升起在小馆里。

说湿漉漉，是说她一早起来就洗了头，她从不早上洗头，她换上了一件暗蓝色对襟小褂，这是一件新衣裳，一看就知道一次也没有穿过，布纹上的棉丝像刚抽出的麦叶一样毛茸茸的。她在哭肿的眼泡上抹了粉，并在脸腮上抹了一层遮盖霜，尤其她换了一条豆绿色的围裙，它实心实意卡在她的腰间，现出她挺拔的腰身，使她看上去如同一棵堤坝上的新柳。

二妹子从小馆里升起来，这是一个令人喜悦的时刻，当然喜悦的，也只是那个给她打工的外甥，也只是她的哥哥，外人根本不知道。那个外甥其实是她嫂子的外甥，在穷山沟里上不起学，才十六岁就出来找活，来到小馆后一直就像只怕猫的耗子，小眼睛滴溜溜地躲着她。而她的村长哥哥，对她苦抽抽的一张脸早就有想法了，买卖不能这么做，和气生财。而这个早上，她一直是笑着的，她笑着叫醒外甥，让他生火烧水，打扫门前的草屑和塑料袋儿，然后，笑着迎来哥哥。她的哥哥每天早上都过来，像一个监工的工头一样，这里看看，那里看看；然后，端着瓷钵站到柏油路旁，笑盈盈在那儿等待卖豆腐的马车和卖猪肉的手扶拖拉机。

在这个湿漉漉的早上，二妹子从小馆里升起来，但并没有像以往那样等待在小馆里。她买了该买的青菜、豆腐、肉，封了生好的火，装了暖壶里的水，揭了围裙，到后厨里跟外甥说了句什么，就顺着辟在门口的土道，向西走去。

向西走去，这对二妹子，无论如何意义都是重大的，这条土道通着的西边，是歇马山庄，是她娘家的村子，那里住着她的婚前女友，住着她的嫂子。虽然与小馆只有两里地之遥，虽然站在小馆门口，朝西一望，落雀一样的房屋、草垛就尽收眼底了，可是二妹子自从住进小馆，还一次也没有回去过。那天哥哥把她从海边接回来，直接把她送到小馆，仿佛她与村庄毫无关系。

哥哥的做法，无疑有些霸道了，是对村庄的霸道，也是对嫂子的霸道，同时，更是对二妹子的霸道。依二妹子的想法，她一个结了婚的姑娘又从外面回来，说什么也要到村子里报个到，即使不跟大多数人报到，至少该跟于水荣报个到。于水荣是她婚前的朋友，每一次回来，她都要去看看她。即使没有工夫跟外人报到，跟嫂子报个到实在是常理常情，没有嫂子的支持，哥哥再有本事，接她回来，也是办不到的。

二妹子穿着新崭崭的衣服从东边走来，一下子就吸引了村里人的目光，尤其是女人们的目光。她们纷纷从院子里探出头，葵花向阳似的，随二妹子的款款走来转动着脑袋。村里人盼二妹子盼得已经没有耐心了，有好几次，几个女人找到于水荣，说："咱去看看吧，毕竟人家死了男人。"这毕竟里边，有着另外一层含义，是说她哥霸道，咱不能跟她哥一样。当然，她们指的霸道里边，也不是指她的哥哥没把二妹子先送回家这件事，而是指占公家的地开饭馆儿，这件事是有民愤的。因为情绪比较复杂，于水荣当时就否定了，"人家是住在小馆里又不是住在家里，万一以为咱是去下馆子呢？"女人盼着看一眼二妹子，主要是想亲眼看看死了男人的二妹子到底是什么样子。二妹子和男人的故事，在村子女人那里，差不多被嚼烂了，嚼到后来都有些变味了。二妹子和男人的故事，根本算不上什么故事，只不过是男人对她太好了，好到了不被乡下人们理解的地步。比如为了娇贵老婆，他不惜放下男人的架子，又喂猪又蹲灶坑烧火，还亲手洗衣裳；为了娇贵老婆，他放弃祖祖辈辈渔民出海的大事，买个拖拉机在附近的老黑山拉矿石。当然男人对她更重要的好还不是这些，而是不大能说出口的类似身体里边的好。这世界就是这样，越是说不出口的事越是传得快。当然还是二妹子自己先出来说的，说她男人和她结婚都三年了，从没改过一个习惯，只要从大街回来，不管她在哪儿，第一件事肯定是凑到她跟前，猴子一样把手伸到她的胸脯里，要是正赶上在灶坑做饭，他一定让她解开裤带，让他的手在她的下身里待一会儿。二妹子说，每一回他把手放到她的下身，她都感到子宫在动，那种五月槐树被摇晃起来的动，随着自下而上的动，她觉得槐花一样的香气就水似的流遍了她的全身。

这句话二妹子当于水荣说出来，于水荣一下子就哭了："天底下的好男人怎么就叫你摊上了，俺那死鬼，一年一年不回来，到了年底，又跟人到火车站扛粮包去了，俺等于守活寡。"

这句话被一个传一个地传出来，女人们眼前突然就涌出一团迷雾，使她们看对方的眼神变得恍惚。子宫，哪一个女人没有子宫，可是她们从来没有闻到过槐花的香气。她们的男人一年一年不在家，她们的男人即使在家，也从来没有大白天的就把手伸到她们那地方。然而沉默一会儿，突然就有人嘘出一口气，之后，狠狠地骂道："贱！"

一个在二妹子看来无比幸福的故事，被女人们口口相传讲着时，无疑就有了故事的宿命，歇马山庄的女人们没一个不认为这是犯贱！女人那地方要多脏有多脏，她的男人怎么就那么恶心？再说啦，两口子好到这地步，不是有点儿犯贱?！

二妹子的命运让她们不幸言中，这使二妹子的故事很长一段时间无人再讲，好像是她们伤害了二妹子，好像是她们在背地里制造了车祸。她的哥哥占公家的地开小馆，她们本是一肚子意见的，可是当听说二妹子回来了，脸成天不开晴，她们唯一的念头就是到小馆里看一看，安慰安慰她。当然，在这种想法里边，不能不说还夹杂一点别的东西，好奇。

现在，二妹子居然自己回来了，脸上还挂着笑。女人们一个个从院子里走出来，也和二妹子一样挂着笑。不过她们在端详二妹子时，鼻子下意识地一阵阵吸气，因为她们没有忘记二妹子身体里曾经装过槐花的香气。香气自然是吸不到，她们反倒吸到了一股油烟味。二妹子虽然换了一身新衣裳，但还是沾了小馆里的油烟味，这让女人们感到某种可怜和心疼。你想想，她曾经被男人宠到那种程度，如今一个人在油烟里熏烤，不是太可怜！

可怜最能拉近人与人之间的距离，有香气的女人与没有香气的女人之间的距离。二妹子几乎是被大家簇拥着送到嫂子面前的。

二妹子瘦了，确实瘦得让人可怜，下颏尖得恍如一只瓢把，眼窝边尽管抹了一层粉，但因为陷了下去，还是能够看到那一圈乌青，尤其她笑时，脸腮上有两道弯弓一样的褶子，就和嫂子镜子里见到的自己脸上的褶子一样。在见到二妹子最初的一瞬，嫂子心里头真是有一种说不出的疼，那疼是疼二妹子，又是疼自个儿。她和二妹子之间从来都没有过这种联系，因为她们俩的命实在是太不一样了，一个被男人宠的脏地方都能冒香气，一个被男人烦得连脸都很少正眼看一下。不正眼看不要紧，哪样伺候不好还要挨骂。一个从来不用操心，男人死了，又有哥哥宠她，给她开小馆；而另一个，眼看着自己的男人把钱拿给小姑子开小馆，帮着跑前跑后，买锅碗瓢盆收拾卫生，结果小馆落成，坚决不让她靠前。现在，两个命运不一样的女人在嫂子眼里有些一样了，脸上都有了弯弓一样的褶子。这让嫂子眼圈有些发红，她不但眼圈发红，还伸手拉过二妹子的手，说："都是你哥太霸道了，他不让俺去。"

二妹子说："俺早就想回来，可是俺心情老是……老是不好。"

二妹子回来看嫂子，不想提到心情，只想说说感谢的话。她不想说心情，不是怕自己伤心，她经历了夜里的沉底，不会再沉了，正因为她感觉到自己不会再沉了，才要回来看看嫂子。她不想提到心情，是一说心情就要说起自个儿男人，而嫂子最不爱听的，就是她跟男人之间如何如何好。有一回她回娘家，话赶话说到她脚上的鞋，嫂子问："你那鞋边怎么跟城里人似的，白净净。"二妹子说，"还不是他给俺擦的。”结果,话音刚落,嫂子立即转身。那一上午,嫂子没跟她说一句话。可是,二妹子不知道,现在的她和过去的她是不一样的,现在她的男人死了,死了男人就等于塌了天,她的天都塌了她有什么不能说的,她连天都塌了,说什么都只能让人可怜让人心疼。她甚至应该趴在嫂子肩头大哭一场。

那个上午,尽管二妹子没有趴在嫂子肩头大哭一场,但是她们说了很多贴己的话,这是她们姑嫂八年来从没有过的。八年前,嫂子也是一个娇气的女子,在歇马山庄小学当代课老师,可是因为她的爹妈在一件衣裳上偏向她,骂了她的姐姐,她的姐姐服毒自杀,她的名声从此就坏了,都说她要尖儿。嫂子是要强的,为了改变自己要尖儿的名声,她不惜从一个富有的人家嫁到儿女一大帮、炕上还有一个瘫婆婆的刘家。这些年来,一边教学,一边屎呀尿呀地伺候婆婆,因为伺候婆婆她经常晚来早走,最后连学都教不成了。她虽人被学校打发回家,她的名声却真的好了。她的名声好了,可是随之,她的手骨节粗大肿胀起来,她的嗓音粗糙沙哑起来,她的身材鸭子一样走起路来踋哒踋哒的,使男人除了在黑灯瞎火的时候偶尔搬弄一下,白天根本看都不愿看。三年前,二妹子在家时娇气得不得了,家里的活儿一样也担不起来,下田、做饭、喂猪,全在嫂子身上,给母亲洗点脏衣服也要戴胶皮手套,手脚养得又白又细不说,成天就讲穿衣打扮。谁都以为,她也会和她嫂子一样,只要结了婚,就会变成一个老妈子,就身上的哪儿哪儿都得粗糙起来。可是哪里知道,人家居然遇到了一个打心眼稀罕她的男人,那男人不但没让她把皮肤变粗,还把她的心都养细了,细到能体会自己是一棵槐树。可是命运这东西就是有着这样奇妙的力量,它把两个从一开始就不一样的女人弄到了一样,弄到了现在这样。一个,虽有男人,却从来不看她一眼,从来不知道一棵槐树被摇晃是什么滋味;一个,虽被摇晃过,摇出了一身的香气,可是,那香气只能靠回想。

让命运之手弄得一样不幸的两个女人,在这个上午,居然说着说着,说到一个相当深的地方,说到了二妹子的身体里。这是嫂子一直想问却一直没有勇气问的问题。她过去没有勇气,主要是不想承认自己命不好,现在,有二妹子做伴,她已经不怕承认了,因为她的命和二妹子比,还算好的。二妹子一再说:“嫂子,俺夜里想一想,打心眼羡慕你,有一个完整的家,一个女人有个完整的家,是最大的福分,别的都是白扯。”

二妹子真心地羡慕嫂子,这太难得了,她从来都没有羡慕过嫂子。她们的谈话,如同在嫂子脚前垫了一块结实的石头,让她尽可以大胆往前走。有二妹子的羡慕在那儿引路,嫂子知道,她不管怎么走,在她们的言语中,她的生活都是结实的,不像以往,满怀好意把二妹子迎回来,话说着说着不知不觉就翻到虚空里去,就觉得自个儿简直是个倒霉蛋儿。

嫂子说:“二妹,你说他姑夫活着那会儿,大白天就把手放到你那地方,是真的?”

二妹子愣了一下，随后难为情地笑笑，见嫂子眼光里蓄满了特别的渴望，就抿了一下嘴，说："是，他就爱那样。"

嫂子说："他那样你觉得好受？"嫂子的目光依然是特别的渴望。

二妹子说："当然好受，和做那样事一样好受，俺觉得子宫都在动。"

嫂子说："你做那样事觉得好受？"

二妹子不假思索："当然好受，你难道不？"二妹子没想到自己会反问，这让她立即有些紧张。不过，没一会儿，二妹子就看到了嫂子干巴巴的眼睛里，有了羡慕的神情，是在她面前从没流露过的羡慕的神情。不但如此，她还满怀真诚地说："俺真羡慕你，俺一辈子也没有尝到女人的滋味，你那死鬼哥哥就像推土机，不上身拉倒，一上身就突突突的，从不管俺死活。"

## 三

新的日子就这样开始了，二妹子再也不去想男人了，再也不去想自己的命有多么不好了，她尝过做女人的滋味，又是那样好受的滋味，她实在没有什么不知足的！

这是以心换心的结果，也是以不幸换不幸的结果。后来几个晚上，二妹子还和嫂子一起，串了于水荣家、宁木匠家，她们串门的唯一话题还是有关身体，当然都是嫂子挑起的话头，已经快六十岁的宁木匠家的，听了二妹子的讲述，居然眼泪汪汪抓住二妹子的手，说："俺家那死鬼从来就没摸过俺。"

在经历了风门一次又一次响动之后，小馆门前通向歇马山庄的道不再是道，而是风口，二妹子只要看到它，都能感到温乎乎的风正贴着地面向小馆吹来。女人们只要上镇赶集，都要跟二妹子打声招呼，目光贴心贴肺地亲切。

当然，二妹子不会知道，在她感受着从歇马山庄吹来的暖风的时候，这三岔路口的小馆带给村里女人是什么样的感受。太阳出来了，是从小馆里升出来的，月亮出来了，也是从小馆里升出来的，因为从歇马山庄的角度看，小馆在他们的东边，和太阳月亮同出一处。而在过去，她们是根本不往东看的，即使看，也不觉得小馆跟她们有什么关系。现在，小馆跟她们有了关系，是那种扯筋连骨的关系，比如一看到小馆，就想到二妹子，一想到二妹子，就想到她的不幸，一想到她的不幸，自然就想到自个儿的不幸。有这不幸连着，小馆自然就像太阳和月亮一样，明晃晃地照耀着她们。太阳和月亮照耀她们，冷与暖你自己体会。于水荣有一天来到小馆，不无感激地跟二妹子说："真奇怪，俺一望到小馆，就不觉得屈，在早，俺就觉得屈。"

在三岔路口，突突突的拖拉机声不绝于耳，可是二妹子再也不一趟趟往外跑了，不但不跑，且听了像没听到一样，毫无反应。因为有一村子的爱惜，二妹子真正告别了她那缠绵的过去，她那因缠绵而悲苦的过去，二妹子最可喜的变化，是对小馆有了经营意识。一粒种子一旦落入土地,生长是它不能抗拒的选择。二妹子把自己打扮成一个赶集的女人,到镇边的小馆挨家取经,她的主动是过去无法想象的。二妹子取回的最重要的经,是在一个小锅里又炖菜又烀饼子,菜炖在锅底,饼子贴在锅边,叫"一锅出"。这个经里最精髓的地方,是贴在锅边的饼子有一半是浸在菜里的,沾了鲜味和油香。这个经里另一个精髓的地方是量大,价格又便宜,适合这一带饭量出奇大的卡车司机。

这个经取到之后,二妹子也像镇边小馆那样,用块木板写到外面。一锅出,价格五元。看到二妹子有了积极的态度,有一天,她的哥哥领来一帮客人,是村干部和镇上的干部。这使二妹子多少有些发慌,急得一身热汗,胸前和后背湿了一片。关键是她把鱼炖煳了,弄出一屋烟火味。

在二妹子心里,比她大五岁的哥哥有着这样的位置,他的眼神是父亲的,不管她做出什么出格的事,他都容忍、默许。五岁那年,二妹子为了给自己缝毽子,把哥哥心爱的狗皮帽子铰了,结果,愤怒的不是哥哥,而是母亲。母亲疯了一样拿着笤帚到处撵。父亲一直偏向女孩,为了不让母亲得逞,瞅母亲不注意时,把她藏到萝卜窖子里,让她在菜窖里待了两天。在这两天里,哥哥小猫一样躲过母亲的目光,给她送饭。他的笑是母亲的,虽然极少见到,见到也是仅仅从牙缝里流出那么一丁点,火星星一样,可他不笑便罢,一笑,就让你觉得光芒四射,就像百合花的花期,因为它过于短暂、仓促,反而让你久久不忘。当两天过后哥哥牵着她的手从菜窖走出,气得半死的母亲突然咧嘴笑了,那笑,让二妹子每每想起,都像大冷天见了火一样浑身发暖。当然,在二妹子那里,哥哥对她的疼爱超过了父亲也超过了母亲,是父亲母亲谁都不能替代的。在她趴在菜窖子的两天里,她吃每一顿饭,哥哥都在边上吞口水,他的肚子都哗哗响,她问:"哥,这是什么声音?"他说:"不知道,是地下水吧。"出来之后,她才知道,哥哥是故意把自己那份饭端到外面吃才得以蒙混过关的。

因为有地下水在悄悄渗透,在母亲瘫痪之后那些年月,二妹子做好了饭,第一碗总是先盛给哥哥。如今,又有机会给哥哥做饭了,二妹子竟然慌乱得弄出一屋烟火味。

不过,她的哥哥一直平静地坐在那里,偶尔闪出一丝笑,似乎在暗示二妹子没关系。她的哥哥对嫂子从来不会这样,如果做煳饭的是她的嫂子,他会立即瞪眼,然后摔掉筷子,破门而去。这是标准的北方乡下男人的风格,老婆不过是挖进筐里的菜,谁进了他的筐,谁就得罪了他。

不过,二妹子的哥哥,在第一次往小馆领人这天的笑,确实跟以往是不一样的,因为,他看到了他的想法在一步步实现:公款在自家小馆消费。这是他开小馆初衷中最要害的部分。

临走,他签了一张单据之后,跟二妹子说:"好好弄,俺常来。"

接下来的日子，二妹子开始制定菜谱，这是镇边那些小馆都有的，也是开业之后哥哥一再向她提醒过的。熘豆腐、木耳炒肉、“一锅出”、猪肚炒白菜、炸黄花、酱焖鱿鱼，在她再也不觉得自己有多么不幸的日子里，在她仿佛又回到为姑娘的从前的日子里，那菜谱里写进的每一种菜的料，都恍如槐花一样挂在了她的眼前，让她闻出一缕缕从小馆外面，从更辽远的世界飘过来的香气，而不再是身体里的香气。

实际上，在二妹子一心一意琢磨生意上的事情的时候，她早已经忘记了身体为何物，就像她对拖拉机的声音已经毫无反应一样。尽管偶尔的，有村里的女人们赶集时招呼她一嗓子，或嫂子没事到小馆门口站一站，热腾腾的眼神让她还能想起曾经谈起过的话题，但也仅仅是想起而已。关于身体里的体会，早就飞离了她的身体。

实际上，季节也早已飞离了五月，就像一只手早已飞离了二妹子身体一样，三岔路口的槐花被入夏的雨水打落，碎成一地花瓣，苍蝇翅膀似的陷在泥土里。在这个以槐花的碎落开始的夏天里，二妹子之所以能够闻到槐香，是因为她看到那落入泥土的花瓣正在一阵阵雨水的浇淋中腐烂、消失，变成了无数只苍蝇。它们在小馆的门口升飞，滑落，撞来撞去，越是到了黄昏时分，越是要在热烘烘的窗外欢聚一堂。

小馆东边，有一条从歇马镇伸过来，直通到岫岩城的柏油路，小馆前边，有一条朝歇马山庄辟过去，通向歇马山庄西边的几个村庄的土路，一天当中，除了那些骑自行车到远处倒腾烟草的生意人偶尔停一下，除了那些永远在途中的大卡车司机或拖拉机手偶尔停一下，这一带的农民，极少有进小馆的。零星的十几个客人，分散在漫长的十几个小时的夏日的白昼，寂静和沉闷，自然成了二妹子小馆驱逐不去的苍蝇。

早先，刚开业时，小馆也寂静，可那时因为二妹子一直对路上的拖拉机留心，那拖拉机又总是来来往往此起彼伏，寂静和沉闷也就被突突突的轰隆声覆盖。而现在，这声音居然被二妹子心中的另一种东西覆盖了，那另一种东西，是一个正常的经营者必不可缺的东西：渴望来客。

在二妹子的小馆正式开业一个多月之后，渴望来客这种心理，使二妹子越来越体会到了寂静和沉闷，因为这坐落在旱地里的小馆，来客实在是太少太少。

应该说，一个正常的经营者对客人的渴望，在二妹子那里是得来不易的，它经历了这样的过程，一程程地沉到悲苦的尽头，然后升起来，气球一样升起来，然后回到现有的生活里，用自己的不幸，找回来自娘家、来自后方的温暖，然后，用娘家人的不幸，比如嫂子、于水荣、宁木匠家的，填平自己的不幸，使她能够真正从身体里告别过去，然后，然后就是现在这样，如一个贪嘴的老鹰，成天睁大了眼睛，抻着脖子站在小馆门口，朝远处的柏油路上张望。一天一天，直到黄昏时分，蚊子和苍蝇们在热烘烘的窗外欢聚一堂。

小敏的到来，就在这样的黄昏时分，好像那聚在门口的苍蝇，正是为了迎接这远道而来的不速之客。一辆大卡车在三岔路口停下来，车门打开后，下来了两个人，一个是司机，一个是小敏。小敏在跟司机往小馆走时，看不出与这一带乡下女子有什么不同，她的头发甚至有些乱蓬蓬的，苞米地才钻出来一样。不同，是进门之后才显出来的，她说一口好听的普通话，她一坐下，就主人似的，要过菜谱点菜，说由她请客。二妹子虽没见过什么世面，大方大气的女人她也并不觉得意外，让她意外的是，她点完菜，就自己进了后厨，向二妹子要过炒勺，说："姐，来，我来给你爆三样。"弄得二妹子好长时间不知所措。

这是一个热气腾腾的晚上，整个小馆都因为小敏的加入而显得富有生气。她熟练地操作在炉灶上，做了爆三样、肚丝青椒、豆瓣鲫鱼汤、黄瓜拌粉丝，之后端起最后一盘菜大声冲外屋喊："来啦——"清脆的声音恍如雨天滴在瓦楞上的雨水，一路倾泻而下，震得小馆屋檐下的地面嘣嘣作响。

当然，真正让二妹子觉得热气腾腾的还不是这些，是她热辣辣的眼神，是她火一样烤人的笑脸，在吃饭的时候，她居然说服了一向怕见人的山沟里的外甥，让他和二妹子一道坐在他们中间，这让二妹子有一种回到她原来那个家一样的温暖。听得出，小敏和卡车司机是在路上认识的，她搭了他的车，所以，她要请他吃饭。可是，因为有她热情的牵动，那司机居然也像家里人一样和二妹子碰杯。

好久了，自搬到小馆以来，二妹子的外甥从没这么开心过。他告诉小敏他叫王树生，是杨树沟王家屯的王，弄得小敏和司机一阵大笑，因为他们根本不知道杨树沟的王家屯是什么地方。作为交换，小敏告诉王树生，她叫吕小敏，是黑龙江兆丰县的吕，弄得二妹子和王树生也开怀大笑。

世界上没有不散的筵席，尤其黑龙江兆丰县的吕和辽南王家屯的王的筵席，因为是小馆里少有的欢乐，这筵席散得尤其觉得快。当吕小敏要和二妹子结账时，无论是二妹子还是王树生，目光都瞬时黯淡下来，如同吊在棚上的电灯突然低了一百度。然而，奇迹，就在这一瞬间发生了，吕小敏呼啦啦和司机离开小馆，却没有上车。她看司机上了车，随后在下边砰的一声关上车门，而司机，好像早就同吕小敏说好了似的，门一关，轰隆隆就启动了。

虽然留恋晚饭时分小馆的气氛，可是吕小敏没走，二妹子和王树生都愣在了那里。

他们你看看我，我看看你，这时，只听吕小敏说："姐，俺给你当厨师，不，服务员也行，咱可不可以试试?"就像有人突然给二妹子送来一样礼物，她喜欢，但要还是不要，她需要好好想一想。

这个礼物摆在二妹子面前，其实已经由不得她想了，因为朝前望，大卡车已经走远了，往后看，一晚上的快乐仍然像雾气一样弥漫在身后的小馆里。二妹子几乎不假思索，就抓住吕小敏，说："太好啦，你给俺当厨师！"

## 四

如果说娘家人对二妹子的接纳，使她开小馆有了热情，那么吕小敏的到来，更使二妹子对寡居的生活有了热情，这实在是一个重要的收获。那天晚上，睡在一铺炕上，她们一谈谈到后半夜。吕小敏告诉她，她也没有男人，她十九岁就结了婚，生下两个孩子之后，她做生意的男人甩掉她跑了，跑到哪里，不知道，据说是看上了一个倒木材的佳木斯女子。为了养活两个孩子，她不得不把孩子放到乡下娘家，一路南下找工作。

和二妹子一样，这也是一个不幸的女人，公理公道说，一个女人被男人甩了，心里的滋味不会比男人死了好受多少，可是吕小敏的样子，实在看不出有什么不开心。她一晚上一直重复的一句话是："姐，想开了，千万别跟自个儿过不去。"

这句话意味着什么，在二妹子看来并不重要，重要的是二妹子有了一个伴儿，有了一个助手。一个不受宠的女人，往往都是那些能干又聪明的女人，她们不知道是因为太能干太聪明了，才不需要男人宠她，还是因为男人不宠她，才变得格外能干和聪明。反正，和二妹子比，吕小敏真是太能干了，手脚麻利不说，待人接物周到细致，滴水不漏。

为了配合二妹子的收获，村长哥哥第二天下午就领来一伙人，说是镇工商所的。她的哥哥是在早上"查岗"时看到吕小敏的，对木已成舟的事实，哥哥不但没有表示反对，反而用惊异的目光看着二妹子，意味深长地说："行啊，老板娘决策得不错嘛！"

苍蝇在黄昏时分，于小馆门外欢聚一堂的时候，小馆里边的人们，也终于能够像苍蝇一样欢聚一堂了，这是二妹子做梦也没有想到过的。这些欢聚一堂的人们，与苍蝇们最大的不同是，他们欢聚是有中心的。比如那些工商所的人们，目光紧紧盯着吕小敏，她苍蝇一样在屋子里飞来飞去时，笑也是长了翅膀的，人在后厨，你在饭厅里就能听见。如果她人在你的对面，那么她的笑往往要穿过你的头顶，震荡在整个屋宇，使喝酒的人们恨不能拖住她的笑，不让她的笑溜走，让她的笑跟她的人一起陪着喝酒。到后来，她真的被他们拖住了，灌了她整整一大杯，她一点儿不恼，也丝毫不见醉意。

人与苍蝇另一个不同则是，苍蝇们欢聚往往要在黄昏时分，要有许多苍蝇，人却不是。不管小馆里有一个客人还是两个客人，不管一天里是上午还是下午，只要有人来，吕小敏无一例外都要弄出欢聚的气氛。比如一个赶马车的车老板，日头底下晒蔫了，进门来一直打不起精神，吕小敏见状，冲对方打一个飞眼儿，之后脆生生地说:“老哥,妹子一看你就知道家里有一个漂亮老婆。要不怎么看见妹子就抽着脸呢?”对方情不自禁地就笑起来,不但笑起来,还粗声大嗓地说:“嘿,别提俺老婆多漂亮啦,脸上的雀斑比墙上的苍蝇屎还多。”屋子里于是一阵哄堂大笑。

其实,对于二妹子,最重要的收获不是在有客的时候,而是在没客的时候。一没客,吕小敏就在二妹子身上动开脑筋:“姐,你头发丝真好,就是发型老式了。”“姐,你腿这么长,要是穿超短裙,肯定棒。”“姐,你嘴唇这么厚,不用画口红,只描一描唇线,就保你性感。”

二妹子好浪,却一直是孤独的浪,除了她的男人,她很少得到人们的赞扬和批评,为此,她在海边的家里镶了五面镜子,东屋,西屋,堂屋,厦屋,包括街门口的墙壁上。她只要在院子里走动,就随时随地都能看到自己,就可以随时随地地做着自我表扬和自我批评。现在,虽然死了男人让她无心打扮,可是吕小敏的出现,还是让她觉得快活,那种遇到知己的快活。

通过几天相处,二妹子隐隐感到,某种气息正在她们中间发生作用,使她们在不断地相互吸引,严格说,是吕小敏吸引二妹子,而不是二妹子吸引吕小敏。她们太像了!都讲究穿戴,在乎外表,都在乎自己的穿戴和外表带给男人的反应,只不过二妹子过去只在乎一个男人的反应。或许,正因为这一点,才使二妹子的性格不如吕小敏那样开朗大方。虽然二妹子不像吕小敏那样开朗大方,但这丝毫不意味她不想那样做。比如,在那个有镇工商所的人来的那个下午,被男人们喊过来喊过去,拖着她让她陪他们喝酒,二妹子内心里其实一直是羡慕的,就像她羡慕嫂子身边有个哥哥一样。

因为吸引,二妹子在不自觉地向吕小敏靠近,这是一种可想而知的局面,她烫了头。后来她才知道,吕小敏刚来那天乱蓬蓬的头发,其实是一种很时髦的发型,每一根头发都是烫过的,烫过了,再一根根拉直。二妹子也买了一条超短裙,在歇马镇的集市上走了好几个来回才买到的。这超短裙的好处在于,它看上去腿露得多,露出了某些重要的部位,其实你在外面什么也看不见,反而显得个子高,苗条。二妹子也开始画唇线,早先,二妹子一直以为一画就会血淋淋的,其实根本不是,吕小敏在她的唇上唇下各画一条浅浅的线,不但不血淋淋,反倒突出了嘴唇的颜色。

因为有了伴儿,因为被吸引,一段时间以来,二妹子彻底忘了身后的歇马山庄,忘了娘家嫂子。就像进入夏季的人们总难记起是哪一个时辰让她们脱掉了长袖衣裳,露出白花花的胳膊一样。那是一个分外烤人的午后,穿了超短裙和坎袖衫的二妹子突然要回一趟娘家。二妹子想回娘家,并不是想起好长时间没回娘家,而是那一天,一个开轿车的司机拎了一兜蟹子来小馆煮,饭后剩下两只,让二妹子想起嫂子。

关于小馆里新来的女人,关于超短裙和钢丝头,村子里的议论早就像黄昏时分的苍蝇一样纷纷扬扬了。这一点二妹子是应该想到的,可是,她不但没有想到,甚至忽视了至关重要的一点，村里女人们赶集，再也不来小馆了。这至关重要的一点，是她在往家走的路上想起的，因为当她过了山冈，进了歇马山庄屯街，她发现街上的女人们纷纷缩回脖子，正在大街晒草的于水荣，分明是看到了自己，却装没看到，一扭头回了院子。

二妹子无法知道她对于水荣的伤害有多大，她是她的朋友，她的男人为了挣钱供孩子上学几年都没回来过，可是她从外面招人却想不到自己。得知消息那天，于水荣眼里一瞬间涌满了水雾，再也不敢在人群里待着。自二妹子从海边回来，不管抬头低头，她总能想起二妹子，总能想起她三年前那张脸。那张脸被哗啦啦的苞米叶子托在秋天的野地里，因为羞红，就像一个红苹果。那是八月十五刚过，她们刚从婆家过节回来，凑到一块讲各自的秘密，各自第一次跟男人接触的秘密。于水荣的男人就在本村，不好意思讲，就逼二妹子讲，二妹子不讲，两个人就在苞米地里厮打起来。其实她们不讲，绝不是不愿意讲，而是她们心里头的秘密太多了，千头万绪，密密麻麻包了一层又一层，不知该从哪里打开。最后，于水荣拽住了二妹子头发，让她疼，她才不得不憋红了脸，说："他，他摸俺了。"这句话，在二妹子死了男人之后，她什么时候想起，什么时候就止不住眼泪，为此，她在条筐里，一天一天为二妹子攒鹅蛋，因为她看见她的脸再也不是苹果，而像风干的瓜瓤，黄焦焦的。

可是……

当然，伤害最大的还是嫂子，嫂子受伤害，不是因为二妹子招别人而不招她——她是官太太，不可能去当帮工；也不是因为二妹子招人没告诉她——有她霸道的男人在前边挡着，决定什么，自然没她的事儿。嫂子受伤害，主要伤在二妹子的钢丝头和超短裙上，有人把眼睛看到的二妹子向她描述时，她挺直的腰杆一程程就佝偻下来了。自二妹子回来之后，嫂子的感觉从没像那些日子那么好过，二妹子眼气她、羡慕她，她再也不像从前那样自卑了，再也不去在乎男人是否回来晚，不在乎男人是否愿意搭理她了，她甚至走起道来腰杆都觉得比原来直了。二妹子在这么短的时间里烫了钢丝头穿了超短裙，这让她想起了二妹子身体里的香气。关键是，她的男人不理她，她的男人晚上不回来，都因为外边的小馆里有二妹子招的那种女人，她早就听别人说过，在歇马镇边的小馆里，到处都有外来的鸡。

二妹子拎着蟹子从屯街上走进院子时，嫂子正在院子里晒衣裳。嫂子没有迎出去，也没说一句"回来啦"，眼睛滚珠似的从二妹子头上滚到脚底，再从脚底滚到头上，然后，转过身，向屋子走去。在迈开第一步的时候，她踢碎了堆积在院子里的一堆干鸡粪。

嫂子眼珠子在自己身上滚动，二妹子觉得很不舒服，好像扒光了她的衣裳。不过，二妹子还是跟在后边进了屋，并温和地说："嫂，给你和哥送两个飞蟹。"这是二妹子惯有的作风，也是乡村做小姑子的在嫂子面前惯有的作风，忍让。

嫂子没接二妹子的话，在二妹子坐到炕沿时，眼珠再一次从半空移到二妹子身上，仿佛只扒光她的衣裳是不够的，还要撕开她的肉，因为她的目光在扫到二妹子的大腿时，不动了。不动，却不是直视，而是斜视。

嫂子说："寡妇门前是非多你知道吗？"二妹子看着炕沿，没有吱声。

嫂子说："全村人都盯着小馆你知道吗？"

二妹子还是没有吱声。

嫂子说，嫂子的声音越说越大："你哥把你弄回来开饭馆是让你看拖拉机你忘了吗？你刚死了男人就这么打扮起来你不怕别人笑话？你让你哥你嫂面子往哪儿搁？"

嫂子的话，一开始，还像藏在深巢里的一只只鸟，呼啦啦地飞出来，带起了一阵冷飕飕的风，到后来，一经说到哥嫂的面子，就不再是鸟了，而是连珠炮，因为她的音调愈发变得尖锐，她所说的事情愈发变得可怕："开窑子不能开到家门口啊！咱再怎么也不能让别人戳咱脊梁骨呀！"

嫂子的话带给二妹子的反应，一点儿也不亚于当初听到丈夫翻车的喊声，耳朵在一瞬间就轰鸣开来，画了唇线的嘴唇也筛沙子似的直抖。关键是，嫂子在炮轰她时，说出了一个有鼻子有眼儿的证据：有人亲眼看见吕小敏后半夜从停在道边的卡车车斗里出来。嫂子说到这里，竟哭了，一再说："开窑子也不能开到家门口！这是让人戳脊梁骨。"

从歇马山庄往回走的路上，二妹子恨不能把自己的头发剃光拽净，恨不能上谁家要条裤子，把超短裙换下来，她觉得身后有无数双眼睛，正箭一样朝她射来。它们射向的，本是她的头，她的腿，她却觉得它们穿过了她的头和腿，直逼她的脊梁和心窝，以致使她走起路来一倾一倾的，被风吹动的稻苗一样。

## 五

这是一个什么样的夜晚啊，二妹子很早就关了小馆的屋门上炕睡觉。因为只有这样，脱下超短裙才显得正常，只有这样，她那一头乱蓬蓬的头发才不显得多么招摇。

不管二妹子怎么掩饰，她的反常吕小敏都是可以看出来的，她离开小馆时一脸的喜气，满面的春风，走出老远了还回过头来冲吕小敏笑，可回来后，不但不笑，脸阴得很沉，几乎就没怎么说话。不过，吕小敏该怎样还怎样，热腾腾地接待了傍晚时分来小馆里的两拨客人，之后长时间地对着镜子，用一只镊子拔出遍布在眉骨上的多余的眉毛，再之后，跟王树生玩棋子，直到九点钟，上炕睡觉。

二妹子早早躺下，却毫无睡意，小馆里一点点声音她都能听到。苍蝇的声音，王树生的声音，电冰箱嗞嗞啦啦的声音。当然，听得最清晰的，还是吕小敏的声音，她的声音隔着墙壁传过来，温吞吞的，并不明亮，但此时，在二妹子听来却宽敞又明亮，就像秋天的早上刚打开窗户时飞进来的蝉鸣。

在二妹子从歇马山庄回来的晚上，吕小敏的声音，充斥在油烟还没散尽的气体里，拥有房子一样的体积，使二妹子感到压迫、压抑。这气体，看上去跟歇马山庄有关，跟嫂子有关，是二妹子从嫂子那里带回来的。其实，从吕小敏刚来那天，那气体就尾随在小馆的屋里屋外了，比如她在和她、卡车司机以及王树生其乐融融地唠嗑的时候，在工商所的人们和她的哥哥争抢着拉吕小敏的手，让她陪他们喝酒的时候，在她灵活的眼神和笑声在小馆里无遮无拦地飞来飞去的时候，那样一股气体就出现了。她的张扬，她的风骚，不仔细看，你根本看不出来，它藏在她的热情里，让你投去羡慕的目光之后，往往要深深地叹气。其实那股气体，就包裹在她的羡慕里，尾随在她的叹息里，只是她根本不知道而已。

现在，二妹子知道了，因为她已经感到压迫了，吕小敏的声音从门缝里溜进来，从往昔的记忆中溜进来，让她感到了压迫。可是那到底是一股什么样的气体呢？她为什么早先不觉得而直到现在才觉得呢？嫂子的话再一次在耳边响起：“你往家弄也不能弄一个鸡呀！开窑子也不能开到家门口呀?!”

虽被一股暧昧不清的气体压迫，二妹子却一直是仰躺着一动不动，直到吕小敏进屋之后。在吕小敏进屋时，二妹子还勉强地同她笑了一下，如同一个熟人在海边相遇。二妹子在海边捡海菜的时候，常常会遇到村子里的熟人。那个在二妹子看来混浊的、暧昧不清的夜晚，她仿佛一个从海滩摆渡到深海里的船，一瞬间变成了身后海滩的局外人，可以清冷地站在海滩之外，审视着身后海滩上的一切。

二妹子局外人似的审视着吕小敏，自然是大有收获的，这收获，不是吕小敏在那个晚上真的干了嫂子向二妹子描述的那样的事，不是，而是另一种东西，是吕小敏身上的香气。那香气在她躺到她身边时，从她那褪下来的乳罩上流出，从她那拥挤的胸脯里流出，刚揭开蒸锅的热气一样，扑鼻而来。这香气让二妹子想起她久违了的槐花的香气，但与那香气明显不同。吕小敏身上的香气有一股刺鼻的瓶装花露水的味道，这味道让二妹子心里发堵，让她觉得从胸口到嗓子眼儿胀乎乎的，好似塞了乱麻。

当然，重要的收获还是在第二天晚上获得的，但是可以肯定地说，如果没有第一天晚上的收获，就不会有第二天晚上的收获，至少二妹子不会有耐心闭着眼睛等到十二点以后。十二点以后，小馆门外响起了轻微的刹车声，随着，吕小敏从床上轻轻爬起来，穿上衣裳，蹑手蹑脚走出去。她轻轻地，开了睡屋的门，又开了小馆的风门。谁在呼唤她出去，她去了哪里，二妹子不知道。她一直躺着，并没有像想象那样跟出去。但确凿的事实是，吕小敏出去了，离开小馆有半小时之久，之后又蹑手蹑脚返回，之后带着一身湿漉漉的香气躺到炕上。在她躺下十几分钟之后，门外响起了车启动的声音。那声音不是大卡车也不是拖拉机，更不是摩托车，而是轿车。因为它启动时，是那么轻微，风掠地面一样。

那个晚上，二妹子一夜没睡，吕小敏的身体仿佛一团火球，烤着她烧着她，让她躺也不是，坐也不是，有好几次，她都想穿上衣裳，到客厅或者到外面去。

那天晚上，如果二妹子真的去了客厅或外面，也许后来的事情不会发生。远离了吕小敏的身体，关于身体的想象总归要少一些。可她一直平躺在吕小敏旁边，她不但闻到了她身上花露水的香味，她还闻到了一种说不清楚的味道，那味道虽说不清，但让她闻后，愈发心乱，以至于使她整个一个晚上都躁动不安。

正是一个晚上的躁动不安，使歇马山庄女人们期待的事情，或者说嫂子期待的事情，在这个夜晚刚刚过去就发生了。

当时，吕小敏正在镜前耐心地化妆，挂在唇线上和眼线上的妩媚露珠似的，一闪一闪。看着妖艳照人的吕小敏，二妹子说话的音调有些劈叉，一棵树被闷雷劈了叉一样，声音很难听："吕小敏，你，你走吧。"说罢，拍到桌上五十块钱。

吕小敏没有停止动作，似乎一点儿都不意外，似乎她这么认真地化妆，就是为了离开这里。吕小敏什么也没说，慢慢地把妆化完，然后，收拾自己的东西。不过，吕小敏的伤感还是显而易见的，因为她的脸突然灰下来，仿佛有一朵乌云正笼罩在那里。不过，她拎包往外走时，还是笑着往餐桌上放了一个纸条，之后跟二妹子说："姐，这是我的手机号，什么时候需要我，给我打个电话。"

二妹子也笑了，是那种居高临下的笑，仿佛在说："哼，俺怎么会再需要你！"

吕小敏的背影消失在朝霞的光辉里。当然是王树生眼里的光辉，他怅然若失地站在门前。

打发吕小敏，二妹子最想做的事就是收起超短裙，扎起蓬乱的头发，在镜子前端详一下自己。其实，她一早起来就换了原来的衣裳，把头发也扎起来了，只不过没来得及照镜子而已。她不放心自己是否又回到了从前的样子，这对她好像特别重要。在她照镜子时，她的哥哥来了，她的哥哥像往常那样，没什么目的地在屋子里转，在他转过一圈后，二妹子还是告诉他一早决定的事。她的哥哥愣了一下，之后皱了皱眉，眉心顿时堆出不快，但他什么也没说，又转了出去。

小馆顿时又恢复了原来的样子，吕小敏没来时的样子，寂静、冷清。因为有热闹的时光做着比较，一下子清静下来，二妹子还真的有些不能适应，那情形就像坐在一辆速度飞快的卡车上，突然遇到刹车，晃得一溜前倾。外甥王树生问她要不要泡木耳时，二妹子居然愣愣地瞪着他，好长时间回不过神儿来。

寂静的日子，清冷的日子，就这样开始了，确实是没有充足的准备，就像吕小敏刚来时，她没有充足的准备。然而同是没有准备，过去和现在是不大一样的，过去的没有准备，是二妹子对到来的一切全然不知，并因此让她感到新奇；现在的没有准备，是二妹子对到来的寂静太熟悉了，她因为熟悉这寂静而感到恐惧。在吕小敏走后的那个早上，二妹子不设防地感到一种恐惧，一种往昔的什么又会再现的恐惧。为此，二妹子即使没客来，也绝不坐下，她努力使自己陷入忙乱，比如帮王树生切菜，擦桌子扫地。

实际上，那往昔就在她身边，在餐桌旁，在后厨里，在小馆屋檐下。在餐桌旁，是一跳一跳的身影，在后厨里，是一颤一颤的笑声，在小馆屋檐下，是闪闪发光的笑脸。当然，最最重要的，还是她超短裙下面扭来扭去的大腿，在这猝不及防的寂静里，那条淡灰色的超短裙煽动出一股股热气，使二妹子不时地摆一摆长长的裤腿，释放着那里的燥热。

吕小敏的气息在小馆里驱之不散的时候，二妹子恍如飞动在半空中的苍蝇，一会儿门里一会儿门外，就像她刚来小馆，一听拖拉机声就门里门外来回跑动一样。追随拖拉机的跑动，其目的她是清楚的，是想丈夫。

而如今的跑动，除了跑动，她看不到目的，她不知道自己究竟在想什么。

因为看不到目的，在吕小敏走后的第一个黄昏，二妹子进入了这样一种状态，小馆开业伊始的状态，手握一只苍蝇拍，痴呆呆地坐在凳子上。因为跑动了一天，太累了，坐下来时一摊泥一样，给人下沉感。二妹子痴呆呆看着苍蝇，看着它们飞起又落下。它们中有的喜欢沾有油腥的桌面，不时地飞走再不时地返回，就像小馆的客人们不时地进来又不时地离开一样；而有的却一直待在天棚上，它们在那里，从东北角飞到西南角，再从西南角飞到东北角，它们不管飞到哪里，就是不下来，它们不下来，看上去并不是不屑于与贪恋油腥味的苍蝇为伍，而是因为什么迫不得已的想法，因为它们不时地总要回过头来往下看。当然还有一部分，既不在桌面，也不在天棚，而只贴在窗户的玻璃上，它们是被外面的光线吸引了，长久匍匐在那里，不回头也不转头。当然，匍匐在玻璃上的苍蝇，大都是一对，是一个趴在另一个的身上，它们发出嗡嗡的声音，激动不安地抖动着翅膀，似乎有一种难以抗拒的力量控制了它们的身体，使它们不得不贴在玻璃的表面，直升机似的一点点上升，盘旋，盘旋，上升。

看到了这样的情景，二妹子并没像以往惯有的那样，腾地站起来，抖动手中的苍蝇拍，在屋子里一阵狂轰乱舞。二妹子只是静静地看着，一动不动地看着，直到黑夜降临。

然而，在这个开除了吕小敏的夜晚，在这个一对对苍蝇在玻璃上激动不安地抖动着翅膀的夜晚，随之而来的，却不是一张血肉模糊的脸，而是一张闪闪发光的笑脸，而是吕小敏的身体。

吕小敏的身体浮现在她眼前，是赤裸而光洁的，褪去了超短裙，褪掉了乳罩，屋子里顿时散发着瓶装花露水的香气，二妹子甚至看到了她身体被某种东西控制之后的激动不安，如餐厅玻璃上那激动不安的苍蝇。在这时，另一个男人的脸出现了，那个男人，不是黑夜里控制吕小敏身体的那个男人，而是二妹子的丈夫。二妹子是在想象那个控制吕小敏身体的那个男人时，想到了她的丈夫的。而在此刻想到她的丈夫，他已经不再是那个被车轧得血肉模糊的人了，而完全是干净的，完整的，不但脸是干净的，完整的，身体也是干净的，完整的，有着某种能够控制女人的力量。

这是二妹子丈夫死后从没有过的情景。

当二妹子看到自己健康的丈夫在向自己走近，充斥整个屋子的瓶装花露水的香气顿时消散了，变成了槐花的香气。因为她看到，她的丈夫正一程程挨近了她，他的手正一点点伸进了她的下面，之后又从她的下面滑向她的全身。于是，一棵树被震天动地地摇晃起来，香气正从嘴唇边，胸脯深处，小腹下边往外流，令她的屋子芳香四溢。

早已告别了身体的二妹子又回到了身体，这是二妹子无论如何都不能想到的局面。曾几何时，她一遍遍向嫂子、向歇马山庄的女人们讲身体里的事，讲得一点儿感觉都没有了。现在，那感觉又回来了，回到了她的身体，是水一样流动着香气的身体。她其实已经完全彻底地沉浮在深水里了，身下的浪潮一涌一涌，身上的浪潮一颠一颠，那浪潮本是涌在她的后背，颠在她的胸前，却不知怎么就撞进了她的骨缝，渗进了她的肌理，因为当她在深水里沉浮到后半夜，她发现她的下体确有一泓泉水汩汩流淌。

## 六

就像某一天，她沉进水底再也无处可沉，最后又湿漉漉地升起在小馆里一样，而今，二妹子再一次湿漉漉地升起在三岔路口的小馆里。只不过从前的沉浮，是心情的沉浮，如今的沉浮，是身体的沉浮；从前的沉浮，其实是沉，如今的沉浮，其实是浮。只不过以前的湿漉漉，是头发的湿漉漉，如今的湿漉漉，是整个人的湿漉漉而已。

经历了一夜水中身体的沉浮，二妹子从里到外，都是湿漉漉散发着气息的样子。她依然穿着那身长袖衣裤，依然扎起烫过的头发，依然不化妆不描唇，只抹一层淡淡的粉底，可是她的脸腮和嘴唇都是潮红的，包括脖子，脖子下的颈窝，包括那又细又小的手。那天早上，二妹子在大道上堵小贩买菜时，两只手轻轻地揉在一起，它们不时地变幻着，一只手从另一只手中湿漉漉地脱颖而出，仿佛它们是一只只让人心疼的鸥鸟。当第一个客人来到小馆，二妹子居然像吕小敏一样，连人带声一起迎了出去："大哥里边请——"声音的响脆恍如铜铃。尤其重要的是，当被招呼进来的卡车司机摘下遮阳帽，脱了外衣，露出英俊的脸膛和宽厚的肩膀，二妹子的眼睛里，居然生出一汪水一样活泛的光，那光在里面一闪一闪时，她走路的姿势都不一样了，跟吕小敏似的，不由自主就扭扭扎扎了。

这是一个非同凡响的日子，在这样的日子里，二妹子一段时间以来麻木的身体彻底苏醒了，说彻底，是说只要有男人来，她都感到她的身体沐浴在别人的目光里，那别人，其实也不是别人，是她的丈夫，她把所有男人都当成了她的丈夫。她的丈夫看她，是一看就见了底的，是一看，就非得动手动脚让她心动如水、骨缝流香的。说起来，小馆里的来客，没有一个跟她动手动脚，但这一点儿也不影响她的心动如水骨缝流香，因为她一直有着那样的想象，喜欢她身体的男人又回来了。

喜欢她身体的男人，实在不是个了不起的男人，他小个子小身板小眼睛，黑黢黢的脸色，永远像窑洞里才熏出来一样。人瘦，手和脚却大得出奇，站在海边出海的那些男人群里，怎么说他都是最不起眼的一个。他甚至有些懦弱，从不敢大声说话，相对象时，因为他眼神总躲着二妹子，她一直不答应媒人。如果不是因为哥哥娶了嫂子，她留在家里碍事，如果不是因为媒人天天跟着她，她是坚决不会嫁他的。可是，结婚之后二妹子才知道，有一种男人，看上去不像男人，没有男子气，可是关起门来，是真正的男人。说他是真正的男人，是说他迷恋女人的身体就像农民迷恋庄稼地。没有男人不迷恋女人身体，而他的迷恋里边，有一种本能的怜惜，寸土寸金的怜惜，无处不到的怜惜。他看上去手脚毛糙，可他从来就不直奔主题。他的手掌宽大肥盈，手指却瘦削细长，他的手在你身体上抚动时，柔软又细致，让你觉得你是他手下的一块面一汪水，在他的精心弹弄下，你不得不从里到外地细致起来，不得不从头到脚地松软起来蓬勃起来。关键是，因为他的弹弄，你觉得这一天一天跟他重复的事，是世界上最大、最最重要的事，就像农民种地是一年中最最重要的事一样。而你，会因此觉得，自己是一个真正的人，真正的女人。

二妹子一直以为，所有的男人都和她的男人一样，所有的女人也都和她一样，后来才知道，根本不是那么回事。那些半年半年出海的男人告诉她，他跟他们不一样，他们不可能因为怜惜女人身体而放弃出海，弄个拖拉机突突突地拉石头。后来，那些出海男人的女人告诉她，她跟她们不一样，她们在许多时候，都是她们男人身下的一个物，他们用你时不管三七二十一，而只要用完，再就不理你，就像她的哥哥对她的嫂子。

在这非同凡响的日子里，二妹子还真的见到了她的嫂子，是她亲自登门的。这是小馆开业以来嫂子的第一次登门。就像二妹子上次回家，不知道嫂子窝了一肚子气一样，这做嫂子的也根本不知道，在这样的日子里，二妹子身体里有一汪水在汩汩流动。嫂子走进小馆，似乎有些不好意思，下垂的眼角没来由地抖了又抖，但很快，就稳住了，上面就弯出了一丝笑，是深藏着某种得意的笑。她上前握住了二妹子的手，说：“咱改了就好，改了就是好样的。咱不能让人戳咱脊梁骨。”

嫂子的意思，二妹子迷过路，做过错事儿；嫂子的意思，她迷路了，如今又回来了，她做错了事儿，如今又改正了。是这样吗？二妹子下意识从嫂子手中抽出手，像那天吕小敏走后，愣愣地打量着小馆的寂静一样打量着嫂子。

嫂子自顾啰里啰唆泥沙俱下，什么寡妇门前是非多，什么绝不能让于水荣来小馆干，到后来，她居然又讲到了脊梁骨，仿佛二妹子小馆，只要开一天，就是耸在歇马山庄眼里的脊梁骨，说得二妹子不得不瞪大了眼睛。

不过，不管二妹子眼睛瞪得多大，嫂子的话都是苍蝇在嗡嗡嘤嘤，二妹子没听进一丝一毫。因为后来，小馆里来了一个客人，那客人是倒卖大葱的葱贩子，他一进门就吵吵饿死了，要二妹子赶紧弄饭。二妹子所有的葱都在他那儿买的，是熟人，她一边做饭一边大声地跟熟人搭话，嫂子不得不找机会溜出门去。

这是二妹子自己都难以想象的事情，只要有客来，她就满心欢喜，要是听到三岔路口有大卡车停下来，或拖拉机自行车什么的停下来，或者，是那些和她有菜肉交易的男人们，她就会觉得他们是奔自己的身体来的，就像她男人活着时每天都直奔她的身体一样。这是一份极其奇妙的体会，她的整个身体都是开放的，向外贲张的，兴高采烈的。为了释放这份开放的、贲张的兴高采烈，她的腰身会不由自主地扭来扭去，像摇晃的槐树一样。有一回，一个脸上有着疤痕的过路司机的手被铁板划破，进小馆找她包扎，她的手指触到了对方的手，她的眼前居然闪现了丈夫的手，他的手和丈夫的手那么像，手掌宽大，手指却瘦长，眼前闪现丈夫的手，她的下体不由得一阵痉挛，随后，她感到整个身体都颤动起来，就是这时，在小屋里，她抱住了卡车司机，她把他的手送到她的下体，之后引导他，让他摇晃她。

他显然没有丰富的经验，手在被她送到她的下体的时候，脸忽地涨红，接着，喘不过气来。有一瞬间，他给她的感觉是拒绝，他的身体在往后退，一块贴在树干上的泥巴要离开树干一样往后裂，但仅仅是瞬间，很快，那泥巴接受了某种引力，往前倾去，这时，泥巴和树紧紧箍在了一起，并以排山倒海之势向身后的土炕倒去。

司机什么时间离开小屋，怎样离开小屋，二妹子全然不知，她只是长时间沉浸在身体里，仿佛有一团火球滚过了皮肤，滚过了她的子宫，燃烧了她的骨缝。它滚动的时间，一点儿也不因其气势的强大而短暂，它在二妹子体内滚动的时间是那么长久，以至当它最后成为一堆黑黢黢的灰烬时，外甥王树生在门外已经等不及，为新来的客人猛敲她的屋门。

新来的客人不是别人，而是于水荣，于水荣真的扛来了一筐鹅蛋，当二妹子整理好衣服，从小屋里出来，于水荣已经坐在客厅的凳子上了。

于水荣见二妹子从屋子里出来，赶紧站起，亮着粗哑的嗓音："妹子，给你补补身子，看你瘦的。"

如果说以前于水荣攒鹅蛋是为了二妹子，那么现在便是为了于水荣自己了，因为她在这句话后面，还跟了句，"你需要人手跟俺说一声。"

二妹子毫无反应，她看着于水荣的眼神，像不认识她一样。她愣愣的表情，仿佛在说,你是谁?你来干什么呢?俺为什么要补身子呢?

事实上,当二妹子身体里有了巨大的惊天动地的摇晃,她觉得除了身体,身外的一切都远离了她,与她没有关系,什么嫂子,什么于水荣!那天下午,二妹子跟于水荣在小馆里面对面坐了很久,她们面对面坐着,她们彼此看着,她觉得有很多话要说,却支支吾吾的,说不出一句得体的话。

就像一棵野地里的庄稼一点点长出地面,二妹子长出了她的地面,远离了她的土地,这样的变化预示着什么暂且不说,要说的是,在她看来,真正需要补一补的是于水荣而不是她!她是结实的,肥润的,就像吸足了水分的叶子。当和卡车司机有了惊天动地的一场,再站在镜前,不管怎么看,她都觉得自己是结实的,肥盈的,就像野地里一天天壮大鲜艳起来的庄稼。

这是夏季里一个干旱日子延伸出来的又一个干旱的日子,三岔路口的柏油路面上蒸发出浩如烟海的水雾。这样的日子,连苍蝇都没了兴致,一个个停落在小馆门前的下水道边,懒懒地伸展着翅膀。而从南边开过来和从北边开过去的车,也分外地少,即使偶尔开来一辆,也并不停下来,似乎贪恋走动时的风。这个日子,因为太热,二妹子换上了那条脱下很久的超短裙,以及那件纱料的坎袖衫。她换上它们,绝对因为热的缘故,而非某种意义上的反抗,实际上,在经过了身体的苏醒之后,她的一切都是自然而然的,她除了等待,就是盼望。等待有客人来,盼望有客人的手被钢板划出血。倒是换上这身衣裳时,吕小敏的身影在二妹子眼前闪现了一下,如同云缝里突然闪出日头的光芒。于是她从穿衣镜和墙面的缝隙里抽出一张纸,展开,在心里念了一遍上面的号码,13998677766,不过二妹子没打电话,她念完,合上纸,又坐回小馆门口,远远地打量着路面上蒸腾的水雾。

这是一个相对安静的下午,所谓安静,是说没有人让二妹子热情洋溢,也没有人让二妹子槐香四溢,但是,这绝不意味着二妹子在承受孤独,绝不!因为在这灼热的等待和盼望中,一个奇怪的念头从蒸腾的水雾中升了起来,就像那水雾在柏油路的远处脱离地面升了起来。那念头踩着路边的树,在树枝上一跳一跳,最终跳到二妹子脑门儿时,让二妹子不由自主地悸动了一下。

受一个念头的驱使,二妹子从小馆门口来到睡屋,之后在装衣裳的箱子里随意翻找,之后,拎着她要得到的东西又坐回了小馆门口。

在这三岔路口相对安静的下午,二妹子在等待和盼望中,一针一线做着针线活,往一条淡粉色的内裤上绣花,她没有绣花针和撑子,只用一般的缝衣服针,只用左手的食指和四指撑着。她绣的是槐花,那槐花开在内裤的裆部,不是一朵,而是无数朵。那槐花开在内裤的裆部,不是一条内裤,而是无数条内裤,因为在接下来的日子里,只要一闲起来,二妹子就开始绣花,似乎这是她用来打发等待和盼望时光的最好办法。

实际上,在二妹子男人活着的时候,她穿的所有内裤都绣了槐花,只是他死后,她一遭烧掉了它们。实际上，在二妹子一针一线绣着的时候，等待和盼望已经不属于她，或者说，因为过于用心，她早已忘了等待和盼望。她一心只想着往内里、往深处打扮自己的身体。在她的身体里，有一个储藏着一汪槐花香气的地方，它日夜默不作声地绽放着，盛开着，它一次又一次地鼓动二妹子的双手，让它为她点缀，为她张扬，为她绽放和盛开。

内裤上的槐花给二妹子带来了什么，只有二妹子自己知道。当把绣有槐花的内裤穿在身上，她觉得她的胯部随意扭动一下，都要散发出热辣辣的气息，就像吕小敏曾经释放在小馆里的热辣辣的气息。而在这时，二妹子才知道，吕小敏初来小馆时洋溢在脸上的火辣辣的热情，原来根源在哪里。也是这时，二妹子才明白，为什么她一来，就让她羡慕，就让她觉得熟悉。

带着一身热辣辣的气息，几天之后，二妹子接待了一批镇上的客人。

那客人自然是哥哥领来的，是镇土地办和税务所的。自吕小敏走后，她的哥哥还是第一次往小馆领客，她的哥哥一进门就把二妹子叫到一边，告诉她要热情些。二妹子听罢，微微一笑，那样子好像她哥哥的担心根本没有必要。

那个晚上，二妹子的表现确实大大超出了哥哥的想象，她不但嬉笑欢声，还一个一个陪大家喝酒，曾经蜡黄的小脸在酒的作用下粉红盈盈。一个叫李丙刚的税务所的所长，一直纠缠二妹子，搂着她的脖子要和她喝交杯酒。因为有哥哥在场，二妹子迟疑着，有些不好意思，后来，做哥哥的看出妹妹的意思，借机上了厕所。这时，当她的哥哥上了厕所，二妹子把一只手搭在李丙刚的肩上，另一只手端着酒杯，眼对着李丙刚的眼。那李丙刚，膀大腰圆，肚子腆在腰带外面，一张国字脸灌了鸡血一样紫红紫红，眼神色迷迷直勾勾的。但二妹子没有丝毫怯意，不但迎了上去，还爬了进去，就像一只蚂蚁看到洞穴，不知不觉就爬了进去。就像她端在手中的酒，一个咕噜，就喝了下去。当她把手中的酒喝了下去，在座的男人一阵热烈鼓掌，然后是震荡屋宇的哄堂大笑。

那天晚上，二妹子做了一个梦，她梦见了她死去了的男人，他从她海边那个家的院门口走进来，紧紧地搂住她，他在搂住她时，还是她的男人，小个子小眼睛，黑黑又瘦瘦，可是不一会儿，就变成了李丙刚，他变成李丙刚，看不到脸，只能闻到嘴里热烘烘的酒味，那酒味像猪槽里的剩猪食似的，臭烘烘辣蒿蒿的，刺鼻，以致把二妹子从梦中熏醒。

从梦中醒来，二妹子才知道，原来是自己喝多了，她的胃里，正有一股辣蒿蒿的东西在往上泛，她于是赶紧爬起，跌跌撞撞跑出睡屋，跑出小馆，一顿铺天盖地的呕吐。

吐过之后，喝一口水，回到屋子，二妹子再也睡不着了。二妹子看着漆黑的天棚，回忆着那个梦，那个梦中自己的男人，那个梦中的李丙刚。他们似很近，又似很远，他们在你不用心想时，都很近，好像就在眼前，可是你一用心想，他们就走远了，无影无踪了。当他们无影无踪，二妹子看见了另一个人的身影，那个脸上有着疤痕的卡车司机。

实际上，几天来，她在门口一直等待的，不是别人，正是这个卡车司机。他，是她男人死后沾过她身体的唯一的男人，在这间屋子里，在她的积极调动下，他把她当成了一棵槐树，他扯骨带筋地摇晃过她，留给了她刻骨铭心的回忆。事实上，在那个等待的下午，正是他，鼓动了二妹子往身体里打扮，往内裤上绣花，只不过他一时间被她的耐心遮掩了而已。

想起卡车司机，二妹子自然又沉浮到深水里了，是身上一颠一颠、身下一涌一涌的深水，是与卡车司机一道游荡起伏的深水，在那样的深水里沉浮，二妹子又是一夜没睡。

## 七

因为等待，二妹子在后来的日子里开始化妆了，都是吕小敏曾经教过的那种，嘴要涂上淡淡的口红，唇边要画上浅浅的唇线，如果把二妹子的身体比作一张白纸，那么里边内裤上的图画画满了，自然要画到身外，就像水满则溢，当然也是无客的时候无事可做的缘故。有一天，二妹子还上镇上染了头发，是深棕色的，上边飘了几缕苞米茸一样的浅黄；还买了一条珍珠项链，据说是假的，但戴到脖子上效果很好，一直垂向她的胸前，衬得她整个人都闪闪发光。她买来最满意的东西还是一个提花胸罩，那胸罩是黑红两色，黑的地儿，红的花儿，花儿活灵活现地镶嵌在边缘上，跟她内裤里的花形成了搭配，这使她回小馆换上以后，好长时间不愿套上外衣，使她在穿了外衣的等待中，有意无意的，就朝自己胸口扫一眼。

二妹子的打扮，二妹子毫不掩饰地从身体里往外流淌的渴望，散发了一种什么样的信息，引导着她的命运朝一个什么样的方向去，她不知道。

一个黄昏，一个过路司机吃过饭，要结账时，格外给出五十块钱，随后跟出句："来吧，上车。"

二妹子当时愣住了，不明白他什么意思，但很快，她就明白了他的意思，因为她看到，他看她的眼光是轻佻的，急于发泄什么的轻佻。二妹子感到有一个硬东西在心里硌了一下，接着，她把钱递过去，摇摇头，什么也没说转回了后厨。

这个夜晚似乎过得有些不快，那不快不是来自轻佻的目光，而是来自五十块钱。五十块钱，让二妹子想起嫂子的话："窑子铺开到家门口了。"她不是开窑子铺的，这是一定的，可是想起这样的话，或多或少抑制了二妹子身体里某种正常的渴望，比如她在镜子前看到自己耸得挺高的胸脯时，不知道自己是谁，不知道自己这么袒胸露腿的，要干什么？

或许，正是这种迷失，才铸成了后来的事情，就像一个人在一个荒无人烟的山冈上迷了路，随便遇到一个什么人都可以被他领走。后来，快九点钟的时候，小馆里来了一个人，镇税务所的李丙刚。李丙刚好像在外面喝了酒，敲开小馆的门，满嘴的酒气。他一进门就大呼小叫："二妹子，你李哥来了，二妹子，你李哥来了。"好像他与二妹子有什么约定。

二妹子回应他："李所长，你好呀！"

谁知，二妹子刚刚迎上前，李丙刚就用他汗淋淋的胳膊从后边搂住她，之后把她抵到墙上，小声说："哥知道，你早就想哥了，哥知道，哥那天就知道。"

二妹子没有动，二妹子不动，不是怕弄出声音惊动了外甥王树生，不是，王树生吃过饭就去歇马山庄了，屋子里只有二妹子。她是觉得这个男人很好，没有跟她谈钱。不跟她谈钱，这让她对他有些感激。让她在李丙刚肉乎乎的胸脯贴到她的背上时，感到了来自体内不能抗拒的需求，那需求在她体内盛开好多天了，就像那盛开在内裤上和胸罩上的花朵一样。二妹子听任李丙刚抚弄，他的手甲壳虫似的，从她的后背爬进来，毛毛糙糙就爬向了她的前胸，他的手毛毛糙糙爬向她的前胸，他的嘴喷出了热烘烘的气流，使她的脖子一阵阵发痒。到后来，当他的手从她的胸脯滑向她的小腹，二妹子突然变被动为主动，就像那天对待那个卡车司机那样。她紧紧钩住男人的脖子，然后将男人往屋子里引。是来到睡屋之后，他才将握在她手中的另一只手，送向她的下体。然后，他把她撂倒到炕上，一件件扯掉了衣服。然而，当她身子被一个石滚子一样的东西压住，她没有感到那种惊天动地的摇晃。本来，她感到自己是一条鱼，被封在厚厚的冰层下面，她已经看到有一个镐头从冰层上刨了下来，冰层却丝毫不为所动，那本是尖硬的镐头不知为什么突然弯曲了，软化了，扭转了方向，使她在隐隐看到了某种希望之后，突然地大失所望。当李丙刚从她的身上下来，她的身体像一条冻僵的鱼一样，直僵僵地横在那里。

二妹子的堕落，就这样从大失所望开始了，从李丙刚开始了。之所以说是从李丙刚开始，而不是从那个卡车司机，是说李丙刚之后，二妹子有一种十分急切的心情，想找到一种区别于李丙刚的男人。她从来不知道，一个男人，会把她变成一条僵鱼。于是，在盼不来卡车司机的时候，跟倒卖大葱的张福顺有了一次。当然都是她主动，她陪他喝了酒，喝得醉醺醺的，就跟他上了车。他们因为发生在车上，那来自深处的摇晃并不彻底，但对比李丙刚，还是好了许多，至少，他破冰而入了，他跟她共同沉入了海底世界。

二妹子从没觉得自己是在堕落，这首先因为有一股香气终日在小馆里悬浮，托起了她的身体，让她觉得她的每一个日子都是有奔头的，就像当初在海边的每个日子。有时，与一个人的身体接触，其感觉不如当初和卡车司机的感觉，比如后来又有肉贩子王四，但这丝毫不影响她对身体的盼望，因为恰是这不如，使她的寻找变得急切，变得不可阻挡。

在这样的时候，小馆在二妹子的生活里是这样的，它像一个家，却又不同于原来的家，原来的家是封闭的，是只供自家人进出的，而现在的家，是敞开的，流动的，是可供很多人进进出出的。它同样坐落在土地上，石头墙，石棉瓦的顶，这里整天冒着油烟，热热闹闹，但这一切，不过是提供了二妹子忙碌的前台，在后边，那个屋子，那铺炕，偶尔某个晚上，承载着两个人的身体，是盛开的。而在这一切的背后，还有一个人，她的男人，他不必出现，但他永远存在，他远远地望着她，让她觉得她并不孤单，让她觉得，身体只是身体，与嫁人无关，也与道德无关。

那是一个雨过之后的早上，刚刚打开小馆的窗户，蝉的叫声就从三岔路口的树上荡进来，随后，霞光也铺洒过来。它们先是在远处的树梢上、房顶上闪烁和跳跃，之后一点点的，就洒向了小馆的墙壁、窗口，洒进了小馆的屋子。

这个早上，因为空气清爽，也因为做了一个好梦，二妹子心情格外地好。梦里，她坐在一艘小舢板上，在一望无边的大海上飞。

海风很大，一阵阵吹过，鼓荡着她的裙子，她好像穿了一条又肥又长的裙子，风在她的裙子里鼓荡时，仿佛一个气球把她托起来，飘飘欲仙，舒服极了。梦里的裙子让她舒服，二妹子一早醒来就在箱子里翻找，她真的有一条又肥又长的裙子，是两年前在海边时用纱料自己缝的，六片儿。一段时间以来对超短裙的喜欢，她早已忘了它。她找出它，上边压了细细密密的褶子，二妹子舀了一碗水，喷雾似的一口一口向裙子喷去，然后把它叠好，坐到屁股底下压一压，然后，就穿了出来。

穿长裙的二妹子，一早在小馆里进进出出，有一种莫名其妙的感觉，觉得好像有什么好事就要到来。因为只要她走动，那裙子就呼呼带风。

好事真的就来了，是在上午十点钟时来的，那好事来到小馆，不是什么事，而是一个人。那人来到小馆，就是二妹子的好事。那人不是别人，是她曾经盼望过等待过的卡车司机。

虽然，一些天来，二妹子早就忘了卡车司机，但他的到来，还是让二妹子喜出望外。这自然和一早的好心情有着不可分割的关系，也就是说，他走进了她的好心情里，他才让她喜出望外。她让他坐下，给他倒水，之后到后厨里为他炒菜。她在迎他进来之后，两个人谁也没有说话，他的目光一直是冷冷的，但那冷冷的目光后面，藏着一种不可阻挡的气势，因为他的小眼睛一直没有离开她，准确地说，没有离开她的身体。这让二妹子感到身子鼓鼓荡荡的，如做梦在海风里鼓荡一样。

真正鼓荡的感觉，还是在后来。后来，二妹子跟卡车司机上了车。因为是大白天，在小馆里有诸多的不便，他们只有上车。卡车司机在上车的一瞬，看了一眼二妹子，好像在问，上哪儿去？二妹子领悟他的意思，下颏轻轻一仰，车于是就轰隆隆发动了。

二妹子下颏指向的地方，是往岫岩城方向的一座山，叫老黑山。他们只用了二十分钟，就来到老黑山的山口。

司机把车停在路边，之后朝山洼里走去。北方六月的山野，一蓬一蓬的绿，人头高的柞树丛里，一些叫不上名的小花在静悄悄地开放，有黄色、蓝色、紫色，柞树肥大的叶子罩在它们上方，形成一团团晃动的阴影。二妹子走在前边，一跳一跳，仿佛一只小鸟，把卡车司机扔下老远。当终于在一个缝隙里与卡车司机会合，一只肥大的裙子一下子就窝藏了两只鸟。

一只肥盈的手掌，不用引领，自动推动了瘦削而细长的手指在身体的山峰上滑动，柔软、细致、寸土不让，一双灼热的嘴唇不甘落后，追随着手指，在手指的所到之处留下潮湿的印记，使二妹子渐渐酥松开来，蓬勃开来，使二妹子身体的芳香一汪水似的从骨缝里流出，流遍了山野，如同那些不知名的花开遍山野。

实际上，树丛里野花的香气是清冽的，恬淡的，有着某种不易察觉的苦味，远不及裙裾下面流出的香气那么浓郁，那么甘甜，那么酣畅淋漓。二妹子在最后那一刻，一直喊着一个人的名字，土根。

程土根是她死去的男人，她之所以在这时喊她男人的名字，是她觉得，这是她被摇晃最彻底的一次，她身体的每一条骨缝都打开了，和她男人活时的感觉一模一样。

二妹子的呼喊并没使司机气恼，他只是两手扶住地面，擎起身子，眯起眼睛看了看她，好像这对她是很正常的事。倒是卡车司机从她身上爬起来的时候，扔下了一句话，他说："你怎么能干上这一行？"

二妹子一直平躺在树丛里，看着树叶上方一块天空，她没有接司机的话。二妹子不接话，并不是不知道他的话是什么意思，而是她一直沉浸在身体的体会里，根本没有留意。

司机说："你很会做生意。"

二妹子还是平躺着，看着树叶上方的一块天空，愣愣地眨巴着眼睛。

司机说："谁弄了你，都不会忘了你，所以你第一次不要钱是对的。你很会！"司机说着，把手伸进他的裤兜，掏出一张一百元的票子，扔到二妹子身上。

这时，二妹子转过身，眼睛错过树叶的阴影，移到司机因为充血而红彤彤的脸上，之后，翻掉身上的一百块钱，爬起来，脸仿佛被日光长期照射的柞树叶子，突然有些发紫，她气呼呼地说："你把俺当成什么人啦？"

二妹子的话倒使司机有些发愣，他眯起眼，将二妹子推到远处，仿佛要认真打量一下。司机说："你说你是什么人？你是鸡呗，靠卖肉为生的鸡！"

"你！"二妹子提起裙子，高跳起来，大声喊道，"你混蛋！"二妹子喊完，身子一闪，流星一样闪到了柞树的后边，朝山下走去，扔下司机在那里捡拾地上的一百块钱。

## 八

回来时，二妹子一直坚持步行，司机在山路口把车掉过头，等她上车，但她从车旁走过，没有抬头。从小馆到老黑山的山道，看起来很近，似乎过一个岗子就到，可是步行起来，却觉得越走越远。因为累，因为急着小馆里的生意，二妹子每走一步，都要多一层对自己的不满。就像多日以前，因为招收吕小敏，遭到嫂子一顿训斥而对自己不满一样。然而那一次的不满，有一个确定的目标，赶紧脱掉超短裙，做一个和嫂子们一样的女人。而这一次，二妹子没有目标，她不知道自己为什么不满，似乎既是对自己，又是对司机，她一边觉得自己不该跟司机出来，一边又觉得司机不该说那样的话，毕竟，他跟她一样，身体是快活的。

二妹子一程程走着，一股气在她的胸口一程程窜着，就是在二妹子气鼓鼓地迈着大步往小馆走的时候，一辆已经超过了她的卡车突然一个急刹车，在二妹子前边停了下来。当二妹子抬起头，一张带有疤痕的脸从车窗里探了出来。那张脸看着二妹子，毫无表情，但二妹子能从那张毫无表情的脸上看到，他是在等她上车。二妹子犹豫了一下，但想到离开小馆时间太长了，还是上了车。

二妹子上了车，司机却没有走的意思，他手搭在方向盘上，眼睛看着前方，不动。见司机不动，二妹子急了，用手推车门，要下车。司机一下子拽住了二妹子的胳膊，司机说：“你坐着！”

二妹子害怕了，声音突然高起来：“你想干什么？”

司机不慌不忙，慢条斯理：“不想干什么，我就是想问你，你当鸡当了多少年啦？”

二妹子慢慢地回转头，把目光对住司机，呼吸一点点变粗：“这你管不着，多少年你管不着！”二妹子的声音虽由高变低，但能够听出，那低低的声音里，有一个石头一样坚硬的东西。

谁知，二妹子的声音刚刚落地，司机就变了一个人似的，突然狂吼起来：“我非管非管非管，你这个鸡！”

司机吼着，把两只手从方向盘上移下来，绞在一起，恨不能使上一股劲儿把二妹子勒死的样子。但他并没把手伸向二妹子，而是向自己腿上砸去，边砸边说：“你为啥勾引我，为啥？我不是个玩鸡的男人，我从没玩过！我还没结过婚！你知道不知道你这个鸡！”

司机发了火，二妹子反而平静下来，她静静地听着司机冲她发火，吼叫，一声不吭。她想：“你错了，我不是鸡。”

见她没有反应，司机声音更大，说：“你是个鸡你知道不知道?!”

二妹子依然很平静，她平静地看着司机映在反光镜里的脸，一字一顿地说："我不是鸡。"

"那么你是谁？你不是鸡你是谁？"

这时，二妹子再也不能平静了，二妹子用拳头使劲擂车门上的玻璃，说："放我走，你放我走，我谁都不是，我就是二妹子。"

司机慢慢把车门打开，看二妹子下车，当二妹子下了车，司机说出了一句话，说出了一句让二妹子十分惊讶的话，他说："你要不是鸡，现在就跟我走，离开小馆！"

二妹子朝车上望了望，望到了司机毛乎乎的腿，二妹子想，去你娘的吧，跟你走？怎么可能？随后一扭头就离开车，独自走了。

在这个从一开始就知道会有什么好事的日子里，真正让二妹子惊讶的，还不是卡车司机的话，而是返回小馆以后的情景。当然那情景展示在二妹子眼前，一看就知道绝不是什么好事。在她快走到三岔路口的时候，她看到小馆门前花花绿绿站了几个女人。她们站在那里，比比画画，东张西望，当其中的一个看到二妹子，突然所有的人都转向二妹子，目光锥子一样扎过来。

事实上，二妹子刚走，王树生就上她的嫂子那儿报了信，说他的二姨跟一个卡车司机走了。事实上，二妹子所做的一切，都在外甥王树生的监视之下，都在她嫂子的掌握之中，包括吕小敏的事儿。只不过二妹子的事儿，嫂子一直没有找到一个合适的机会挑破而已。这个机会之所以合适，是说你不必说二妹子一句坏话，二妹子就坏了。不是有意要把二妹子搞坏，而是她真的坏了，只有让所有人都知道她真的坏了，她也许才能好。光天化日之下丢了人，自然要惊动全村，你在全村人的目光之下从山道上回来，你干了什么不是一目了然！

干了什么？没干什么！二妹子穿过女人们锥子一样扎过来的目光时，目不斜视腰板挺直的样子似乎有着这样理直气壮地回答。这回答被女人们看在眼里，她们相互交换了一下意味深长的眼色，好像在说：看，多么招摇！二妹子看不见身前身后这些眼色，只让长裙在她的长腿上一飘一飘，使她走过的地面掠起一丝风，二妹子感受着来自地面的风，一飘一飘进了小馆。

这时，二妹子才发现，她的嫂子原来并不在门外的人群里，她正在屋子里的凳子上端正地坐着，她把一条腿搭在另一条腿上，面冲墙壁，好像墙壁上发布着某种宣言，某种与二妹子有关的宣言。

二妹子没有跟嫂子说话，嫂子也没有跟二妹子说话。那个二妹子丢失又归来了的正午，不管是嫂子，还是候在外面的女人们，还是二妹子，谁也没有跟谁说话。二妹子进门不久，嫂子就站起来走了，不肯久留的样子，仿佛有二妹子的小馆，脏得不能再脏，稍留一会儿，都会沾染自身。嫂子甚至在离开小馆时，使劲抖了抖身上的衣裳。

按一般的理解，这无声的训斥，比有声的训斥更厉害，尤其这几个女人加到一起的无声的训斥，尤其嫂子哪怕稍待一会儿都不肯的无声的训斥。这哪里是什么训斥，简直是辱骂！你想想，不跟你说话，不是把你当成了畜生！人怎么可能跟畜生说话！可是，在二妹子那里，她没有半点感觉，或许，正因为嫂子和女人们没有留下训斥的话，才使她在接下来的时光里，一点点想起了卡车司机的话："你不是鸡，就跟我走。"

应该看到，这句话在当时，在他用一大堆难听的话刺激她时，她根本没怎么在意，即使在回来的路上，她也没有多想。而后来，当小馆里陷入一片难耐的寂静，当她有时间闲下来体会她的身体，她想起了司机的话。她不但想起他的话，还一程程忆起了司机一上午一直是阴森森的表情，忆起司机在一程程不肯放松的追问中痛苦的样子。到后来，黄昏之后的晚上，司机那张刻有疤痕的脸，就月亮一样照耀在小馆的屋檐下了。

那真的是一个月光如银的夜晚，因为就要进入秋天，蚊蝇们越飞越高，湿气渐渐脱离地面，小馆门前的三岔路口，微风吹来，越来越让人凉爽。在这个凉爽的夜晚，二妹子打来一盆水，把四条短裤一起浸到水里，之后就着月光，静静地看着浮动在水里的槐花花瓣。

这些花瓣，就是第一次跟司机有过身体的摇晃之后，才诞生在她的短裤上，诞生在她的等待里的。那时，她以为，她等待的只是他一个人。谁知后来，她跟了好几个男人。她跟了好几个男人，她都觉得是在寻找她的男人程土根。现在，她跟了好几个男人，可是这好几个男人，都因为卡车司机的再一次出现，消失的光阴一样在她眼前消失，最后，只剩下了卡车司机。

在这月光如水的夜晚，二妹子觉得她的男人回来了。他回来了，却不是她的男人，而是一张刻有刀痕的脸的卡车司机。这个夜晚，二妹子无法知道，一个人正在悄悄地替代另一个人，一个人正默不作声地进入她的生活，而不光是身体。因为是这个人，让她每每想起，心口都一阵狂跳，这和早先身体的觉醒很不一样。那时，她想起男人，和心没有关系，只是体下一片潮湿，一片芳香。现在，她想起男人——那个卡车司机，不仅仅身体潮湿又芳香，她还感到了痴心想念一个人的甜蜜、焦灼。这甜蜜和焦灼，是在她结婚前的那个八月十五，跟程土根有过身体的秘密之后，曾经体会过的。

在后来的夜晚，二妹子夜夜沉浸在这种甜蜜和焦灼里，她等待着月亮出来，看着它一点点爬向中天，她的耳边只有一个声音，卡车轰隆隆的声音，她的眼前，只有一个面孔，卡车司机的面孔。

这是一段什么样的日子啊！二妹子觉得和三年前没结婚时没什么两样，心里一层层裹着秘密，希望跟一个人说出来的秘密，这要是三年前，二妹子会毫不犹豫就去找于水荣。实际上，在后来的夜晚，二妹子还真的想到了于水荣，有好几次，黄昏之后，小馆没有客人，二妹子都在镜前打扮一番，然后走出小馆，朝西走去。可是走着走着，不自觉地，她又停下来，回转身，再走回小馆。

如果她有勇气走回歇马山庄，说出她的秘密，她的不幸会避免吗？

几天以后，小馆门外的三岔路口真的响起了轰隆隆的声音，也真的出现了一个人的面孔，但他不是卡车司机，而是李丙刚。

李丙刚是在九点以后来的，这一次，他没有喝酒，人打扮得干干净净，好似刚洗了头，理了发，剃了胡须，身上还有一股淡淡的瓶装花露水的香味。见都九点了，二妹子还一个人坐在小馆门口，有些意外，但很快的，就蹲下来，小声说："想我是吗？"

二妹子看了看李丙刚，没有反应。二妹子的没有反应，刺激了李丙刚，他猛地就揽腿抱起二妹子，向车的方向走去。快到车跟前的时候，二妹子挣脱下来，二妹子说："李所长，你这是干什么？"

月光下，呼呼带喘的李丙刚似乎想笑，说："怎么，是不是因为不给钱？"

二妹子说："李所长，你把俺看成什么人啦？"

李丙刚这时真的笑了，那种不怀好意的笑，他说："别假正经了，你和吕小敏还有什么区别吗？没有！"一边说着，一边把他的手伸过来。

"吕小敏？"二妹子愣住，挡住李丙刚的手。

李丙刚没有回答二妹子，只继续他刚才的话："你和吕小敏的区别，只不过玩她需要给钱，而玩你不需要给钱，你哥哥早把你抵了税钱。"

"你……"因为这突然到来的信息，二妹子一时说不出话来。她缩了缩身子，往后退了一步，之后冷冷地看着李丙刚。

李丙刚说："你放心，我只玩过吕小敏一回，她主要是你哥的，你才是我的。来吧。"

二妹子继续往后退着，往小馆的方向退着，月光刚刚还在天地之间流动，可是不知为什么突然就被一朵云罩住了，小馆门前黑了下来。小馆门前黑下来，二妹子却并没借这黑影退到小馆里，而是退了几步，突然停住脚，因为这时，李丙刚说了一句话，他说："你可以不从，但你得想想你哥，我掌握他的所有底细。"

## 九

二妹子身体里的黑暗，就是跟李丙刚上车之后开始的。这并不是说，因为对一个人的思念而使她对李丙刚格外反感，也不是说李丙刚关于她的哥哥那些信息让她一时心情烦乱，所谓二妹子身体的黑暗，是说，那个晚上，二妹子和李丙刚上车不久，一帮人就由远及近地把轿车围住，之后将两人赤裸裸逮住。

二妹子被抓了，是县里扫黄打非办公室的一次集体行动，端掉了好多餐馆。她的哥哥是第二天早上才知道这个消息的，镇派出所的人打来的电话。她的哥哥早就知道上边要行动，但想不到会抓了他的妹子。主要是，她的哥哥想不到，告二妹子的，就是他的老婆，向他的老婆通风报信的，就是他老婆的外甥王树生。他的老婆串联了于水荣在内的村里十几个女人，在一封上告信上签名，然后她绕过三岔路口，直接告到县里。

从来不会霸道的嫂子为自己的心情，为乡亲们的心情，终于霸道了一次。可是，在镇派出所见到二妹子，做嫂子的哭得一塌糊涂，两手一再耸着二妹子肩膀，一抽一抽地说："咱命怎么就这么不好，摊上这样的丑事？"

不管嫂子说什么，怎么说，二妹子始终面无表情，她看着嫂子，既没有落泪，也没有说话。

一周后，二妹子被放了出来，是她哥哥托人做的工作。她出来后被直接送到小馆。

二妹子回到关闭一周的小馆，没有像想象那样换掉身上的衣裳，打扫卫生，也没有回她的睡屋躺下，而是静静地坐在餐桌边。

时至深秋，苍蝇们纷纷从外面飞进小馆，在墙壁和餐桌上飞起、落下，落下又飞起。二妹子呆坐在餐桌旁，看苍蝇们兀自飞舞，它们飞着，时不时落在身边的餐桌上，不知是什么时候，不知是第几只苍蝇落到二妹子身边的餐桌上，只听啪的一声，手起拍落，刚刚还在桌子上扭动的苍蝇，瞬间碎尸万段，接着是第二只、第三只、第四只……

看到二妹子一进门就拍打苍蝇，做哥哥的很是放心，只在屋子里站了一会儿就离开了。然而，就是这个晚上，二妹子失踪了。王树生把消息告诉村长姨夫时，已是晚上八点多了。王树生说，她打了一会儿苍蝇，人就没了，开始，他还以为她回睡屋里了，可是要吃饭时，还不见人影，四下里找，才发现人根本不在。

二妹子到底什么时候走的，上了哪里，没人知道。此后的日子，做哥哥的四处撒网，各处的水道边、沟谷里、海边的婆家都找遍了，一直没有找到。

于是，关于二妹子命运的猜想，关于二妹子当鸡的故事，关于二妹子身体里的故事，就如同苍蝇一样，在歇马山庄一带四处飞舞。直到深冬的一天，苍蝇们再也舞不动了，才有确切的消息传来，说有人在岫岩城边的一家小馆门口看见她。她大冬天的穿了一件秃领的羊毛衫和皮短裙，露着白白的胸脯和白白的大腿，要多妖气有多妖气。

**孙惠芬**

女。1961年出生，辽宁庄河人。1986年毕业于辽宁大学中文系，历任庄河县文化馆创作员，文化局副局长，《海燕》杂志编辑，专业作家，辽宁作家协会第六届理事。1982

年开始发表作品。1991 年加入中国作家协会。著有中篇小说集《孙惠芬的世界》,中短篇小说集《伤痛城市》,中篇小说《还乡》等。短篇小说《小窗絮雨》获 1987 年辽宁省优秀文艺作品奖,《平常人家》获首届东北文学佳作奖及辽宁省第三届优秀青年作家奖,《台阶》获 1997 年《小说选刊》奖,《歇马山庄的两个女人》获第三届鲁迅文学奖。

# 一脸阳光

刘平勇

## 一

巧莲被美英一家打了，而且打得不轻。

巧莲被打的原因，表面上是因为地埂。

巧莲家的地在东面，美英家的地在西面。那地埂只有一尺来宽，是庄稼人必走的路。美英把路铲去了两寸，她家的地就相对宽了两寸。她凭什么要把公用的地埂占为己有呢？巧莲想，这地埂自己有一半，美英家占去了一部分，自己的一半肯定就要少一些。不能让美英得寸进尺，得想办法制止她。但怎样制止她呢？巧莲又没有办法。最后，巧莲就用锄头挖美英家地里的泥土，把美英占过去的地补回来。可那泥土干得没有半点儿潮气，一见风就像长了翅膀，飞了。巧莲没能补好那地埂，心里就更窝火。她一屁股坐在地埂上，看着火辣辣的太阳，看着那被太阳烧焦的灰白的土地，庄稼早已没有了半点儿影子。她就抬头看天空，天空空荡荡的，没有半点儿云彩，只有太阳激情澎湃地一个劲儿喷着火焰。巧莲想，云彩到哪儿去了呢？要是能从山丫口飘过来一片乌云，下一场雨，那该多好！那样，她就可以在潮湿的地里补种上一些豆子之类的东西，到了秋天就会有一些收获。可天空中除了火辣辣的太阳，什么也没有了。她就骂开了，你这啥太阳，只会喷火，收拾人。你算什么太阳？像你这样，还不如死了，让人高兴。你这啥天，连半片云彩都没有，连半滴雨都不下，你算什么天？

巧莲低下头看了看地埂，不由火起，就骂，美英，你这不得好死的，庄稼影子都不见了，你还占地占埂，占去埋你，这一小点儿地也不够！巧莲抬起头，就看见美英挑着粪桶走到了她的面前。巧莲一惊，她想，她肯定要和美英干架了，就愣愣地望着美英。美英的嘴唇动了一下，没说话，身子一扭就走过去了，只留下一股浓烈的大粪气味给巧莲。

不一会儿，美英和她的男人，就提着扁担赶来了。一场毒打拉开了序幕。

## 二

巧莲怎么也想不到，美英家竟敢对她下如此毒手。还是后来巧莲才知道，美英家打人原来是有后台的。后台是谁？就是杨官得。杨官得是美英家叔叔的儿子。重要的是，杨官得是新上任的村主任。

杨官得早就对巧莲恨之入骨了。他觉得巧莲常常在他面前以功臣自居，很没把他看在眼里，而且处处刁难他，与他作对，让他险些出了大问题。这种人不给她点颜色看看行么？不行，肯定不行。但怎样给她颜色看呢？杨官得又找不到好办法。自己收拾她，那太冒险，目标也太大，弄不好，怕连官都给搞丢了。让别人去收拾她，但谁去呢？谁愿意去帮你充当打手呢？想来想去，他觉得美英家最合适。美英是他们家族的妹子，加上美英家因为田边地角的事，跟巧莲家有些摩擦。但平时因为人穷志短、马瘦毛长的原因，不敢跟巧莲家较劲儿。再说，美英家穷，就算打了巧莲，巧莲也拿她没办法。要钱没钱，要命有一条。你能拿她怎么办。这年头，聪明人谁愿意跟一个穷鬼亡命徒去较劲儿呢？就像一条恶狗咬了你，难道你反过去咬恶狗一口吗？杨官得想，巧莲是聪明人，我就利用你的聪明，让你既知道是我的主意，却又抓不到我的把柄，让你知道我杨官得也是有气派有个性的男人。杨官得亲自上了美英家的门，美英家激动得不得了。美英家尽管跟杨官得家有血缘之亲，但多年来因为老一辈分家留下了一些矛盾，没有往来。现在，村主任杨官得亲自到了家里，美英一家理所当然激动不已。就像笼罩了她家多年的阴暗天空，忽然升起了一个金光灿烂的太阳。有杨官得撑腰，今后我美英家还怕谁？对不起，张巧莲，就只有得罪你了。于是，美英家连打人都显得理直气壮了。

## 三

之前，杨官得在竞争村主任的时候，巧莲帮过他的大忙。

渔坝村去年换届选举紧张得到处充满了火药味。杨官得是前一届的村主任，而去年在换届选举的时候，冒出一个实力非常强大的竞争对手来，就是西村的李老二。李老二贩苹果挣到了二十多万元钱，就想到了要捞个什么官来当当。李老二放出话来说，他打主意拿十万块钱来打水漂，也要把他杨官得拖下来，省得狗日的杨官得耀武扬威，一副屌样。据说，李老二家门口打了几口大灶，灶里煤炭燃得红花绿焰的，几口大锅正在蒸着白生生的大米饭。肥猪杀了五只，砍成肉丁在大锅里煮着，整个村子的上空都弥漫着一股浓烈的香味。又据说，李老二家门口摆满了小车和摩托，所有的亲戚朋友都到场了，都在挖空心思为他拉选票。那些天，西村的人好像进入了共产主义社会，各取所需，想吃什么就吃什么，想吃多少就吃多少。大碗喝酒，大块吃肉，很有梁山英雄的气魄。西村所有的人都高兴，都亢奋，都激情澎湃，仿佛嫁姑娘，讨媳妇，或者送儿子去当兵。西村的香味和激情飘到了东村，感染了东村，这给东村的杨官得带来了压力，同时也给杨官得注入了巨大的挑战激情和勇气。

杨官得的“奸细”到西村探得情况，说李老二一张选票给二十元钱。但李老二财大气粗，说话办事很不给人情面，许多人还是对他有看法。杨官得也如法炮制，也拉开了大办酒席的场面，但他以己之长攻人之短，既让人家有利可图，又让人家心里舒畅。杨官得满脸堆笑，嘴甜得像抹了蜂蜜，说话又润又甜。大爷大娘婶婶叔伯哥哥姐姐弟弟妹妹侄儿侄女，被他叫得脆生生甜蜜蜜的。对有影响力的拉选票的优秀个人，他又悄悄地给予红包奖励，这就大大地调动了村人的积极性。更何况，杨官得表示，只要大家选他当上村主任，他就想方设法把东村里的那条又烂又窄的路修成水泥路，一直通到公路上。东村人受这条烂路的折磨已经几十年了，一到天阴下雨，路滑难行，稀泥淹到膝盖。手推车因为路面狭窄而无法通行，粮食收获了，只得用肩挑靠背背，才能弄到家里。要是路修宽了，修成水泥路，那是一种什么样的境况呢？每一个东村人都被杨官得的表态激动着，眼里闪现着一种梦幻般的幸福光芒。

杨官得对巧莲说，婶子哎！这次您一定要帮侄儿的忙，侄儿会一辈子都记得您老人家的。婶子，您读的书多，有见识，有办法。又加上婶子的后家这个大家族，在东村，谁不认得婶子的后家是个旺族，几百人呢！婶子，就请您想想办法，撺掇撺掇，为侄儿多拉一些选票。侄儿也不怕婶子笑我小家子气，一张选票呢，侄儿就给二十元钱，作为侄儿的一片心意。婶子去撺掇，这么辛苦，侄儿就在每一张选票上加五元，属于婶子的辛苦费。当然，要请婶子理解，婶子一定不会因为这丁点儿钱，才帮侄儿这么大的忙。侄儿表示的不是钱，而是侄儿的一片心意。

巧莲觉得杨官得嘴实在甜得让人心醉，心里觉得滋润。自从嫁给了杨老五，这么些年来，有谁说的话这么好听呢？这么让人感到舒服和滋润呢？更何况，巧莲在心里一盘算，她姓张的后家至少有五百人有选举权。一张选票二十块，五百张是多少？一万块了呢！你选谁不是选呢？选杨官得。还可以捡那么多的钱，这不是天上掉馅饼吗？再说，杨官得答应把村子里的这条烂路修成水泥路，这确实让村人享福了。巧莲记得，那年她结婚，正是阴雨连绵的日子，稀泥淹过了脚背，她从马车上一下来，崭新的毛布底鞋就被稀泥所淹没。那些年轻的后生把爆竹一放，溅起的稀泥糊满了她的全身。她心里一慌，脚下一滑，竟然摔了一跤，浑身像个泥母猪。好端端的一个喜庆日子被这烂路弄得暗无天日。多年来，这路就在眼皮底下烂着，给村人们留下了无穷无尽的诅咒和责骂。现在，杨官得答应选上了村主任，就修路，村人怎么不拥护和高兴呢？这么想着，巧莲就在心里说，就帮一帮你杨官得吧，也当为村人做件好事。

杨官得比李老二多出五十票，当上了村主任。巧莲就有了一种成就感。杨官得当上了村主任，嘴巴就不那么甜了，但遇到巧莲，还是很客气的，只是不会左一个婶子右一个侄儿地说话了。巧莲就觉得杨官得有些不叫人。杨官得跟她打招呼，她就轻飘飘地笑一笑算是答应，那笑里分明写着这样一句话：杨官得呀杨官得，你狂个啥？离开了我张巧莲那四百张票，这村主任，你看着别人去当吧！

## 四

可是，杨官得当上了村主任，并没有兑现他的承诺。巧莲没有得到她该得的钱，村里的那条路也依然烂着。巧莲觉得杨官得这狗日真的不叫人，需要你的时候，嘴甜得天上飞着的麻雀都能哄到地上来；不需要你的时候，就翻脸不认人了。更让人生气的是，有一次，巧莲向杨官得要钱，杨官得说，婶子，你说话要讲依据，什么时候我欠你钱了？巧莲一时语塞，心里疼痛，她骂了一声，杨官得，我以前把你当人看，没想到你竟然是流氓地痞混混！告诉你，你要是不兑现你的承诺，你也没有好日子过！

没过多久，杨官得果然就没好日子过了。原因是九月间村人遭遇了一场不大不小的地震。虽然渔坝村只伤了两个人，房屋倒塌了五间，但却使几百间民房变成了危房。抗震救灾、恢复重建工作在紧张进行，可就在发放灾后补助这个环节上出现了大问题。渔坝村上千人把村委会围攻了，义愤填膺的人们把村委会的大门砸坏了，电话也被砸坏了。村主任杨官得和村委会的一行人被堵在了屋里，一天没吃饭。村民只讲一个理，人人大喊，杨官得，发我们的救灾补助来！

再后来，愤怒的村民又围攻了乡政府，书记乡长从后门溜了，跑到了城里躲起来不敢露面了。再后来，派出所把一个闹得最凶、喊得最响的村民用手铐给铐了，这下村民被激怒了，一哄而上，把派出所的牌子给砸烂了。最后还是县领导来了才使这场纷争得以平息。

巧莲看着灰头灰脸的杨官得，心里十分舒畅。她为自己成功策划这场纷争而感到高兴。

之前，巧莲到城里去，从当记者的姐夫那里得知县上已把抗震救灾款下拨到了乡上，并且知道每间危房补助五千元。巧莲家的房子已经不能住人，需要重修，但补助名单上没有她的名字。巧莲去问杨官得，杨官得说，我们都已经照了相，把名单报上去了，但补助名单上为什么没有你家，我们也不知道。巧莲没有办法，就说，杨官得，孩子的爸爸还是你叔叔呢，一笔难写两个杨字，看在一家子的分儿上，就请你想办法帮帮忙，我家的房子已经不能住人了，像这种情况，肯定是有补助的。杨官得呵呵笑着说，婶子，人活在世上，谁能保证一辈子不求人呢？你看，就像我当初也求过你一样。不过，我当初求人是付出代价的哟！

巧莲觉得杨官得话中有话，心里没底。后来她听到村子里的人说，要找杨官得，没得几条好烟几只火腿，找也白找。巧莲还了解到，村子里的许多人家，起初也像巧莲家那样，补助名单上连名字都没有，后来买了东西去找过杨官得，补助名单上就有了名字。巧莲觉得问题严重，也就狠了心肠，把留着准备卖了给孩子缴学费的那只老火腿，从楼上拿了下来，趁着天黑送到杨官得家。杨官得笑着说，婶子，你这是在干啥？快坐快坐！巧莲说，杨主任，不好意思，家里也没什么，就只有这么一只老火腿，就当我的一点儿心意吧！杨官得说，你这么说，就是有意损我了。什么主任不主任的，你就叫我的名字吧！巧莲笑了笑说，噢，不敢不敢，过去你是杨官得，现在你是杨主任，过去我是你的婶子，现在我是老百姓。杨主任，就请你高抬贵手吧，帮帮我们家！我听说，像我们家这种情况，应该有五千的补助吧！杨官得说，我一定去问，至于补助多少，我也不知道。

火腿送了，孩子的学费没了，巧莲的心很痛。但转念一想，要是能够补助到五千元，送一只火腿又算什么呢？

后来，补助名单上有巧莲家的名字了，只是补助金额只有二千五。巧莲又是高兴，又是难过。高兴的是，终于得到二千五的补助金了，难过的是，像她家这种情况的，有好多人都是三千元，为什么我家的就只有二千五呢？巧莲心里始终是疼的。五百块呀！

巧莲去领钱的时候，杨官得说，婶子，悄悄地领走就行了，不准跟任何人说，要不惹出麻烦事来，大家都不好。

巧莲觉得杨官得太鬼了，她决定要收拾一下这个不叫人的东西。巧莲手里拿着一沓钱，微笑着从村子里穿过，逢人就说，今天晚上，到杨主任家领抗震救灾款！村民看着巧莲手里的钱，目光就直了，都兴奋地说，真的啊！能领多少？巧莲笑着说，那还有假啊！我什么时候说过假话了？

晚上，杨官得家里炸开了锅，骂声吼声响成一片，像世界大战爆发了。接着，就出现了前面那种不可收拾的局面。

杨官得知道症结出在了哪儿。他在心里大骂，张巧莲呀张巧莲，我日死你先人，你看着，有你的好果子吃！不教训一下你，你不知道我杨官得的厉害。

## 五

最让巧莲想不通的是，打她的美英，是她用奶水救活过来的。

那年修沟，因为塌方，美英被土埋了，刚好被巧莲看见，巧莲就不顾一切冲上去，拼命用手刨土，直到两只手掌都刨出了鲜血，汗水湿透了衣裤，才把美英刨了出来。当时美英的鼻子、嘴巴、耳朵、眼睛里全是泥巴，身子软塌塌的，呼吸微弱，细如游丝。巧莲哭了，她一边喊美英，一边用手指把美英鼻子嘴巴耳朵眼睛里的泥巴掏出来。美英嘴唇动了动，巧莲的脸上就露出了笑容。巧莲就想到了水，什么地方有水啊！要是有水，给美英喝上一小口，那该多好啊！可是前不沾村后不沾户的，哪里去找水呢？巧莲的手忽然触到了自己鼓鼓的胸部，她才记起，自己还在哺乳期，还有奶水。她就毫不犹豫掀起衣服，抓出自己的奶子，为美英喂奶。想到这里，巧莲心里如刀割般疼痛。这世界真他妈出毛病了，老娘用自己的奶水救了她的命，她却因为一点儿地埂，对救命恩人下毒手。巧莲恨美英，更恨杨官得，但她又能把杨官得怎样呢？

巧莲躺在床上身子又疼痛，心里又酸楚，不禁泪水打湿了枕巾。自己怎么会落到今天这个地步呢？

巧莲是有过浪漫的爱情的。但浪漫的爱情到哪儿去了呢？现实和理想差距太大了，大得就像是白天和黑夜，就像是天上和地下，早知如此，当初无论如何都该去补习，考上个中专，拿着国家工资，像姐姐姐夫一样过着天上的日子，哪个还敢来欺负？

中考时巧莲仅以半分之差落榜了，那时她刚好十八岁。

巧莲是一个聪明能干而且漂亮的人。在学校里，老师喜欢她，同学喜欢她，老师提问时总少不了她，目光里流淌着的全是赞赏和喜爱。巧莲走到哪里，哪里就有热辣辣的目光追随着她袅娜的身影。别说是那些青春萌动的男生，就是妙龄女生也会盯着她的身影细看。这么引人注目的巧莲，老师和同学怎么也不会想到，会以半分之差落榜。但巧莲明白，怪来怪去还得怪那个会唱流行歌曲的帅小伙杨老五。杨老五与巧莲同班，是班上流行歌曲唱得最好的。青年节的文艺演出会上，有着一双大眼睛和一头乌黑头发的杨老五出尽了风头。一曲毛宁的《晚秋》，勾起了多少少男少女的情愫。特别是巧莲，那水灵灵的眼睛里饱含着晶莹的泪珠，那泪珠散发着梦幻般的光芒，那光芒是那样的柔和，那样的绚丽，那样的幸福，那样无心无肝的痴迷和忘我。

多愁善感的少女巧莲，从此心里就满满地装着会唱流行歌曲的杨老五。那是初三年级，正骑在中考的门槛上，关键着哪！但怀春少女巧莲的心一下子活了，乱了。纯净的眼睛一下子满了，善变了，像春水，忽冷忽暖，在春风里波光粼粼地舞蹈。

老师在心里说，优秀学生巧莲可能出事了。同学在背地里议论，巧莲越来越有女人味了。可巧莲呢，她自己找不到自己了，满脑子都只是杨老五。听到的，是杨老五的声音；嗅到的，是杨老五的气息；看到的，是杨老五的影子。后来，巧莲就躺在了杨老五的身下。后来，巧莲就跟着杨老五偷偷到县城去打胎。后来，巧莲就以半分之差落榜了，杨老五却差了十五分。杨老五不读书了，他要到城市里去圆他的歌星梦。巧莲自然也不读书了，她要跟着杨老五到天涯海角，心甘情愿地充当杨老五的水和粮食、衣裳和伞。尽管她挨了父亲一个响亮的耳光、母亲的一顿臭骂，但她吃了秤砣铁了心，不读就不读。生是杨老五的人，死是杨老五的鬼。巧莲就这样把自己草草地交给了杨老五。杨老五带着巧莲在外四处打工了一年，最后终于疲惫不堪地回来了，回到土里刨食，从此开始了他们胡乱潦草的一生。

起初的日子，其实还是有些浪漫情调的。因为在城市里打工，身上始终还是有点丝丝缕缕的城市气息。在城市里，这气息被他们身上浓郁的泥土气息严严实实地掩盖了。但回到村里，那丝丝缕缕的城市气息，就像春雨后的禾苗，倔强地从厚厚的泥土里冒了出来，咯咯拔节，青枝绿叶摇曳着村人羡慕的眼光。他挑着水或者扛着锄头走在村子里的土路上，那皮带、那亮光就在他的腰部，上上下下地缓缓移动。那不仅是一种城市气息，简直就是一种诱惑，一种掠夺，掠夺着本分的村人对村庄的热爱和感情，诱惑着村人对城市的向往。他们在心底说，看，简直就是一个城里人！你闻一闻，人家身上那股城市气息多好闻！更让村人着迷和羡慕的还是巧莲。巧莲本来就好看，但那种好看是玉米的好看，水稻的好看，荞子麦子的好看。可现在的巧莲不再是山野妹子山村丫头的巧莲了，她是从城里回来的巧莲，浑身上下散发着诱人的城市气息。巧莲穿一件乳白色的衬衫，那衬衫细腻得让人想伸手去摸一下。风一吹过，那衬衫就像细密水波一样在巧莲曲线优美的身上起起伏伏。特别是那种叫什么牛仔裤的裤子，把巧莲浑圆的臀部和大腿勾勒出来，让人看了就心惊肉跳。

从城市回来的巧莲，从你身边一走过，你就会嗅到一种陌生的气息，那气息会鼓动着你的心，让你心速加快，让你体会到一种陌生的快感和激动。杨老五和巧莲从城里回到了村庄，村庄里就多了一道亮丽的别样的风景。就是这风景，让村人对城市产生了一种莫名其妙的向往和冲动。

可是，这种别样的风景很快就暗淡了。杨老五和巧莲身上那丝丝缕缕的城市气息，也很快就被无所不在的泥土气息所淹没。杨老五又变成了过去的杨老五，巧莲也变成了过去的巧莲。不同的是，岁月的痕迹在他们的身上，堆积得特别深，特别厚，看上去，他们就比村人显得更沧桑，甚至更可怜。他们那被城市的气息熏染过的脸和身子，很快就变了色，变了形，但又没有了地道的泥土色的纯度，没有了地道的庄稼人的腰身的质地，于是就有了一种不伦不类的特征。这种特征包含着这样一些内容：既不是城市人，又不是庄稼人；既不是知识分子，又不是大老粗。这种特殊身份，注定了他们未来的特殊日子。

## 六

巧莲躺在床上，全身疼痛难忍。她想翻个身，但却动弹不得。她发现自己的手臂和胸部全是青一块紫一块的。她觉得肩部和背部，就像火烧着一样，呼啦啦地疼。

贵花，妈疼得受不了了，你把枕头掀起来，好像还有二十块钱，你拿去买瓶云南白药来给妈吃，妈实在疼得受不了了！记住，一定要开发票啊！狗日家敢打人，医药费他就得抬着。

贵花刚出门，巧莲就骂起杨老五来了，巧莲没有骂出声音来，她是在心里骂。她骂道，杨老五呀！你这怂狗，你这窝囊废，你这扶不起来的猪大肠！别人家的男人要什么有什么，只有你要什么没什么，指望你到外面去挣钱来还债，去了半年了，才带五百块钱回来。像你这样，十年也还不清。你看你那样子，还不到三十五岁，就勾腰驼背的像狗一样了。你不是要当歌星吗？你不是要到大城市闯世界吗？你不是海誓山盟要让我过贵妇人的日子吗？你看你那屌样子，呆头呆脑像根枯树干。你还好意思在外面找野婆娘！想找，你就去挣个十万八万的，再去找。还想像人家城里人，你不屙泡尿照照，你那样子，也配！骂着骂着，巧莲就开始骂起自己来了。她骂：张巧莲呀张巧莲！你的眼睛被裤裆蒙住了，瞎眼了，会嫁给杨老五这个二百五，会被他的花言巧语所迷惑，不就是会唱两支歌吗？不就是会在台上扭捏两下吗？唱歌能当衣穿？扭捏能当饭吃？唱什么《晚秋》？一屁股两肋巴的账谁来赔？面朝黄土背朝天，喝水吃饭还要勒紧裤腰带，腰酸腿痛变成了木头人，谁还有心肠唱？张巧莲呀张巧莲！就算是你喜欢那个又唱又跳的杨老五，你喜欢一下也就罢了，为啥要嫁给他呢？就算要嫁给他，你也没有必要那么操之过急，手忙脚乱，慌慌张张，两腿一张，就把自己的身子给了他。

巧莲在心里骂：杨老五，杨老五！你永远永远爱的人被人打变形了，你咋个还不回来呢？你死到哪里去了？是不是又去找野婆娘了？一想起野婆娘，巧莲的牙齿就咯咯直响。她想不通那野婆娘怎么会看得上勾腰驼背的杨老五呢。巧莲知道，那女人是一个小老板的婆娘，有眉有眼有身段清清秀秀的一个女人。只是听说，那小老板也是经常在外面找野女人玩，杨老五是帮那小老板做工认识那女人的。怎么就勾上了呢？难道勾腰驼背的杨老五还会扭着屁股声情并茂地唱《晚秋》，勾引幼稚的女人吗？巧莲想到这里就觉得好笑。她说，张巧莲呀张巧莲！你是咎由自取，命该如此呀！当年被爹两个响亮的耳光都打不醒的蠢猪呀！怎么就那么喜欢杨老五这根扶不起来的猪大肠呢？

## 七

杨老五终于回来了。巧莲一看到杨老五,委屈的泪水就流了出来。

杨老五的脸上布满胡须,像冬天的枯草,了无生气,背也显得更驼了。当他看到巧莲躺在床上,满脸清泪时,漠然的脸上有了些许表情,眼睛快速地眨巴着,嘴角向左向右提了好几下,好像在颤抖。他说,巧莲你怎么了?巧莲只是一个劲地哭。

巧莲,你究竟怎么了?

怎么了?我差点儿被人家打死了。

谁打的?哪个狗日的打的?你说!到底伤成咋个样?

巧莲看着杨老五急成这样,冰凉的心里涌过一股暖流,好像疼痛也减少了许多,有人疼有人爱的感觉真好。当杨老五看到巧莲青一块紫一块的身子时,叫了起来:哪个狗日的那么黑心呀?

巧莲说,是美英家打的。

杨老五一下蒙了。他眼里流露出不相信的神情说,美英家,美英家敢打你?简直笑话!那么日脓的人家敢打你?简直无法无天了!

巧莲说,你这木瓜脑壳,你就不想想,是谁在后面撑着腰?

杨老五说,谁?

还有谁?是杨官得这个狗日的。

杨官得?你不是帮杨官得拉过几百张选票吗?你咋个得罪着杨官得了?杨官得会支持美英家来打你?

你说我咋个得罪他了?还不是为了那救灾补助款,狗日的记恨在心了,我也是不得已而为之。要是我不出面,我们会得着那两千多块钱?只是杨官得这狗日的,记仇不记情,心黑着呐!

杨老五说,巧莲,我们去城里治一治伤吧,你伤得不轻呀!

巧莲愤怒起来了。她说,治!治!你只晓得治!你有多少钱?你拿出来吧!你就恁个日脓?也不敢去问个青红皂白?打人的,打了就打了,也不拿出钱来医,你说欺负人不欺负人?你说合理不合理?

杨老五说,我是怕你伤拖重了。我们先去治好伤,再请村上的和派出所的来解决。

巧莲的气更粗了。巧莲说,你怎么跟杨官得口气一模一样的?是不是你跟他勾结起来收拾我?

杨老五抓了抓头发无话可说。

巧莲一字一句说,杨老五,如果你还是个男人,如果你还认得你婆娘被人打了躺在床上爬不起来了，你就去美英家找她算账！

杨老五蹲在地上吸了一支烟，把烟头扔在地上，用脚掌狠狠地踩了几下，牙齿咬得咯咯响，狠狠地说，我就不信狗日家会吃人，转身向门外走去。

巧莲的嘴角露出一丝奇怪的笑容。她看着杨老五佝偻的背影，有一种温暖的东西涌上心头。她想，这个会唱《晚秋》，会勾引女人，勾引野婆娘的男人，竟然还有一点血性。就是这点血性，让她感到了些许温暖，找到了作为女人的些许尊严。她不无嘲讽地笑了一声，说，杨老五，我还以为过去的你早已死绝了呢！我还以为你只会疼你的野婆娘了呢！但转瞬间，巧莲又感到了害怕。她知道，杨老五赤手空拳去美英家，美英家五个人一起上阵，他是一定要吃亏的。他要是再被美英家的人打伤了，那可怎么办？要是杨老五去了不问三不问四就把美英家的人打伤了，或者打死了，那又怎么办？

在巧莲心里，莫说把美英家的人打伤，就是打死，她也不解恨。但巧莲也明白，打死人是要偿命的啊！你跟那个穷鬼去玩命，值得吗？不值得，肯定不值得。就算要玩命，也要一条命换他五条命，那才值得。我张巧莲家的命，能跟你美英家的命画等号吗？她想，杨老五不能去！去了不会有好结果。但能让杨老五回来吗？不能，肯定不能！人被打伤了，连问都不敢去问，连屁都不敢放一个，我张巧莲有这么窝囊吗？巧莲这么想，但心里始终还是不安。

巧莲咬着牙从床上坐了起来，让贵花扶着走出门。她已经看到杨老五有些驼的身影飘到了美英家的门口。巧莲让贵花扶着她再走，一直走到一棵大树下，她能看到了美英家的动静，又能听清说话的声音。巧莲的心咚咚直跳，她要忍着疼痛观看事态的发展。

事态的发展出乎巧莲的意料。巧莲听到了杨老五的声音，那声音轻飘飘的，没有一点儿底气，甚至还有几分讨好的味道。

杨老五说，我在城里打工回来，看到娃儿家妈躺在床上，一问才知道跟你们家吵架了。我来问问，到底是为啥子吵的？把人都打伤了，睡在床上爬不起来了呢。

接着就听到美英爹的声音：杨老五，你来了更好，你通情达理，不像你婆娘像个泼妇一样，蛮横不讲理。连你妈她都敢打，这你是知道的。现在她又乱挖地埂，乱骂人，还追到我家门上来打人，现在美英还住在医院里呢！

杨老五说，你看，我不在家，就乱成这个样子了！我没别的意思，就是来问一问，巧莲肯定做得不对，你们不要跟这种人较劲儿！她那张嘴是不干净，这我了解，连我都经常被她骂。

巧莲眼前一黑，就瘫在了地上。她什么都听不见了，对杨老五的失望，像利刃一样，掏空了她的心。

## 八

巧莲下定决心，一定要把自己的伤看好。她觉得杨老五死了，彻底死了。她甚至不想看杨老五一眼，不想跟他说上一句话。她一看见他就恶心，就为自己当初瞎了眼而痛心疾首。这个家，这三个可怜的娃儿，只有靠她了，杨老五是靠不上的，这一点儿，她是看透了。她决定到城里的医院去看病，哪怕是砸锅卖铁，也要把自己的伤治好。这个家，不能没有她。自己既然没被打死，就要拼命活下来，活出个人样来。巧莲比任何时候都看重自己，看重自己的生命。她不再指望美英家拿出钱来，才去看病了。之前，她总觉得自己如果先去看病，而到时候对方不承担医药费，那么这一大笔钱谁赔？尽管美英家是输理的，自己是有理的，但这年头，谁说得清楚呢？官官相护嘛！小老百姓有理也是无理，有钱有势的，无理也是有理。说来说去，巧莲还是心疼钱。现在巧莲不心疼钱了，她忽然觉得自己像一个哲学家似的，瞬间弄明白了一个天大的问题，那就是生命才是最重要的。有了生命，才有可能拥有一切。有了生命，钱才是钱，才不是纸，才不是垃圾。

巧莲决定，把压在枕头下面准备买猪的五百块钱拿出来去看病。把病看好了，她就要扬眉吐气地去找美英家论理，找杨官得论理，找派出所论理。她就不相信，这个世界就没有一处讲理的地方。巧莲看过一部电影，那电影叫《秋菊打官司》。秋菊挺着个大肚子，照样把官司打赢了。她还看过一部名叫《杨乃武与小白菜》的电视剧。恁么大的冤情，照样得到昭雪，更何况，那还是在清朝。

这么一想，巧莲就有了信心，黑暗的心里就有了阳光。她用牙齿紧紧地咬着被子的一角，强忍着伤痛，等待着天亮。天一亮，她就要坐车到城里去看病了。

要在平时，巧莲进城是绝对不坐车的，她都是骑自行车进城的。她有一辆自行车，虽然破旧得除了铃铛不响到处都响的地步，但骑上它，还是比走路轻松得多。这次，巧莲是不能骑车了，她身上的伤，让她走路都成问题。她把钱装在口袋的最里层，咬着牙，摇摇晃晃向车站走去。

医生检查后说，伤成这个样，全身都淤血了，必须住院治疗。

巧莲拿着医生的诊断单，像一只无头苍蝇东撞西撞，花了一早上时间，才拍了片，查了B超。巧莲拿着一把单据去找医生时，医生说，手臂骨折，软组织受伤，住院好好治疗，先交三千块钱吧！

巧莲一听，吓得身子矮了半截。妈妈呀，怎么那么吓人？一交就是几千块！

医生又说，城里有没有亲戚朋友？要不，你先找他们借点儿吧！至少要筹到一千五百块才行。

巧莲愣了。不住院，能把伤治好么？要住院，哪里去生钱呢？只得去借。到哪里去借呢？她想，还是先到表姐家借吧！要是不行，就到杨老五的姐夫家去试试看。

表姐卖菜刚回来，正在屋里做饭。屋子又黑又窄。巧莲叫了一声表姐。表姐定睛看了一眼巧莲，热情地说，巧莲，是你！什么时候来的？快坐快坐！巧莲看到火炉上炖着一锅酸菜洋芋汤，肚子就咕咕叫起来。她咽了一口口水，慢慢坐在凳子上。表姐说，巧莲，你怎么了？病了吗？一副病奄奄的样子。巧莲笑了笑说，我太走运了，被狗咬了。表姐说，咬成什么样？怎么不小心些呢？巧莲说，不是被狗咬了，而是被人家打了。巧莲就长马头细马尾地讲了起来。巧莲多次想提出借钱的事，但喉咙里就像被什么东西堵住了似的，说不出口。她知道，表姐夫在县委看大门，一个月也只有几百元的工资。表姐整天推着三轮车在街上卖小菜，听说每天也只有十多元的进账。这与农村相比，已经是很了不起的了，但表姐家有两个孩子在城里读书，听说学费高得惊人。表姐能有钱借给自己吗？至少要借一千块钱呢！但不跟表姐借，跟谁借呢？

表姐说，吃饭吧！

巧莲咽了一口口水，说，我吃过了。只是……

巧莲觉得借钱才是大事，吃饭是小事，尽管自己肚子饿得咕咕叫。更何况，她真的不忍心吃表姐家的饭。

表姐说，你在哪里吃的呀？快吃快吃！说着就把碗和筷递到巧莲的手里。

巧莲双手捧着碗和筷，泪水就扑簌簌地落下来了。

巧莲说，表姐，我想跟你借点钱。我住院，要交一千五百块钱，我身上只有五百块。本来，本来我是不敢开这个口的，但我实在没有办法。

巧莲就把衣服提起，露出了青一块紫一块的身子。

表姐倒吸一口冷气，说，天呀！伤成这么样，死绝良心的人家也太狠了嘛！

巧莲抹了一把泪说，本来我是不想来城里看病的，城里到处都要钱。但想来想去，不来不行，万一我死了，那三个孩子怎么办？靠杨老五，是没有希望的了。

表姐说，伤成这样，不看咋个行呢？留得青山在，不怕没柴烧。快吃饭吧！

巧莲的泪水又扑簌簌地流下来了。

表姐说，你不吃饭，就算帮得上，我都不会帮你的！

巧莲就吃饭了，而且还吃了三碗。

吃完饭，表姐就到了房间里，出来时手里就拿着五张一百元的钞票。表姐又把自己身上的口袋翻了个遍，把一大把皱巴巴的钱堆在桌子上，慢慢地数，一共有八十五块二角钱。表姐把这些钱抹平了，叠在那五张大票上，递给巧莲，说，就这么多，你先拿去，跟医生说，先交一千块钱，住进院去，明天我再想办法弄五百块来。

巧莲接钱的手打着战。巧莲说，表姐，钱都借我了，你不留下些买菜的本钱吗？

表姐说，你别管，我会跟我那些卖菜的姐妹们借一些的，虽然穷，但我们都处得很好，会互相帮助的。

巧莲知道一千块钱是住不了院的，但她不能说出来，不能再给表姐增加压力了。

## 九

巧莲决定到杨老五的姐姐家去试一试。杨老五的姐姐在城里的财政局工作，姐夫是报社的记者。在巧莲的心目中，是有钱的主儿。但在两年前，巧莲为了盖房子，去借过钱，半分都没借到。杨老五的姐姐说，我们家哪有钱，虽然说你姐夫和我都有工作，但每月也就千把块钱。在这城里呀，寸步都要用钱。买棵葱要钱，打个车要钱，讨亲嫁女，死人抬丧，朋友聚会，生日庆典，哪样不要钱？五十块还送不出去，少下一百来还不行。娃儿读书的费用越来越高，一年差不多就要一万块。你说哪里会有钱呀？巧莲听得头都大了，她哭丧着脸出门来，很沮丧。但转瞬间，心里又有了阳光。她原以为，这个世界只有自己一人穷，哪想到穷人也不少，就连杨老五那金毛亮板的姐姐家，也缺钱。但转念一想，又悲凉起来，这一定是杨老五姐姐不想借钱给自己的托词。巧莲有些恨杨老五姐姐的势利。她想，要是自己那年不差半分，也是公家的人，绝对比得上她。要人才，自己当时也算是一朵校花。要勇气，自己的勇气还小了吗？当初爹两个响亮的耳光，都没有把她的勇气打掉。要是那勇气被爹打掉了，自己屈服于爹的威力了，就去补习了，那早就是公家的人，也不至于落得个像今天这样的人穷志短、马瘦毛长了。想着想着，巧莲就哭了起来，她在心里说，杨老五呀杨老五，我到底前世欠你啥子了？你要毁了我一生。然后她抹了一把泪，又在心里说，张巧莲呀张巧莲，你还有脸去怨别人，你应该去怨你自己！一切都是自找的，活该！活该！

其实，杨老五的姐姐过去对她张巧莲家还是够好的。过去杨老五的姐姐和姐夫都念在巧莲家穷的分儿上，经常三百块五百块地借给巧莲家，可那钱一借去就肉包子打狗，有去无回了。这些，巧莲都明白。但这钱左手来右手去，哪有钱来还呢？就赖着不还，反正杨老五的姐姐家也不缺这几百千把块钱，谁叫她家有钱而自己没有呢？后来，巧莲就明白是自己想错了，借人家的钱不还是不行的。恨只恨自己太穷，要是不穷她才不耐烦去借钱。借钱的滋味是人受的吗？

快到杨老五姐姐家的时候，巧莲又有些犹豫了，但最后她还是硬着头皮走进了杨老五姐姐家。杨老五的姐姐姐夫听说她被人打了，又看见了她满身的伤，同情之心油然而生，就对巧莲非常好，问寒问暖，关怀备至。巧莲就觉得自己疼痛的身子也好像不疼了，木木的筋骨也好像忽然活络了。她才觉得，人与人就是不同啊！晚饭在人家家里吃了，好菜摆了一桌子，水果也端上桌子来了，什么苹果梨子桂圆什么的，有的连名字都叫不出来。要是不把我张巧莲当人，人家还会这么好吗？巧莲就在心里说，还是自己人好啊！虽然杨老五不成器，可人家姐姐姐夫成器啊！巧莲把借钱的事说了，杨老五的姐姐一听就爽快地拿出一千块。巧莲说，有五百块就够了。杨老五的姐姐说，在城里处处要用钱，你就多拿着些，方便点。杨老五的姐夫说，巧莲一定要好好治疗，身子才是最重要的，没有了身子，就什么都没有了。巧莲颤抖着双手接过钱时，叫了一声：姐姐姐夫，我不是人呀！就呜呜大哭起来。

## 十

巧莲走在大街上，觉得天特别高，特别蓝，街道特别宽，太阳特别圆。她看着满街的人群，觉得自己也好像高大了许多。她扬眉吐气地走在大街上，直到一位交警一把揪住她的袖子，把她拉到边上，厉声说，你没有长眼睛吗？闯红灯都不知道！揪心的疼痛让巧莲尖叫了一声，把交警也吓了一跳。

巧莲身上揣着两千块钱，理直气壮地向医院走去。她的心被一种东西激荡着，澎湃着，好像自己根本不是来城里治病，而是来观光，来向城里人展示，我张巧莲也有扬眉吐气的时候，我张巧莲还有个热心热肠的好表姐，有个有身份、有地位、又有钱、心又好的姐姐和姐夫。

更让人觉得锦上添花的是，巧莲还遇到了以前认识的那个热心肠的李医生。

李医生说，巧莲，走！我带你去，先住进来，再慢慢去找钱。

就是这一句话，让巧莲的泪水止不住地流。她伸出手，胡乱地抹了两把。

李医生惊奇地说，巧莲，你怎么了？

巧莲又抹了一把脸上的泪水，笑着说，我高兴，我高兴啊！城里人也这么好！

李医生笑着说，你这妹子，真有意思！城里人都是坏人啊！

巧莲的心温暖极了，走出那个巴掌大的山村，就是别样的风景了。关心自己的人那么多，转弯抹角的表姐，杨老五的姐姐和姐夫，不！应该是自己的姐姐和姐夫，以前只见过一次的李医生，他们都比自己的亲人还亲。巧莲激动的理由就很充分了。

两年前，她为李医生家找过一个小保姆，后来就认识了李医生。巧莲的一个表叔请巧莲为他一个亲戚的朋友找一个小保姆，人要干净勤快长得好。巧莲想来想去，就觉得自己后家哥哥家那个辍学的女儿挺合适，虽然只有十三岁，但脚勤手快有眉有眼的。那天她送侄女去李医生家，李医生对侄女非常满意。巧莲也觉得放心。原因是李医生的丈夫在国外，女儿只有半岁，侄女就是帮李医生带一下女儿，做两顿饭，供吃供住，每月一百五十块钱。巧莲虽然在农村，但还是听说过，长得好看的小保姆，被男主人强暴的事发生过不少的。侄女虽然才十三岁，但看上去水灵灵的，已有几分女人气了。男主人不在家，这就解除了巧莲的后顾之忧了。李医生活泼开朗，那天晚上剥橘子给巧莲和侄女吃，还对巧莲问长问短，称她为妹子。李医生说，妹子，你其实挺不错的，又健康，又能干。要是有个工作，凭你的气质和口才，一定是个骨干，说不定还是个领导呢！巧莲被这些话鼓舞着、滋润着，回到家里好多天了都觉得余劲未消，走起路来都要轻快一些，头都要抬得高一些。只是时间长了，那些好听的话，像五光十色的肥皂泡破灭了。天，还是灰不溜秋的天；路，还是土不拉叽的路；巧莲，又变成灰头灰脑的巧莲了。

两年过去了，巧莲都记不清李医生了，可李医生竟然还记得她！

李医生要巧莲住院，但巧莲不住。

巧莲说，李大姐，你能不能帮我一个忙？我买一瓶白药吃了，伤就好多了。我想请李大姐为我开些药，我拿回去吃，就不必住院了。另外，请李大姐开一张医院证明，证明我的伤情，伤得越重越好。我拿着这张证明，作为解决的依据，能够得到一笔钱，那更好。如果不能，我也能够勉强承受。李大姐，妹子求求你了，你看行吗？

李医生见巧莲这样，眼睛潮湿了。她叹了一口气，摇了摇头，最后又点了点头。

李医生说，现在有个新规定，开打架受伤的住院证明，需要当地派出所的户口证明才行。你到当地派出所去打个证明来吧！

巧莲一听就愣了，说，派出所会打证明给我吗？

李医生说，怎么不会呢？这是他们的职责呢。

巧莲说，派出所是村主任喂乖了的，村主任跟打我的那家人又是亲戚。

李医生说，你去吧！他们要是不开了，你再来找我。当真的无法无天了？今天我上班，要不，我开着车带你去！

巧莲的心更温暖了，胆气也更足了。一路上，她都在想，你派出所的人算什么？还不是整天在乡旮旯里瞎忙。我还有个姐姐在城里的大医院当医生呢。人家的男人在哪里？告诉你，在国外呢！我还有个姐姐在城里的财政局呢！姐夫还是个大记者！还有我的那个表姐，虽然只是个卖菜的，但人家住在城里呢！难道不比你稀奇？

巧莲到了派出所，说，同志，我能够给你们反映一些问题吗？

同志说，能，你要反映什么问题？

巧莲说，你们是人民警察吧？

同志说，那还用说。

巧莲说，哦，也就是说，你们是为人民做主的同志了？

同志从上到下看了巧莲一眼，笑着说，你要讲什么就讲吧！

巧莲就把自己被打的经过和需要派出所出示证明的事说了一遍。

同志说，证明可以给你，但只能证明你的身份。至于谁打谁了，这个要通过调查落实后才行。你把户口簿拿给我看看！

巧莲说，没带来。

同志说，没带来不行，你回去拿来吧！

巧莲说，我说名字给你，请您帮我查一查吧。

同志说，别开玩笑，不行！

巧莲回去拿户口簿回来的时候，已经是下午了。同志已经换成了另外一个同志。

另外一个同志说，不行不行，派出所的证明是随便开的？

巧莲慌了，说，早上那个同志都说可以开，你怎么说不行？

同志说，他说可以开，你就找他开吧！我就是不能开。

巧莲说，为什么不能开？

同志说，不能开就是不能开，别在这里胡闹！

巧莲生气了，吼起来。有姐姐姐夫和李医生撑腰，巧莲的胆子大了，她不怕乡里头的这个小警察了。

巧莲说，你是不是人民警察？你是不是共产党的警察？你是不是为人民做主的警察？杨官得给你多少好处？送几只火腿给你？你要护着他？告诉你，今天这个证明你不开，我就跟你拼命，我这条贱命换你那条命，值了！

同志手一挥，用眼睛暗示另外一个同志说，简直是疯婆娘，给我把她轰出去！

一个身材矮小的同志就过来推巧莲。巧莲心横了，伸手抓小同志的脸。小同志猛地一推，就把巧莲连滚带爬推到了门外，狠狠地摔在门外的水泥地上。巧莲惨叫一声，全身疼痛难忍，索性躺在地上，紧紧闭上眼睛，装死。待巧莲睁开眼睛时，那些同志已经走了。空空的场院里，风呼呼地吹着。

## 十一

第二天，巧莲跟李医生打电话。李医生在电话里骂了一句，这些人也太黑了！然后又说，妹子，你等着，我开车一个小时就赶到。

巧莲被李医生的话激荡着，那一声妹子，多么润心润肝啊！对巧莲来说，就像炎热的夏天清澈的泉水滋润干裂的心田，就像寒冷的冬天，温暖的火炉烘烤冻僵的灵魂。巧莲一次又一次想象李医生美丽的身子从轿车里出来的样子是如何的有气质，一次又一次想象她跟在李医生的身后走进派出所时，是如何的理直气壮和光荣。那种等待，是那样美好，又是那样漫长。巧莲蹲在公路边的一个土坎上，眼睛一直看着城市的方向，等待着她心目中的轿车。

李医生终于从轿车上走下来了。但李医生说，巧莲，你就在路边等我，把你的户口簿拿给我，我去帮你开证明。

巧莲说，我跟你去！

李医生说，不用了，你就在路边等我。

巧莲的心一下就灰暗了。她在心里演练了一遍又一遍的神气活现的姿态，没有了展示的机会。但李医生的话对巧莲来说，就是真理，就是命令。巧莲就只得站在路边，眼睁睁地看着李医生钻进细皮嫩肉的轿车里，然后一个转弯，就拐进了派出所的大门。

十多分钟后，李医生的车转回来了。

李医生把一张单子递给巧莲，微笑着说，搞定！上车，进城吧！

巧莲就上了车，坐在副驾驶位上。她用崇敬的目光看着李医生，叫了一声，李姐！然后就没有任何话语了。李医生一转头，就看见巧莲满脸的清泪。

一路上，巧莲总想问一个问题，却老是不知道如何开口。那问题就是，李医生是怎样在很短的时间内就把她花了一天时间都没办好的事情办好了？

李医生说，这年头的人太势利了，他晓得我是医生，他妈还在医院住着呢。

巧莲说，李姐，我看见你在他们面前好威风哟！

李医生惊奇地说，你没在路边等我？

巧莲说，在。

李医生说，你看得见我？

巧莲笑着说，不用眼睛我都能看见。那些人对你毕恭毕敬的样子，我看了好开心哟！只是有些遗憾，他们不知道我喊你姐。

医院的伤势诊断证明很快下来了，只花去了一百多元钱。证明上写着的内容是多处软组织受伤，左手臂开放性骨折。巧莲看了很高兴，她知道，伤越严重，对自己越有利，解决起来赔偿的钱就会越多。

巧莲请李医生开了一些跌打损伤药带回家。她不住院了，她想把住院的钱省下来，然后分文不少地把表姐和姐姐姐夫家的钱还了。人家把我张巧莲当人看了，我自己就不能不把自己当人看！过去自己没把自己当人看，人家也不会把你当人看。人家借你钱，就肉包子打狗，有去无回，谁还会再借你钱？谁还会把你当人看？

回到家里的巧莲把自己关在屋里，不让外人知道。李医生开的那些药真是好东西，吃下去果然见效。巧莲的脸白了，红了，有喜色了，身子的疼痛减轻了。

无论白天还是黑夜，巧莲总是在念叨。巧莲说，杨老五，我还以为我这一生完了，没想到还有今天。那一顿毒打没有白挨，值得，值得啊！你杨老五没把我当人看，别人会把我当人看，我自己把自己当人看。她把儿子搂在怀里说，儿啊！你快快长，有妈在，妈会把你带大，带你好好活下去，活出人样来。说着说着她就笑了起来，笑着笑着她又哭了起来，骂了起来。她骂，杨官得，你这狗日的，老娘不会饶过你的！你一个村长算什么？你还有城里的记者大？还有城里的医生大？你以为你跟派出所勾结在一起就了不起啦？派出所又算什么？在我李姐面前还不是点头哈腰，小腿弹三弦的。你杨官得狗日的狗眼看人低，你就不打听我张巧莲的三亲六戚是做什么的？美英，你穷鬼一个也敢打我张巧莲！杨官得一怂恿你就不知天高地厚了，告诉你，老娘也会让你无处可逃的。我张巧莲要堂堂正正地做人，我张巧莲好歹也是一个只差半分就考上中专的人，你别狗眼看人低！

巧莲从白天到黑夜，从黑夜到白天，嘴不歇气地说着这些话。杨老五怀疑巧莲的大脑受刺激出问题了，心里很悲哀。

## 十二

阳光明媚的清晨，巧莲在村里的大路上耀武扬威地走来走去，逢人就哈哈笑着说，还好，我还没死，还好，我死不掉了！她径直朝美英家门口走去。美英一见，赶紧把门关上。巧莲更理直气壮了，她哈哈笑着在村子里走来走去。

杨官得看见了巧莲，觉得巧莲有些不正常，想躲开。巧莲就叫了起来，杨官得，你别跑！

杨官得呵呵笑着说，婶子，你喊我？你老人家变漂亮了。

巧莲说，杨官得，你别给我要花样！那点儿花花肠子你以为我不知道？你就是跟派出所勾结得再紧，我也不怕你！我也饶不过你！你怂恿美英家打人，你以为你做得滴水不漏？告诉你，老娘的肋骨上是安窗子的，透明透亮的。我就不信你一个小小的村官就能遮住太阳！秋菊挺着个大肚子都能把官司打赢，我就不信我清清白白的张巧莲遭人毒打还会输理。

杨官得被张巧莲连珠炮似的话轰得有些晕头转向。他低估了张巧莲，他从张巧莲的话语中感受到这个读过书的女人有些难以对付，惹了她等于捅了马蜂窝。他有些后悔，但后悔又有啥用呢？只得硬撑着，走着瞧吧。

杨官得说，婶子，我还有事呢，有空儿再跟你老人家慢慢谈，说着，骑上摩托一溜烟跑了。巧莲哈哈大笑，笑声在村子里跌跌撞撞的。巧莲就在心里说，妈的，人也真他妈的怪！怎么换一种心态，人就他妈的那么开心了呢？人一把自己当人看，底气就足了，声音就大了，口才都他妈好得像个演讲家。

只是这种心态不是那么的长久，就像夏天善变的天空，刚才还晴空万里，瞬间又阴云密布了。巧莲首先想到的是，就算派出所断美英家输理，要美英家赔偿医药费，但美英家哪有钱来赔呢？难道你也去毒打她一顿？当时巧莲曾产生过这种以牙还牙的想法，但瞬间就被她否定了。我张巧莲怎么能够跟美英放在同一个平台上呢？钱固然很重要，但当你没有办法得到钱的时候，能够得到个公道也算不错了。秋菊不就是为了讨个公道吗？

让巧莲晴朗的天空布满乌云的是，美英家的门口一下子停了四辆摩托。据说，美英家的一个妹夫，是乡里管林业的警察。那个警察穿着一身警服坐在美英家门口喝开水，说话粗声大气的。同来的几个小伙子说话更像是吃了火药似的，火爆爆的。美英一家围着这几个小伙子团团转，又是递烟，又是续水。穿警服的小伙子说，简直不知天高地厚！姐，你放心，我几分钟就把狗日的摆平了。几个小伙子就齐声说，对，把狗日的摆平了！

巧莲想避一下，但又觉得太丢面子。不避，又怕那些人问三不问四地打上门来。要是自己再被打伤了，或者被打死了，你就是再有后台和背景又有啥用呢？

巧莲把孩子交给杨老五，说，要是那些人找上门来，你就说，张巧莲进城看病去了，一切都跟你杨老五无关，你让他们到城里来找我。巧莲把借来的钱装好，就从小路往车站赶。她要赶到城里去，一是避一下，二是去还钱，三是去请姐姐姐夫还有李医生下乡来为自己撑一下门面。你美英家门口才摆几部摩托，我张巧莲家门口要摆几辆轿车呢！

那种理直气壮地还钱的感觉真好啊！巧莲把叠得整整齐齐的百元钞票从口袋里抓出来，哗啦啦地数了两遍，递给姐夫，说，谢谢了，姐姐姐夫，巧莲来还你们钱了。巧莲在心里说，我张巧莲已不是过去的张巧莲了。过去的张巧莲没把自己当人看，今天的张巧莲不但把自己当人看了，而且还不是一般的人，是一个知恩必报、说话算数的人。你看，你们借巧莲的钱，巧莲心领了，一分不少还你们了，我张巧莲也是一个能顶半边天的女人啊！

姐姐姐夫说，怎么这么快就还啦？你没住院啊？巧莲呀，身体才是最重要的，钱是什么东西？钱不就是为人服务的纸吗？

巧莲心暖和和的，笑着说，我的好姐姐好姐夫哎，谢谢你们心疼巧莲了。巧莲已经住过院了，现在出院了。你们看，我都又白又胖了，脸上也有喜色了。巧莲就伸了伸手，弯了弯腰，踢了踢腿，轻轻地跳了跳，像个小学生做广播操似的，笑着说，你们看，我的身子都活软了，伤好了呢！巧莲这么一说，姐姐姐夫果然觉得巧莲变了，变丰满了，变漂亮了，脸是脸胸是胸屁股是屁股的，还挺有几分姿色呢。姐夫在心里说，女人呀，还真像那些文人骚客说的，就像花，是好环境好雨露养出来的呢。在农村苦伤了，到城里来住几天院就把人养漂亮了。姐夫这么想着，就多看了巧莲几眼。就是这几眼，让巧莲的心一下子年轻了十岁。想当初自己刚刚与杨老五结婚，姐夫的目光总是往自己的脸上、胸脯上、屁股上粘，又大胆又放肆，火烧火燎的，说的话也是那么甜蜜蜜、暖和和的，老是往人的心窝窝里钻。可后来，姐夫的目光就冷了，干了，涩了，没有半点儿水色了。现在姐夫的目光又有点儿活了，有点儿水色了。巧莲死去多年的心也有点儿活了，有点儿水色了。就像枯树开花，让人惊喜，又让人赏心悦目。巧莲的泪水就出来了，巧莲在心里说，我张巧莲也有今天啊！我张巧莲也有人关心，有人在乎，有人欣赏啊！

巧莲说，我把家里的三头胖猪卖了一头，钱就来了，过年还可以杀两头。

尽管家里唯一的一头猪都被她卖了，为了好不容易才找回的面子，巧莲说了假话。

## 十三

要走的时候，巧莲请求姐姐姐夫为她做一件事情：选一个天气晴朗的星期六或者星期天，找五辆轿车约几十个城里的朋友到她家里玩。

姐姐也高兴地说，如果这个星期六天晴，就定在这个星期六吧，很长时间没有下乡去玩了，乡下的空气挺好呢。

姐夫说，为什么要找五辆汽车约几十个人呢？这样会给你们添麻烦的。

巧莲说，只是姐夫要找那么多车，太为难你了。要不，车越多越好，人也越多越好。这样吧，姐夫，要是为难，找四辆车也行。巧莲想，你美英家门口停四部摩托，我张巧莲家门口停四辆轿车总比你威风吧！

姐夫说，找车倒一点儿都不难。我的朋友，大多都有轿车的。只是，有这必要吗？姐夫心里明白，现在的城里人，一到休息日，就想往乡下跑，去感受大自然的清新空气。只要跟这些在城里待得发困的朋友们说一声，他们一定会欣然答应的。

巧莲一听就激动了，说，姐夫，姐姐，就这样定了，就麻烦你们了。找五辆，找五辆轿车啊！我亲自磨豆腐、煮凉粉给你们吃！

巧莲的脑海里掠过这样一种场景：五辆轿车从村庄的土路上鱼贯而入，耀武扬威地鸣着好听的喇叭。村庄里的尘灰和粪草被飞速的车轮卷起，遮天蔽日。路的两边，村子里的老老少少都走出家门来看热闹，目光里全是惊奇和羡慕。直到车子整整齐齐排满了巧莲家的门口，人们惊奇和羡慕的目光还不肯收回。美英一家人也从门缝里伸出头来看热闹，但弄清了这些漂亮的车子都是来巧莲家的时候，立即把头缩了回去，把门死死地关上，一天不敢出来。巧莲脸上的笑容啊，像春天的梨花一样开得重重叠叠的。

巧莲去表姐家还钱，表姐又给她一长串贴心贴肝的体己话。巧莲的心被巨大的温暖包围着。巧莲想，我怎么不早些年就被人打了呢？早些年被人打了，就早些年感受到好人的温暖了，我张巧莲也不至于窝囊这么多年。

巧莲找到李医生，邀请李医生星期六开车到她家里玩。李医生一口答应了。李医生说，行！我很久没有到乡下去玩了，我这个人，就喜欢乡下。乡下的阳光都要亮一些，乡下的风都要柔一些。乡下呀，就是比城里好。巧莲呀，我爹我妈就我这一个女儿，我从小在城里长大，在乡下呀，连一个亲人都没有。巧莲呀，姐就认你这个妹子了。姐想到乡下时，也有个去处。乡下那种用柴烧的新洋芋、青苞谷，味道可好了，在城里是吃不到的。李医生的唇边，口水都快流下来了。巧莲的头都晕了，大了。巧莲激动地说，姐啊！巧莲能有你这么好的姐，这一生值了。

巧莲回到了家里，满脸都是笑，心中有一种巨大的温暖在澎湃。乱糟糟的日子早已把巧莲的性欲厚厚实实地掩盖了。现在，巧莲的日子忽然归顺了，有条理了，性欲也就抬起头来，昂起胸来。她想做爱，她想跟这个曾经会唱《晚秋》的、把她迷得死去活来的杨老五做爱，跟这个偷偷地在外面裹过野婆娘的杨老五做爱，跟这个已经勾腰驼背的懦弱得像一根扶不起来的猪大肠似的杨老五做爱。管他如何，他毕竟是自己的男人啊！巧莲觉得，只有做爱，才能够把自己内心的喜悦和激动，酣畅淋漓地倾泻出来。巧莲感到，再不倾泻，她就要爆炸了。

巧莲一丝不挂地躺在床上，声音极其温柔地呼唤着杨老五。老五，老五啊！

杨老五抖抖索索地不敢上巧莲的身，他被巧莲的异常行为搞蒙了。巧莲怎么会变得这么无心无肝整天傻乎乎地傻笑呢？杨老五断定。巧莲一定是不正常了，神经一定出问题了。杨老五在心中骂杨官得歹毒，骂美英家歹毒。怎么能把人打成这样呢？

巧莲的目光里，一半是水，一半是火，一半是风，一半是雾，让人迷惑。杨老五不管那么多了，他已经很长时间没跟巧莲做爱了。更何况现在的巧莲白了，胖了，有水色了，好像巧莲一下子回到了学生时代。杨老五一个翻身就上了巧莲的身子。

巧莲说，杨老五啊杨老五，咱们的好日子来了。

巧莲说，杨老五，没想到我张巧莲活下来了，没想到我张巧莲还会有今天！从今以后，咱们要把自己当人看，活出个人样来！杨官得算什么东西？派出所算什么东西？美英家算什么东西？算泡屎，算泡尿，算个屁，什么都不算！

杨老五，张巧莲告诉你，你不把自己当人，别人就不会把你当人。你就不是人！——什么都不是！连屁都不是。张巧莲在杨老五的身下哈哈笑着，笑得杨老五的身子一颠一颠的。

## 十四

巧莲每天一起床就是看天。看着红彤彤的太阳从山垭口爬上来，巧莲的脸也就布满红润润的像太阳一样的笑。

通向巧莲家场院的路，有些窄了，破了，车子可能开不过场院来。巧莲就带着杨老五，用石头砌，用泥土铺，用锄头捶，一遍又一遍用脚掌去踩实，直到确定车子能稳妥地开到场院时为止。

星期六就要到了，巧莲提前两天就开始做准备。泡黄豆，泡豌豆，买姜葱，买肉食，她到后家去借了三百元钱，再加上自己看病剩下的二百元，全部用来接待坐着轿车来的尊贵客人。看着那些腊肉，那些豆子，巧莲的心又有些疼。毕竟，这么好的东西，平时谁舍得吃呢？但巧莲很快就自责起来：张巧莲，别人给你脸，你还心疼那点儿东西，你还是人吗？

星期六的前一天晚上，巧莲就一次又一次地出门看天空，看星星，生怕天上有乌云，生怕第二天天气不好，影响客人的心情。巧莲看到了深邃的夜空，看到了满天的星斗，她的喜悦就在夜空里闪闪发光了。她知道，那种深邃的夜空，那种满天的星斗，就是晴天的标志，就是晴天的脸谱。

红的、白的、绿的、灰的轿车整整六辆，气宇轩昂地驶进东村来了。整个村庄沸腾了，沸腾的程度远远超出巧莲的想象。巧莲把埋藏多年的笑容全部翻出来，有条不紊地堆在脸上。巧莲站在车子的前面，左手舞一下，右手舞一下，口中念念有词，向左，向左，向右，向右，靠边，靠边，向前，向前，唉，可以！可以！像一个编外的交通警察，尽心尽力但却极其外行地指挥着交通秩序。巧莲一边指挥一边环顾，她希望看到围观的人们羡慕的眼神是怎样投在自己身上的。

五辆轿车在巧莲的指挥下，整齐地停在了巧莲家的门口。场院已被车子停得满满当当的了，最后一辆没有地方停放了。待巧莲发现的时候，这辆车已停放在另一家人的门口了。巧莲觉得问题大了：来我家的车子怎能停放在别人的门口呢？更何况这家人跟美英家关系多好呀，可以说是狗吃牛屎一伙的。巧莲就跑过去跟驾驶员说，这车不能停在这里。驾驶员疑惑地望着巧莲说，为什么？巧莲说，这家人跟打人的那家是一伙的，放在这里不安全。驾驶员更是一脸的疑惑，他怎么也听不懂巧莲说的话是啥意思。巧莲还想说什么，但驾驶员说，没关系的，就放这里吧，说着就端着一个亮晶晶的开水杯往前走了。巧莲没办法，就叫贵花去看着那辆车。巧莲说，贵花，不准人摸车！有人围上去看，你就说，这车是来我家的，不准乱摸！

巧莲满脸是笑，又是倒水，又是递烟，上蹿下跳，精干得像电影里的妇女主任。

门口摆着五张简易的木桌，木桌上摆满了瓜子、纸杯、香烟、扑克。这些金毛亮板的城里人开始大呼小叫地打牌了，明亮亮暖和和的阳光宽容大度地照在他们身上，他们有说有笑，高兴得像是在过年。

有人说，乡下的空气就是清新，阳光都是环保阳光、生态阳光。

有人说，现代人的最高理想生活是，吃的是生态菜，吸的是生态气，玩的是生态人。

吃饭了，满满的三桌人，碗筷在叮叮当当地响，吃饭的声音虎虎有声。

有人说，这豆腐啊，味道就是比城里的好。

有人说，这凉粉啊，城里根本买不到。

有人说，这火腿啊，原汁原味，绝对的环保食品，绝对的原生态。

巧莲站在角落里，一脸笑容地看着这些客人。她满心欢喜，满心感激，这些高贵的客人，不嫌农村脏，分明是看得起我张巧莲。你看人家吃得多香啊！只是巧莲有了新的看法，在巧莲的心目中，城里人无论说话办事还是吃饭，都是文质彬彬的。可今天让巧莲开眼界了，她发现城里人无论说话还是吃饭都很放肆，甚至还有些粗鲁。不过在巧莲心中，这种放肆和粗鲁，比文质彬彬更可爱，更亲近，更具有亲和力。这种放肆和粗鲁，是把我张巧莲当人看的。巧莲被这种放肆和粗鲁感动了，眼里都有泪光了。

在这期间，张巧莲曾抽空到美英家门口，她想看看美英家的反应如何。可美英家的门紧紧地关着，外面还上了一把大锁。张巧莲又到了杨官得家门口，她希望杨官得能看见今天的场景，能见识一下她张巧莲的人缘咋样，后台咋样。可杨官得家的门也是紧关着，杨官得的影子都不见一个。张巧莲就有些失望。不过这失望很快就烟消云散了，因为她想到，美英家和杨官得家一定躲起来了。躲起来，就说明他们已经看见了今天的场景，说明他们心里害怕了。害怕就够了，我张巧莲不就是要他们懂得害怕吗？就算他们今天没看见，这么轰轰烈烈的场面，村人也会传出去的，她美英家和杨官得家迟早会听到的，迟早会认得我张巧莲家的人缘和后台的。

## 十五

天下没有不散的宴席。客人们终于要走了，留下的，是一屋子一院子的杯盘狼藉。客人上车了，玻璃窗打开又关上了。六辆轿车呜呜地启动了，巧莲伸出双手，不断地在空中舞动，口中念念有词，可人们听不到她在说什么，因为她的声音被汽车发动机的声音淹没了。

巧莲回到屋里，开始收拾那一院子一屋子的杯盘狼藉。夜降临了，洗碗洗筷洗锅的叮叮当当的声音，穿过25瓦的灯泡发出的昏黄的光芒，飘散在黑夜的风中，直到被夜风吞噬。一切归于平静。

巧莲忽然停下手中的活儿，望着杨老五说，杨老五，你就唱支歌吧！就唱《晚秋》。

杨老五疑惑地看着巧莲，说，巧莲，你怎么了？你怎么了啊！

巧莲说，杨老五，你就唱支歌吧！就唱《晚秋》！我张巧莲今天就想听你唱《晚秋》。

杨老五的目光散乱了，他定定地看着巧莲，轻轻地摇了摇头，又轻轻地点了点头，干咳了一声，然后向地上吐了一口痰，就唱了起来。但刚唱了两句，就停下来了，他的声音干涩、别扭，怎么听都像是在念经。

杨老五说，巧莲，我不会唱歌了，我不知道怎样唱了。

巧莲说，你怎么就不会唱了呢？你过去唱得多好呀！你听着我唱给你听！巧莲刚唱了两句，也停下来了。她也不会唱歌了，她被自己唱歌的声音吓了一跳。那哪里是唱歌啊，那好像是野鬼在哭，幽灵在叫，又冷又陌生又古怪。

杨老五看着巧莲，巧莲看着杨老五。两人脸上都是一脸的清泪，冷冷的，像露珠。

## 十六

之后的日子，巧莲逢人就骄傲地说，那一顿毒打没有白挨。不但没有白挨，我还要感谢美英，感谢杨官得！没有他们，我张巧莲就没有今天。人们惊奇地看着这个被一顿毒打改变了模样的女人，竟然是一脸的笑容，一脸的阳光。

（选自《边疆文学》2006 年第 10 期）

**刘平勇**

刘平勇，1968 年生于云南昭通。当过小学教师、中学教师、村长、报社记者、编辑、副总编。1995 年开始文学创作，已发表文学作品百余万字。著有小说集《另一种悬崖》，散文集《行走的草垛》，小说《少年三德的目光》获 2004 年度《滇池》文学奖，《失语的父亲》获 2005 年度《边疆文学》奖，《随风飞舞》获中国首届“鲲鹏文学奖”，中篇小说《贫血的太阳》《飞翔的火鸟》分别获第一届、第二届“昭通市政府文学奖”。

# 马耳朵沟的教育诗

李 铭

## 一

父亲住的那个村子有个奇怪的名字，叫马耳朵沟。顾名思义，沟的形状和走向都像马耳朵。其实，在辽西丘陵山地里，像这样的“马耳朵”多的是。辽西人喜欢依山而居，傍水为邻。凡是有人家住的地方，就一定有山有水。山都是矮山，河水也不是丰满的那种，干巴拉瞎地瘦。深的地方齐腰，浅的地方能露出白花花的河底石头。因为河是季节河，有时候来有时候走，都没有个固定的名字。这条河横在马耳朵沟的沟口，从远处看，像一条白晃晃的飘带，弯弯曲曲地有了动感。飘带能把远近的村落聚拢到一起来，是因为河边上有孩子们上学的学校。

村里人从这条河的浅处，铺上一排大块石头，人们在上面来回地走，就形成了一座简易的桥梁。父亲就是爷爷背着从“桥”上走到河对岸的小学校上学去的。然后，又从这座“桥”上，爷爷把父亲送进了县城的学校去读书。爷爷是小学校唯一的老师，教一年级到五年级所有的学生。父亲的性格很倔强，人家是不撞南墙不回头，父亲属于撞了南墙也不回头。父亲十六岁那年，开始有了他自己的思想。父亲有了他自己思想最直接的表现就是越来越不听爷爷的话了。爷爷要父亲念完县城的学校就回马耳朵沟教书，父亲不干。父亲的理想比天高，父亲不想挣民办教师一个月十几块钱的工资。爷爷的脾气很不好，对学校的学生态度和蔼可亲，对待父亲就没有那么客气了。父亲在前边一路狂奔，爷爷拎着烧火棍子在后面撵，想用棍棒让父亲回心转意。其间，两人惊吓了全村的鸡鸭，踩倒了两排谷子高粱，也引来了河两岸的乡亲来看热闹。爷爷到底没有追上年轻的父亲，父亲“扑通”一声跳进了河水里，蝶泳、仰泳、狗刨什么的胡乱扑腾一气，父亲爬上河对岸，钻进青纱帐就没了踪影。

爷爷一屁股坐在河边上，骂父亲，骂着儿大不由爹的话。爷爷后来去学校找过父亲，父亲那时候已经不上课了，他正和他的同学们，不，是父亲的革命战友们，进行着一场轰轰烈烈的革命。爷爷更火了，学生不上课，革个屁命？父亲的战友们马上揪住了爷爷的小辫子，要收拾爷爷的口出不逊。最后还是父亲讲情，才把爷爷放回来了。爷爷临走时哭了，爷爷说：蛋头子大点儿的孩子，还要革的哪门子命。爷爷那时候得了绝症，爷爷一直没跟父亲说起自己的病。爷爷知道自己的日子不多了，而小学校里还没有合适的老师接他的班。

爷爷一直到死也没看见这个抓紧时间革命的儿子。爷爷倒在了讲台上，人是不行了，可眼睛就是不闭，嘴里还有口气，呼哒呼哒不咽下去。村长知道爷爷的心愿，扯着嗓子喊：是不是想见大志？想让大志当老师？爷爷就清晰地点点头。村长蹦地开骂：大志，你个兔崽子龟孙子，就是跑到南斯拉夫去，我今天也得把你抠回来。村长是个有文化的人，他看过南斯拉夫的电影，一直以为南斯拉夫在南边一个很远很远的地方。

村长寻找父亲的过程很不顺利，学校不上课了，没有人。村长听说父亲和几个同学去北京看望毛主席去了，就骑上叮当响的自行车，沿铁路一路追了下去。按说，村长当时的做法简直愚蠢至极，因为一辆自行车再怎么快也不能追上火车。可村长是个自信的人，直到很多年以后，村长说起这事还这样自信地说：亏我的那辆好车了，要不上哪儿逮大志那小混蛋去。村长一直把瞎猫碰上死耗子的运气，说成是他的车好。村长当时也是有过思想动摇的，因为铁轨趴在地上，老长老长了，骑自行车追了半天就是看不着头。正当村长沮丧的时刻，奇迹出现了。前边真的出现了一列火车，像条黑乎乎的长虫趴在那儿。

村长追到跟前，才发现这是辆运煤的车。村长的心凉了一下，随即又热了一下。村长相信自己的直觉，那个马大志就在车上。村长挨节车厢喊：马大志，快下来。喊了几嗓子，煤车上真的探出一个人脑袋，脏兮兮的样子很滑稽，她瞅了瞅外面，低头说：马大志，有人叫你呢。村长听出来了，那个黑脑袋还是个女的。村长很振奋，继续大了声音喊：马大志，快下来。

村长的声音一大，父亲马大志就藏不住了。他也把脏兮兮的脑袋挂在了火车的车厢帮上。父亲很奇怪，村长是咋知道自己藏身之地的。为了扒这辆运煤车，父亲和他的战友是经过缜密计划的，想不到火车半道不知道为了什么突然停下来了，想不到藏得那么隐秘还是被村长发现了。父亲懒洋洋地冲村长说：找我干啥？村长支上自行车，叉着腰骂：还干啥？你爹要咽气了，你还不回去给他扛幡去。村长上车上不去，就要到火车头前边找司机说理去。父亲为了革命大业是很能顾全大局的。一旦村长找到司机，那车上的吴彤彤和李海生也得一起跟着下来。父亲看了看自己的两个战友，真是默默无语两眼泪啊。一是革命尚未成功，自己却要被村长带回去给老爹送终，自古忠孝不能两全，这话说得一点儿都没错啊。二是，父亲那个时候已经和吴彤彤恋爱了，两个人在血与火的斗争中培养起了崇高的爱情，并且已经偷偷亲过一回嘴了。而那个李海生也一直在吴彤彤的屁股后面打溜须，这让父亲心里绝对放心不下。

可以想象父亲当时的内心是多么矛盾，所以他下车的速度明显慢了。村长对父亲的动作缓慢很不满意，他要骑上自行车报告火车司机去。因为村长已经从父亲他们几个嘀咕的话语里听出了端倪，村长识破了父亲他们的诡计，想拖延时间，火车一开就把村长甩下了。村长的嗓门高，几声大喊就彻底粉碎了父亲的幻想。父亲求饶说：村长，我求你了，别喊了，我下去还不行吗？父亲下了火车，没有马上跟村长走，而是蹲在路边上，掏出纸来认真地给毛主席他老人家写了一张请假条。

那时候正是傍晚，一抹夕阳把蹲在路边写请假条的父亲镀上了金色的光环，车上的吴彤彤和李海生都神情庄重地看着父亲。村长在火车开动的时候，用力地抱住了父亲。村长不愿意到手的果实，突然变卦逃跑了。父亲坚持把请假条递给了车上的吴彤彤，大声嘱咐着：一定要捎给毛主席。吴彤彤把父亲写给毛主席的请假条紧紧地贴在胸口，父亲写请假条的那一幕深深地感动了她，她满含着热泪对车下奔跑的父亲说：我一定帮你做到。

为了这件事，父亲一直对村长耿耿于怀，好多年以后，还跟他女儿马民办说：当年没去看望毛主席，都是村长捣乱，真是遗憾一生啊。父亲最尊敬的人就是毛主席，毛主席是人民的大救星，年老的父亲唱《东方红》的时候，能把自己唱红了眼圈。而他的学生们却无动于衷，非常惊讶地看着父亲自我陶醉。那时候的孩子只知道“小虎队”，不知道“大救星”。在爷爷的葬礼上，父亲觉得没有去看望毛主席，太对不起他老人家了，于是就很伤心，眼泪洪水一样汹涌澎湃，哭声响彻云霄。

父亲因为这一惊天动地的哭，孝顺的名声就哭响了。邻居秋月的一颗少女心也一起被父亲哭动了。只有村长纳闷，这孩子想不到还有点儿良心。怕哭坏了父亲的身子，没办法给孩子们上课，村长就拼命拉父亲起来。想不到父亲休息的时候问了村长这样一句话：你说，毛主席能批准我的请假条吗？

村长多留了心眼是从父亲问请假条的时候开始的。村长知道了，轻易是留不下父亲的，于是，在河边设了“埋伏”。

三天后，父亲急匆匆地摸出村子去北京找毛主席报到，过河的时候中了村长的埋伏。那个时候是秋天，河水已经凉了，父亲犹豫了半天，还是没有勇气跳河逃跑。村长在“桥”上已经蹲了多时，村长说：马大志，你爹给你起名大志，就是希望你胸怀大志，可你呢，眼光简直像耗子。其实村长是想说父亲鼠目寸光，可村长一着急忘记了成语原话是咋说的，就说了眼光像耗子的话。不过，这丝毫不影响父亲的理解。父亲想走，可村长挡着路不让走，父亲就狠了心，扎河里去了。父亲想，为了革命，牺牲点儿又有什么呢？河水凉点儿又有什么呢？父亲重演了逃脱爷爷追踪的一幕，可是，父亲没有想到河边上还有三十几个孩子。

那些大大小小的孩子，都是爷爷的学生，他们早就得到了村长的通知，日夜把守在河边上，看着父亲。父亲走了，学校就要黄铺了。除了村长，除了爷爷，没有谁会关心这所小学的存在。父亲湿漉漉地愣在了河滩上，腿拔不起脚来了。父亲不是冻的，看到了三十几个孩子齐刷刷地跪在了河边，父亲就一屁股跌坐在河滩上跑不动了。

父亲就这样到了学校，就这样开始了他的教书生涯。

父亲去学校的那天，河水唱着欢快的歌。父亲把几粒石子甩进了河里，河水多了伴奏的音符，潺潺地流淌，把父亲的身影揽在怀抱里……

## 二

学校的名字很好听，叫“向阳红”小学。房子只有两间，一大间教室，一小间宿舍，中间是用土坯隔开的。宿舍是后来隔出来的，原来是整个的大筒屋。奶奶没了以后，爷爷不愿意跑道，就从河对岸的村子搬了出来，一直在这间简易宿舍里住着。

宿舍没有其他的东西，广铺火炕，一只水缸，吃水要到隔壁的秋月家去打。一只水桶，平时在教室里搁着，只有宿舍里缺水的时候才拿过来用。学校没有院墙，操场显着老大老大的，孩子们下课可以满世界瞎窜。旗杆有一根，这根旗杆很特殊，是棵碗口粗十几米高的钻天杨做的。爷爷把树栽在操场上，升国旗用。想不到第二年，旗杆发芽长叶了。这样，爷爷就多了一份活儿，给旗杆浇水，每年都要让班里最淘气的孩子胡闹爬上去，把蹿出来的枝条砍下来。这根旗杆生命力还挺旺盛，胡闹上学三年了，砍了三年，树上的枝条还会源源不断地冒出来。

父亲来到学校，并没有马上上课。村长急得不行，好话说了三箩筐，父亲就是躺在爷爷的行李卷上不动地方。村长急了，说：我就不信了，没有你这只臭鸡蛋，我就打不成槽子糕了。给你钱你都不挣，那好，我去当老师。

村长出去就招呼在操场上疯跑的孩子：都进屋上课去了。孩子们欢呼着往教室里挤，只有胡闹爬在旗杆顶上不下来。村长骂：胡闹，你耳朵里塞鸡毛了，我叫你没听见啊？胡闹在旗杆顶上不动，嘴上还直对付：没有老师上啥课啊？村长急了：谁说没有老师？那马老师不在屋里歇着吗？歇够了就上课了。胡闹嘻嘻笑：他是马大志，不是老师，他爹才是老师。村长说：你别臭美，赶紧下来，从现在开始马大志就是你们老师了。胡闹撸了下鼻子：大志还管我叫小爷爷呢？咋给我上课？

父亲一直在炕上听着外面的动静，胡闹的话刚说完，父亲就腾地起身，推开门骂：攀大辈没好事，看我不揍扁了你个小兔崽子。胡闹吓了一跳，做个鬼脸说：萝卜小，我不长在背（辈）上了吗？不信，你去问你爹去，我真是你小爷爷。年轻气盛的父亲冲出来就晃荡旗杆，想把胡闹晃下来。胡闹不怕，在上面叫父亲的号。进教室的孩子都趴在教室门口看热闹，几个胆大的还大声喊着加油，不知道是给父亲加油还是给胡闹加油。

村长忙劝阻父亲：大志，我先跟你交代交代，完事了你慢慢教训这小子。胡闹在旗杆上见父亲上不去，更加放肆了。他喊着：想教训小爷爷，门儿都没有。父亲气急了，从地上抓起块土坷垃就扔了上去。胡闹没有防备，被土坷垃打在脸上，手一松就出溜了下来。胡闹摔在了地上，大哭起来。底下的人都吓了一跳，隔壁看热闹的秋月跑过来，抱住胡闹说：大志，咋整的？这么老高掉下来，要是摔个腿断胳膊折的可咋整啊？他妈大面瓜还能轻饶了你啊？胡闹听了秋月的话，嚎得更来劲了。父亲心里不好意思，没有想到一土坷垃就把胡闹揍下来了，嘴上却挺硬气。父亲说：谁让他嘴欠了，大面瓜来了我也不怕。

胡闹在地上撒泼：好啊，看我不告诉我妈，你们管我妈叫大面瓜。村长过来看了看胡闹没啥事，就往下压事。村长说：你妈不叫大面瓜叫大肿瓜啊？赶紧着起来溜达溜达腿，溜达晚了，大腿筋给你蹾短了叫你说不上媳妇打光棍。胡闹在操场上转圈溜达腿，一边溜达一边嘟囔着骂：我要是打光棍，就找你马大志算账。

看胡闹真的没啥事，三个大人都长出了一口气。秋月说：大志，你回来当老师了？大志没言语，转身回了宿舍，门"咣当"在身后响了一声。秋月吐了下舌头，村长说：随他爹那个犟种，不愿意干。村长冲又拥出来的孩子们喊：都进屋学习去，一不看着就满山放羊了，赶明都得成睁眼瞎。

秋月进了父亲的宿舍，父亲一骨碌身子给了秋月一个后背。秋月坐在炕边上，还没等说话，那边屋里的孩子稀里哗啦的声音传过来。秋月就不吱声了，两人一起听隔壁的村长咋给孩子上课。

村长先是咳嗽，故意咳嗽。孩子们静不下来，村长就喊：肃静，都肃静，上课了，别赶上家雀子闹喳喳了。孩子们终于静了下来。村长说：自打你们马老师走了以后，咱都半个月没正经上课了，可不能再瞎胡混下去了。胡闹在底下说：村长说话不算数。村长一惊，问：谁说我说话不算数了？站起来！胡闹往起一站，同桌的其他两个孩子一起翻在了地上。教室里乱了起来，村长跑过去拉孩子起来。这才看见，胡闹屁股底下坐的凳子没有腿，是用一摞砖头摞起来的。胡闹一离座位，那边的两个孩子就来个人仰马翻。村长瞪了一眼胡闹，坐下，你屁股长草了，你一动别人不得跟着你挨摔吗。随你爹，没事干不会挠墙根啊，没事干你不会戳牛尾巴玩啊，坐没坐相，站没站相。胡闹收拾好坐下，村长接着问：谁说我说话不算数了？那两个孩子揭发说：村长，是胡闹说你说话不算数的。

村长打量半天胡闹，问：我咋说话不算数了？胡闹说：你说给我们上唱歌课，上体育课，还上画画课呢，可这些天净上劳动课了。村长皱眉头：胡闹，就你是好妈养活的，别人都是傻妈养活的啊？劳动课咋的了，没有劳动能有你吗？胡闹反驳：村长说的不对，我是我妈生的，跟劳动没有关系。村长下不来台，说：你小孩子家家的知道啥叫吆三四五六啊，你爹和你妈不劳动能生产出你吗？我说你不大点儿孩崽子，不犟犟嘴怕把你当哑巴卖了啊？孩子们哄笑，把这屋的父亲也逗笑了。

村长"吱呀"一声开了那屋的门出去，父亲就又恢复了躺着的姿势。村长一出去，那屋的孩子们又嗡的一声乱了起来。村长进了宿舍，先隔着土坯墙冲那屋吼了一嗓子：肃静。那屋唰的一下子就把声音压住了，由嗡嗡变成了嘁嚓。

村长说：大志，你就别难为我了，还让我给你下跪你才开面啊。赶紧收拾收拾，给孩子们上课去。父亲躺不住了，坐起身来，说：我还没备课呢，讲啥呀？村长急了：大志，还备啥课啊，我看你爹讲课上去就讲，根本没浪费时间备课。都是小孩子，你愿意讲啥就讲啥呗，别备课了。父亲又来了犟劲：不备课，我不会讲，我一天老师也没当过。村长想了想说：好好，那你赶紧备，现上轿先扎耳朵眼。村长往外走，趴门口问一句：十分钟够用吧？父亲说：最少得一天。村长咧嘴：干啥用一天啊，这不磨洋工吗？

村长重新回教室，父亲起身。秋月就笑了，说：大志，当老师多好啊。父亲说：我膈应粉笔沫子。秋月说：那也比我们水泥厂干净，干一天活儿回家，连肚脐眼里都是水泥呢。大志被秋月的话逗得"扑哧"一声，憋不住笑了，笑得秋月满脸通红。秋月说：我是说男的懒，肚脐眼里全是水泥。解释完觉得更不妥，男的肚脐眼里有水泥你怎么知道？秋月就红着脸跑了出去。父亲望着秋月跑出去的身影，心里突然感觉到了一丝温馨。父亲想：要不先凑合干着吧。

那边的教室里又传来了村长的声音。

村长骂：吃一百把豆子不嫌豆腥气啊，咋又呛呛成蛋了？上课了。有孩子问：新老师呢？村长说：新老师给你们备课呢，今天还由我给你们讲。孩子们肃静下来，听村长讲课。村长冷不丁被孩子们静静地一瞅毛了：都直勾勾瞅我干啥？我不会讲课，猜个闷吧。孩子们欢呼，等村长说谜语。村长说：也不是啥好闷，是个题，老难了。说有头黄牛在草地上头朝北吃草，左转三圈，右转三圈，最后在地上打了个滚。你们说，牛尾巴最后朝着哪儿？孩子们马上猜了起来，都到关键地方卡住了壳。牛打完滚后，牛尾巴朝的方向难住了孩子们。村长得意地站在讲台上审视，一一否定了孩子们的答案，村长想，靠这个闷差不多就能糊弄一节课呢。

憋了半天，在孩子们的强烈要求下，终于要说出谜底了。村长说：猜不出来吧？这闷老难猜了，可我跟你们这么大的时候，就猜出来了。我妈为这事还给我煮了鸡蛋，要不咋说，得学会动脑筋呢，不能跟胡闹似的，调皮捣乱顶几个，要正经的就瘪茄子了。村长说着用眼睛找胡闹，胡闹的桌子后面只坐着两个孩子。村长就把注意力集中到胡闹的桌子上，村长喊：胡闹呢？胡闹跑哪去了？胡闹在桌子底下不知道正鼓捣啥，听见村长叫，就露出脑瓜问，村长，下课了？村长说：下啥课啊？我这儿刚上课。你再不好好听讲，我告诉你妈大面瓜去。胡闹钻出身子：村长起外号，我告诉我妈。村长不屑一顾：有能耐你就告去，我跟你妈有闹头，当面都敢叫。你知道啥啊？胡闹说：我啥都知道，你就不能给我妈起外号。村长来了劲：胡闹，你还啥都知道，那你给我答答，牛尾巴到底朝哪儿？胡闹斩钉截铁地说：牛尾巴朝地下，转到南斯拉夫去也朝地下。

村长愣住了，胡闹那么大点儿的孩子也知道南斯拉夫，有点儿纳闷：你准是听过，我再给你猜个闷。村长不等胡闹反驳，又出了一个闷：你说，纸里头包火是啥？你要是猜出来，我就真服你。胡闹低着头琢磨一会儿，说：是灯笼。村长服了：行啊，黑不出溜地挺有才啊。胡闹，刚才你咋不早说啊？胡闹说：我趁你们猜闷的时候，把小长虫塞秀锁书包里去了。村长说：下回注意点儿听讲，别老琢磨着淘气。村长等会儿觉得胡闹的话不对，忙着又问：胡闹，你说把啥塞秀锁书包里去了？胡闹说：是小长虫。秀锁低头摸书包，“妈呀”一声就把一条小蛇甩到了讲台上。村长天生怕蛇，大声叫着父亲的名字跑出了教室。

父亲终于走进了教室。他低头就把小蛇抓在手里，说：都别怕，蛇是人类的好朋友，一点儿都不可怕。看看，它多可爱啊。孩子们肃静了下来，看着这个一直没有多说话，也没有走进教室的新老师。父亲那天帮孩子们抓住了一条小蛇，他带领着孩子们，把小蛇放回学校后面的山坡上。他在孩子们的簇拥下，心里有异样的感觉一闪而过，说不上那是什么感觉，他在孩子们中间，忽然有了一种亲切感。

秋月一直在远处注视着父亲，秋月的眼睛里汪着一汪清水，要一直流进父亲的内心深处。

## 三

父亲第二天就给孩子们上了第一节课。村长和秋月都潜伏在窗下来偷听。父亲正是美好的年纪，他还用木梳沾了清水，把头发从中间分了一下。这样的打扮把孩子们都震住了，那个调皮的学生胡闹还由衷地赞叹一句：老师的头发赶上让牛犊子舔的了。

父亲走进教室，很严肃地说了一句：同学们好。三十几个孩子一起拖着长声喊：老——师——好！在外边坐着的村长，听见孩子们的喊声，摸出了腰里的烟袋，装上一袋旱烟骂：哎，多少日子，孩子们见不着荤腥了，扎不冷一叫，心都给叫酥酥了。

父亲简单地向孩子们做了自我介绍，然后回身，瞄了一眼戳在墙上的长黑板，粉笔一扬，唰啦一声就在黑板上画出了一条竖线来。父亲没有用隔尺，只是那么随意地一画，就画出了一条非常标准非常直的粉笔线来。那条粉笔线把黑板一分为二，分得均匀标准。孩子们赞叹起来，爷爷做他们的老师时，画线总画不直。爷爷画完，总要问孩子们：直不直？孩子们就拖着长声一起回答：不——直。爷爷就下了讲台，站远处看，真的不直，自嘲地骂一句：歪到肋条上去了。爷爷重新画，在原来画上的粉笔线上接了无数条小尾巴，曲里拐弯地挺有意思。后来，爷爷就改用一只木头长尺子画线，线是直了，可尺子总放不正。爷爷那时候总好画一些不正的直线来。爷爷的拙劣表现，给了父亲充分发挥自己才华的机会和空间。就凭这么画一下，父亲的人气指数开始直线上升。

父亲没有用隔尺，没有丝毫犹豫，就把一条活生生的直线奉献在全班面前。父亲潇洒地转身，身后的黑板已经被一分为二了。父亲沉静地说，一年级和二年级的同学做算术题，上面的那趟是一年级的，下面这趟是二年级的。父亲又开始尽情地表现自己了，父亲冲左边那半块黑板走去，坚定地用粉笔横向把黑板又切开了一条直线。父亲的表现已经近乎完美了，孩子们没有想到父亲不但画竖线拿手，画横线也一样很棒。父亲的这道横线画过后，左边黑板就变成了两块上下相等的空间。父亲打开书本，开始在黑板上抄题。

胡闹在这个时候又发言了，胡闹是急性子。胡闹问：老师，我做啥？胡闹是三年级的学生，全班就他一个是三年级的学生。父亲听出了胡闹的声音，继续往黑板上抄题，一边回了胡闹一句：你老实地眯着。父亲的粉笔字写得很漂亮，尤其是每个字的结尾，父亲总喜欢重重地顿一下。父亲顿笔的劲道大了一点儿，戳在墙上的黑板就向着父亲倒过来。父亲摁了几次，黑板还是不老实。父亲就喊：胡闹，你上前边来扶着黑板。胡闹美滋滋地上了讲台，仰着脖子扶黑板。父亲写完左边的黑板，要孩子们做。又去右边的黑板上画横线，上边写的是四年级的生字，下边写的是五年级的生字。

胡闹一直扶着黑板，终于忍不住了，问：我的呢？父亲说：你的啥？胡闹偏着头躲避着父亲弄出的粉笔末子：咋没有我的题啊？父亲说：谁让你是三年级的了？胡闹不干了：三年级咋的了，三年级的就是后妈养活的，一年级、二年级、四年级、五年级就是亲妈养活的？父亲把剩下的粉笔头按在最后一个生字上，往下一抿，最后一笔完成了。父亲说：谁说你是后妈养活的了？胡闹抹鼻子梗脖子：不是后妈养活的，你不给我出题？父亲笑了：三年级就你一个学生，我还没备课呢。没备课我讲啥，我要是乱讲，你又该说你是后妈养活的了。我还得找村长呢，你一个学生我没办法伺候，要不你跳级，要不你就蹲级。

胡闹瞅了一会儿父亲，冒出一句：哼，你记仇找我茬，我去找村长去。村长早就在外边忍无可忍了，忘了是在偷听，趴窗子骂一句：找我也没用，马老师说的算。村长突然冒出一嗓子，把教室里的人都吓了一跳。父亲推门说：你在外边啊，啥时候来的？村长尴尬地笑了笑，继续给这个属毛驴的父亲撑腰：胡闹，我跟你说，这黑板以后就归你扶了。

胡闹后来就一直给父亲扶黑板。父亲接手的这群孩子里，后来只有胡闹一个人考上了乡里的中学。那年的考试很严格，监考老师是外校的，胡闹还是三年级的学生，可老师发试卷的时候竟然把考中学的试卷错发给了胡闹。胡闹答完题也不知道试卷错了，这事后来引起了轰动。乡里中学的录取通知书上竟然有胡闹的名字，而且还考了全乡的第一名。消息传来，大家都不相信，调出胡闹的试卷一看，千真万确是胡闹干的事情。

胡闹那几天吓得大气不敢出，看父亲和村长嘀嘀咕咕，看乡里来的老师问这问那，胡闹以为自己又闯了祸。父亲和村长决定将错就错，让胡闹从三年级直接升到乡里的中学去。因为，再次经过对胡闹各门功课的检测，结果是从一年级到五年级没有能难得住他的题和生字。这都是父亲要胡闹在前边扶着黑板的缘故，胡闹已经站着把小学阶段的课程全部琢磨透了。

把胡闹送进中学的过程遇到了困难，胡闹以为学校要开除他，死犟着不去。村长连唬带吓，胡闹答应了，胡闹他妈大面瓜又不干。大面瓜怕胡闹年龄小跑不动，还有胡闹上中学用的本子就多了，大面瓜不愿意掏钱给买。父亲给胡闹买了本子，还拿出一条干净的羊肚子手巾，让秋月给胡闹缝了一只新书包。胡闹美得够呛，屁股蛋上甩着羊肚子手巾书包就去乡里学校报到去了。

父亲送走了第一个学生，不是毕业生，是连跳了好几级的捣蛋鬼。父亲从此总结出了一条培养人才的真理：狠点管理出人才。所以父亲在后来几十年的教书生涯中，一直使用着体罚。父亲教过的男学生，几乎都挨过他的揍。

关于胡闹后来的事情，在这里有必要再交代几句。胡闹上中学的第二年冬天，父亲在河边发现了他并没有去上学。父亲夹着书本路过，看见胡闹和几个孩子在冰上砸窟窿逮鱼玩。父亲就喊了一声：胡闹。胡闹也看见了父亲，转身就跑。父亲沿着河岸一直追出三里多地。胡闹累完蛋了，趴在冰上喘粗气。父亲也累得不轻，蹲在岸上骂：你给我滚上来。胡闹上岸，父亲先给胡闹屁股蛋来了两脚，胡闹趔趄着不敢躲闪。父亲那几年打胡闹相当顺手，拧着胡闹的后脖子筋问他为啥不上学。胡闹野性，抗打的能力强。胡闹说都怪你，我妈说供我念完小学就拉倒，你非要提前让我毕业。我妈不让念了，我去了几天，是我妈让我应付你和村长眼睛的。

父亲很震惊，拧胡闹脖子的手就松开了。父亲说：你妈大面瓜咋那么不是人呢？我找她去。找大面瓜的结果是，父亲垫上了胡闹的学费书费。父亲拎着胡闹的脖领子说：胡闹，你得好好念书，长大了好还我钱。胡闹说：那你再借我点儿钱，我得买双棉鞋，冬天冻脚。父亲低头看见胡闹脚上还穿着单鞋，就帮胡闹脱了鞋。胡闹的脚冻了，父亲就回宿舍狠着心把铺的那领羊毛毡子拿出来。父亲去隔壁秋月家借剪子，把胡闹的鞋底按在毡子上，贴着鞋边，咔嚓咔嚓就从完整的毡子上剪下了一副鞋垫来。

胡闹后来鞋垫坏了就来找父亲要，他妈大面瓜也来要过一次。大面瓜坚持自己剪，剪到一半的时候，父亲就发现不对，大面瓜拿着她自己的鞋做着样子。父亲就翻了脸，把大面瓜赶出去。父亲说：我供胡闹鞋垫，是因为胡闹是我的学生，你算个鸡巴蛋？发生这件事情的时候，父亲已经扎根在乡村当老师了，父亲的嘴里挂着郎当零碎，也像乡亲们一样会说脏话和骂人了。

那领羊毛毡子，是爷爷留给父亲唯一的物品。除了自己的学生，父亲舍不得给任何人用。

## 四

父亲终于甘愿扎根在乡下教书，还有另外一个重要的原因，那就是爷爷交给父亲的学生当中，有一个叫秀锁的女孩子。就在胡闹创造了奇迹，从三年级直接上了中学后不久，父亲看好的另一个学生秀锁却辍学了。

父亲雄心勃勃，认为他的教育方法取得了初步成效。那种教育方法就是到前面一边扶黑板，一边听老师讲课。父亲用这种特殊的方法培育好了胡闹后，也曾想培育秀锁。秀锁的学习也不错，她上四年级，脑瓜子聪明得很。父亲让秀锁扶黑板，没过几天，秀锁就不去扶了。父亲很纳闷，问秀锁为什么。秀锁的眼泪落下来，秀锁说她爸爸不让她上学了。父亲就给秀锁打气，过两天由父亲去找秀锁的爸爸求情。

还没等到过两天，秀锁就不来上学了。父亲那些日子忙得很，没顾上去秀锁家。秀锁家离学校远，在柏木山沟的深处，离马耳朵沟有二十来里的山路。等父亲抽出时间要去看望秀锁时，秀锁已经出嫁了。迎娶秀锁的马车从马耳朵沟的河边经过，两匹枣红马踏碎了河里的薄冰，把穿着大红棉袄的秀锁拉走了。父亲的学生们发现了秀锁坐在马车上，跑回来告诉了父亲。父亲跟村长借来了自行车，追出好几里路，终于截住了马车。父亲不让秀锁走，抢下了车老板的鞭子。秀锁说：老师，我都等你好几天了，你咋才来了啊？我不出嫁我妈的病就没有钱治了。父亲傻了，任凭车老板夺回鞭子，父亲没有那么多的钱给秀锁妈妈治病。

秀锁出嫁的那一年才十四岁，秀锁还是个孩子。她还没有读够书，父亲的宏伟计划还没来得及实现。这件事情对父亲的刺激很大，父亲想出去闯荡的心彻底收敛了。父亲认为，乡间因为没有文化，才出现了这么多愚昧的事情，因为没有文化，日子才会贫穷，乡亲们才不让自己的儿女去上学。那一刻，父亲感觉自己的肩头责任重大了。父亲明白了爷爷当时手拎烧火棍子，紧追不舍愤怒至极时的心情。

乡间的女孩子出嫁四天要回门的，父亲在河边跟回门的秀锁又相遇了。确切地说，是秀锁偷偷跑到河边，想再远远看看学校。父亲和他的学生秀锁，站在河两岸对视着。父亲的心情是复杂的，父亲只叫了一声：秀锁，回学校来吧，都怪老师没有去找你。秀锁就哭了，秀锁的身后跟着一个年岁挺大的男人，那男人的年龄比村长还要大。秀锁接过那个男人的包，跟着他从父亲的视野里渐渐消失。父亲痛苦极了，父亲后来一直为没有保护好自己的学生内疚，虽然这不是父亲的错。父亲就是及时找到秀锁的家，也不能改变这样的结果，改变秀锁的命运。父亲是民办老师，工资不多，爷爷走时拉下的饥荒，要父亲一分一分还掉。从此，父亲就深深地爱上他的每一个学生了。父亲养成了护犊子的脾气，自己的学生自己可以打骂，但是别人欺负不得。有一次父亲的一个学生被校外几个混子打了，愤怒的父亲拎着从秋月家拿来的铁锹，把那几个家伙追得狼狈逃窜。父亲认识他们，锲而不舍地去他们住的村落寻找，非要给学生出这口气。最后还是村长出面协调，让他们给父亲赔礼道歉，父亲才算拉倒。

秀锁出嫁后，挨过不少打。有一次实在忍受不了那个男人的毒打，竟然跑到父亲的学校来了。父亲当时正在上课，秀锁破门而入，身后撵来了如狼似虎的男人。父亲愤怒了，把那个男人踢出了教室。父亲那时候身手不错，打架在村里是没有几个对手的。那个男人爬起来骂：俺花了钱说的媳妇，心不在俺这儿呢。都是杂种个马大志，给俺女人灌了迷魂汤了。要不是村长得到信跑来拉架，父亲那天还要彻底修理修理秀锁的男人。村长把父亲留在了学校，孩子的事不用操心了，但父亲更让村长操心。父亲脾气暴躁，总给村长出难题。

村长说父亲：人家两口子的事，你这当老师的就别瞎操心了，你这不是三个鼻子眼多出一股气，胸脯子挂笊篱多捞那份心吗？父亲指着秀锁的男人，非要给他再拿拿龙。秋月跑过来，把秀锁弄进家里，这事才得到缓和。听秀锁说，那男人对她各方面都挺好的，就是年龄大了，想早点要孩子，而秀锁结婚半年多了，肚子没有动静。男人心急就骂秀锁，秀锁一挨骂就想起学校，就跑来了。

秋月问了秀锁才知道，那男人再怎么努力也是没有用的，因为秀锁还没有来月经，所以就是再勤奋的男人，再怎么付出辛苦也是白费的。秋月就把秀锁的男人叫家里去骂了一通。这边父亲的气还没消，村长还得劝。秀锁擦了眼泪，又跟男人回去了，临走也没敢看父亲一眼。父亲听了秋月的叙述，正在用拳头咣咣地砸宿舍的门框。父亲砸一下，骂一句：你说，这算怎么回事？打这以后，秀锁再也没有来过学校。两年后，父亲有一次去乡里办事，又远远地看见秀锁了。秀锁腆着鼓鼓的肚子，那个可恶的男人眉开眼笑地跟在身后。秀锁一脸笑容，很幸福的样子。父亲没有过去，就那样看着十七岁终于来月经、终于怀孕、终于露出幸福笑容的秀锁。父亲想：自己的学生，要做妈妈了。

父亲自言自语地说：人呢，咋不叫一辈子。身边的秋月就笑了，秋月说：咱的事，你托媒人了吗？父亲愣了一下，回头看秋月，低了声音说：跟我一辈子，怕是苦了你。秋月望着父亲不说话，秋月的眼睛会说话。水泥厂厂长的儿子相中了秋月，可秋月的心里只有父亲。只要父亲在学校教书，在教室里教孩子们念课文，秋月的心里就永远流淌着潺潺的河水。秋月和父亲的恋爱一直谈了三年，因为有了秋月的关心，父亲那些日子才多了欢声笑语。乡下的日子是孤寂的，除了调皮的胡闹，除了早早嫁人的秀锁，一切都是平静的，就像村口那条静静的河流，没有任何声息。父亲在这三年已经习惯了这里的生活，冲动的火苗子已经慢慢在父亲心里熄灭了。父亲知道了，自己更适合在这片土地上生存。毕竟，这里需要自己，走在这片熟悉的土地上，心里是踏实的，心情是快乐的。

跟秋月的婚事拖了又拖，父亲一直犹豫不决，一是没有足够的钱来办婚事，二是父亲还有个结一直没有解开。那个结虽然已经在心里埋藏了三年，可有些时候，还会在父亲的心里偷偷地发芽，把心拱得很痒痒。那个结是吴彤彤，是父亲的初恋。父亲是个痴情的人，吴彤彤的初吻是那样的热烈，让父亲不能忘怀。

父亲没有想到的是，就在他彻底想和秋月结婚的时候，吴彤彤竟然找上门来了。

吴彤彤几经打听，终于站在了父亲宿舍门口。父亲这是在宿舍住的最后一宿，河对岸的房子已经收拾好了，和秋月结完婚，就要搬回去住了。父亲被门口的哭声惊醒了，打开门，看见了初恋情人吴彤彤。吴彤彤说：马大志，你让我找得好苦啊。父亲望着咧嘴号啕的吴彤彤，恍如进入梦境。

父亲升上炉火，给吴彤彤煮了一碗面条。吴彤彤穿得臃肿，费力地蹲在地上唏哩吐噜地一通猛吃。一碗没够，吴彤彤抹抹嘴巴，说：马大志，再给煮一碗呗。吴彤彤由当年文静清秀的女孩子，变成了如今的难民模样，像多少年没吃过饭一样狼吞虎咽。父亲煮了三次面条，才算把她彻底喂饱。父亲终于倒出空闲来跟吴彤彤说话了，父亲问了他最关心的事情。父亲问：我给毛主席写的请假条，你给毛主席了吗？吴彤彤一拍大腿，说：马大志，为了你那张请假条，差点儿没把我给挤死。吴彤彤的讲述可谓一波三折，毛主席倒是远远地看见了，可天安门城楼下的人太多，吴彤彤举着请假条往前一挤，来了一阵风，把请假条给刮跑了，再想去追，地上全是人腿，哪里还有请假条的影子啊。

父亲唏嘘了良久，没送到就没送到吧，好在父亲在当上老师的第二年，给毛主席另外写了信。父亲说他要在山区小学培养祖国的花朵，用另外的方式报效祖国了。父亲最后问了吴彤彤现在的生活情况。父亲想告诉她，自己要和秋月结婚了。可父亲还没来得及开口，吴彤彤就又大声哭起来。吴彤彤吃饱喝足了，哭声就格外嘹亮。父亲不知道吴彤彤咋的了，吴彤彤就撩起了自己外面的厚衣服，一直揭到肚皮那层。吴彤彤说：马大志，我怀孕了，快到大月份藏不住了。

父亲的脑袋当时就“嗡”的一声，半天才清醒过来，父亲说：不关我的事。吴彤彤嘴一撇，哭得更来劲了：谁说关你的事了，我自己弄的，要是让我爸妈知道了，还不得打死我啊。父亲劝了吴彤彤半天，要她去找孩子的父亲。吴彤彤说：要是能找我还不会找啊，要是能找我还会找你来啊。好了，我累了，这事明天再说吧。咱们睡觉吧。父亲当然不会睡糊里糊涂的觉。父亲琢磨了半宿，终于琢磨过来了，这个吴彤彤是不打算离开这儿了。

父亲在天亮了以后，就开始煮面条，又煮了三碗，等吴彤彤起来吃。吴彤彤睡得不错，她也看出了父亲的意思，不吃面条，只瞅着父亲说：你是想赶我走？父亲说：我实话告诉你吧，我要结婚了。你肚子里的孩子我整不了。吴彤彤说：整不了也得帮我整，来的时候我都看好了，村口有条河，你要是不肯帮我的忙，我就跳河死在这儿得了。

父亲劝说：你别想不开，真的没我啥事，你还是找别人帮忙去吧，谁是孩子的爹，你找谁去吧。吴彤彤说：你真狠心不管我，我就真死给你看，让你一辈子心都不安。说着吴彤彤向外边走去。父亲不管她，任她折腾。父亲知道吴彤彤胆子小，一定是吓唬自己。没有想到，不大一会儿，河边上有人喊起来：有人跳河了！

父亲把吴彤彤从冰窟窿里捞上来，整整烤了半天才把她的衣服烤干。因为没有女人换洗的衣服，吴彤彤只能穿得很裸露，钻在父亲的被窝里睡懒觉。父亲对醒过来的吴彤彤说：你还来真的了？你这不是成心在难为我吗？得了，先在我这儿待着吧。不过，咱可得说好了，你不能影响我结婚。父亲去隔壁给孩子们上课，吴彤彤拎过父亲打水用的水桶当尿桶，痛快淋漓地在宿舍里撒出了一泡热尿，正露出白白的屁股撒着，秋月推门进来了。秋月惊问：你是谁？吴彤彤反问：你又是谁？

## 五

父亲为了能够顺利地和秋月结婚，那些天开始带着吴彤彤东奔西跑。吴彤彤肚子里的孩子，那个不知道是谁的杂种，是阻碍父亲结婚的最大障碍。父亲当务之急必须把孩子先弄出来，弄出来吴彤彤就不纠缠自己了，不纠缠自己了，父亲就可以舒舒服服地结婚了。这个吴彤彤三年时间里不知道闹出了啥事，把自己的肚子都闹大了。父亲怀着良好的愿望带着吴彤彤进县城的医院，那个年代里，做人流不是很随便的，得要乡里和村里的介绍信。吴彤彤不说出孩子的爹，父亲当然开不出来介绍信，只有去碰碰运气了。

父亲和吴彤彤在县城转了一天，也没有把孩子做掉。医院的大夫拒绝给吴彤彤做人流手术，而且还挖苦吴彤彤，气得吴彤彤跟医生吵了一架。吴彤彤反问医生：我怎么贱了？你没贱过吗？晚上你没在男人面前劈开过腿吗？吴彤彤说的话有些少儿不宜，父亲听不下去，一个人出来。吴彤彤就不吵了，追上父亲继续想办法。父亲只好又把吴彤彤带回了马耳朵沟，继续给吴彤彤煮面条。吴彤彤有了吃饭睡觉的地方，并不显得有多急。倒是父亲坐不住了，因为秋月找到父亲，要父亲彻底交代跟吴彤彤的关系。父亲脸红脖子粗地跟秋月保证，他跟那个孩子没有关系，他和吴彤彤亲嘴已经是三年前的事情了，秋月就哭了。秋月对父亲跟吴彤彤亲嘴感到很伤心，自己这算什么？跟父亲已经处了三年对象了，父亲一次还没有亲过她呢。秋月一哭，父亲的心就更烦了。

秋月实际上没有真生父亲的气，她只是在试探父亲心里到底想着谁。其实父亲自己都不知道更倾向哪一个。吴彤彤是父亲过去的恋人，而秋月是现在的未婚妻，就像胳膊和大腿，哪一样都不能少。大腿没有了，父亲不能走路；胳膊没有了，父亲不能拿东西。不能怪父亲脚踩两条船，也不能怪父亲用心不专一。父亲还小，只有十九岁，还不知道该怎样取舍。这样一来，就看吴彤彤和秋月两个人之间谁更具备竞争的本事和天性了。在这一点上，吴彤彤明显占了上风。

吴彤彤高就高在她一直没有说出谁是肚子里孩子的父亲，这就让父亲永远处于被动局面。她不说，父亲就只能猜测是那个李海生的。而乡亲们的猜测就更离谱了，就让父亲更加跳进黄河也洗不清身子了。人家一个大姑娘，大着肚子凭啥就偏偏找到你？如果你们之间没有事，你会带着她满城跑做人流吗？

父亲很狼狈，一边忍受着乡亲们的猜疑，一边继续帮吴彤彤想办法。撵是不能再撵了，吴彤彤真敢跳河寻死，要是真死在自己这儿，算怎么回事？公安局追查起来，自己又该怎么说？父亲通过多种渠道想办法，终于打听到在五十里外的山沟里有一个能做人流的大夫。父亲一分钟都没有耽搁，拉上吴彤彤就走。吴彤彤到了那儿，看了一眼大夫，就咧着大嘴叉子开哭了。那大夫五大三粗，一双大手长了好多老茧。诊所里没有手术台，做人流只能就着黑乎乎的炕沿上。吴彤彤怕得要死，拉着父亲的手拼命叫。大夫皱眉头说：把裤子脱了，早知道遭罪，就别图那点快乐。吴彤彤冲父亲说：你听他说什么呢？吴彤彤是想找父亲给她做主。可父亲那个时候只想快点把那个恼人的孩子弄出来。父亲那时候尚是处男，对男女之事尚且处在朦胧猜测阶段。吴彤彤磨蹭着脱裤子，父亲觉得不方便，要出去。吴彤彤就像杀猪一样大呼小叫，不让父亲走，吴彤彤害怕跟那个民间大夫独自待在一起。

父亲挣了几次要走，都没有成功。大夫就说：自己的老婆，看就看了呗，正好你帮我按着大腿。父亲诧异地问：做手术不打麻药吗？大夫白了一眼父亲的无知，说：用不着，掏几下子就整干净了。吴彤彤艰难地脱了裤子，只剩下最后一只裤头，说什么也不脱了。大夫对父亲说：把她扒了。父亲红了脸，瞅吴彤彤，没有办法下手。大夫不耐烦了，捋胳膊挽袖子说：我就没见过你这样的，这事你都不怕坷碜做了，还怕脱个衣服？快点儿吧，外村子还有一窝猪崽子要接生呢。大夫伸出大手，很顺利地摸到吴彤彤的腰，手指头一扣，贴着肉皮子就抓住了裤头，往下拽。吴彤彤用力扯着，两人在炕沿上撕扯着。父亲终于看不下去了，扬手给了大夫一个嘴巴。父亲的力道很大，大夫的嘴巴马上红肿了。大夫被打蒙了，坐在地上看着父亲给吴彤彤穿裤子。

大夫原来是村里的兽医，因为听说给娘儿们做人流挣钱快，就临时揽下了活儿。没有想到钱没挣到，还挨了父亲一记响彻云天的脖拐。因为打得太突然，大夫没有防备，脖子被打出了毛病，落下了后遗症：脖子总朝着右边瞅，顺了边了。大夫去告过父亲。父亲那时候正在痛苦中煎熬，秋月那里还算能解释得通，秋月的父母却无论如何也不相信父亲的话。大夫去乡里告父亲，正被村长碰上了。一打听事情的原委，村长知道父亲又惹祸了，赶紧把大夫拉到僻静处说话。村长提出了另外的解决方案,积极倡导大夫私了为佳。大夫被说动了心,跟村长讨价还价一番后,最后以一百斤玉米成交。大夫这样做也不算是吃亏,村长给分析了,大夫只有兽医证,不具备做人流这样的高难手术。虽说以前接过生,可那是给牲畜接生,跟给人接生有本质上的区别。据说给牲畜接生,兽医可以伸手进去掏,而人就不行,门口太窄架不住他这么野蛮地胡掏一气。

父亲糊里糊涂就被罚去了一百斤玉米。玉米是村长从集体粮食中先行扣下的,几年后才让父亲知道。父亲那个时候在村里的账本上看到了一百斤玉米的事,很纳闷,找村长问究竟。村长只顾笑,说:你去兽医那儿看看就知道了。父亲真看到兽医了,兽医正在乡里给母猪人工授精,歪着脑袋趴在母猪屁股后面找门口。兽医看到父亲,咧嘴笑了,说:操,真不够意思,看把我脖子扇的,让你们村长把我唬了,一百斤玉米便宜你了。父亲就什么都明白了,把一百斤玉米分两年还给集体了。

从兽医家出来,吴彤彤钻进父亲的怀里好一顿地哭,把父亲的心哭得乱七八糟。父亲抱着吴彤彤说:我也不知道咋整了!都怪那个狗杂种李海生。父亲始终认为吴彤彤肚子里的孩子是李海生的。吴彤彤说:要不你和我结婚吧?只要能结婚,有人认,肚子里的孩子就不用做掉了。见父亲愣着,吴彤彤说:结完婚,你以后还可以跟我离婚,我决不赖账。父亲想,这倒也是个办法。吴彤彤一鼓动,父亲就真的去了村长家。

村长说:看你挺老实的人,啥事你都敢做啊,啥祸你都敢捅啊。父亲申辩道:我是为了吴彤彤和她的孩子,结完婚生完孩子,我们还离婚呢。村长就傻了,说:马大志,你没毛病吧?哪有结完婚再离着玩的,你得想好了,想好了我才能给你们开结婚介绍信。父亲咬牙说:你就开吧。村长问:那秋月咋整?父亲的心头马上掠过了千丝不安。事情后来发展下去的结果,验证了父亲的不安是有道理的。秋月的父母忍受不了父亲荒唐的决定,把父亲原来下的订礼钱退了回来。更糟糕的是,秋月也同意她父母这样做,秋月在路上看见父亲紧紧抱着哭泣的吴彤彤那一幕了。还有父亲当时不知道的事情,吴彤彤找秋月谈过话。吴彤彤说孩子确实不是父亲的,可就在三年前她和父亲有过几次肌肤之亲,他们一直是相爱的。秋月想了吴彤彤的话,觉得吴彤彤的话不是空穴来风,父亲不也交代过,他和吴彤彤亲过嘴吗?难道仅仅是亲过嘴?亲完嘴就能把持住自己吗?秋月甚至问过自己,自己要是真和父亲亲了嘴,她会拒绝父亲接下来的举动吗?这三年她没有暗示过父亲亲她,就是怕欲望的潮水涌上来,再也压不下去了。秋月想好了,就过来对父亲说:听说你们要结婚了,我祝福你们。

父亲晕了,父亲知道他和秋月之间没戏了。

直到父亲跟吴彤彤入了洞房,还一直是晕的。吴彤彤很歉意的是,父亲不能在新婚之夜就跟她同房,但她还是把父亲扒了溜光。吴彤彤怕父亲反悔,自己给不了父亲，就把父亲要了过来。父亲在阵阵剧烈的战栗中，呜呜地哭了。父亲眼前那个时候又浮现出他的学生秀锁，秀锁正腆着大肚子，幸福地走过来。父亲认命了。三个月后，吴彤彤产下一个女婴，随了父亲的姓，叫马民办。父亲是民办教师，就叫了这个名字。四个月后，吴彤彤出了满月，原本就迷人的体态经过父亲的精心照料更加显得丰盈。吴彤彤在春天的一个夜晚，狠狠地满足了一下父亲。父亲那个时候已经搬出了学校，住到了河对岸的老宅子。在贴满红色拉花纸的房间里，父亲结束了他的处男时代。父亲那些日子是幸福的。日子虽说穷，可父亲很精神，每天夹着课本高兴地走在上学放学的路上。

这样的日子只持续了一年多。从这个春天到那个春天，是那样的短暂。吴彤彤突然离家出走，不知道去向了。秋月在河边洗衣服，碰上了吴彤彤。吴彤彤说了一句没头没脑的话：秋月妹子，帮我照顾大志。说的时候，秋月发现了吴彤彤的眼里噙着泪水。秋月说：看你说的，有嫂子在，马老师还用得着我照顾吗？吴彤彤就这样从河边消失了，好多年都没有消息。关于她的出走以及她的女儿马民办的身世，后来都成了一个难解的谜。

有人说吴彤彤是城里的姑娘，哪里会受得了乡下的苦日子。马大志一个穷教书的，咋能养得住一个见过世面的城里人？乡亲们都知道，人家吴彤彤是见过毛主席的。就咱马耳朵沟，村长都没见过毛主席呢。这话琢磨琢磨也不对，吴彤彤跟父亲生活的那段日子，一直是勤劳的。村里的媳妇没有能比得上这个城里媳妇会过日子的，吴彤彤是不嫌弃农村的。有人说吴彤彤外面还有男人，那个男人才是她的最爱，她和父亲结婚后，连父亲都没有套出孩子真正的父亲是谁来。在父亲看来，吴彤彤是有她的难言之隐。有同学传言，说吴彤彤爱上一个被批判的老首长，她不能公开自己的秘密，怕连累她家里的人和那个老首长。父亲一直搞不明白的是，在这一年时间里，吴彤彤对他的爱绝对是真的，父亲感觉出来了。那么，吴彤彤的消失说明了什么？说明吴彤彤的爱是两份的，一份给了父亲，而另一份爱对于吴彤彤而言是更重要的。否则的话，一个女人怎么能舍弃刚刚得来的甜蜜舍弃自己的骨肉而去做一个负心的人呢？父亲悲哀的就是这一点，他觉得他是失败的，因为他没有能够留住吴彤彤，没有能够得知更多的秘密。换句话说，父亲的品德父亲的爱，都没有换来吴彤彤起码的信任。父亲那些日子喝大酒，上课对学生随便发火，还打学生。几个调皮的男孩子，在那个阶段都被父亲打掉过门牙。几十年以后，他们长大了，门牙都没有能够长出来。父亲的学生戏称那届学生是“门牙派”。

父亲搬出了刚住了一年时间的宅院，重新又回到学校住。在这段时间里，父亲找了吴彤彤无数次，直到把心都找凉了，也没有找到。父亲为此还专门去了一趟城里李海生的家，在询问没有结果的情况下，脾气暴躁的父亲把李海生打了一顿。公安给父亲戴上了手铐子，李海生坚持说和父亲闹着玩的，父亲才被放了出来。父亲就朝着李海生骂：我操你妈李海生，你一定知道吴彤彤的事情。

父亲没有获得任何有价值的线索，李海生也已经结婚了，他说不知道吴彤彤的事情。父亲回来继续喝酒，有一次竟然掉进了河里，要不是从中学回来的胡闹发现了父亲，父亲就被冻死了。

## 六

整整一个漫长的冬季，父亲都在痛苦中度过。父亲发现，他已经离不开吴彤彤了。或者可以这样说，父亲从跟吴彤彤亲嘴的那一天起，就已经深深爱上了她。吴彤彤走了，只留下一个嗷嗷待哺的孩子。父亲手忙脚乱了，父亲彻底邋遢了。以前头发溜光的形象没有了，父亲的书教得漫不经心了。那年五年级升学考试，父亲一个学生都没有送走，村长很恼火。村长痛心地认为，那个充满青春活力的父亲不见了，那个在全乡乃至全县创造神话，把胡闹从三年级直接送到中学的老师不见了。

父亲的生活规律被完全打乱了，父亲犯愁的是，孩子民办总感觉吃不饱一样。家里捉襟见肘，民办总哭，哭着张嘴跟父亲要吃的。父亲像一只咆哮却又无奈的豹子，东转西转。民办不像她的母亲那样幸运，父亲可以给吴彤彤连着煮三碗面条。父亲那时候没有面条吃了，连玉米面都吃不上了。父亲靠每个月有限的十几块工资，来养活民办。父亲那个时候课本早已经背得滚瓜烂熟，讲课的时候，把民办交到几个大一点儿孩子的怀里，叫他们抱着，讲完课，才接过孩子，再让抱孩子的学生写字。

那个时候的学生，几乎都帮父亲抱过孩子。民办有时候尿到学生的怀里，父亲还要给学生烤衣服。白天忙忙活活地还算能对付过去，要命的是晚上。民办没有母亲的乳头嚼着总要哭夜，整宿整宿不让父亲休息好。父亲想了一个办法，去供销社买来了奶嘴，没事的时候就让民办嚼在嘴里。民办这孩子很聪明，偏就能辨认出真假来，认出父亲在逗她玩，往往要哭得更凶了。

有一次父亲正感冒，民办晚上又开始哭个不停了，怎么哄也不管用。父亲就仰面躺在炕上不管民办了。父亲开始咒骂吴彤彤的没良心，父亲骂着骂着就和民办哭成了一团。父亲的哭声被秋月听见了，秋月一直在关注着父亲和民办，只是父母看得严，秋月不敢太接近父亲。秋月睡不着，虽说隔壁的两个人与她毫不相关，可是秋月的心里一直有父亲。秋月敬重有文化的父亲，想帮助在无奈中挣扎的父亲。

秋月的敲门声止住了父亲的哭声，只剩下民办一个人仍旧起劲地哭。秋月进到屋里，看父亲憔悴的样子，秋月的心战栗了一下。秋月没有管父亲，秋月还计较父亲当初选择了吴彤彤，没有跟她商量就从村长那里开来了结婚介绍信。秋月把民办抱起来，样子是很笨拙的。孩子还在哭，小脸蛋都有些发紫了。秋月学着村子里的妇女那样，用手悠荡孩子。可非但没有止住哭声，倒是把孩子逗弄得更加来劲了。

秋月咬了牙，低头去解自己的上衣扣子。父亲震惊了，就那样看着秋月把自己的扣子一颗一颗解开，直到露出她少女坚挺的乳房来。民办终于找到了她想要找的东西，头往怀里一拱，很容易就把秋月的乳头含在了嘴里。哭声戛然而止，夜显得静极了。只有父亲的心跳声，只有民办的吮吸声，和着秋月羞涩的身躯在颤抖。

父亲的心一下子就像春天到来时河里的冰化冻那样，在秋月的面前彻底复苏了，复苏的是父亲一颗热爱生活和这个世界的心。父亲望着秋月洁白的乳房，产生了无限美好的遐想。父亲想到了地里金黄色的油菜花散发出来的清香，想到了蓝蓝的天空有几朵白云在飘呀飘。父亲成了会赞美生活的诗人，他有了好好活下去的理由和信心。

从这以后，秋月就经常偷偷地给民办“喂奶”。民办从小就是嚼着秋月没有奶水的奶子长大的。秋月是民办的妈妈，是一个未婚的姑娘妈妈。民办嘴里嚼着奶子，有时候会狠狠地咬一下，好像在怪秋月没有奶水。秋月就“哎呀”一声，举起手吓唬民办。民办无所畏惧，继续把小手伸进秋月的怀里。秋月无声地笑了，秋月的奶子已经被民办咬得伤痕累累了。秋月舍不得动孩子一手指头。

民办五岁那年，秋月终于狠下心来拒绝了民办的央求，不再“喂奶”了。民办会走路了，会做很多事情了，她马上就该长大了。父亲的脚步轻了，脖子上托着五岁的民办快乐起来了。那年父亲学校五年级的孩子都升上了中学。“向阳红”小学升学的成绩说来很滑稽，竟然与父亲的个人心情有关系。父亲高兴了，在孩子们身上投入的精力就多，孩子们的学习成绩就提高，升学率就上去了。父亲遇到不顺心的事情，在孩子们身上漫不经心下去，孩子们马上就跟着一起啥也不是了。可以这样讲，父亲是决定孩子们未来的关键人物，父亲肩上的担子是重大的。村长每年从父亲的脸色上就可以看出学校的升学率来，村长一直护着父亲，把父亲当成国宝大熊猫一样保护。村长是为了全村的孩子能有学上，可这样做的结果是宠坏了父亲，助长了父亲飞扬跋扈的脾气。父亲在学生面前，从来都是说一不二的。

这种情况一直持续很多年，村长上了岁数，不做村长了，父亲的脾气才得以收敛。那时候，父亲的工资仍然归村里管，仍然归不是村长的老村长每年去挨家挨户收。可父亲有了另外的领导，乡里有了中心小学，有戴眼镜的领导干部，县里的教育局也开始管事了。父亲从旧报纸上知道了外面的天地发生了变化，国家开始重视教育了。不过，父亲那个时候，在“向阳红”小学仍然说了算，这里仍然是父亲的一亩三分地。父亲有时候会被中心小学的领导招呼过去开会。父亲一般不愿意去，实在催得紧了，父亲就去了。会开得索然无味，父亲往往是第一个睡着了的。食堂开饭了，父亲是积极分子，小米干饭炖豆腐很合父亲的胃口。父亲有一次睡觉睡醒了，才发现大家正在鼓掌。父亲也跟着鼓掌，父亲不知道，大家鼓掌是在庆祝“向阳红”小学被上级派来了校长。父亲鼓完掌才看见，管他的新校长已经规矩地

坐在台上了。父亲的眼睛就直了，那个校长，他认识那个要管着自己的校长，是以前父亲的学生胡闹。不过，胡闹现在的名字不叫胡闹了，叫胡栋梁了。奶奶的，父亲看清楚了胡闹后，嘴里骂着。

胡闹，不，是胡栋梁乖乖地跟在父亲的身后回学校，父亲一路上都没有搭理胡栋梁。父亲感叹着，胡闹都毕业了，自己跟秋月的事情还拖着没解决呢。叫胡闹来当校长，纯粹是在乱开玩笑，他孩子毛还没有褪干净，从师范毕业不久，能当了校长，能管得了他过去的老师？父亲根本没有把胡闹看在眼里，放在心上。

民办渐渐大了，成了父亲的学生。民办每天都在学校跟着父亲，民办就成了第二个胡闹。她聪明得很，父亲教的课程早都学会了，只是碍于年龄小，父亲没有着急把她送到中学里去。这些年，要不是有人家秋月在暗中帮忙，父亲不敢想象自己会过成什么模样。父亲想，是该到时候了，是该和秋月结婚的时候了。秋月不也是在盼望着这一天吗？

父亲感觉好日子马上要来到了，他和秋月终于可以生活在一起了。他和女儿民办一定对秋月好。父亲那个时候已经非常喜欢民办了，这个乖女儿，全然没有了当初哭夜的讨厌和恼人了。父亲把一切都想象得很美，想象得过于简单了。父亲和秋月的婚事在民办六岁那年的夏天，也就是父亲的学生胡栋梁分来当校长的那年有了新的进展。进展的理由挺有意思：秋月的父亲去世了。这样一来，剩下秋月娘一个人，阻力就明显小了许多。父亲感到很振奋，认为机会来了，秋月的父亲死得太是时候了。过了周年，父亲就可以名正言顺地托人提亲了。

学校还一直是那座破房子，夏天的雨水勤。白天给孩子们上课的时候直漏雨，父亲就把宿舍里所有能接水的东西拿出来。教室里滴答滴答在漏雨，有的地方漏雨密集，形成了一条雨线，父亲就叫孩子躲一下。不然的话，父亲提问，总是看到一帘雨雾，白花花地在眼前飘摇。父亲还习惯一个人给孩子们上课，孩子多了，父亲就分上午和下午来上课。上午一、二、三年级，下午四、五年级。胡栋梁这个校长，一直在等待着父亲给他分配讲课任务，父亲一直不言语。长大了的胡栋梁竟然一点儿小时候淘气的痕迹也没有了，规规矩矩地跟着父亲，他不敢问，憋了几天才说了自己想给孩子们上课的要求。父亲满足了他，叫他给孩子们上体育课音乐课，都是一些副科。父亲说了，给胡闹主科，不放心。凭着猜牛尾巴朝哪个方向的能耐根本不好使。胡闹小声纠正一句：马老师，我叫胡栋梁了。父亲假装没听见没有理睬胡栋梁，继续胡闹胡闹地叫，弄得父亲的学生人人知道新来的校长有两个名字，一个叫胡栋梁，一个叫胡闹。

有一天晚上女儿民办在做作业题，突然听见教室那屋里有“咔嚓”“咔嚓”的声响。民办捅父亲，说那屋有耗子了。父亲睡得正香，没有理睬。不大一会儿，那屋就“轰”的一声巨响。民办吓得哭了，喊父亲：爸爸，那屋来了大耗子。父亲也感觉到了房子都跟着声音动了一下。父亲起来骂：贼耗子，看我不收拾你。父亲开教室的门,门不动。父亲细看,才发现那间教室已经在雨水的浸泡下轰然倒塌了!父亲出了一身冷汗,两间房是一个整体,想不到这边竟然没有倒塌。父亲抱出了民办,望着趴在雨水中的学校发呆。

胡栋梁跑来了,一屁股坐在泥水里,说:马老师,房子倒了,咱可咋办啊?父亲瞪了一眼胡栋梁,说:嚎叫啥?看你水叽尿蛋的样子,房子倒了,咱盖新的。父亲对胡闹意见很大,因为自从胡闹来了以后,乡里的中心小学再开会,就只叫胡闹一个人去了。父亲去不成,捞不着在会上睡觉,捞不着中午吃一顿小米干饭炖豆腐了。更重要的是,父亲的心里有了一股闹腾吧拉的滋味,像高粱米饭里发现了一只臭虫那样,咯叽得慌,父亲清楚,那只臭虫就是胡闹那个家伙,那闹腾吧拉的滋味是胡闹给整出来的。你看现在的胡闹快成什么样子,眼睛近视不近视还有待考证,可偏偏架上了一副眼镜。说话不冲了,多了几分文绉绉的东西。在县城里上了几天学,连话都不好好说了。你不非要当什么校长吗?那好,盖房子的事情你就跑去吧。父亲心里暗暗想:我还不管了呢。

## 七

父亲确实给胡栋梁出了一道难题。父亲把孩子们带回了河对岸的宅院,他和女儿民办也回去了。就这样,河对岸的宅院被父亲三起三落地入住。都说搬家三年穷,父亲搬了无数次家,这样说来该穷上几十年了。父亲把家搬了回去,跟校长胡栋梁说了:胡闹,我不能耽误了给孩子上课,你去中心小学要钱盖房子去。还有,在我家上课学校也得给房钱的。

胡栋梁那些天紧着跑乡里县里,可跑了一大气一根毛都没有要到。上面也没有钱,要下面自己解决,胡栋梁只好回来。父亲不住地派人去催促胡栋梁,抓紧时间筹集钱盖房子。胡栋梁只好硬着头皮跟父亲实话实说,那样子好像父亲是领导,他在向父亲汇报工作。父亲琢磨了一会儿,决定亲自出马去乡里要钱。父亲大闹了中心小学,摔碎了戴眼镜领导的茶杯,还寸步不离领导的左右,领导走到哪儿,父亲就跟着到哪儿。领导被缠得没有办法,总算有了活口,中心小学的领导答应给解决几万块红砖,父亲才算作罢。父亲美滋滋地回来,领导的电话就打给了胡栋梁,说胡校长,你是怎么搞的?怎么能让那个马大志来上面胡闹?胡栋梁就连连赔不是,说对不起,对不起,都是我的错,都是我胡闹。

父亲回来想在胡栋梁面前显摆一下自己的办事能力,一看胡栋梁眉头紧锁的样子,心里就明白了几分。父亲的心里就更高兴了,小胡闹,敢爬到老子头上当什么狗屁校长,你还嫩着呢。父亲弄来了红砖,动员孩子们去河套筛沙子,顺便把劳动课也上了。河套的沙层厚,几天的工夫就筛起了山一样高的沙堆。父亲一声令下，叫孩子们用各种工具往回运沙子。那场面让父亲弄得轰轰烈烈，父亲沿途插上红旗，孩子一字长蛇阵排着，还唱歌，“起来，不愿做奴隶的人们”。校长胡栋梁看不下去，叫孩子们闭嘴。国歌是神圣的，不能什么场合都唱。孩子们的嘴一闭上，父亲就过来了解情况，都说是校长不让唱的，父亲就发火，说他胡闹知道个屁，集体劳动盖房子，这还不神圣？都给我使劲唱。父亲还带了头，父亲扛着一袋子沙土，大声唱着“我们万众一心，冒着敌人的炮火前进，前进，前进，前进，前进进”。父亲高昂的歌声振奋了孩子们的心，河边上的沙土渐渐少了，学校的操场上多了一座圆圆的沙丘。胡栋梁坐在沙土丘上发呆，觉得挺失落的。在相当长的一段时间里，“向阳红”小学的孩子们一直以为校长没有老师的“官”大的，这不能不说与父亲对待胡栋梁的霸道有关系。父亲在这所学校一个人待的时间久了，待独了，父亲不允许任何人闯进来代替他，不允许任何人比他要说得算。在父亲的眼里，似乎学校有一个老师存在就足够了，多一个就多了一个配搭一样。

父亲的干劲足，跟秋月的关系已经十拿九稳有关系。秋月的母亲已经在老村长的撮合之下动摇了。秋月的年龄也不小了，当妈的不能再拦着。秋月的母亲一点头，事情就好办多了，秋月把喜讯告诉了父亲。父亲的干劲就更足了，赶紧把房子盖上，学校的房子盖上了，家里才可以重新倒出来做新房。父亲欢欣鼓舞，跑房子的料。这回盖学校，从一年级到五年级都有教室，孩子们可以全天上课了，反正中心小学答应给解决红砖了，那就去砖场猛拉一通，把学校建围墙的砖拉回来，把学校建厕所的砖也拉回来。学校以前没有现成的厕所，一堵半人高的墙隔着，男左女右。

没几天，乡里的砖场就送来了红砖，拖拉机突突突突得满操场都是红色。人家问够了吗，父亲就一个劲儿地说早着呢，红色就不断地突突进来。中心小学的领导跑来，差点儿没把眼镜气掉了，领导没了斯文，叫胡栋梁，问他你这个校长是干啥吃的？拉这么多的红砖得多少钱啊？这不要了命了吗？胡栋梁已经养成忍气吞声的良好品格，不管你说什么，都听着。领导发了火，也就拉倒了。父亲的诡计得手，只是委屈了那个胡校长。没办法，谁让你愿意当校长了，谁让你不像过去那样敢反抗了。父亲想，可能当上官的人都那样，在上级面前就蔫巴了。不过，胡闹有些特别，胡闹跟领导蔫巴，跟父亲也总蔫巴，父亲太霸道，根本不听这个校长的。

砖有了，沙子也有了。父亲又找老村长，放村里的树做梁和檩子。老村长瞪着父亲瞅半天，说：马大志，我说的不算了，我不是村长了。父亲笑了：少来这一套，你不当村长，你儿子不是村长吗？这村里三十年的官让你们家都给包了，你说了还不算？人我都找下了，拉树呢。老村长挺喜欢戴高帽，强压脖子逼儿子就范，树轰隆隆就放倒了一大片。

父亲那些日子饭都吃不好，女儿民办交给秋月去带，整天算计房子该咋建，还缺多少钱。父亲算来算去，眉头总是锁着打不开，有两大项不好解决，一是钢筋，二是水泥。父亲跑了好几趟水泥厂，人家都说现在的厂子承包给个人了，根本不会赊账，没有现钱拉不走水泥。到城里卖钢材的市场一打听，父亲的心就凉了半截，一提赊账人家都会斜着眼睛问：你有毛病吧？父亲呸了几声，无奈地回来，继续去水泥厂门口转悠。父亲这一转悠，事情马上有了转机，一辆黑色的小轿车停在父亲面前。车门摇开，露出胖乎乎的一张脸来。父亲没见过几次小轿车，眼睛都被车玻璃晃花了，站了半天没反应过来是怎么回事，直到车喇叭嘀嘀响了几声，父亲才明白过来是在跟自己打招呼。父亲揉眼睛，看见那张胖乎乎的脸挂在车玻璃上向自己笑。父亲的心呼啦一下亮了起来，父亲预感事情有门儿了。

父亲被厂长请进了办公室，关上门，厂长很客气，问父亲有什么事情吧。父亲是村里唯一的老师，全乡人都认识他，厂长显然对他很尊重。父亲就拘谨地把建学校缺水泥和钢筋的事情说了。厂长听了，沉思一会儿问：得要多少水泥？父亲早就找人算好了，赶忙说，十吨就够了。十吨可不是个小数目，厂长为难了，不言语。父亲一直盯着厂长胖乎乎的脸，显得挺崇拜挺虔诚的样子。

厂长好半天才说：这样吧，咱边喝着边说？父亲总算松了一口气，要自己花钱请客。厂长坚持不让，两个人去了小饭店，要了酒菜喝起来。父亲的心思不在酒上，父亲只关心厂长给不给水泥。厂长说：马老师，我和秋月的事情你知道吧？父亲的心就咯噔一声，父亲想起来了，以前秋月说过，厂长的儿子一直喜欢秋月。这个厂长肯定就是那个厂长的儿子，如今当上了厂长。就像村长不干了，村长的儿子接了班一样。父亲的脸色就难看了。厂长说：咱都是顶天立地的爷儿们，打开天窗说亮话吧，我有两个条件，你要是能答应了，水泥的事我包了。父亲意识到厂长要说什么了，父亲耐着性子听着。厂长说：学校建成后，得改名字，不能叫“向阳红”“向阳绿”的了，“文化大革命”都完事了，都改革开放了，叫个新名字。父亲虚心地问：那叫啥名字呢？厂长说：就叫耀飞小学，多好听。父亲不知道耀飞是啥意思，说：叫这名字有啥讲吗？厂长说：咋没有？我大号就叫许耀飞，跟我一个名字。父亲考虑了一下，说行，那咱啥时候拉水泥？厂长说：你别忙啊，我还有条件，父亲就知道厂长要说什么了，父亲把剩下的半瓶白酒咕咚咚就给两个人匀了，父亲说你别说了，让我再琢磨琢磨。

父亲那天喝醉了，跟厂长整得挺热乎。不过，父亲始终是清醒的，他跟厂长的讨价还价一直很激烈。父亲说：答应这件事，你得解决钢筋的事。两件顶两件，才显着公平。厂长咬牙说：马大志，我豁出去了我，谁让我心里放不下她呢。

就这样，父亲为了学校的水泥和钢筋，在酒桌上把秋月出让给了厂长。父亲这件事做得很神秘，他跟秋月断绝了来往，还不让民办继续去秋月家。秋月不知道发生了什么，父亲却没有做任何解释，只说跟吴彤彤还没有正式离婚，不能跟你结婚了。直到秋月跟厂长入了洞房，厂长才把事情的经过说了。秋月恍然大悟，想了想狠狠地把自己给了厂长。秋月回门的时候，学校已经开始热热闹闹地开建了，秋月看见了父亲，走到父亲跟前，跟父亲说：我韩秋月人是自己的，愿意嫁给谁是我自己的事，用不着你来让。父亲在大庭广众之下丢了丑，只知道低头干活，女儿民办看见了父亲搬过的红砖上印着几大颗湿湿的痕迹，是父亲的泪水。

学校挂牌的那天，父亲和胡栋梁之间又发生了冲突。胡栋梁不同意没有经过上级部门的准许就随便换学校的名字。父亲马上翻了脸，还挖苦胡栋梁说：你知道什么？这个学校是你说了算还是我说了算？胡栋梁忍无可忍，顶撞了父亲。父亲骂了胡栋梁：胡闹，你再给我瞎胡闹，马上给我滚！

有意思的是，胡栋梁这个校长硬是被父亲给骂跑了。以后分配到这所学校的校长都没有干长过，原因是跟父亲不和链，让父亲一个接一个地气跑了。父亲的臭名就更响了，县里乡里管教育的领导在一起议论哪个老师不好管理，领导们就说，过两天整“耀飞小学”马大志那儿去。老师们听了，准会个个大惊失色。

## 八

后来的日子里，父亲一直是独身的。吴彤彤仍然没有音信，父亲在忙碌中，已经差不多把吴彤彤忘记了。秋月和水泥厂厂长过着幸福的生活，秋月后来虽然不恨父亲了，可父亲却为了此事，好多年不能原谅自己。跟秋月来往的只有民办，民办长大了，父亲在河边上送走了女儿，女儿去乡里上中学去了。那个时候，小学已经有六年级了，上学的孩子也多了几倍。父亲忙不过来，上面分配下来的老师在逐年增加，这对于一个人待惯了的父亲来讲，是一个不小的冲击。

这群毛头小伙子和小姑娘，个个年龄不大，可都是正规的师范毕业生，浑身上下带着活力和朝气。他们的课教得一般化，可工资却比父亲多好几倍。这对于父亲来讲，是一个触动，是一种耻辱。父亲总爱拿自己的水平跟这帮年轻人比，比着比着火气就大了，瞅谁都不顺眼。这帮年轻的老师就在背后笑话父亲，说父亲更年期提前的话。父亲年龄不大，可得到的称呼却是大爷大叔什么的。有一个新来的女老师，第一次来上班见父亲进办公室，竟然脱口叫了一声老爷爷，您有事吗？女老师以为父亲是附近村子里的乡亲。父亲虎着脸，拉一把自己的椅子坐下说：我是这儿的老师，刚四十岁，你看好了再说话不行吗？那女老师吐了下舌头，讪讪地跑了出去。

父亲从那时候开始琢磨转正的事情，父亲为此找了老村长，埋怨村长不给他使劲。老村长感到很委屈，说过去那阵我又不懂这些，教育局又没有管这事的，我咋知道还有转正这档子事。马大志，你以后别有事就找我解决，我管不了你那些烂事。父亲说：那你早咋不说管不了？你追火车的时候咋不说这话？村长就蔫了，说：你不干得好好的吗？父亲说：好个屁，那些个年轻的，胎毛还没褪，挣的倒比老子多了，老子不干，也得转正。我们家民办上学也需要钱呢。

村长当然管不了父亲转正的事情，父亲就自己打听。父亲把课程交出去不少，只教六年级毕业班。一来可以安心学习，早日转正；二来父亲不放心这些年轻的老师，怕他们带不好毕业班。还有三，父亲一直不说。毕业班要给老师买礼物，要跟老师照毕业照。父亲从当老师那天起，就一直照毕业照。一年一张。有一张特别有意思，那年的毕业照上只有两个人，一个是父亲，一个是胡闹。胡闹刚考上中学，父亲刚把胡闹从旗杆上再次用土坷垃搂下来，就照了这张相片。父亲见证了爷爷死后这所小学所有的兴衰。

父亲甘心把整个学校的课程交出去，就是为了争一口气。父亲已经明显看出来了这帮年轻人的不屑。父亲曾听过几个老师在一起议论：有什么了不起的，到现在还是个破民办。父亲想骂他们几句，民办怎么了？没有我这个破民办，你们的爹妈都不知道人生大道理呢？可父亲忍住了，父亲想，转正成功了，再教训你们。父亲曾经去中心小学问过，每年都可以参加民办教师转正考试。父亲回学校就提出，他不教那么多课了。不等校长分配，父亲就把一张事先写好的字条递给校长，那上面写着父亲推荐某某老师担任一年级的班主任，某某老师担任二年级的数学老师。下面还注解着理由，好像父亲是校长一样。校长哭笑不得，大多数情况都依了父亲。父亲不满意就会找校长理论，敢上桌子上吵架。父亲的蛮不讲理已经出了名了，没有谁愿意惹他。

父亲第一年转正考试就出了笑话。父亲考完，也感觉事不好，题大多数都没有答上。父亲跟别人对答案的时候，拍着大腿直喊惋惜。父亲说：真他妈的邪行了，出啥题不行啊，求啥形的面积不行啊，咋偏出个大枣核难为我啊？原来试卷上有一道求阴影面积的题，那阴影面积的形状酷似一枚枣核。父亲做不出来，才说了那样的话。听的人都哄地笑了，大枣核的绰号一下子就叫开了。父亲丢了脸面，两科考试还不到一百分，对父亲来讲是件残酷的事，是一件没面子的事。父亲为了这还跑中心校大骂了一通，父亲骂的是个别老师不注意为人师表的形象，随便给人家起外号，叫什么大枣核。父亲这样做的结果是，“大枣核”的绰号越传越远，连在中学读书的女儿民办也听到了。民办回家就训斥了父亲，说父亲是军阀作风，到哪儿都让她抬不起头来，人家都叫她小枣核呢。

父亲的失利让学校的老师们有了可以取笑的话柄。父亲的局面很被动，父亲没有了同盟，夹在一群小青年里面感觉腹背受敌。父亲讲课喜欢在黑板上写毛主席语录，父亲曾经在全乡老师来听课的课堂上，写上“千万不要忘记阶级斗争”这样让人啼笑皆非的话。父亲很严肃，问一位听课的老师笑什么，那年轻的老师被指责得不知所措，出尽了洋相。父亲的课以后就没有人敢继续听了。值得欣慰的是，父亲的成绩不好，可他带出来的毕业班在全乡一直是排在前列的。父亲对学生很严格，只能拿第一，不准拿第二。父亲对学生沿袭了他过去认为非常成功的教育方法，那就是严。只有严了，成绩就能上去了。父亲的教鞭总要换，父亲好打人，教鞭打折了是常事。父亲的班级讲台上，不像别的老师上课那样，只有老师一个人。通常情况父亲惩罚学生的手段就是站着听课。父亲不寂寞，有时候前边讲台上比下面坐着的学生还要多。父亲津津乐道的是，他教过一个从三年级直接升到中学的学生，现在都成了别的学校的校长了。要问秘诀吗？那就是我三天两头就熟他的皮子，他几乎每一天都是站着听课的。学生们就很崇拜地看着父亲，父亲很得意，俨然成了指挥千军万马的将军一样。年轻的老师们一直希望父亲能出点儿事，可父亲的体罚一直继续着，没有家长来反映情况。乡下的家长没有那样的意识，父亲也跟家长咸菜缨子拌豆腐有言（盐）在先：孩子放我这儿，想成才我就使劲管，不想成才我就不管。家长都想让孩子成才，一致的口吻是：孩子交给你了，该骂就骂，该打就打，我们没意见。父亲于是就心安理得频繁地更换教鞭。

年轻老师有的实在看不惯父亲，就偷着上乡里中心小学去告状，上面的领导也没有好的办法。突然胡栋梁又主动请缨回“耀飞小学”当校长了。父亲吃了一惊，这胡闹在别处校长当得好好的，咋杀回来弄个二进宫啊？父亲在胡栋梁校长再次上任的时候，抢到麦克风做了即席讲话。父亲不顾老师们的白眼，跟学生们讲了一通人生大道理。父亲最后说：看见没，这就是我过去给你们常讲起的胡闹。别看现在斯斯文文的，我刚来学校那天，他还爬到旗杆上让我叫他小爷爷呢，结果让我揍了一土坷垃。学生们哄笑。父亲打量那根旗杆，那旗杆已经长成了腰粗的栋梁。父亲又找到了话题：你们看看，当初的旗杆碗口那么粗，现在腰粗了，过去的胡闹，现在成了胡栋梁了。几年前，胡闹来过咱们学校，盖现在这房子时，你们的校长，嘿，连眼泪都愁得掉下来了。胡栋梁一直静静地听着父亲讲，直到父亲讲累了，胡栋梁才接过父亲的麦克风。胡栋梁校长说：同学们，刚才马老师讲的那个调皮捣蛋的胡闹就是我，不过，我现在改名字了，还叫人家过去的小名是一件不尊重别人的事情。我希望，同学们都能尊重我，以后叫我胡栋梁校长。我不喜欢棍棒教育，因为，我就是承受着棍棒式的教育长大的，我不希望你们也那样，没有自由和欢乐。老师和学生之间我觉得应该是一种朋友关系，是一种弟兄关系，希望我们能成为好朋友……

胡栋梁的讲话赢得了掌声和喝彩。父亲自言自语：来者不善，善者不来啊。

父亲跟他的学生胡栋梁第二轮的斗争开始了，父亲这次从兵力上来讲明显处于劣势。胡栋梁有众多老师的支持，还很快赢得了学生的尊重。父亲的棍棒教育被全盘否定，学校明确提出跟学生做朋友，不准再体罚学生。父亲想不通，仍旧我行我素。让父亲想不到的是，胡栋梁校长竟然主动找父亲谈话。胡栋梁很严肃地告诉父亲，他已经接到学生的举报，告诫父亲不要再体罚学生。父亲很震惊，非要胡栋梁交出到底是谁举报的，否则就是中伤，就是诬赖。再说，那能叫体罚吗？父母拿钱给他们上学，不好好珍惜就得揍他们。胡栋梁说：你别再狡辩了，再这样下去，你不能教六年级了。父亲发怒了，说：你个胡闹小兔崽子，你反了你，你别忘了，连你上学的钱都是我掏的呢，你还敢管我？胡栋梁站起来说：那钱我今天带来了，我前后从你这儿拿走了十五块钱，我还你一百块，连利息都给你了。父亲彻底傻了，想不到胡栋梁就这样把钱还给了自己。父亲没客气，收起一百块钱，说：我不教了，看谁能教得了六年级。父亲没有想到的是，他没有将住胡栋梁，他的话刚刚说完，办公室里举起了很多双自告奋勇的手。

父亲只教副科了，后来连副科也少了。胡校长说了，不准父亲总是教一首国歌，就这样，学校来了一个时髦的丫头，那丫头会唱歌跳舞，她当音乐老师了。那音乐老师教的是流行歌曲，都是什么“故乡啊故乡，我要用真情和汗水，把你建得山也美啊水也美啊，山美水美”声音拖得老长老长。父亲听了骂：简直就是萎靡之音，美个屁。父亲后来体育课也不教了，校长说父亲年龄大了，跑不动了。不久，学校新来了一个小伙子，跑得快，还会打篮球，父亲气得干转磨磨。胡栋梁校长向上一反映，给父亲弄了一个官职。父亲很振奋，父亲在学校里当的是主任。可父亲的上面有胡闹。胡闹再也不让父亲说的算了，胡闹不止一次地提醒父亲，不要再叫他胡闹。父亲就站在操场上使劲喊：胡闹胡闹胡闹！一直把嗓子喊累了才算作罢。胡闹站着听父亲喊，父亲喊完了，胡闹才一声都不言语进了办公室。父亲第一次发现胡闹长大了，对敌斗争有经验了，讲究策略了。

不久发生了一件事情，彻底击垮了父亲。胡校长大刀阔斧地建设学校，竟然要把那棵旗杆砍掉。父亲正在教学生画手帕。父亲上美术课已经好多年了，父亲只会画两样东西，一样是茶缸，一样是手帕。被父亲教过的学生几乎人人会画这两样东西。父亲后来由此又派生出了两种画，一是手帕上画上一只茶缸，写着抓革命促生产；一种是茶缸上画着一条手帕，写着好好学习，天天向上。父亲画得一丝不苟，正当他把茶缸按比例尺缩小若干弄到手帕上时，就听到了电锯的声音。父亲一激灵，前几天父亲就看到胡闹站在树下面琢磨事，一定是在打旗杆的主意。父亲坚持不让放树，可父亲忽略了一点，那就是电锯的速度问题。父亲也是大意，以为画完茶缸，把那副带着茶缸的手帕弄完了也不迟。父亲从教室里出来，就看见胡闹舞扎着手正指挥着人们躲闪。那棵旗杆，就在父亲的惊愕里轰然倒地。那棵旗杆倒在了父亲的心上，把父亲的心砸得好疼。父亲随着轰隆隆的一声响，一下子就变得苍老了。

父亲老了，老了的父亲做事越来越离谱，越来越不可理喻了。

## 九

父亲后来出的笑话就更多了。父亲没有事情做，到处溜达，抓住调皮捣乱的学生严惩不贷。各班的学生都知道了父亲的厉害，校长他们可以不怕，校长要跟他们做朋友呢。但是都怕父亲，父亲从哪个班级前走过去，哪个班级就一片肃静。胡栋梁校长在会议上表扬了父亲的认真负责，要大家向父亲学习。父亲撇嘴，为放树的事情生气。胡栋梁就给父亲特权，要老师们和学生无条件服从父亲的监督。父亲这才正眼瞅校长，不过，说话的时候还是胡闹胡闹地叫。

父亲愿意给学生上课，每天在办公室里都支着耳朵听着，哪位老师请假了，父亲就自告奋勇去给代课。那些年轻老师的事情特别多，请假的时候也就多。父亲乐坏了，有空子就钻进去替别人讲课。有一个阶段，胡栋梁放松了对父亲的“监督”，父亲就放肆了，跟老师们打好招呼了，以后请假直接找他就可以了。那些老师见父亲被胡栋梁校长彻底弄得下了台，也觉得父亲挺可怜的。别看父亲脾气犟，可人还是不错的，就真的跟父亲请假。父亲又开始秘密行使校长的权利了。胡栋梁一看，父亲是死灰复燃，还要颠覆自己的领导，就不准父亲私自去代课。实在赶不开的课，也得校长批准。

父亲嘴里骂：揍他一土坷垃，成心报复我呢。同屋的教师们都笑。父亲来了劲，接着讲胡闹那时候的嘎咕事。幸亏胡闹没有成为名人，要是真成了名人，父亲是最有资格给他写传记的人，父亲简直太了解胡闹了。父亲的讲解夹叙夹议，很幽默。音乐老师听了半年后，就跟胡栋梁结婚了。是父亲的红媒，音乐老师从父亲的嘴里认识了一个可爱的胡校长。父亲对这样的结果始料不及。胡栋梁的婚礼很热闹，父亲是上宾。胡栋梁向父亲敬了酒，还说到此为止吧，马老师，别再跟别的女孩子讲我的丑事了。

父亲喝多了，骂：你个死胡闹，回来专找老子的茬儿你。以后，我代课不准再瞎呲呲。过去我一个人讲五个年级的课，现在倒好，讲一节课过过瘾还得挨你的狗屁呲。胡栋梁说：马老师，你都四十六岁了，当了三十年老师了，该为自己的事想想了。转正考试我又给你报了名了。父亲的眼泪就下来了，站起来给胡栋梁鞠躬，说：胡闹，我一定得好好考。胡校长结婚，父亲喝得烂醉如泥，就住在了新房里。胡栋梁守了父亲整整一夜，父亲的家里没有人，清冷。

父亲那年的转正考试没有求枣核面积的题，但是父亲仍然落榜了。父亲本来考够了分数，可被人给顶了下去。胡栋梁感到很遗憾，鼓励父亲明年再考。父亲不顾胡闹的劝阻，坚持去乡里骂了一通腐败。

民办那个时候已经要参加高中考试了，爷俩关系一直很好。但在是考师范还是考高中的问题上爷俩产生了分歧。民办不想当老师，她想考高中上大学。父亲坚决不答应，要民办当老师回来教书，为这事爷俩闹崩了。填志愿的时候父亲就去了学校，自己做主把师范给报上了。民办气得没法，哭着找了胡栋梁。胡栋梁知道父亲的脾气，不敢硬碰硬，偷着把志愿又改回来了。民办发榜，考中了县高中。父亲一查分数，民办的分数远远高于师范录取的分数，父亲又上演了当年爷爷痛打父亲的一幕,父亲拎着烧火棍子狂追民办。民办跳河游到对岸,父亲紧追不舍,也跳进了河里。民办上岸,父亲也上了岸,显然父亲比民办更熟悉水性。父亲被站在岸边的胡栋梁和秋月拦住了。父亲被两个人的愤怒震住了,父亲只说:我怕她下河淹着,没想真打。父亲的解释没有用的,三年高中民办都没有理父亲。父亲每次给民办送钱,民办都一句话也不说。父亲挥舞着烧火棍子的一幕给民办留下了深深的印象。民办从小没有妈妈,只有从秋月那里得到一丝母亲的温暖。民办对父亲的表现失望极了。

父亲把女儿的不听话,归结为胡闹的瞎搅和。父亲多次找胡栋梁的麻烦。父亲就是一个复杂的人,他对胡闹不好,可对音乐老师和胡闹的儿子却非常好。父亲经常去胡闹家蹭吃喝,却不领胡闹的情。父亲特别喜欢胡闹的小儿子,没事总哄他玩,钱也舍得花,孩子要什么给买什么。父亲的工资很低,每个月只有一百五十块钱,供民办上学还是借了贷款。胡栋梁那时候对父亲没有太好的办法,对于父亲的表现,只能苦笑。

音乐老师后来给父亲出了个主意,要父亲在学校开商店,这个主意不错,父亲眼光一亮,小商店开起来后真的很红火。父亲边开商店边上班,挣了两年钱后,商店就被迫停办了,有老师到上面反映了情况。上面有文件,不准在校园内卖小食品什么的。父亲的商店黄了,只好专心去画茶缸,画手帕。父亲的画技提高得很快,基本上做到炉火纯青的地步了。不过,父亲只会画那四样,画别的就不像。

父亲最难堪的是开工资的日子,人家开的工资有好几张大票。父亲的工资是从村里的提留款里要来的。父亲要工资,还得找老村长。老村长就得拄着拐棍去找他孙子要去。老村长的孙子二十多岁,骑个大摩托车接替他爹当上了村长,上面下面地喝,官当得很有一套。父亲骂过他几回,记了仇,父亲要工资就扯皮,不办正事。父亲就拉了老村长一起来骂。村长小声说:等我爷爷死了,看你还找谁?

父亲的转正考试几经波折,却一直没有考中。父亲考上了犟劲,年年去考。父亲年龄不大,记忆力却衰退得很快。就有一样父亲忘不了,那就是胡校长的过去。一天在办公室里,有老师发现了父亲的头上多了白头发,要给父亲拔掉,父亲急急地护住。父亲说拔一根长十根,父亲很显然意识到了自己的衰老。父亲怕了,怕时间的磨砺。对父亲打击最大的是女儿民办的冷若冰霜。父亲感慨着,现在的孩子咋那么记仇,当初爷爷揍父亲不当一棵小辣葱,可现在的孩子像纸糊的,稍不注意就会碰着他们敏感的心。碰着了,就不好收拾。女儿民办跟父亲争吵时,大声喊过:请你尊重我的人格。父亲笑了:小小的破屁孩,还有人格?

民办跟父亲打了三年的冷战,后来是因为吴彤彤的出现,才改变了民办对父亲的看法。

民办正在参加高考模拟考试,突然有人找到学校,是挺大的官,把父亲也带上了。爷俩坐一辆车去医院,都挺尴尬的。不知道发生了什么,也不知道会发生什么。到了医院,有工作人员把一张病床上的女人指给父亲和民办,父亲才看清楚了是吴彤彤。有法院的工作人员过来说:你是马大志吧?父亲点头。法院的就说,请在这上面签字吧,吴彤彤已经向本庭起诉,申请你们离婚。父亲愣了愣,还是把字签了。病床上的吴彤彤一直默默地注视着父亲和民办。吴彤彤说:是民办吧?父亲点头。从始至终,父亲没有多说一句话。吴彤彤就欠起身,说我的女儿,我是妈妈啊。

民办瞅父亲,父亲点头,让民办叫妈妈。民办没有叫,民办不止一次地跟父亲要过妈妈,民办也咒骂过妈妈,父亲每次都冲民办发了火。父亲说过,你的妈妈是世界上最漂亮的妈妈,只是她一定有很多难以言说的苦衷,才丢下我们的。吴彤彤递给了父亲一张纸,说那上面就是民办的身世。父亲接了,瞅民办,瞅吴彤彤,转身把纸条塞进了嘴里,在民办和吴彤彤的惊讶中,父亲艰难地嚼了嚼,把那个最想知道的秘密吞进了肚子。父亲笑了,父亲终于开心地笑了,因为在吴彤彤生命的最后一刻,终于信任了父亲。

民办放弃了亲生母亲和亲生父亲给她的巨额财产,民办追出医院大门,对着父亲跪倒在地上。民办说:爸爸,你就是我的亲爸爸啊。父亲也放弃了吴彤彤给他的一笔财产,父亲为自己最后的胜利哭了,走一步掉一行的泪,直到把眼前的路走得逐渐模糊。

## 十

父亲跟吴彤彤解除了婚约后,曾萌生过退休的意思。父亲不愿意再一次经受考试的尴尬了,父亲好面子,不愿意自己的威信和自尊被考试一点一点给吞噬掉。父亲怕分数让别人知道,怕学生们夸张地说,连老师都考这么点分数啊。可父亲退不了,父亲是民办老师,退了,村里就不能继续给父亲开工资了。还有,学校突然遇到了问题,原来归县里统筹开支的老师,突然划归到各乡去了。乡政府除了靠吹牛吹来了一大堆奖状以外,根本给老师开不出工资。年轻的老师们闹了几次罢工,也没有解决问题后,各想各的高招儿去了,有的老师到南方的私立学校打工,每个月要挣到五千多块钱呢。学校哗啦一下子人就撤没了,有说请病假的,有说家里有事的。更有门子的,干脆连学校都没通知,从上头打了招呼就走人了。

父亲重新披挂上阵,这样老师还不够,父亲跑村里找老村长,要他的小孙子村长少贪点污,从喝酒的钱中挤出点钱来,雇用几个代课老师。那几个代课老师都是父亲一手经办的,他们过去都是父亲的学生。这下可好,学校又成了父亲的天下。胡栋梁校长真的没有咒念了,跑上头也没有用。老师也是人,老师也需要油盐酱醋茶,老师也需要人间烟火,没有钱也照样活不下去。别人不说,就说胡校长自己家里，俩老师都开不出工资来。音乐老师不得不进城去兼职，不去不行，孩子在城里的小学读书，要钱。把孩子接回来又不甘心，孩子在学古筝，乡下的小学没有。胡栋梁校长认了，让父亲继续瞎折腾。

父亲的钱要得很艰难，每次都得折腾老村长。老村长年龄大了不经折腾，给代课老师开工资的钱要得格外费劲。父亲就给老师们打气，要挺住。父亲四处寻找来钱的门路，终于找到了。父亲从一个拐弯亲戚那里找到了一条致富信息：给死人做纸活儿来钱快。父亲就去学了，父亲有美术基础，凭着画茶缸和手帕的悟性，竟然很快学成归来。父亲没有传授给那些代课老师手艺，怕他们学会了手艺就不教书了。父亲白天在学校顶着，晚上回家干活儿。父亲的班级是毕业班，升学率飕飕就上去了。胡栋梁纳闷地琢磨，父亲教的学生往往能创造奇迹，可他自己为啥老也考不上正式老师。父亲那时候庆幸两件事情，一件是自己幸亏没有考上老师，考上了这固定的一百五十元工资上哪儿要去。一件是幸亏民办没有报考师范，分下来当老师也跟着开不出工资了。

父亲很快就生意红火，远近村落没有做纸活儿的，却总要死人的。死人就到城里的花圈店买纸活儿，钱贵不说，拿着不方便，忽忽了了的容易被风刮碎。父亲在学校做广告，要孩子们回家多做宣传，谁家死人，是学生家长的打折优惠。父亲的做法简直荒唐至极，女儿民办大学放假回来，也帮助父亲做花圈。父亲钱挣得快，那几年不但还上了自己欠银行的贷款，还给教课好的代课老师加奖金。有一次还奖赏了胡栋梁五百块钱。胡栋梁整得挺受感动，死推着不要。父亲坚持给，父亲给的理由是胡闹没有阻止父亲，没有继续捣乱。父亲看两口子两地生活也不容易，胡闹的儿子学古筝也得钱，父亲疼孩子。乡下的辈分很有意思，论起来，胡闹的儿子还是父亲的小叔叔呢。到周末，胡闹一家团聚的时候父亲上他们家，就这样叫，叫得音乐老师脸通红，说马老师，你看，学校正缺人的时候，我还跑了，真对不起。父亲就叹了一口气，不说什么。

父亲有两件后来很值得回忆的事情。父亲有时候的活儿做不过来，就给孩子们上手工课，往高粱秆上糊纸做的花。花都是现成的，父亲亲手示范，最后完活儿父亲总不公布答案做的是什么。学生们纳闷，偷偷发现父亲给他们上的手工课其实是在糊花圈。父亲的聪明才智逗翻了女儿民办。

父亲顾不得这个，父亲只关心花圈的活儿。听说原来那个歪脖子的民间大夫要死了，父亲就及时联系，敢情歪脖子的大夫生了一个好女儿，那女儿嫁的男人是个大款。父亲很感慨，那时候社会上的大款特别多，只有教师特别地穷。因为穷，父亲才挖窟窿盗洞找着那大款。大款很孝顺，正愁没办法表达他对歪脖子老丈人的孝心呢，要父亲加班加点给弄纸活儿。大款很新潮，净要高难的物品。花圈不用说了，什么宝马车，DVD，真是啥贵要啥。父亲怕兽医不死了，跟大款姑爷定对好了，要定金。大款姑爷很大方，甩手一千块，算定金了。还说好了，一定给他老丈人享受到最豪华的最新潮的，这其中包括桑拿室按摩床什么的。父亲为了挣钱特意去了一次城里的洗浴宫看个究竟。

手里有大款姑爷的一千块钱腰就硬了起来，父亲要最好的服务，要看看按摩床啥样，要见识见识最好的服务是啥样。父亲如愿了，在纸上记下了床的尺寸，回头就看见按摩小姐已经一丝不挂了。父亲当时受了惊吓，呼哧呼哧喘。小姐很显然理解错了，以为父亲迫不及待了，就如狼似虎地扑过来。父亲没能躲开那孩子的拥抱，父亲事后说，那丫头二十郎当岁，真的躲不开。父亲一着急满脑袋冒汗有了短暂的休克。小姐就慌了，说大爷你别吓唬我，我钱不要了还不行吗？小姐怕贪事钱都没敢要，穿上裤子就跑了。父亲虚惊一场，乐坏了女儿民办。父亲说：世风日下，不得了啊，那孩子跟你这么大岁数，差一点儿把我这老头子给祸害了。

父亲坚持把生意做好，及时将体验生活的情况向大款姑爷作了汇报。大款姑爷说，你快做吧，我老丈人刚刚咽气。父亲顾不得为兽医悲伤，开始干起来。父亲问了，要不要扎成原样的？大款姑爷的脾气很大，说：啰唆个屁，照原样给我做。父亲信以为真，扎成了按摩床还做了个纸人，那纸人是个女的。大款来取纸活，原本悲伤的心情差点儿笑喷了饭。父亲扎了一个裸体美人。大款回去后，大款老婆跟他吵了起来。大款老婆来找父亲，说你给我爸扎这么个狐狸精，我爸是快活了，那我妈在那头都等十好几年了，可算盼来了我爸，我爸偏又带着这么个狐狸精，我妈还不得气死啊。父亲承认了自己考虑不周，没有想到第三者的问题。大款老婆要回去二百块钱，算是对父亲的罚款，这事才算拉倒。

父亲先后放弃了几次可以转正的机会，父亲为了笼络人心，把机会让给了几个找来的代课老师。那几次机会很简单，就是组织民办老师们集中学习一个月，然后就开卷考试算是正式老师了。父亲的学生转正了好几个，父亲为他们高兴。父亲已经放弃了考试，父亲觉得自己老了，用不着再去闯荡了。

这样的信号让女儿民办很不安，民办怕父亲老去，就积极撮合父亲和秋月的婚事。父亲是头犟驴，不会主动说结婚的事。秋月那时候的情况很不好，厂长许耀飞出了车祸死了，留下的遗产却被另一个更年轻的女人继承去了。那个女人，手里有许耀飞的遗嘱，经鉴定遗嘱是真的。秋月就对生活灰了心，甚至想到了死。民办来找父亲商量和秋月阿姨的事，父亲嘴硬气得很。父亲还不知道秋月发生的事情，民办就说了秋月要喝农药寻短见的事。父亲正眯着眼睛在炕上认真地糊花圈，听了民办的话父亲就愣住了。父亲知道属于他们的黄金时间已经不多了，父亲已经明显一天天老去，父亲要拯救秋月那颗绝望的心。

父亲在那年的春天跟秋月走到了一起，婚礼很简单，却很隆重。因为那个时候，学校的环境又发生了变化。老师们能开工资了，出走的老师大多数被胡栋梁给请回来了。胡栋梁开始了再次创业，乡村开始真正地重视教育了。上级还拨了款，要建新的校舍，还要建微机室，建语音室。父亲一下子又成了闲人，又只能教孩子们美术课。父亲津津有味地画茶缸，画手帕，画带茶缸的手帕和带手帕的茶缸。实在满足不了孩子们的要求，父亲回家乐颠颠地找秋月请教高招，秋月也不会新潮的东西。父亲就回到学校说：我不教了。胡栋梁校长已经微微发福了，他以为父亲又要闹什么事。没想到父亲说：胡闹，我上后勤去了。

父亲管后勤去了，教美术的老师就能教给孩子们画各种花草，有一回还教孩子们画一只小燕子。父亲看了，说：是比我那两把刷子强百倍啊。父亲第一次承认别人比他强了。父亲一直没有闲着，秋月把父亲看得很严，父亲必须复习功课，因为还有最后一次可以转正的机会了。父亲很认真，每天像交作业一样给秋月看题。父亲自从跟秋月结婚，像换了一个人，乐观了起来。父亲有时候还愿意站在教室边上，听孩子们读英语，什么“how are you”之类的简单句子父亲也能说得上。

父亲的犟脾气有时候还会犯，比如对待女儿民办的婚姻上，一直是绊脚石。民办的对象是乡里一个年轻的企业家，父亲有一次在乡里表彰会上碰见过。父亲不认识小伙子，开始谈得很投机。后来在酒桌上，一帮年轻人就开玩笑。突然有人说：李大海，你给大伙儿猜个谜，要难点的，还得有意思的。这边就有人推举父亲：马老师很厉害，当了快四十年老师了，难不住他的。于是，李大海说谜语，父亲开始猜。李大海说一个谜：乳罩，打一菜名。父亲没猜出，李大海说是扣肉。大伙儿就全笑了，父亲琢磨琢磨也笑了。父亲不服气，接着让李大海说。李大海又说：乳罩，打一社会现象。父亲还猜不出，李大海就说是包二奶。父亲屡败屡战，李大海接着说了一连串用乳罩做谜面的谜语。父亲很开心。想不到几天后，民办领对象上门，那个未来的姑爷恰恰是那个专能出乳罩谜面的李大海。父亲当场就翻了，父亲说：李大海，我给你出个谜语，乳罩，打一军事用语。李大海猜不出，父亲就说啥时候猜出来啥时候再到我们家来吧。

父亲旗帜鲜明地提出，将李大海打入冷宫，永世不得录用。爷俩又闹翻了，秋月咋努力也劝不了犟脾气的父亲。李大海有一次偷偷跟民办约会，被父亲发现。父亲拎着烧火棍子，痛打落水狗。李大海堂堂一个优秀企业家走投无路，只能在民办的提醒下翻身跳水。幸亏河水浅，不会水的李大海才狼狈爬上河岸。

父亲站在河边骂：老子的这一招儿，你们都学会了呢。

## 十一

民办的婚礼多少有了一些遗憾，因为父亲不能原谅他们先斩后奏，拒绝参加。民办没有想到父亲如此固执，在婚礼上痛哭了一场。李大海肠子都快悔青了，从此看见乳罩心就突突。

父亲的脾气又开始时好时坏，秋月劝了，父亲就好上一阵子，秋月没照顾到，父亲就又犯病了一样。父亲这么一闹腾，秋月的生活就丰富起来了，就有操不完的心了。人要是一操心，日子就有奔头，浑身就有劲儿了。那年在秋月的劝说下，父亲参加了最后一次民办教师转正考试。父亲能再次参加考试，都是胡栋梁校长从中帮忙。这些年，胡校长一直为父亲亮绿灯，为此，很多老师有意见。胡栋梁现在的管理跟当年的父亲有些类似，谁有意见也白搭，到最后还是要听胡栋梁拿主意。胡栋梁说了，学校最困难的时候，你们跑到哪儿去了？你们的意见哪儿去了？不过，胡栋梁平时见到父亲，总是阴着脸不搭理他。父亲也不在乎，照样多管闲事，照样看不惯的事情要骂几句。这个时候，胡栋梁总是背着手，嘀咕一句：这个马老师，越活越倒行了。

父亲参加完考试，回来就喜上眉梢，父亲有预感这回考得好。父亲边喝着小酒边说：娘的，撞到老子的枪口上去了。父亲指的是卷子上的题。秋月给父亲泼冷水，怕父亲等到公布成绩那天，承受不了失望的打击。父亲不管那一套，去找老村长报喜。父亲还要请老村长喝酒，老村长被父亲拽到了小饭店里。父亲不敢回家喝，秋月对父亲喝酒控制得很严格，一顿喝一两，多一点儿都不行。父亲强喝，秋月就真生气，还掉眼泪。父亲受不了秋月的眼泪，不，是父亲受不了天下所有女人的眼泪。女儿民办回来，哭着又给父亲跪下了，求父亲原谅李大海。父亲就摆摆手，说把大海带回来吧。

父亲和老村长的酒喝得痛快，父亲感谢老村长当初追父亲回来，回来当一辈子老师，父亲不后悔。老村长被父亲逗乐了，得意地炫耀：嘿，多亏了我那辆好车了，老远我就看见火车了，呜呜地叫。我就想，叫个娘，看我不追死你。父亲就笑，给老村长溜须拍马，说村长就知道我在火车上？老村长也不谦虚，说：老远我就闻见了一股臭脚丫子味，你那汗脚，根本跑不了，到哪儿都容易露出马脚。喝着，喝着，两人就趴桌子上了。老村长年纪大睡着了，父亲也睡了，可父亲的情况很不妙。父亲醒过来，嘴角子歪了，嘴里淌口水。老村长说：马大志，你嘴都喝歪了。父亲笑：没的事，准是你喝多了。父亲说完这句话，就嘎巴着嘴啥话也说不出来了。父亲得了脑血栓，老村长已经老糊涂了，笑着回来告诉秋月：你们家大志喝得不行了。

父亲出院，走路就画圈了，话也说不利索了。秋月有时候领着父亲到河边散步，父亲总要看看小学校，看小学校高高的旗杆上飘着五星红旗。父亲就想起来以前那根钻天杨做的旗杆，想起来就骂胡闹。父亲站在河边一声接一声地骂……

那年夏天雨水足，河里的水深、水急。李大海来看望父亲，路过河套时，发现两个在河里洗澡的孩子被上游涌下来的洪水卷走了。李大海就跳下河救孩子，孩子救上来一个，另一个孩子和李大海一起被洪水冲走了。三天后，人们才在下游找到两具尸体，李大海手里还紧紧地抱着那个孩子。得到消息的民办当场昏死过去了。这件事对父亲的打击也很大，父亲对着河水呜呜地哭。父亲后悔没有原谅李大海，父亲反复跟秋月说，都……怪……我。父亲那时候的表达很费劲，说话呜啦呜啦的不清晰。父亲骂胡闹就更加严重了，父亲骂胡闹不好好管着孩子。那两个孩子确实是胡栋梁的学生，可那个时候正是暑假。胡栋梁校长在暑假通知书上写得很明白，要家长配合，管好自己的孩子，不准到野外洗澡。父亲不管那一套，骂胡闹不亲自看着孩子，他在学校那阵就没出过这样的事情。

胡栋梁那个时候把学校治理得非常好，还获得过市里的表彰。风光一时的胡栋梁没有想到，那一年还是出了事。他涉嫌贪污公款和乱收费被逮捕了，父亲腿脚不便，还是赶到现场。胡栋梁铁青着脸被带上了警车。父亲拐棍一横，警车就停住了。父亲说：把胡闹放下。警察的解释父亲不听，警察面对父亲不知道该咋办。父亲颤巍巍地叫胡闹：胡校长，是真的吗？胡栋梁这是第一次听父亲叫他校长，伏在父亲的怀里点头痛哭起来。父亲就叹了一口气，说：胡校长啊胡校长。父亲扬起不是很听话的手扇了胡栋梁一记很无力很滑稽的脖拐。胡栋梁就哭着说：马老师，你还是叫我胡闹吧。我走到今天，都是没有你这样的人管我了啊。

警车走了，父亲一直看着。从此以后，父亲嘴里再没有骂过一句胡闹的话。

接连的打击，让父亲彻底苍老了。父亲五十六岁那年，正好是他当了整整四十年老师。父亲脑血栓复发，离开了人世。父亲的葬礼是老村长主持的，九十多岁的老村长说，他是最有资格总结父亲一生的。父亲的学生想不到有那么多，整条马耳朵沟都挤满了人。老村长在葬礼上宣布了父亲的那次考试取得全乡第一名的好成绩，父亲光荣转正了。父亲不再是民办老师了。父亲不再是那个令他既尴尬又热爱的民办教师了。可这一切，父亲永远都看不到了。

那年春暖花开的时候，民办要到大西北当老师去了。民办最终还是选择了父亲指给她的路。民办的怀里抱着一个小男孩，那是李大海的遗腹子，叫李小海。民办走到村口的时候，听到了潺潺的流水声响。民办静静地站在河边上，脑子里浮现出父亲的影子。民办在后来写回来的家信上，时常把村口那条没有名字的河叫作父亲河。

我没有看过父亲的模样，那时候我还小不太记事，父亲的一切都是母亲秋月和姐姐民办告诉我的。我亲生父亲名字叫许耀飞，他是水泥厂的厂长，死于一场车祸。父亲马大志一生娶过两个女人，两个女人都是带着大肚子的，肚子里的孩子都是别人的。两个女人都是在最绝望的时候，得到父亲最真诚的爱情。

2004年的春天，我的家乡马耳朵沟发生了三件事情：一是我成了父亲生前待过的那所学校的校长；二是学校的名字改了，不叫“向阳红小学”，也不叫“耀飞小学”，叫“大志小学”。我和母亲同住，每天都要从那条河上走着去上班，第一天去上班，我跟学生们讲，那条家乡的季节河是有名字的，它叫父亲河，一直静静地流淌在我的心里。三是我知道父亲死时留给我一样遗产，一直归母亲保存。母亲说了，等她死了就交给我。那是父亲的羊毛毡子，我见过，就铺在母亲的身下。母亲不让任何人动它一下。我偷偷看见过，那领羊毛毡子，是用上等的羊毛由内蒙古的毡匠精心制作的。只是被父亲剪了很多大大小小的窟窿，可惜了。母亲说，那些大大小小的窟窿是孩子们的鞋垫，给胡闹剪得最多。还有两块是方形的，母亲说那是父亲剪下来做黑板擦用了。

（选自《星火》2007 年第 6 期）

**李　铭**

1972 年出生，初中毕业，辽宁省作家协会签约作家。作品多次被《小说选刊》《作品与争鸣》《作家文摘》《读者》等转载，并收入多种年度选本及改编为影视剧。获第四届、第五届辽宁文学奖短篇小说奖，《鸭绿江》2005 年度优秀小说奖。

# 上山钓鱼

杨中标

## 一

送走老村长张二炮，唐不拽往回转，走着走着，眼一花，脚一滑，那县城的月光如刚喝吐的老白干，白银泻地。妈妈的，一人富不算富，全村富才算富。唐不拽嘴里哼哼着，全身除了一股酒气，还有被酒煲过的一腔热血。那血在身体里乱窜，想憋都憋不住，最后，连裤裆里都有了力量。唐不拽笑了笑，心说，别急，别急，再有一百步就到家了。

怕走了不止一千步，唐不拽跳起了摇摆舞。这县城的地，不仅平，而且软，因为软，也就像踢皮筋一般，越踢越长。城东头，老营盘农贸市场168号，铝合金卷闸门还小开着，一尺多高的光亮，从屋缝里透出黄灿灿的温暖来。不知过了多久，也不知咋搞的，唐不拽一头滚到了屋里女人的脚边上。女人王会香啥也不说，帮他脱了鞋、换了衣，扶上床，又转身拧来个热毛巾。唐不拽眯着一对小红眼儿，右手掌在裤裆里搓面团。妈妈的，酒劲儿过了，这小人儿也没啥力量了。

王会香把热毛巾塞进男人的腋下一阵忙活，并不失时机地问："你答应他了？"唐不拽抽出手，往下面一戳指，说："这儿，往这儿……"

王会香瞅了瞅睡在头顶阁楼上的三个大小闺女，兰花、梅花和菊花，自己羞了个红脸，她拍了一下唐不拽的手指头，加重语气重复说："你答应他了？"唐不拽翻身坐起，另一种兴致蓬勃高涨起来。

唐不拽说，咋叫答应他了？人家二炮都说了，是全村的老少爷儿们请咱来了。

王会香说，你真要回龙飞村去？真要修那路？

唐不拽接了她的话茬说，回龙飞村咋啦？修路又咋啦？

王会香又说，那路不能修，一村人不修，就你修，你修不起。

唐不拽跳将起来，站在木板床上，两腿还晃悠晃悠的。可他的手有力，抬手一指头顶的兰花梅花和菊花，最后落定在王会香的鼻尖上，大声说，看看你们这些大小娘儿们，除了菊花，哪个不是从龙飞村走出来的？想想，你们当初出来时是啥模样？现如今又是啥模样？跟老子做生意了吧，有几个钱了吧，把乡亲们全忘了吧？

王会香说，哪能呢？我是说你要真听了二炮的，添再多的钱，也是瞎炮。

唐不拽说，瞎不瞎的，只要我不瞎，张二炮就不会瞎。

张二炮本来就不瞎，就因为当了二十多年的村长，曾两次动议修路，又两次修路不成而落下了这个绰号。早几年，张二炮从村长的位置上退下来，最不甘心的就是在村前的望尖山上放了两次哑炮，把自己的一世英名都给毁了，他不想把这个羞人的绰号带进土里去，于是自费进城来，和唐不拽商量起了给村里修路的事儿。

村里来了人，唐不拽吩咐媳妇王会香立刻弄几个小菜。王会香也那个利索，抹了围裙拿了铲，站在门市部后面的小炉跟前，一番烹烧焖煮，只一会儿的工夫，就在卷闸门前的屋檐下，摆了一桌。这顿酒从下半晌一直吃到月亮爬上树，一壶酒下肚，张二炮和唐不拽两人已是半醉半醒了。

张二炮说，不拽啊，咱们龙飞村呢，自古没出路，现如今就数你有出息了，这修路的事儿，你不出头，谁出头？别人没这个能力啊！

唐不拽说，哦哦，这路该修，早就该修。

张二炮说，你来主持，我在后面帮衬帮衬。

唐不拽虽说有了醉意，但心里还算亮堂。心说，这修路的钱呢？

张二炮见唐不拽嘴里没了音信，手里端着个瓷酒杯，既不喝下去，也不放下来，一双发红的眼睛死盯着，恨不得钻进唐不拽的心窝窝里去，数数他那里到底存了多少钱。

唐不拽是个直人，他按下张二炮的手说，咱这个门市部开了五六年，也就糊了全家人五张嘴吧，这修路怕得个万儿八千的吧？

说话间，张二炮手里的酒杯掉落了，碎渣儿溅了一地。唐不拽见状，一边说没事儿没事儿，一边让王会香另找一只酒杯，顺便拿来笤帚和簸箕，给收拾收拾。王会香没听见，正在给上学前班的小闺女菊花辅导 b、p、m、f。这让张二炮觉得十分的没面子，连声说，喝多了，喝多了。其实张二炮在心里说，狗屁！这两口子在装迷糊呢，一个按兵不动，一个说万儿八千。投个万儿八千块的，也叫修路？那叫塞牙缝儿。

正想着，王会香都念到 zh、ch、sh、r 了，那声音传到张二炮的耳朵里，尽是“撕了日的，日了撕的”，全都是嘴上的动静。桌对面的唐不拽趁着酒劲儿，正要对媳妇发作，这边的张二炮也趁着酒劲儿，扑通一声跪下了。这张二炮七十来岁了，好歹也做了二十多年的村长，在龙飞村还算个头面人物，现在跑来给四十岁刚出头的唐不拽下跪磕头，真是月亮叫星星大哥哥——搞反了。那屋里屋外的两口子，见过敲着小竹板儿、赖在门前讨要小钱的，也见过歪戴大盖帽、闯进来拿了米面不给钱的，就是没见过张二炮这阵势，吓得两人丢了书本和酒盏，忙不迭地奔了上来，左边一个，右边一个，像拔萝卜一样去拔张二炮。

唐不拽说，老村长，你起！

张二炮说，你不答应，我不起！

唐不拽说，你起，我们好商量。

张二炮说，路修好了，我给你竖功德碑。

这时候，晚九点都过了，农贸市场的两厢门面都拉下了卷闸门，就唐不拽的这个还大开着，屋里透出来强光，把地面上的那些瓷渣儿照得闪闪发亮。“血，血……”王会香突然大叫起来，原来是地上的那些瓷渣儿，把张二炮的一双膝盖都硌出血了。

唐不拽一急，说，你起，老村长！只要你起，咱啥都好说。目前的困难是有的，但办法也是人想出来的。没困难，还要咱们这些大老爷儿们干啥呢？

王会香插话说，你说得轻巧，钱呢？

唐不拽吼道，钱是个啥？钱是屌！有屌不用，那还是个爷儿们吗？

王会香不吱声，丢下张二炮回屋里去了。大闺女兰花和二闺女梅花一个上初中，一个上小学，她们那功课，谅王会香也辅导不了，早就上了阁楼，打起了呼噜。只有小闺女菊花还坐在店堂中央，硬撑着一张小脸蛋上的四片长睫毛，不许它们打架。王会香再也不b、p、m、f了，拉了菊花，洗了睡。张二炮眼见不能再坚持，自个儿爬起，要走，却被唐不拽一把拽住，很义气地说，别走、别走，继续喝酒。俩爷儿们继续喝酒，两壶酒下肚，张二炮和唐不拽已是话不成话、句不成句了。

张二炮说，得、得走了。

唐不拽说，就、就在这儿睡、睡。

张二炮说，不、不了，去我大侄子那儿、那儿。

## 二

那大侄子，唐不拽也认识，叫张成，张二炮的本家。张成的年龄和唐不拽一般大，但运气比唐不拽好，是恢复高考的第一批大学生，也是龙飞村至今为止的唯一的一个大学生，毕业后分配在县农机局工作，因为写得一手好文章，人又生得本分老实，后来被抽调到了县政府。从前在农机局上班时，张成每年还要回龙飞村几次，看望年迈的父母。那时的张成得起早床，赶早班车，到葫芦顶镇就晌午了。

葫芦顶镇有个干部叫陈保国，是张成读高中时的同学，两人的私交一向不错。张成每次回来，都要到陈保国那儿落一下脚、喝一口水，接着往龙飞村赶。也不管上班还是下班，手头有没有事儿，陈保国都要跟在张成的屁股后头，送他一程，一直送到望尖山脚下的小卖部门口。那上山的小路，像是绑在山上的一根草绳子，弯弯曲曲的，没有个头绪。张成一路爬坡过涧、翻山越岭，等走到尽头，天也黑了，父母也睡了,只有村子里的几只狗在叫。那时的张成心想,有朝一日,非得把这回家的路给修修。

如今父母不在了,在县政府上班的张成,每年只有清明时节才回去一次,在双亲的坟上添把土、烧炷香。如今回龙飞村,张成再也不坐班车了,坐小车,自己开,有时还捎上妻子吴欣和儿子张恒。依了老规矩,到了镇上,张成还找陈保国。这时的陈保国由一般干部先后晋升为副镇长、镇长,是一方小诸侯,他嫌在家里接待张成不够气派,每次都会在镇上最高档的酒楼,摆一桌,等张成一家三口吃饱了、喝足了,再开车送一程,送到老地方。送了第一次后,张成便不让送第二次,说都有车,都开车,一路上也顾不了说话,不如各人忙各人的去。其实,张成这车也不是私家车,是好说歹说从县办企业借来的,只有一次是台商孟先生主动借给他的。

提起台商孟先生,张成现在还有点儿不好意思。孟先生在县城开足疗城,是本县唯一的一家台资企业。有一次,张成陪上面的检查组去做足疗,一个钟点做完,检查组的人还没出来,张成就坐在大厅等,孟先生就上来拉呱,知道了张成在县政府做秘书,越拉呱,态度越热情,问张成怎么回去,要不要他的车送送?张成说,自己带有车。孟先生说,以后请多多关照。过两天正好是周末,也是清明节,张成顺水推舟地提出借车,孟先生很爽快,让他随时来取。那时的张成刚刚拿到驾照,不敢开好车,就要了一辆半旧不新的捷达车,不想在半道上还是出了问题,把车头撞瘪了。还车时,张成说,送去修修,修多少钱,都拿到县政府去报销。人家孟先生只是笑了笑,说,修车的费用就算了,以后,张秘书给我多带点儿生意来是一样的。以后,张成的工作性质发生了变化,并没有给孟先生带来生意,时间一长,两人的交往也就没有了。

张成现在用车基本靠求。县办企业十个厂长经理,有九个被他求过,求过之后,人家把正经事儿停下来,把小车给他送过去。张成驾着这车来到望尖山脚下,不能再走了,就把车停在小卖部门口,给那家主人打声招呼,人家也十分乐意帮他这个县干部看车,算是一种荣耀吧。因吴欣和张恒不愿在龙飞村过夜,张成烧完纸钱和香烛,就急急忙忙往回赶。返回葫芦顶镇,他一般都给陈保国打个电话告诉一声,说自己办完事了,回县城了。这时候,陈保国总是让张成留下来,说吃了晚饭再走。张成说,不了,回去还有一份材料要赶。有时也说,若是龙飞村通了公路,其实也不用这么急。

因为来得急,走得也急,张成后来和陈保国接触少了,和龙飞村的那些乡亲们接触就更少了。唐不拽到县城开门市部的头几个月,很想见见张成,可县政府办公楼的门卫死活不让进,唐不拽去了好几次,次次都是如此。有一次,唐不拽看准了下班时间,站在县政府大门口想逮住张成,可是办公楼的电灯都熄完了,张成像土遁了一般,让唐不拽白白等了好几个钟头,回去还叫王会香一顿臭骂,说你这人是热脸强贴冷屁股,人家还不让你贴呢,你长个脸还不如不要脸。

受到王会香的一番奚落后，唐不拽彻底死了见张成的心。现在，张二炮醉酒之中亲切地称呼张成“大侄子”，把唐不拽心中的那团死水又搅活了，搅得一波一波的。

唐不拽对张二炮说，找张、张成啊？不好找，找不到。

张二炮说，我知道，住、住的地方。

唐不拽说，那、那我送你。

张二炮嘴里说不送，身子却像个刚拔出来泥萝卜，在唐不拽的怀里滚来滚去。那唐不拽自己也立不稳，于是两人扭作一团，踉踉跄跄出了门。路上，张二炮朝唐不拽的脸上不停地呼酒气，断断续续地说，给我大侄子说说去，修路、修路……下次、放下次，我给你和大侄子牵个线，接上头，有好处……

唐不拽本想跟着张二炮一起去见张成，路中间突然刮起了一阵风，有一片树叶拍在他的脸上，他顿时就把见张成的念头给按了下去，心说，今儿个喝多了，要形象没形象，要言语没言语，若真是去了，只会让张成更加瞧不起；再说，也不能空手去见张成吧，人家是县干部！

走了一截，那张二炮死活不让唐不拽再送，都说了，放下次。

就这样，唐不拽带着对下次的无比憧憬，满怀信心地往回转。

## 三

唐不拽打算好了，先把今晚要紧的事儿做了，再思量回乡修路那个大事儿，那可不是一日之功，得好好计谋计谋，还得让王会香有个好心情。王会香是断然不会让他成事儿的。话又说回来，唐不拽今晚也成不了啥事儿，除了自己的那个小人儿不配合，碎嘴的王会香还在耳边不停地倒嚼着，败了他的大兴致。

王会香说，好不容易奔出来了，你又想折回去，不说大人要盘生意，就是三个闺女也不习惯。若是再往龙飞村一放，又是灰不溜秋的，脸儿没个脸儿，鼻子没个鼻子，将来嫁人也只能嫁给土疙瘩。

唐不拽的心思不在这个，哼了哼，说，你在县城落脚了，就变金凤凰了？

王会香说，我变啥都不打紧，我想让三个闺女变，变成金凤凰。瞧瞧我们的三枝花，三张脸儿红兜兜的、粉扑扑的，变化可大呢。再一个就是，城里的教育也比农村好，从小就学拼音、学英语、学数理化，将来可以考个大学，嫁个好人。

越扯越远了。唐不拽心烦，反趴一个身子，不听媳妇那一套。他现在是下面软，嘴巴依然硬，于是说，修路的那个事儿，不就是想让龙飞村的丫头们将来都能嫁个好人、小伙子们都能娶个好媳妇么？

王会香扔起毛巾，抽了唐不拽的后背，说，你自家的事儿都管不过来，还管一村人的事儿、一村人祖祖辈辈的事儿，你这是吃咸饭、操淡心。

王会香还想再抽一次，谁知唐不拽打起了呼噜，和头顶上的那些小呼噜相比，不是一个档次，三个加起来，还不如他这一个响亮。

第二天一大早，王会香和往常一样，打开卷闸门，送走上学的三个闺女，顺便给唐不拽买了葱煎大饼、原磨豆浆。回来的路上，她胡乱地吃了几口，就火燎火急地往门市部赶，把里里外外的卫生做了一遍，特别是把昨晚张二炮摔碎的瓷渣儿扫得仔细。做完这些后，王会香就在门市部门口坐下来，单等那些前来批发、打零的货主。

睡了一宿，酒醒了，人也醒了。唐不拽忘了昨晚上发生的事情，吃完早点，一抹嘴，张口就要两千块钱，说是去进货。王会香麻利地掏了钱，心说，男人还是要做生意的，那修路是支吾张二炮的酒话吧，又心说，死男人，拿修路比房事，兴致一来，挡都挡不住；兴致一退，说蔫就蔫。

快到晌午，唐不拽领回了一辆农用三轮车，车斗里装满了粳稻米，白色的编织袋胀鼓鼓的。不等车停稳，唐不拽跳将下来，喊媳妇出来点货，自己则悠闲地和左邻右舍打招呼。都是出来混生活的，早饭午饭没定律，有几个得以空闲的摊主，这时候手里端着粗瓷碗凑了上来，那碗里的饭菜堆得像山尖一样，一干人就站在山尖后面讨论起了国际形势。对面走过来的那个人，唐不拽既认识又不认识。那人拎了一兜苹果，勾着脖子扬起头，顶着鸡蛋大小的两块镜片，从左至右一路扫过来，最后停在红漆喷白墙的“168号”上。这不是张成吗？唐不拽心里一惊又一喜，快马加鞭迎了上去。来人正是张成，他是抽了午休时间，专程从县政府来看望唐不拽的。好多年不见了，这张成除了略显老相外，一点儿也没变，还是和读大学前一样精瘦精瘦的，脸上的肉也不多见，就多了一副厚镜片。

张成笑眯眯地说，拽哥哥，你来县城发展经济，小弟耳朵闭塞呀，见谅见凉！

唐不拽说，张老弟说哪儿话，你那是为全县人民服务，辛苦辛苦！

王会香知道是张二炮叫张成来的，因而对他的来意十分地怀疑，态度十分地冷淡。那张成也不计较，放下水果，做弯腰扛米状，令唐不拽好不感动，忙伸手阻拦，说，使不得，使不得，脏了张老弟一双写字的好手呢。又吩咐王会香快停了手里的活计，立刻去弄几个小菜来。张成说，刚在机关食堂吃过饭，听叔伯伯说你们在这儿开店，就过来瞧瞧，都是一村人呢，以前不知道，不知不为过吧。话说完，胯下的一袋米，还迟迟没扛起。张成再次做弯腰状，那杨柳细腰摆晃着，唐不拽怕他被风吹跑了，就一把搀起，啧啧地说，快放下，来了就高兴，进屋说，进屋说。

进屋后，两人一拉呱，那张成的境况也不是唐不拽想象的那么乐观，真是趴窝的鸡不知天鹅在天上飞的辛苦。张成先在县政府办公室当秘书，平时不是跟县长们下乡检查工作，就是躲在招待所里写材料，跟跟写写都七八年了，还是个小秘书。张成有意挪个位置，去乡镇或县直部门工作，但主任、县长们都不同意，说张成走了，一时半会儿没人能接上手。张成心里虽不乐意，但面子上还好大的一副受宠若惊，还一再感谢领导们对他的器重。之后，领导越器重，张成越辛苦，不仅职务没上去，反倒把一盏油熬干了，人长得精瘦不说，大脑都变得神经兮兮的。有一次，张成陪李县长去省里开农村工作会议，住宾馆标准间，到了下半夜，张成也不开床头灯，半个屁股坐在李县长的床头上，大段大段地背诵汇报材料，把个李县长吓得大气不敢出，小气不敢喘的。第二天一清早，李县长问张成，你昨夜里搞啥？张成说，睡觉。李县长又问，没起来？张成说，起了，是您让我再斟酌斟酌明天那材料。李县长是正县长，是说一不二的县长，他就此认定张成的大脑有毛病。大脑有毛病的人，怎能跟领导呢？回县后，李县长就让他去政策研究室编简报去了。这政策研究室也归办公室管，张成每月要编两份简报，一个叫《决策与参考》，是专供各级领导畅谈工作体会、发表理论文章的；另一个叫《政府工作动态》，是反映各局委办和乡镇阶段性工作的。让张成编这样的简报，有贬职的味道。更为严重的是，这事儿还被机关的大小干部们当笑话讲，连县委罗书记都知道了。罗书记和身边的秘书开玩笑说，秘书是块大红砖，哪儿需要哪儿搬，放在高楼不骄傲，安在厕所不悲观。由此可见秘书的身份和价值，是由领导人的重视程度和工作分工决定的。

一等秘书跟领导，二等秘书写材料，三等秘书编简报。张成苦笑着对唐不拽说，咱是一天不如一天了，心里那个恨哇，那个苦哇。

唐不拽虽说是个粗人，但也知道官场上的辛苦，于是安慰说，啥苦你都得熬着，等熬出个县长来，啥都好说。到时候，你就把咱村那路给修修，咱一村人都托你福了。

戳到痛处了。那张成何尝不想当个县长，就是当个交通局长，当个葫芦顶镇的镇长，也得想天大的法子，把龙飞村的路好好修一修。

张成气不打一处出，哼了哼鼻子说，说那个屌！县长我是当不成的，当县长的爹还是可以的。那路呢，非得你来修！

说完，有些激动的张成拉起唐不拽就走，也不管王会香同意不同意，一直把他拉到了县政府办公楼的三楼。这时候，正是机关午休，张成和唐不拽关起门来，单就龙飞村修路这项大工程，研究了一下午。

几天后，唐不拽从媳妇王会香那儿要来存折，取了一笔钱，果真回乡修路去了。

## 四

张成是如何说服唐不拽的，唐不拽又是如何说服王会香的，仨人对外不透半句。回乡的头一晚，唐不拽瞅准机会，还是和王会香把那事儿做了。做完那事儿，唐不拽交代说，往后就靠你多费心，把门面照看好，把三个闺女照看好，我一月回一次，帮你进货整柜台。王会香依依不舍地说，男主外、女主内。你在外头的事儿，我也管不了，只求你注意安全，别让放炮的石子伤着了身子。唐不拽摸摸自己渐渐蔫下去的小人儿，心头的兴致仍然不减，黏黏糊糊地说，咋会呢，啥都不会伤，啥都要好好的，都给你留着呢。说着说着，唐不拽抽回手，再一次朝王会香的屁股探过去。

都下半夜了，唐不拽还沉湎在做完那事儿的快意中，全然不知道张二炮已经领了七个村民代表，正打着几根手电筒，披星戴月地朝他奔来。张二炮决心拿出十足的诚意，在山外路边的小卖部门口等他，要等多久，那都不成为问题。

上了那道坡，唐不拽感到满眼逼仄，感到胸口发闷，甩在身后的小镇越来越模糊了，堵在面前的大山越来越清晰了。如果不是昨夜耗费了太多体力，他现在真有一股拼上去、跺两脚的冲动，把个望尖山跺矮了、踹平了，还能把修路的钱省下来，在县城买一套一百多平方米的房子。买房子的事儿，春节时就给媳妇说过了，定金也下了，三个闺女也竖起耳朵在一旁听着，欢天喜地地闹着要住新房。

张二炮手搭凉棚，看到了唐不拽的一个人影儿，正朝这边慢吞吞地爬过来，像只害了病的蜗牛。他怕唐不拽中途踅了回去，不修这路，双手连忙握成一个喇叭，焦急地高喊：不拽——不拽——我们在这里，我们来接你啦！

唐不拽气喘吁吁的，等见到张二炮一干人的时候，下意识地夹紧了腋夹窝里的一只崭新的人造革皮包，那里面除了一个小型计算器，还有些别的，剩下的就是一笔修路钱。再过几天，他就要拿了这些钱砸山里的石头，他不相信这世界上还有啥东西能比钱硬。

唐不拽压根儿就不想让张二炮知道他带回了多少钱，这修路是要看情形的，能节约几个就节约几个，年底还要在县城买房子。那张二炮人虽老，但眼不瞎，知道那崭新的人造革皮包里装的都是钱，那钱撑起了一个胆儿，其他人没有这个胆儿，连在县上当干部的大侄子也没有这个胆儿。那晚，张二炮对张成说起修路这个事儿，他半天都不敢接茬儿，又不是找他要钱、借钱，就想让他拿个主意，连个主意也没有，真是的！

张二炮拿张成和唐小拽这么一比较，越发敬佩唐不拽，这可真是一条汉子！于是屁颠屁颠地迎上去，嘴里不住地说："不拽、不拽，你可回来了！"张二炮叫唐不拽的名儿时，嘴角直哆嗦，连鼻翼也一翕一翕的，把两条清鼻涕也给挤对了出来。也许嘴角有了淡淡咸咸的感觉，张二炮横起一只破袖筒去揩，揩完了，再拿那破袖筒去捅其他人的腰。七个村民代表一齐围上来，围着唐不拽，七嘴八舌地叫"不拽，不拽"。

小拽，时候不早了，一村人都盼你回去呢。张二炮还不放心，怕唐不拽突然飞了，催促说。

像众星捧月一般，一干人簇拥着唐不拽朝龙飞村的方向走。刚挪步，身后忽有急促的汽车喇叭声，众人回头一看，是陈保国陈镇长的桑塔纳。不等车停稳，陈镇长跳下来，朝唐不拽招手。陈镇长大步上前，一不握手，二不问好，伸出长胳膊就搂住了唐不拽的肩，就将唐不拽往桑塔纳车里塞，边塞边说，到镇上去，到镇上去。唐不拽一愣一愣的，张二炮一干人也一愣一愣的，跺脚的工夫，唐不拽这个煮熟了的鸭子，就被陈镇长的桑塔纳载着，朝来时的路又飞了回去。

张二炮带领七个村民代表一路撵到镇上，嚷嚷着要见陈镇长，要陈镇长放了唐不拽。要说别的村民不知陈镇长的脾气，那是因为他们接触少，他张二炮当过村长，听过陈镇长作报告，张二炮不可能不知陈镇长的脾气。早几年，陈保国还是副镇长，分管计划生育工作，“上房揭瓦、下地牵牛”的事儿没少干，如今的唐不拽如若落在陈镇长的手中，再多的钱也只能换回一个超生的唐菊花。那唐菊花，只不过是一小丫头片子，咋抵得上一村人低头出门、抬头走路这件大事儿？这时候的张二炮豁出去了，为了村里修路这件大事儿，咋说也得保住唐不拽，反正自己一来不当村长，二来也是黄土埋到颈脖子上的人，谅他陈镇长是不敢把他的一副老卵子咬出两个新疱来的。

这边的张二炮等人闹兴正浓，那边的唐不拽和书记镇长们酒兴正酣。到了镇上，唐不拽被花枝招展的小姐引到一座酒楼上，镇党委书记正在席间等他。书记到底是书记，书记文明一些。书记说，唐不拽同志，你致富不忘家乡人，修路搭桥，积德行善，是千百年来的一桩大好事啊。我代表镇党委、镇政府欢迎你，支持你！

唐不拽把手一摆说，咋说呢，我也是从龙飞村出去的，现在回来为龙飞村做点事儿，也是应该的。再一个说，还是党的改革开放政策好，让我先富了起来，这事儿要是放在五六年以前，我连想都不敢想。

书记说，还是唐不拽同志的觉悟高，物质文明、精神文明一起上，两手都硬。

陈镇长举杯说，啥都别说了，喝酒！能喝四两喝六两，这样的干部要培养；能喝半斤喝一斤，这样的干部党放心。

唐不拽听书记镇长这么一说，举起的酒还没落口，就有一股酒劲儿直往脑门冲，搞得晕乎乎的，搞得身不由己的，只觉得和这些干部们坐在一起，就得向这些干部们看齐。于是推了小杯换大盏，四两一盏，一盏一盏地转了一圈。正当高潮时，张二炮领着一干人忽地闯进来，书记镇长们顿时把酒盏悬在半空中，脸色僵成了两坨乌云。唐不拽没注意这个，连忙招呼张二炮等人一起喝酒，一村人，见酒有份，这是村里的老规矩。还是书记反应快，放松了两张绷紧的脸皮，朝张二炮们挥挥手说，坐坐坐。又说，二炮是老党员、老村长，要发挥余热，继续支持村里镇里的工作，眼前要特别支持唐不拽同志的工作。张二炮乍一听，这书记镇长不像是搞罚款的，反倒是肯定了这修路。既然这样，也就不好再说啥，先坐下。另一干人也不客气，来了个狼吞虎咽、风卷残云。

时候差不多了，书记一边招手让小姐过来结账，一边对唐不拽说，下午还有个会，不能多陪，以后有困难就找政府。说得唐不拽心头暖融融的，全身的热血一涌一涌的。小姐拿着账单走过来，笑盈盈地问谁买单？唐不拽把手一伸，拿过来！唐不拽心说，人家书记镇长在百忙之中亲自接见自己，咋说都光荣！再说，张二炮一干人也是自己请上座的，他们吃肉喝酒，哪能让政府买单？

这顿酒吃了唐不拽五百多块，从崭新的人造革皮包里抽出几张钱来，那笔修路钱顿时矮了一截。事后，唐不拽怪心疼的。妈妈的。

## 五

张成给各乡镇打电话，催要上半年的政府工作总结。电话中，他的口气很硬，时间要求很急。以往，他从不打这样的电话，都是从下面报上来的材料中摘录一段，编个几十字、几百字的简讯，印好后，该往哪儿发就往哪儿发。这一次，他却主动给各乡镇打电话，还多留了一个心眼，把打给葫芦顶镇的电话放在最后，而且指名道姓地要陈保国亲自接。

张成说，保国，你把镇上修路的那个事儿报报。

陈保国说，报个屌！唐不拽人虽回了，但腋夹窝里夹个人造革皮包，死不肯亮底，那路怕是修不成。

咋会呢，在县政府三楼，唐不拽表态很坚决。张成说，不可能吧？不亮底，那他回去干啥呢？

陈保国哧地一笑，说，那人造革皮包看起来鼓囊囊的，估计都是解手纸。

张成生气地说，个×日的唐不拽，莫不是耍猴吧？

电话那边，陈保国干咳了两声，咳完了说，你老兄也别生气，反正唐不拽话也说了，炮也放了，那修路的材料照报，明日就给你老兄送来！

张成吓了一跳，说，保国，那修路可不比纸上跑马，是摸得着、看得见的大事儿，可不敢瞎吹牛！

陈保国大大咧咧地说，不吹不送，割刀挨痛；只吹不送，原地不动；又吹又送，可以重用。老子先吹再送，未必就会死人了？

张成说，那就先吹呗，吹完了再送，把你老婆也送出去。

放下陈保国的电话，张成紧接着给唐不拽打手机，他那破小灵通，信号不好，不是接不通，就是接通了也经常掉线，讲了一箩筐的话，只听见了三个字，三个字还不连贯，横竖都穿不到一个裤裆里去。张成再次接通陈保国的电话，让他速速派人去，把唐不拽找回来。

唐不拽说来就来了，腋夹窝里还夹了个人造革皮包。

张成把这次接见的地点安排在家里，时间就在晚上。这时候，吴欣上县工人文化宫跳舞去了，张恒到县一中上晚自习去了。进了张成的门，唐不拽从人造革皮包里掏出茶叶，山里没别的，就茶叶。

张成按住火气，客套地说，拽哥哥，你来了，还带那个？厨房里一大堆，堆得像个望尖山。

唐不拽嘿嘿一笑，说，总不能空手吧。

闲话少说，言归正传。张成让唐不拽快把修路的那个事儿给说说。

于是，唐不拽说起了修路的那个事儿。

## 六

修路那天，张二炮带领全村的男人敬山神，十万响的鞭炮不消停，从早上炸到晌午。不等硝烟散尽，两队人马挥着柴刀，隔山一阵对砍，茅草和荆棘倒伏一地。砍过的地方，露出了两个坑来，山南一个，山北一个，这就是当年张二炮放过两炮的遗迹。

在山南，张二炮拽着唐不拽的手，颤抖地说，看看，就在这儿，我没记错吧。

唐不拽说，老村长，你记得可真准啊。狗撒尿，做记号。

张二炮说，那倒是，没这个记号，你想修路都无从下手。

唐不拽不想和张二炮再啰唆，那样太耽误时间，于是指挥这边的人马快快下手。龙飞村的男人砍了三天，在崇山峻岭中砍出了一条便道。接下来就是凿眼放炮，一溜儿的炮井，从山南一直铺到了山北。正当点火时，陈镇长带着一人又来了，把张二炮又着实吓了一跳，以为又出了啥变故。陈镇长老远就朝这边挥手，说等等，等等再放炮。唐不拽收了手，手里是两根电导线。陈镇长说，放下，快放下。唐不拽很听话地放下，还捡了两块石头分别压在两根电导线上，不让它们搅和在一起。一搅和，炮就响。

陈镇长指着身后的人，笑眯眯地对唐不拽说，这是县报的记者。

唐不拽一见记者手里端着个照相机，就有点儿头晕，晕晕乎乎中，就把一双大手伸了过去。那只手软绵绵的，不像个男人。唐不拽使劲儿一握，县报记者疼得叫了一声，原来是个女的。以前在县城，唐不拽总是分不清一头刺猬发、一身牛仔装的人是男人还是女人。现在乡下，一个女人，而且还是城里的一个女人，要爬到望尖山上来，那该多难啊。县报女记者抽回手，朝唐不拽笑了笑，笑过后，让唐不拽该干啥就干啥。还能干啥呢，该点火了，唐不拽从地上捡起两根电线头，问了张二炮再问陈镇长，开始吧？陈镇长说，开始。唐不拽接上两根电线头的一刹那，只觉得县报女记者在不停地给他拍照，把他唐不拽照了一个前后左右通透。

一连串震耳欲聋的炮声响过后，唐不拽看到了一阵由近及远的硝烟，像一条黑色的布带子，从山梁上忽悠一下蹿了起来，然后又向天边慢慢飘去。这时的唐不拽有一颗泪落了下来,但周围没人看见。他低着头丢下众人,朝响过炮的地方一路走过去。有的地方被炸成了一堆乱石,有的地方隔着沟壑。他在乱石堆中迈着大步,遇到沟壑就跳过去,太大的沟壑就绕了走。走着走着,唐不拽看到了自家坐落在龙飞村前的那间老屋,屋前的那棵黄槲树撑起了一个巨大的阴影。这屋还是在老父亲的手上盖的。五六年前,唐不拽带着身怀六甲的媳妇和大闺女兰花二闺女梅花,偷偷跑到县城做生意,屋就一直空闲着,他这次回来,在屋里住了还不到五天。那屋看上去近,但若要走回去,还得翻几道岗、过几条坎,少说还有一二百米。唐不拽继续走,继续在心里数着数。刚开始,从山南一路走过来,别看唐不拽一声不响地迈着大步,其实他在心里数着数。他像自己的小闺女菊花一样,从 12345 开始数起。又怕中途犯迷糊,每走一百步,就从人造革皮包里掏出计算器,加一百。唐不拽迈步很大,每一步,差不多有一米长吧,他已走了一万多步,手中的计算器已经加了一百个一百。这也就是说,他要修的这条路可能有十公里长。再多加一两个一百,就能走回老屋了,可唐不拽不敢走,立在那儿,心里打起了退堂鼓。

唐不拽蹲下来,想哭,忽然觉得身后有一阵风卷来,回头一看,是县报的女记者跟了过来。别的人,大概还留在山南,只等他唐不拽回去。

那后来呢?张成出其不意地问,那后来,你又投了多少钱,做了多少事儿?

唐不拽从人造革皮包里掏出计算器,按了几下。那手指像触电一般,轻放快起,几个回合下来,停在一排液晶数字上说,人工费不算,光炸药雷管导线钱,就花了四千五百六十七块。后来啊,后来我一直在筹钱。

张成皱了皱眉头,说,你回去一趟,就带四千多啊?

唐不拽出手就是一个八叉,说,不啊,带了八千。

张成气也不是,笑也不是,挖苦说,拽哥哥真拽,拿八千块钱修路。

唐不拽收回八叉,并成一个巴掌,放在胸前搓了又搓,直到把心底的那点儿难为情消化掉了,才说,不是说好了吗?分期投。

张成问,那你打算再投多少呢?

能投多少?果真让陈保国说中了,唐不拽的那个人造革皮包中,还真有一沓没用完的解手纸,因为有这一沓解手纸撑着,看起来还是鼓囊囊的。张成很怀疑,有些咄咄逼人,可唐不拽一点儿慌张都没有,反而深受鼓舞,狠狠心说,要投,肯定要投,就是拆屋卖瓦、砸锅卖铁,也要投个十万八万的,先把路基整出来再说。

## 七

这期的《政府工作动态》受到了李县长史无前例的表扬,但不是表扬张成,而是表扬陈保国。今天早上,李县长给办公室主任打电话,开口就提到了张成编的简

讯，表扬葫芦顶镇的那条“致富路”修得好，修得很及时，又吩咐说，把这期简报快点儿发出去，发到市里省里的，要用“急件”。放下电话，主任踱到张成的办公室，把李县长的“口头批示”对他说了一半，自己留下了一半，最后试探地问，那陈保国和你是高中同学吧？张成觉得这话不怀好意，闷声说，人家修路是事实。主任又说，这一回，你帮陈保国在李县长面前露脸啦！原来是这个意思，张成听了，先是一喜，后是有点儿不舒服，心说，没我张成，哪有那路？没那路，姓李的县长咋会发现陈保国？

主任这边一走，张成就在那边给陈保国打电话，说，初见成效了，保国，姓李的县长发现你啦！我的功劳全算在你身上啦，啥时请喝酒？

陈保国说，你老兄为家乡人民做贡献，喝顿酒算个啥，下次进城来给你发奖金，请你玩小姐。

张成说，奖金就算了，唐不拽赚点儿钱也不容易，就用在修路上吧；至于小姐嘛，最近在搞“扫黄打非”，不方便。

陈保国说，你老兄就一个“妻管严”，小姐不玩了，奖金还是要照发的。

陈保国的那个镇上有规定，不管啥人，也不管从啥渠道，谁能引进资金，就按一定比例给谁发奖金。陈保国事先许诺说，只要唐不拽的资金一到位，除了提成拿奖金，再送给张成一部手机。

这手机，张成是不会要的，他觉得拿在手里会烫手。至于那奖金，也不要，但得知道一个数目，知道数目，就知道唐不拽有多大决心。

张成关切地问，唐不拽到底投了多少？

陈保国说，放炮投了四千多，好说歹说交到镇上三千。

在镇上，唐不拽不是请书记镇长们吃过饭么，除去那顿饭钱和这次放炮钱，他根本就没有剩下三千块，因为陈保国催得急，他还找张二炮临时借过一百块，好歹凑了整数，才很风光地交到镇上去。

张成一本正经地问，保国，那唐不拽有没有说下次再投多少？

陈保国说，正在做工作，看吧，咋说也得让他出个三万五万的。

张成又说，保国，这一次，我可是一条心地在帮你，也一条心地想修那路，今后一切的一切，都看你了啊。

陈保国说，谋事在人，成事在天。将来的事儿，谁说得准呢？一切的一切，都要看今后的发展嘛。

张成说，反正要当个事儿。

陈保国说，先把路搞起来再说。

为修路这事儿，陈保国还挺雷厉风行的，当天下午就带着唐不拽开车进城来了。

路上，陈保国边开车，边和唐不拽谈工作，说，不拽，镇上打算成立一个龙飞村公路工程建设指挥部，你任副指挥长吧。唐不拽问，那指挥长呢？陈保国说，我当指挥长，你没啥意见吧？唐不拽表态说，没意见，镇长亲自出马，哪能有意见。陈保国抓住话机，又说，等那路上了规模，你才可以上档次，所以说，你还得再加大投入。

出发前，陈保国只说带唐不拽去见县领导，不想他在半道上使出了这个“逼宫计”。唐不拽不悦，说，一时半会儿也没啥准备，上哪儿去弄钱？陈保国把车猛一刹，这一个，唐不拽也没啥准备，额头顿时就被撞出一个大包来。陈保国假意查看一番，再赔小心说，路况不好，颠得很，待会儿去县医院瞧瞧。唐不拽说，瞧啥，啥也不瞧，回去吧。陈保国就知道他会脚底抹油，也不尿那壶，只管加大油门往县城奔，令唐不拽好不被动，跳不敢跳，说不敢说，只能坐在车内暗自发呆，他心想，怪都怪当初自己夸下海口，说啥十万八万，那可不是个小数目，是县城的一套房价。房子的事儿，暂时还可以先放下，问题是如何过得了眼前这一关。那一天，在县政府三楼，张成和他关起门来研究大事儿，当时就考虑到了陈保国这一关，现在不就被他拿捏住了么，咋说，这一关必须过。于是，唐不拽冥思苦想，上哪儿去弄一笔钱。想着想着，灵机一动，让陈保国将车往县城西头开。

城西头，有一片正在开发的住宅小区，发展商是唐不拽过去生意场上的朋友，他有五万元定金放在那儿，说是年底买一套房子。车到城西头，唐不拽被陈保国押着，磨蹭了半个下午，总算瞒着王会香把那笔定金又要了回来。唐不拽将钱交给陈保国时，非要他写一张收条不可。陈保国说，交给镇上的工程款，由镇财政所打收条，我先给你打一个，回去后就换过来。

拿上钱，陈保国在县城兜起了圈子。挨到了晚上，他将车停在老远的路边，吩咐唐不拽说，你先等等，我看看就来。话一落地，人已闪进了县政府的家属院。这时候，吴欣上工人文化宫跳舞，刚一出门，就见陈保国鬼鬼祟祟地在几幢楼之间乱窜，估计是来找张成的，她不喜欢张成老家的人，佯装没看见，就没和他打招呼。回家后，张成还在书房里看书，吴欣问，那个陈保国走了？张成反问，保国来过了？吴欣说，我看见他来过了，没上咱家来？张成说，咱们家住几楼几栋，他又不是不知道，没来。吴欣恍然大悟，嗤笑了一声说，肯定是找县长了。张成心说，保国啊保国，你行动还真神速啊。

陈保国到底有没有见到李县长，张成后来没有问过陈保国。依他俩的交情，张成是可以随时问的，问了，陈保国也会照直说。但不知咋的，张成就是故意不问。

## 八

从县里回来，陈保国在大小会上，把唐不拽表扬上了天。并在拿工资的镇干部中发动了一场募捐，接着又扩大到镇办企业、中小学校去。几天后，再把唐不拽找到镇上来，当面交给他五万多块钱，说，拿去修路吧。说完，要回收条，撕掉了。唐不拽正要问那多出来的钱咋回事儿，陈保国拿出笔和纸，让他打张十万块钱的借条，并交代说把修路的发票都保管好，一月一集中，拿来签字报销。唐不拽做过五六年的生意，深知钱上面的套路，心说，陈保国真毒，这一张借条，不仅白送了他五万块，还把自己的五万块购房定金套牢了，不修路，人家不给报销；但话往转回说，人家不也给自己留下了一个口子么？想到这里，他还是硬着头皮把借条打了。

毕竟身上揣了五万多块，唐不拽现在有了一些底气。他用那多出来的钱，买了一部全球通手机，尾数是168的。那个小灵通不好使，挨过张成的批评。于是，唐不拽用新手机给张成打电话，一来试试效果，二来把陈保国办的这个事儿给汇报汇报。

张成心情不好。昨日行政科搞回了一批鸡蛋和鸭蛋，给机关分福利。因是散装，行政科的人就在同一个纸盒中，各放了二十枚鸡蛋和鸭蛋，干部职工人手一份。张成领了蛋，朝办公室走，中途撞见几个熟人，问张成，分啥呢？张成开玩笑说，鸡蛋和鸭蛋，都是混蛋。这话不知咋的传到了李县长的耳朵里，李县长认为张成有诽谤领导人的意思，放出话说，不管好蛋和坏蛋，都叫他滚蛋。张成听了小道消息，惶惶不可终日，知道李县长迟早都要拿他开刀，因而对唐不拽说的事儿，根本就没听进去。但有一件事儿他记住了，唐不拽说，陈保国就没心思修路，拿了五万块，怕是送李县长了。

一个月后，陈保国意气风发地进城来，让张成大吃一惊。陈保国这次来，一不开会，二不聊天，是来县政府上班的。县政府办公室主任对张成说，保国同志是县长要上来的，临时放在政策研究室帮助工作，让他编《决策与参考》吧。那陈保国还不知道"鸡蛋和鸭蛋"的故事，等主任一走，就笑眯眯地对张成说，你老兄没想到吧，我也没想到，这辈子，咱们还能坐一起。你老兄是老机关、硬笔杆，以后可要多多帮助我。张成心说，这不是瘌痢头上的虱子——明摆着吗，李县长故意找来陈保国，使的是软刀子杀人，还要让他咧张大嘴，有苦也说不出。

陈保国也不是傻蛋，他看出了张成的忧虑，于是表白说，他只是冲着这次乡镇局级换届选举来的，领导让他先过渡过渡。因为是过渡，他的镇长身份还保留着，目前暂时在机关帮忙，为的是提高理论水平，给将来夯基础。这一个，张成也清楚，陈保国并没有正儿八经地读过书，后来靠了自修，才拿了个大学文凭；也是靠了这张文凭，才当上了镇长。在葫芦顶镇，陈保国经常戏称自己是"消防队员"，一年四季到处救火，难得有清闲。现在清闲下来了，就有更多的时间和机会，当面向张成讨教理论。张成知道自己来日不多、去日在即，苦笑说，保国，你真会日哄人！

陈保国日哄起人来，还真有一套。这是他长期在基层工作锻炼出来的，要日就日他个痛快，要哄就哄他个开心。陈保国动笔不行，但动脑可以，一个月下来，就把领导交办的《决策与参考》办成了一个香饽饽。县局委办的头头脑脑们、各乡镇的书记乡镇长们不都想露一手，以引起高层的注意，他就主动搭台，邀请各路神仙唱大戏。人家也不让白干，局委办的领导对他落了一个工作主动的好印象，乡镇领导也夸他够朋友、讲义气，常来办公室拉他出去吃饭、打麻将。相形之下，张成办的那个《政府工作动态》就被陈保国比下去了。

张成心里酸溜溜的，觉得陈保国还真把一份烂简报当事儿干，这样干下去，完全是中了李县长的奸计，有杀猪吃肉的意思。一次，张成忍不住试探地问陈保国，这次换届选举，你想往哪儿动啊？陈保国说，看吧，工作倒是做了不少，就看到时候有没有位置了。张成说，你要滑头，不肯说吧？

其实说不说的，还不是明摆着的吗，县交通局的朱局长五十九岁了，这是人尽皆知的事实。陈保国看准的正是这个位置，李县长许诺的也正是这个位置。不明真相的张成还一再要陈保国坦白交代，陈保国也不隐瞒，说，看能不能平调到交通局喽。平调也是个局长，张成一听，觉得这里面大有文章可做，于是把自己目前的处境、将来的打算，包括给龙飞村修路的打算，像竹桶倒豆子一样，全都倒给了陈保国。

陈保国说，要不，你也去交通局，当个办公室主任啥的，就算你老兄去帮我。

张成嘿嘿一笑，说，你咋不说让我去当局长？再不济，也得当个副局长，咱们联手把龙飞村的那路给修一修。

陈保国说，你去哪儿，想当啥，能当啥，我说都不算数，你得找上面。

找上面，就是找李县长或者罗书记。李县长见不得张成，可不能送肉上砧板。这天下午一上班，张成马不停蹄找了罗书记，把李县长给他穿小鞋的事儿一五一十地说了。先说很久很久以前的“梦游”，再说最近的“鸡蛋和鸭蛋”，张成哭起了鼻子，边哭边说，我那还不是为了革命事业，弄成个夜不成寐吗？就算我大脑有啥毛病，那也是因公负伤呀！又说，鸡蛋和鸭蛋混在一起，不是混蛋又是啥蛋呢？

罗书记不仅听说过这两件事儿，而且还认识张成这个人。罗书记本人也是秘书出身，还是省里的大秘书。有一年，他陪同省领导来县里检查工作，张成参与接待，县长陪省长，小秘书陪大秘书，几天下来，两人之间的关系亲近了不少。罗书记到县里任职后，张成去看望过一次。见罗书记站在窗前，正摆弄一个树桩盆景，就拍马说，好小的一棵大树！罗书记指着这个形状小、气势大的树桩子，笑笑说，它叫“金弹子”，据说有一百多年的历史了。张成心说，罗书记喜好这个啊，我们老家多的是，拿它当柴烧。接着两人开始闲聊起来，罗书记问了他一些工作和生活上的情况，张成也有意多说说，不想时间到了，罗书记要出门下乡了。以后，张成想再汇报汇报，却一直找不到机会。

事隔几年后，罗书记耐心听完了张成的汇报，然后笑着说，“梦游”那事儿都过去多少年了，还记它干啥？李县长那也是关心你、爱护你，让你调养调养嘛。张成抢白说，我都被李县长调养好几年了，再调养，毛病真出来了。罗书记说，不急不急，先干好本职工作，干一行、爱一行、钻一行，行行出状元嘛。张成说，话是这么说，我有干好革命工作的良好愿望，可李县长不让干，还要我滚蛋。罗书记正色说，胡扯，偏听偏信小道消息，要不得！这么一说，张成怔住了，可不能再让罗书记一棍子打死了。于是止住哭声，连忙给罗书记作了一番深刻的检讨，说，罗书记您说得对，李县长他做得也不错，我这脑子还真出了毛病。啥毛病呢，就是装了太多的私心杂念，都快把脑壳胀破了，连张嘴都管不住了。罗书记宽容地笑了一下，说，张秘书，你先回吧。

回家后，张成把自己和陈保国商量的结果，以及见罗书记的情景向吴欣说了，吴欣却一百个反对。说，人比人，气死人，瞧瞧那个陈保国，一个高中生，镇长都当好几年了，现在又要调县里当局长，你又不比他差，还好意思在他手下跑腿打杂？咋说都是一个笑话。张成自我安慰说，也不能这么比，保国有基层工作经验，综合素质比我好。吴欣愤愤地说，啥叫素质，一个字，送。他送，咱也送；他当局长，咱也当局长。

那局长换陈保国当，也不见得是好事儿。听唐不拽说，他拿修路钱给李县长下定金，要是他当了局长，那路还是修不成。龙飞村的路要真修，求人不如求己，还得自己亲自上。但这个局长对张成来说，似乎比皇帝还遥远，更何况还有陈保国在前面挡着呢。

吴欣出主意说，现如今是市场经济，公平竞争。眼前最要紧的是把位置空下来，不能让陈保国抢了先。再说了，万事皆有可能，你还可以接近罗书记，他陈保国初来乍到，想接近都不成。

张成想了想，说，不妥吧，咋说我和保国是同学呢，还是听天由命吧。

吴欣一直不满张成这个生活态度，说，你舍不得送，又不敢去拼，那就等死。

张成说，找谁拼？找姓李的拼吗？那就是等于送死。

吴欣狠狠地说，谁碍你，你拼谁。

张成又仔细想了想，在县政府，碍了自己的人，明摆着的一个就是李县长，暗地的一个就要算陈保国了。

## 九

陈保国在茶楼打麻将，被县委纪检委的人抓了个现行，说要处分、要通报。陈保国跑去找李县长，被大骂了一通。李县长指着他的鼻子说，县里的禁赌令你不会不知道吧，知道还赌，你什么意思？出县政府的洋相是吧？陈保国后来被退回到了葫芦顶镇，临走那天，领导让他把《决策与参考》还给张成编。交接时，陈保国自言自语地说，他娘的，啥时候动真格的了，轮到我就动真格了？张成说，你这一走，我又要忙开了，心里却说，也该你倒霉，这是没办法的事儿。

陈保国走后的这天中午，张成破例没在机关食堂吃饭，去县政府背街的一家小餐馆，点了一瓶啤酒、两碟炒菜，一个人慢吞吞吃到下午两点。快两点半了，该上班了，张成这才起身挪步，刚刚走到县政府门口，有一个人慌头慌脑地向他奔来，定睛一看，是唐不拽。

张成问，拽哥哥回来了，吃了吗？

唐不拽说，还没呢，我有事儿要对你说。

张成说，拽哥哥，天大地大，肚皮最大。啥事儿，先吃了饭再说吧。

那唐不拽哪还有心情吃饭，张口就掉眼泪。张成见状，赶紧把他带进办公室，详细问了起来。

原来是唐不拽的那五万块钱又没了。陈保国回葫芦顶镇后，人家还叫他陈镇长，但不管镇上的事儿了，专管唐不拽修路这个事儿。当唐不拽拿着一堆虚虚实实的单据去报销时，陈保国的态度来了个一百八十度的大转变，说镇上没有钱，啥时有钱啥时报。那路上还等着用钱，这单据不报销，唐不拽的五万块房钱收不回，陈保国亏空的那五万也得他去填。

张成打断他的话，问，那咋个说法？

唐不拽说，没啥说法，五六万都投进去了，快两个月了，那路就炸了一排窝。

张成操起电话，又放下，他不知该跟陈保国说些啥，有些事儿办得对不住陈保国，也对不住唐不拽，先按下这些暂且不表，只管宽慰唐不拽，说，你先回去等等，再想想办法。

唐不拽说，我是没啥办法了，就看张老弟了，你可是县干部。

张成在等罗书记的消息。一天黑夜，他咬咬牙，还是拎了五万块，和吴欣一起去找了罗书记，人家罗书记看中的是张成的才华，不收钱，还客气地说，别急，先等等。那态度，不像是推辞，是真让等。罗书记让张成等，张成就让唐不拽等。张成说，我当然不会不管，我不管，龙飞村的人还不把我骂死？

有了这句话，唐不拽终于放了心。让回去等等，就回去等等。不过，唐不拽没有回龙飞村，而是回了老营盘农贸市场 168 号。

王会香正忙着，称了米，打了油，等买主出了门，这才把几张油乎乎的票子往白铁皮钱箱中一塞，想起要招呼唐不拽，她将双手往衣襟上一抹，说，回来啦？

唐不拽说，这不站在你面前了吗？

王会香的脸顿时泛起了一点浅红，说，还知道回啊，快两个月了吧？

唐不拽说，差不多吧，在山上不记时间，记不住。

王会香盯着唐不拽，又说，你瘦了，黑了。

唐不拽摸了摸自己胡子拉碴的脸，又去摸王会香浅红浅红的脸，说，你也瘦了。

王会香摆脱他的手，嗔怪说，老不正经。

唐不拽收回手，放在胸前搓了搓。要是放在从前，他就会让王会香把这门市部的门给关了，然后将她扔上床，跳上去，按住她，管它白天不白天的，反正兰花梅花都上学去了，菊花也上学前班去了。可今天，唐不拽没了那个兴致，打量四周，米面垛子短了一截，货架上的干货也空了许多，那心里的想法，也就短了一截，空了许多。

唐不拽说，我去进货吧。

王会香说，都下半晌了，先歇会儿，明天再去。

闲着也是闲着，两口子坐下来，你一句我一句地拉呱。

王会香问，那路开始修了吧？

唐不拽想了想，心说，那路说修呢，也在修；说没修呢，也没再修，就看今后咋个说法了。这说法现在能告诉媳妇王会香么，肯定不能；要告诉，也得弯着拐着一点儿。

于是，唐不拽扯了一个谎，说，正修呢。

王会香说，在修就好。你也累了，先歇着，我去买菜做饭，等闺女们放学回来，一家人热闹热闹。

饭桌摆在了卷闸门前的屋檐下，天还没完全黑下来，唐不拽就让媳妇王会香把大电灯点起来，让灯光把这厢照个里外通亮，让左邻右舍都知道，他唐不拽现在很滋润，将来会更滋润。

快吃完了，唐不拽提议全家人去工人文化宫遛遛，参观参观城里人的夜生活。王会香说她不想去，就留在家里看门。唐不拽奚落了她一顿，说，咋像个羞娘，上不了台面呢，这样不好，这样将来没啥出息。说得王会香的两个白眼珠子直往外翻，恨不得砸在唐不拽的一张臭嘴上，再反弹回来。

来县城五六年了，全家人还没有一起出去逛过夜景，这城里人的夜生活，到底是个啥样呢？王会香转念一想，得紧跟唐不拽，不能让他的眼睛在别的女人身上打勾勾。

那王会香催了闺女们快吃，自己跑进屋换新衣去了。三个闺女丢下碗，叽叽喳喳地跟跑进屋。只一会儿的工夫，四个花枝招展的大小娘儿们，就一溜烟地立在了唐不拽的面前。这唐不拽虽有很重的心事，但还得装出乐呵呵的样子，拿个苦脸相给妻儿看，那像个啥呢？

## 十

今年的清明节还要不要回龙飞村去？张成和吴欣商量来商量去，半天都没有个定论。张成的意思是要回去，说白了，这上坟烧香的事儿是做给家乡人看的，就是要让他们还记得龙飞村出了一个大学生，出了一个县干部。吴欣的意见是不回去，因为县里正在酝酿局委办和乡镇班子人选，关键时刻要盯紧点儿。张成说，是好是歹也不在乎这一天，清早走，不到晚饭时间就回。其实，张成的内心还有一个想法，那就是瞅了清明节这天，回去看看唐不拽修的那条路，那也是压在他心上的一块石头，搞砸了，父母的坟墓都怕保不住，龙飞村的老少爷儿们还不拿了锄头锹的，给他刨了？吴欣说，要回你自个儿回，我和张恒就不回了，遭那个罪。张成说，张恒学习紧，你留在家里照顾他，我自个儿回。

接着，张成用自家的座机打电话，落实清明节回家的车辆。打通了好几个，那些厂长经理都以不同的理由婉言谢绝了。张成丢下电话，在客厅里破口大骂，王八羔子！就知道我张成起不来了？吴欣挑拨说，知道权力的重要了吧？早知道，还用今晚求人？这么一说，张成就恨恨地说，非得搞个车坐坐！

想来想去，张成最后想到了一个人，就是那个台商孟先生。第二天一上班，张成到处翻找名片，终于在抽屉里找到了。一个电话打过去，人家孟先生满口答应，张成终于松了一口气。

张成这次找孟先生要借的车是进口奥迪，比李县长的车还高了两个档次。回乡那天，张成半卧半坐在真皮沙发上，几颠几颠就睡着了。在要车的那个电话里，孟先生那个客气，叫张成没啥话说。孟先生都说了，怎好让县领导驾车？如果那天他不忙，就亲自送领导回乡祭祖，再不济，也要派一个技术过硬的司机送。就这样，今年清明节，张成过不成开车瘾。车到葫芦顶镇中心转盘，孟先生派来的司机叫醒了张成，说自己不知路线了，是该往左转，还是往右拐？往左是去龙飞村，往右是到镇政府。张成让司机直接往左边的道上开，他不想叫陈保国知道他回来了。

车到望尖山脚下，小卖部门口早就停了一辆桑塔纳。张成一惊，这时的陈保国丢掉手里的半截烟蒂，笑眯眯地迎了上来，看得出来，他在此等候多时了。陈保国还是和从前一样亲热，一把搂住张成说，你老兄回来也不打一个电话，是不是不想见我了？张成尴尬地说，怕你工作忙，就没说，年年都麻烦你，多不好意思。陈保国转而脸阴阴地说，是老同学把我看外了吧？

张成打岔说，又说风凉话！你既然来了，那就等我上完坟，再去看看唐不拽修的那条路吧。

陈保国半开玩笑半认真地说，不对吧？回家了还想着工作，这不像你的作风啊，你老兄是不是也在考虑进步问题啊？

张成听出了这话中的挖苦味，想来想去，还是无话找话地说，你回后还好吧？

陈保国突然大笑起来，把胸脯拍得梆梆响，提高嗓音说，好！咋能不好呢，有你老兄在暗中帮我，我肯定会好！

张成知趣，面露愧色说，唉，你好我也好，大家好才是真正好。

司机和车留在小卖部门口，张成和陈保国沉默无语，两人一前一后朝望尖山爬去。一路上，张成看到了被唐不拽炸过的坑坑洼洼，心里又多了一些别样的沉重。

再往前走，有一群人正在山崖上劈路基。

张成几次想开口，几次又闭口，最后还是问，是唐不拽他们吧？

陈保国憋着气说，不是他是个屎，去看看？

张成说，你先去，我上坟。

## 十一

张成祭祖回来的第二天，起床晚了半个钟头，慌慌忙忙骑了一辆破自行车赶去上班，进了机关门，上了办公楼，凡是碰到张成的人，都对他露出了讨好的笑容，说，张秘书，你早啊，上班啊？

张成觉得很奇怪，这些乌龟王八羔子，咋变脸啦？张成自己还浑然不觉，头顶的天空已经向他露出了笑脸。笑脸是县委罗书记给的。罗书记把电话打到了政府值班室，点名要找张成。可这时的张成还在上班的路上，值班秘书说，马上通知张成。值班室有规定，凡是下级的请示电话或上级的指示电话，都要做好记录，或交领导阅处，或交相关干部落实。值班记录簿用完后，交档案室存档备查。“某年某月某日某时某分，县委罗书记找县政府政策研究室张成”这样一行文字，就这样被值班人员记入了本县的历史文献，并像闪电一般，让凡是看过的人都头晕目眩、议论纷纷。瞧瞧人家张成，咸鱼都要翻身了。

张成在得知消息后，本应心花怒放的，却愁眉苦脸，如临死期一般。他昨天做了一件傻事儿。昨天不是回龙飞村祭祖了吗？或许是天意，或许是父母显灵，烧完纸、磕完头，张成起身朝山下走，刚迈腿儿，脚底被啥东西绊动了一下。定睛一看，是一块嶙峋之石。如果只是一块不毛之石，他张成也就算了，一步跨过去，继续往山下走。可那偏偏是一块长有老枝嫩叶的灵异之石，张成立刻跪了下来，仔细一端详，但见这矮兜兜的一棵树桩附在山石上生长，几条老根顺着山石纹理，或嵌入石缝或出没洞穴。张成一阵惊喜，罗书记不是爱好盆景吗？不如将它搬了回去，送给罗书记，既不花钱，又落得一个人情，说不准，还对这次换届选举有帮助。可那山石树桩埋在山间，任张成一介书生怎么也摇不动、搬不走。

正踌躇，张二炮和唐不拽两人扛着铁镐，一前一后地火急赶来了。唐不拽本意是来找张成告状的，原来是那陈保国又把他熊尿了一顿，说别有事无事往县上跑，快组织人马把工程搞起来。唐不拽说，领不出钱来咋搞？陈保国说，那你往县上跑又能领回钱了？唐不拽知道这意思是说找张成也不管用，还得找他陈保国，可他陈保国把修路钱都压住了，一个子儿也不松动。唐不拽气不过，斗胆说，人家张老弟就是比你实在。这话把陈保国惹恼了，说，张成就在他爹他妈的坟地上，你去找他。

唐不拽就真找来了。张二炮听说大侄子回来了，高兴得不得了，他后来听唐不拽说，这修路也是张成的主意，而且还在暗中帮助不少，觉得当初错怪了大侄子，也就跟着跑来，想向大侄子表示一点儿歉意。

张成遇见两人，像遇上救星一样，说，叔伯伯，拽哥哥，你们来得正好，快帮我把这连根带树挖起来。唐不拽有些纳闷，要它干啥？张成说，快挖。唐不拽使劲挖，张成蹲在地上看，边看边说，小心点儿，小心点儿，可别伤着树根儿了。张二炮见缝插针，讨好说，大侄子，这修路可亏你了，没你不拽不会回，回了也不会“出大汗”。这“出大汗”是龙飞村的土语，意思是出大钱。

眼前的唐不拽果真出了一身大汗，挖了掏了半天，好不容易才将那石头连根带兜地刨了出来。张成托在手上，又仔细端详了一会儿，这才转身对张二炮说，叔伯伯，我得走。

张二炮说，大侄子歇一宿再走，好多年没回村了。

张成说，不了，奥迪车还在山下等着。

大侄子升官了？坐奥迪车了？张二炮不再坚持挽留，决定跟下山去看看奥迪。于是从张成手里接过石头树桩，掂了掂说，那我送送大侄子。

张二炮的力气真大，抱着石头走山路，腿不颤、手不抖。一路上，还有多余的力气和张成说家常话。那唐不拽跟在身后，几次想把陈保国的坏处表一表，可一路走完了，就是都轮不上他开口。

张成将攀石树桩带回县城后，来不及修剪，也来不及为它配上一个浅底盆儿，就直接给罗书记送了去，送晚了，怕活不过来。罗书记不在家，夫人在，张成放下树桩，和罗夫人拉呱了几句就告辞了。今儿个一大早的，罗书记就把电话追了过来，啥意思呢？不会是感谢张成吧？感谢用不着这般急这般直接啊。张成猜想，肯定出大事儿了，那攀石树桩长在父母的坟地上，拿这东西送罗书记，晦气，不是咒他早死，就是咒他官场短命。

张成赶到办公室时，罗书记正站在办公桌前，紧盯着攀石树桩，那块石、那棵树已栽在一个白色浅底的大理石方盆中，有模有样的，十分地古朴，十分地盎然。罗书记说，好你个张成，从哪儿搞来的？这可是可遇不可求的“六月雪”啊。

张成听罢，脸上堆满笑意，心里装满惬意。原来罗书记不爱钱，爱这个。他既不敢直说这树桩是从父母坟地挖来的，也不敢撒谎说是从街头买来的，于是用了一个折中的说法，从望尖山上弄回来的。望尖山？罗书记顿时来了兴致，说，就是葫芦顶镇的那个望尖山？张成说，是我老家的望尖山啊。罗书记拍了一下张成的臂膀，笑呵呵地说，这个双休日，你带我去看看。张成忙说，好，好。

出了罗书记的办公室，张成感到裤裆里凉飕飕的，感到卵子皮紧绷绷的，他在考虑下一个步骤。

## 十二

张成匆匆忙忙往葫芦顶镇赶。路上，他给葫芦顶镇的党委书记打了一个电话，后又觉得不妥，再给陈保国打了一个补充电话，说是把唐不拽也找来，四人开一个小会，把修路那事儿研究研究，把罗书记到访的事儿布置布置。

罗书记上望尖山那天，张成尽管将他往坑坑洼洼的地方引，陈保国跟在后面，先把打麻将的事儿自我批评了一番，再把唐不拽修路的事儿表扬了一通。

陈保国说，这个唐不拽可不简单，一个农民，一个刚刚脱贫致富的农民，带领一帮农民，打响了开创小康之路的第一仗。

罗书记饶有兴致地听着，不住地点头，时而对张成说，要宣扬，要扶持。

张成拿出当年跟领导的本领，一边在小笔记本上飞快地做记录，一边点头哈腰，唯唯诺诺地说，是的，是的，好，好。

陈保国很瞧不起张成的一副奴才相，尽管他是张成请来作陪衬的，但言行举止无不表现出一个地方领导的立场和作风。陈保国对罗书记说，镇里本想帮这些农民一把，可惜财力有限。我们已在镇干部中发动了一场募捐，算是对农民兄弟的一点儿支持。

罗书记高屋建瓴地说，这种事儿光靠农民不行，光靠政府也不行，必须举全民之力，调动方方面面的积极性，一个村一个村地建，一个乡一个乡地建，一个镇一个镇地建，用它个三到五年的时间，在全县建成四通八达的村级公路网。

接着，罗书记掏出手机，给李县长打电话，让他召集“五大班子”的领导，县计委、农委、宣传部、扶贫办、招商局、交通局、公安局的一把手，速到葫芦顶镇来开一个现场办公会。罗书记的指示一发出，陈保国当即请了一个假，下山准备现场会的接待去了。

张成想起陪罗书记来的初衷，就是要让书记知道修路这个事儿，知道他张成也是一个为人民服务的好干部，在这次研究换届选举的常委会上，为他去交通局说上关键的一句话。现在，这事儿被罗书记搞大了，搞大了是好事，就怕唐不拽不识时务，见了县领导，还有一帮这委那局的一把手，瞎说一气。想到这里，张成有些战战兢兢，问罗书记，还要不要去“寻宝”？罗书记哈哈大笑起来，说，不是已经寻到一个“宝”了么？走，见见那个农民唐不拽去！

张成领着罗书记朝望尖山的深处走，去接见那个农民唐不拽。

李县长带来的这一帮人中，缺了交通局的朱局长，多了县报、县电视台的记者。县报来的还是那个一头刺猬发、一身牛仔装的女记者，一见唐不拽就冲他笑了笑。唐不拽径直迎上去，想和女记者握手，边迈腿儿，边心说，这一回，可要轻一点儿，可别把人家弄疼了。眼见唐不拽的一双大手伸过来，女记者忙说，别握了，都是老熟人了。以后，你就是我跟踪采访的对象，我叫许龙飞。唐不拽没握成手，心里照样佩服：乖乖，咋取了个和咱村一样的名儿？连个名儿也像男人啊！上次炸完炮后，那么多男人都没有跟过来，嫌远，怕累，就这个假男人一路跟了过来，人家那才叫一个以身作则的好干部。

唐不拽把许龙飞也当干部，是因为他对她有好感。这边刚把回忆的画面在脑海里放了一遍，那边就听见刚才还文质彬彬的罗书记在骂人。县交通局的朱局长手机打不通，他们那个局党委书记的手机也打不通，这时有人偷偷报告说，周五下午下班后，见局长和书记一个开车去了市里，一个开车去了邻县。去市里、去邻县干啥？双休日，双休日，双双把×日，都搞腐败去了？

这次会议时间短、风气正、效果好。开始李县长讲话，中间各单位领导表态，最后罗书记作总结。不多时，县委、县政府的一帮秘书当场就整出了一份《会议纪要》。这个纪要非常重要，会议决定由县农委牵头，各局委办配合，有钱出钱，有力出力，搞好支援，发动募捐，力争在今年年底，将全县第一条村级公路建成通车。

现场会结束后，陈保国请示罗书记，是不是可以请领导们下山去吃饭了？罗书记板着面孔问：准备了几菜几汤？有没有老鳖乌龟？那菜单是陈保国亲自在酒楼订下的，又经过镇党委书记的审查，没老鳖乌龟，但有狍子肉山鸡翅。陈保国心虚地说，这个，这个……罗书记吼道，这个啥，都统统抬到这山上来，咱们搞一次集体腐败！

陈保国是个聪明人，知道罗书记那是个啥意思。今天来的这些领导，县城的啥酒楼没去过，啥山珍海味没尝过？不如就在这望尖山上摆顿野餐，体现一下集体廉洁。

陈保国给在家坐镇的镇党委书记打电话，让他迅速把镇上的酒席撤了，把狍子肉山鸡翅喂狗吃，再拣个三菜四菜的，装在一次性饭盒中，菜要一份、饭要一份；把会议室摆放的水果、纯净水也撤了，也装一份，全都搬到望尖山上来。吃饭时，陈保国有意观察罗书记和李县长的表情，看得出来，李县长很高兴，罗书记也很高兴。罗书记端着饭盒，和女记者许龙飞边吃边交谈，有时还用筷子指点江山。

唐不拽的表现也不错，除了会议开始前，罗书记让他在县里的头头脑脑们面前亮了一次相之外，自始至终，都没有给他讲话的机会，张成的担心纯属多余。

镇政府的人围一堆，饭盒捧在手上，菜盒放在地上，半蹲着，边吃边议。陈保国给镇党委书记说了啥，说完朝唐不拽喊，唐不拽，唐不拽，你过来！

唐不拽捧着个饭盒，把腋夹窝里的人造革皮包夹得紧紧的，快步朝这边奔来。因为劲儿使在腿上，使在胳膊上，也就顾不了嘴上，嘴里的饭渣儿直往下掉。

陈保国把他叫到一僻静处，说，把上次修路的那些发票拿出来。

唐不拽怔了一下，等清醒过来，赶忙把饭盒往地上一放，赶紧从腋夹窝里抽出人造革皮包来，从里面掏出一摞发票，大概十万块还要出些头，陈保国装作没看见。说到底，猪肉狗肉都烂在锅里，分不清哪是唐不拽的钱，哪是捐来的钱，也就不必细究了，于是一张一张地签下去。签完字，抓住发票，就是不给唐不拽。过了半晌，陈保国才说，报完这些后，你跟我去县里一趟，再找罗书记单独说说这修路的事儿。

唐不拽大惊。上次说去找李县长，拿了五万块，自己连李县长的毛都没见着；这次又说要去见罗书记，又不知要拿多少钱。陈保国开导说，这修路总不是你一人一家的事吧，总得接受党的领导，取得政府的支持吧。把上面都疏通了，以后就可以甩开膀子大干了！

说干就干，不等不看。有了上次的捐款垫底，陈保国并没骗他唐不拽；再一个说，有县委罗书记、县政府李县长作担保，还怕弄不回钱？

过了两天，唐不拽坐上陈保国的车，进城了。

唐不拽找王会香要不出钱，去银行贷了一笔，交给陈保国。

## 十三

唐不拽成了全县的红人，是县报女记者许龙飞将他描红的。女记者许龙飞还将他的事迹传到了省城，后来从省城也下来了不少记者，那么遥远的望尖山，那么偏僻的路边小卖部门口，连续几个月，停满了各色小汽车。这期间，唐不拽隔几天就要下山一次，从小卖部拿回登有他照片和文字的报纸，先嗅嗅墨香，再展开细读，读了一遍又一遍。读完了，很小心地折叠起来，叠成一个巴掌大的方块儿，放进贴胸的口袋里。他要把报纸带回山上去，念给张二炮他们听。咋说呢，这荣誉不是他唐不拽一个人的，他的背后，有张二炮，有龙飞村的一帮乡亲；平心而论，还有镇长陈保国和县干部张成。

有一天，唐不拽坐在小卖部门口的树桩子上，慢悠悠地看县报，他发现镇长陈保国将不是镇长了，县干部张成也将不是县干部，他俩要完全颠一个个儿，陈保国变成县干部，张成变成葫芦顶镇的镇长。唐不拽觉得很奇怪，干部还有这么颠着当的？其实他不明白，那县报上登的是干部任前公示。上次县里在望尖山上开完现场会后，罗书记一回去就把交通局朱局长的职务给撸了。在谁补缺的问题上，罗书记和李县长观点不一致，后来作为交换，张成由李县长提名拟任葫芦顶镇镇长，陈保国拟任交通局长。

能当个镇长也不赖，镇长也是好大的一个官儿。不过，相比之下，还是陈保国有种，那次打麻将不仅没受啥影响，反而在书记县长面前加深了印象。也不知这些书记县长们是咋想的。唐不拽收起报纸，急匆匆地上山去了。他把这个消息说给张二炮听。张二炮说，大侄子由县干部变成镇干部，这不叫降，叫重用，对修路有直接帮助。陈保国真不是个东西，明里修路，暗里搭桥，你说是吧？

张二炮一句反问，让唐不拽无话可说。心想，那是的，张成比陈保国厚道多了，陈保国那个县干部还不是靠修路钱买来的。想到这里，他从心眼里希望陈保国快点儿滚蛋，希望张成快点儿到职。

张成没有当上交通局长，也高兴。咋说罗书记都帮了大忙，要体谅领导的难处，领导摆兵布阵也不容易。罗书记把自己放在葫芦顶镇镇长的位置上，不就是要他在全县抓出一个村级公路的典型吗？保国能当上局长，那也好，他如愿了，能减轻心头的怨恨，能化解他们之间的隔阂，还得找个机会，再和保国谈谈，毕竟是老同学，以后修路还用得着。张成这么一想，心头更高兴，人一高兴，腿脚也勤快。以前，吴欣上工人文化宫跳舞时，都是自己去自己回，这一日，张成突然心血来潮，等到晚间九点多，骑了一辆破自行车去接老婆。走到台商孟先生的足疗城门口，他忽地看见了两个熟悉的人影儿，一高一矮、一胖一瘦，正从大厅里面走出来。又高又胖的是陈保国，又矮又瘦的是县人大黄主任，张成心说，保国这哪里是请黄主任来足疗的，分明是给自己拍板钉钉的。

张成不得不承认陈保国比自己会来事儿，于是站在路边的黑暗处，等陈保国和黄主任走远了，才推起车，慢慢地走，惭愧地想，自己要不要也找黄主任钉一颗钉。见到吴欣，张成把刚才看到的情景和自己的想法一说，吴欣当场表态，说，不仅要钉钉，而且还要钉一颗大钉，钉上了，再回一次脚，让别人想拔也拔不出来。吴欣的理由是，现如今的人大不像以前的人大，只管举举手、拍拍巴掌，现如今的人大也爱出风头、搞否决。要是万一把你否掉了咋办？张成说，不会吧，我是罗书记那边的人，谁敢否我？吴欣反驳说，谁说你是罗书记的人？你人在李县长这边上班，心在罗书记那边放飞。张成笑了起来，说，那倒也是，我就怕姓李的县长在最后关头变卦，卡我的脖子。照你这么说，那我们要钉多大一颗钉呢？吴欣咬咬牙，说，五万块。张成吐了吐舌头，说，这么多？吴欣说，舍不得孩子套不了狼，就五万块，上次罗书记没要的五万块，还在银行存活期，明日就去取出来。

张成还是不想出这笔钱，又想，自己是被县委常委研究过的候选人，再过一些时日，交给葫芦顶镇人大通过通过就行了。如果非要送钱，难道要我给葫芦顶镇的人大主任送？吴欣说，那就去找罗书记落实再落实，今晚就去。于是，张成摸着黑，找罗书记去了。

罗书记不仅给张成钉了钉，而且还回了脚。第二天，张成上班就气宇轩昂多了，反正自己不久就要离开县政府，下去当镇长了。当镇长后，第一桩事儿，就是把龙飞村的那条公路修好，不能辜负了罗书记，也不能辜负了龙飞村的老少爷儿们、大小娘儿们。

## 十四

印刷厂送来了张成编定的最后一期《决策与参考》和《政府工作动态》。这期的《决策与参考》上，分别登有罗书记、李县长在望尖山上的现场讲话，《政府工作简报》则是龙飞村公路建设专辑。张成想趁早发出去，然后以最佳心情，迎接本次人代会的胜利召开。

张成现在有了空闲时间，有了和陈保国谈谈的心情。他像忘记了那件龌龊事，像平常一样随意地拿起电话，嘻嘻哈哈地说，保国，当局长了，祝贺啊祝贺！陈保国也嘻嘻哈哈，就话接话说，你老兄也不错，当镇长了。但我得提醒你，这葫芦顶镇的镇长可不好当哦。张成说，说那个屌，我这不是接了你的班、继了你的位吗？一个烂镇长，你当得不想再当，才让我捡了个宝似的，以后你可得多多帮助我。陈保国话中带刺说，你老兄太客气了，哪用得着我帮助？你老兄将来肯定有发展，当个县长没问题。罗书记不是从秘书成长起来的么，李县长不也是从镇长干起来的么？张成不敢接招，扯起了这期简报，于是说，保国，这期的简报出来了，你派人来取吧，回去后组织人学习学习。陈保国说，明日来吧，明日一早就派人来取。

第二天，陈保国派来取文件的人在县政府等了大半晌，就是见不着张成的人影儿，等到下半晌，听说张成在上早班的路上，被一辆无照黑车撞断了左腿，被送进了县医院。

张成住院期间，陈保国拎着鲜花来看望了一次。一见面，张成就流着泪说，好不容易等来了转机，拖着这么一条废腿，咋下去当镇长？陈保国把鲜花一放，坐在病床说，你老兄安心养伤、安心养伤，葫芦顶镇的人民还盼着你呢。说完，陈保国要揭了被单去看张成腿上的伤势。张成说，腿骨上钉了钢钉，关节上打了夹板，都不知啥时能下地。陈保国说，上了板子、钉了钉子，应该没问题吧？陈保国的这个意思很明显，张成心里有了谱，他想杀了陈保国。

陈保国从医院里出来很逍遥，提前把庆祝酒给摆了。摆酒那天，镇里来了不少人，共同举杯祝贺陈保国官运亨通、喜迁县城，还望陈局长以后能多回葫芦顶镇走一走、看一看，给点儿倾斜。连镇党委书记都说了，激动的心，颤抖的手，我代表群众敬杯酒，领导不喝我不走；喝了咱这杯酒，领导年年高处走。陈保国谦虚地说，说那个，宁可胃上烂个洞，不叫感情裂条缝；一条大河波浪宽，端起这杯咱就干。正当一桌人处在兴头上，陈保国腰间的手机响了，赶紧一接，是个陌生的声音，说，无量非君子，无毒不丈夫。酒楼很喧哗，陈保国没听清楚，反问，你说啥？对方又说，不贪不腐，不是人民好公仆；又贪又腐，才算为人民服务。陈保国的脸色顿时大变，把声音提高到了八度，问，谁，你是谁？对方恶狠狠地说，我是你爹！说完，手机挂了。

陈保国大怒，没心情闹酒了，连书记那杯酒也不想喝，思忖着这个电话是谁个王八犊子打来的。陈保国在镇上工作多年，得罪过不少人，但一般人不敢使这种恶招，他怀疑是张成指使人干的。

这么想着，唐不拽像个鬼神，悄然无息地溜了进来。他怕陈保国走了，把他放在财政所的那笔钱也带走了，就假献殷勤地说，陈镇长，听说你高升了，一来表示祝贺，二来请你解决问题。陈保国正在气头上，没好气地说，啥问题？唐不拽说，在你走之前，是不是把那笔修路钱都拨了？陈保国把桌一拍，桌上的几杯酒摆晃了几下，吓得唐不拽赶紧伸于，去扶稳了，说，你就可怜可怜我吧，那钱里有我媳妇攒下的买房钱，还有我从银行贷来的钱，这不是响应政府的号召，都拿来修路了吗？可不能不修路呀！陈保国说，修呀，那望尖山也没拿铁罩子罩着，你想咋修就咋修。

唐不拽喘着粗气说，钱呢，都被你压着呢，咋修？

陈保国骂道，压你啥钱，压你妈的个胯子！

唐不拽上前揪住陈保国的衣领，要他还钱，两人扭作一团，差点儿动起了拳头。镇党委书记吼了唐不拽，又劝了陈保国，说，酒要喝，路要修，一切朝前看。唐不拽恨恨地说，这个路肯定要修，一定要修。不修就让个别人占了便宜！

## 十五

唐不拽从此和陈保国结下了怨怼，一个指挥长，一个副指挥长，两人一般不照面，迫不得已照上面，也是两眼对两眼，鼓得像两头要打架的黄牯牛。陈保国上县里赴任那天，唐不拽找女记者许龙飞反映情况，说你把那个陈保国写写，他拿那个修路钱给自己修路呀，这种人还能当镇长、当交通局长？

许龙飞说，不拽，我以后就叫你老拽吧。这么一说，许龙飞还怕他不明白，干脆解释清楚，又说，你也老大不小了，凡事都得想明白、看明白，要量力而行，给自己留条后路，咋能听别人瞎掰呢？

唐不拽从人造革皮包里掏出县委、县政府的《会议纪要》，摊在许龙飞面前，哭丧着脸说，说我瞎掰也就算瞎掰吧，咱一个农民嘛；县委、县政府的这个，不会也是瞎掰吧？搞到如今，我都没有后路了，这个人丢不起呀！

许龙飞严肃地说，龙飞村公路不是一个小事儿，单凭你个人的力量是不够的。

唐不拽指着《会议纪要》上的一段话，认真地说，县里不是说吗？“举全民之力，调动方方面面的积极性”，你就帮我在这个方面做做工作吧。许记者，我求你了。

许龙飞知道自己已经说服不了唐不拽了，这是一头犟牛，不撞南墙不回头，于是告诉了他一个电话号码，让他去碰碰运气。

那个电话的主人是台商孟先生。唐不拽抬头望见足疗城的金字招牌，心中暗

喜，人说记者见识多广，门道也广。再说，孟先生和张成有联系，张成和唐不拽也有联系，那不就是孟先生和唐不拽也有联系了吗？人家孟先生有小车有美元，给点儿赞助，那是九头牛上拔根毛，不算啥。唐不拽在心里头这么一合计，手指头掸了掸衣下摆，整个人儿也就理直气壮地朝里钻了进去。他被漂亮的迎宾小姐领着，领进了包间，又一个漂亮的小姐拎进一只小木桶，二话不说，帮他脱了鞋袜。唐不拽说，我不洗脚，我要见孟先生。小姐嫣然一笑，娇娇地说，洗了见。

洗完脚，唐不拽浑身通畅，正想着王会香那双老手和眼前这双小手没法比，小手就将他轻轻地按在了小床上，又娇娇地说，敲敲背，松松骨。唐不拽反趴一个身子，任凭一双小手在背上一阵噼里啪啦。虽说动静大了一些，可感觉比王会香的那条热毛巾还要温暖，还要温柔。敲了后背按前身，咋说呢，那小手也不老实，从头摸到脚，摸到最深处，是两个大胯的根部，让唐不拽一阵麻酥酥的，让小人儿也长了精神，像六月天刚喝过水的青苗儿，慢慢往高蹿。唐不拽心说，别丢人了，今儿个是来办大事儿的，等办完大事儿，还愁没人安慰？再不济，还有媳妇王会香呢。

唐不拽强忍着，等小姐罢手，再说，我要见孟先生。小姐从门后扯下单子，叫他付了账再去见孟先生。唐不拽立马傻眼，说，你们这是黑店吧，宰人吧？那小姐叫来了保安，这唐不拽也不怕保安，两人争吵起来。吵声引来了孟先生。孟先生说，你找我有何贵干？唐不拽一把拽住他的手说，你就是孟先生？我可找到你啦。接着说，你认识县干部张成不？认识县报记者许龙飞不？孟先生说，我还认识贵县的罗书记李县长，就是不认识你。你有什么事情就快说吧，我很忙的。唐不拽说，别急，别急。说着说着，就把人造革皮包打开了，从里掏出一摞报纸，指着报纸上的照片和新闻说，我就是这个唐不拽啊，请你支持支持我们龙飞村公路吧。孟先生用台湾方言咕哝了几句，把保安和小姐都逗笑了，那笑声暧昧得很。唐不拽不知是在骂他还是取笑他，眨眼就见孟先生走掉了。保安挥舞着手说，你今儿个不付钱，就走不出这足疗城。唐不拽也挥舞着手说，我不跟你说，跟他说。于是朝孟先生的背影高声叫骂：妈妈的，你是啥东西？捏根鸡巴充六指，还以为自己有出息！保安说，知道不？这足疗城是县里的治安重点保护单位，你再闹，就送你蹲局子去！

这次洗脚，外加敲背和松骨，总共花了唐不拽两百多块，也就是说，洗一只脚得花五十多，敲一次背和松一次骨各得五十多。唐不拽走在县城的水泥地上，只觉浑身松散、两腿打战。他打电话给许龙飞，把见孟先生的遭遇说了一遍，许龙飞边听边笑，笑过之后说，你这是偷鸡不成反蚀了一把米。唐不拽着急地问，那咋办？许龙飞说，我也不知该咋办。

几天以后，唐不拽意外地收到了一份汇款单，上面有整整五万块，落款是“一位老共产党员”。唐不拽感慨万千，心说，还是共产党好啊，党员是先锋。有了这五万块，龙飞村的那条路又有了着落。他现在不敢把钱交到镇财政所去，小心翼翼地放进人造革皮包里，它是唐不拽随身携带的一个保险柜，别人不能打开看。

唐不拽现在有了盼头，只盼张成快来镇里当镇长，有了张成，以后啥事儿都好办。于是先用这五万块钱，加上陈保国走后，镇里像挤牙膏一样退还给他的银行贷款，总算把路修了一小半，山南的路基挖开了，过涧便桥搭起来了，排水涵洞也砌成了。等张成到职后，再弄回一些钱，再干一些时日，就可以把路修到山北去，一直修到自家老屋跟前，修到那棵黄槲树底下。

龙飞村公路建设正如火如荼地进行着。不多久，唐不拽被村民推举为镇人大代表。名单报到镇里，镇人大还把唐不拽的名儿写在大红纸上，贴在镇政府大门口的玻璃窗子里，让过往人等瞧见，好一番羡慕。唐不拽心想，再努一把力，再鼓一把劲儿，一定要把这代表当到县上去。你陈保国犯了错误还能当上县干部，老子未必就不能当个县代表了？妈妈的。

## 十六

在镇人代会上，唐不拽有一种大路通天的感觉，天天和代表们讨论镇上的大事儿，其中就有修路这件大事儿。会议的最后一天，有两件事儿让唐不拽从天上掉了下来，差一点儿晕倒在人代会上。一件事儿是龙飞村的修路工程提案没被通过；二件事儿是新当选的葫芦镇镇长不是张成，而是从县里下来的另一个干部，听说是李县长的秘书。

唐不拽急急往县城赶，张成还在医院里住着，看样子，还将一直住下去。张成垂头丧气地说，你那个事儿我管不了了，你找李县长和罗书记去吧。

走进县政府的门，人家保卫很客气，知道这是葫芦顶镇的唐代表，是全县的先进模范人物。于是，打内线电话进去，让办公室来人领他去见李县长。从此后，唐不拽隔三岔五地跑来找李县长，刚开始，李县长还接见了他几次，后来就不乐意接见他了，让他直接找罗书记去。罗书记倒是十分乐意接见唐不拽，可到了后来，想接见都接见不成了，罗书记被上面“双规”了。

唐不拽吓出了一身冷汗，心说，妈妈的，恁管用的一个领导，咋说“双规”就“双规”了？在望尖山上，罗书记还恁样，看起来很正派、很廉洁的一个人，谁知道是个双料货。罗书记一“双规”，张成的腿一废，龙飞村公路就大受影响，唐不拽很失落地往回赶，和张二炮等人商量起了对策。

那张二炮心里也无底，说，这路也怕是个无底洞吧，得投多少钱才能修好呢？借了恁多钱，不说你不拽一人背不起，就是全村人也背不起呀！

唐不拽说，老村长，那你的意思是不修了？

张二炮想了想说，我看这路是不能再修了，得停。

唐不拽也想了想，重重地说，停不得，这路还得修。

唐不拽说是要继续修路，人却老往山外跑。每一次，腋夹窝里夹个人造革皮包，包不离身，生怕被人抢走了似的。这人造革皮包，也由当初的崭新变成了现在的半新不旧。

张二炮就知道他上县里跑钱去了。其实，唐不拽在县里跑不到钱了，他开始跑省里，省委、省政府、省计委、省农委、省扶贫办、省农委、省交通厅等等部门都跑到了。唐不拽随身带有"三件宝"：一本人大代表证、一份《会议纪要》、一摞新闻剪报。

唐不拽到底跑没跑回钱，跑回多少钱，除了他本人，再没有别的人知道。不过，龙飞村的那条路还在断断续续地修，只是速度放慢了许多。转眼一年多的时间过去了，那条石砬子路眼见就要铺到龙飞村了，离黄槲树还有一二百米。正在节骨眼上，发生了一件情理之中又意料之外的事儿，唐不拽成了被告！原来是银行贷款到期了。

成了被告的唐不拽就想找张成讨主意，可张成也爱理不理他，出院后，就知道埋头编简报。实在是被唐不拽逼急了，才从办公桌后面抬起头来，无可奈何地说，原以为，你个人投入一点儿，政府支持一点儿，社会赞助一点儿，这事儿就成了。谁知呢，发生变故了，我也没啥办法了。

唐不拽从那只半旧不新的人造革皮包里，掏出一份皱巴巴的文件，也就是当初在望尖山上形成的那份《会议纪要》，用一根手指头指给张成看，同时在口里说，这黑纸白字大红印章的，政府说不管就可以不管了？

张成瞅了一眼，闷声说，你拿这个顶屁用？我的那个任职文件，还不照样是白纸黑字大红印章的，还不照样是说作废就作废了！

唐不拽固执地说，你作不作废，我可管不了。反正我不能作废！我还得养老婆孩子。

张成说，你当初投了钱，那不假。后来的银行贷款，可不是我让你干的。

张成还是那个张成，办公室还是这间办公室，那天关起门来研究大事儿，他说啥"抱鸡下蛋，一蛋接一蛋"，还说"今后一切的一切，都看你的"，这话不止对唐不拽说过，还对陈保国说过吧，对王会香也说过吧。怪就怪当初没要他立个字据，真是哄死人不犯法。但唐不拽手里还是有字据的，是葫芦顶镇财政所的收款单据，他拿出来给张成看。

张成说，你找陈保国去。

唐不拽的脸涨得通红，说，别提陈保国了，早不和他来往了，我都被他害苦了。

话还没说完，他的手已从人造革皮包里掏出个计算器，要把修路钱和一屁股的债，一笔一笔地演示给张成看。

张成不耐烦地说，别按了，不就是钱吗？

说着，犹豫地拿起电话，接通了陈保国，张成说，老同学，唐不拽的事儿搞到今天，你我都有责任。我现在背气了，说啥都不起作用了，好在你还行，你能不能把他那事儿解决一下？

陈保国说，你老兄说咋解决？不好解决，那个路既没规划，又没立项，严格地说，是违法修路！我睁只眼闭只眼也就算了，要我拿钱出来，我哪有这笔钱？

张成把电话一摊，对唐不拽说，你听到了吧？

陈保国又说，你老兄在和谁说话？是唐不拽那个屌人又赖在你那儿了吧？别理他！你老兄过来喝酒，喝完酒，我带你老兄去足浴城，可他妈的解乏了。

张成下意识地看了一眼自己的腿，左腿比右腿明显短了一截，踝腕处，还打了一道小弯儿。他恶从胆边生，恨从心中来，说，不去。

放下电话，张成对唐不拽说，狗日的陈保国，我拿他真没啥办法了。你回去吧！

张成也不地道了，和陈保国做笼子，日哄唐不拽。这年头，人的变化真是大呀，唯一不变的就数张二炮，可张二炮顶个屌用？唐不拽心说，接着眼泪叭叽叭叽地落下了，然后蔫巴拉几地离开了县政府。

## 十七

开庭那天，张二炮用事实给唐不拽上了一课，证明了他那根屌不仅顶用，而且还非常顶用。头天晚上，张二炮一家一户地上门，吆喝男人明天去堵法庭，女人去围法官，谁不去谁家就掏一百块钱出来修路。第二天，法庭门口呼呼啦啦地站了两百多口，男女老幼都有，其中以张二炮的表现最为突出，他摆出一副老卵子不怕被咬出两个新疤的架势，几次率众要冲法庭。在与守门法警的推推搡搡中，张二炮一不小心，跌倒在地，又一口气没喘过来，当场就憋死在法庭的台阶上。出了人命，并不影响法庭判决，唐不拽的官司还是输了。面对白纸黑字大红印的判决书，唐不拽想赖都赖不脱，给银行写下了还款计划书，写完后，苦笑说，老村长，你是不肯给我树碑，先走了吧？那我给你树碑。

出了法庭的唐不拽，又被张二炮的儿女揪住了，说，我爹是为你死的，你也得负责吧。无奈中，唐不拽把自家的老屋贱卖了，连同法庭补偿的一千多块钱，才把张二炮安葬下地，就葬在龙飞村公路的起点处，墓前好大一个青石碑，上面刻着他的生平事迹。

葬完张二炮，唐不拽突然发起高烧，昏睡不醒。龙飞村的人说，唐不拽被老村长牵走了魂。几个老女人忙着辟邪赶鬼，把他脱得只剩一条短裤衩子，用黄桃木抽，拿黄表纸烧。唐不拽躺在黄槲树下，居然浑身僵挺挺的，任凭几个老女人折腾，嘴里还不住地胡言乱语："房子，房子。"那天，县报女记者许龙飞要做跟踪采访，正好来到龙飞村，见状吓了一跳，急忙找来几个男人将唐不拽抬出山，拦了一辆过路车，送到了镇卫生所。在卫生所，唐不拽躺了三天，醒来后的第一句话就是"我饿"。

许龙飞跑到街上买回了五个鲜肉大包子，唐不拽三口两口吃得一个不剩，吃完了还要吃。许龙飞说，老拽，病刚好，一次不要吃得太多，会噎住的。唐不拽环顾四周，问，我病了？许龙飞说，是啊，病得不轻呢，你老叫“房子，房子”。唐不拽说，咋会呢，我好好的，我得回去修路。

从卫生所出来，唐不拽像变了一个人似的，身子东倒西歪，嘴里咕咕哝哝。许龙飞抄到前面，仔细打量他，一张老脸灰着，胡子头发已经半白了。这不是那个敢想敢做、天不怕地不怕的唐不拽，倒像一个连走路都怕踩死了蚂蚁的农村老大爷。许龙飞在心里说，自己以前的那些报道过于肤浅，过于表面化，只是停留在表扬好人好事上，她现在决定要写出一个真实的唐不拽。

唐不拽嘴上说回龙飞村修路，人却往县城的方向走。许龙飞认为他真是中邪了，后来才知道，他回县城不是养病，而是要把老营盘的门市部转租出去。他要用这笔钱还债，还要留下一部分，在附近租间民房，把媳妇王会香、闺女兰花、梅花和菊花安顿下来。

许龙飞去租住地采访那天，王会香很警惕。一双贼溜溜的眼睛打望了许龙飞，又打望了唐不拽。唐不拽解释说，这是县报的许记者，来看望咱家的。王会香听说是记者，顿时泪眼涟涟，噎咽着说，他从不听我的，自己想做啥就做啥，现在可好了，倾家荡产了，这日子没法过了。

刚刚放学回家的小闺女菊花也说，自从爸爸回乡修路后，我们就没看过电视，没钱买电视，我想看动画片。

许龙飞问起另外两个闺女的情况。王会香擦了一把眼泪，说，要不是三个闺女争气，这日子真没一点儿希望了。兰花进了县一中，免了调节费，一万多块呢；梅花也升了初中，进了火箭班；菊花上了小学，期末考试拿了双百分。

许龙飞说，孩子读书是大事，可不能耽误了孩子。

王会香撩起房当中的一道拉帘，指给许龙飞看，又抹了泪说，咋能不耽误呢，连张写字的桌都没有，就里一张床、外一张床，三个孩子都趴在两张床上写字。

许龙飞转身问唐不拽，向上面反映了吗？

这话问到心坎儿上去了，弄出这般田地，唐不拽也觉得主要是反映不够，如果能反映到上面去，领导就重视，龙飞村的公路就能尽快完工，自己一家人的生活也能重新谋划，于是悲切地说，咱一个农民，能反映到哪里去，反映了又有啥用呢？

许龙飞问，后悔吗？

唐不拽说，不后悔！就快熬到头了，就欠一口气，那路就差一两百米……

就差一两百米，龙飞村的村民还是跨不出望尖山。一两百米，也是一道大坎，一条深沟啊。许龙飞记住了这话。

## 十八

县里搞“精兵简政”，取缔“文山会海”，张成编的那个《决策与参考》和《政府工作动态》要合二为一，改为《送阅件》。主任来征求张成的意见，问他还想不想编？张成反问主任，想编是个啥意思，不想编又是个啥意思？如果你们搞“机关消肿”，那就把我先消掉好了。主任很严肃地说，县里采取提前退休、脱产学习、自谋发展、置换身份等方法，对分流干部进行合理安置，并给予政策性经济补助。鉴于你的腿有毛病，你还是选择一种吧。张成想都不想，也不和吴欣商量，当场就给主任写了一份提前退休的申请书。

退休前，张成还惦记着唐不拽，觉得是自己把唐不拽拖下了水。当初为了帮陈保国拉政绩，他让唐不拽回乡修路，结果搞了一个“胡子工程”，不是还有一两百米吗，那是一道大坎、一条深沟，不铲了平了，哪怕是张成死了，想把骨灰运回龙飞村去都不成。趁退休报告还没批下来，张成在琢磨，除了自己的那笔政策性补助，再找一笔钱给唐不拽，不管他修不修路，就算帮他填点儿亏。找谁呢？这事儿只有陈保国能办到。

张成想找陈保国好好谈谈，不谈他打麻将，也不谈自己的腿，只谈唐不拽修路。去哪儿谈？这好像是个问题。去办公室不好，打眼，说话不方便；去陈保国的家最好，避人，又贴心。去也不能空手去，人家保国以前每次进县城来，还给他带一两斤茶叶，现在不兴送茶叶了，兴送金戒指。但张成烟酒不沾，每月的工资都悉数交给了老婆吴欣，找吴欣要钱买戒指肯定不行，她知道张成办了提前退休手续，为这，她还和他恶吵了一架，恶吵也挽不回局势，既然挽不回局势，那就不用给谁板上钉钉再回脚了。可那戒指又从哪儿来呢？和吴欣结婚时，张成送过一个给吴欣，她天天戴在手上，只有晚上下班回家洗手时才脱下，这是一个机会。

张成顺手从卫生间扯下一截卫生纸，把戒指包好，又去书房找了一个县政府的信封装起来，赶紧出门。到了交通局宿舍，张成都不知陈保国的家门往哪边开，问了门卫，人家告诉他灯最亮的那家就是。张成一瘸一拐，爬上三层楼，摁了门铃，出来的是陈保国的媳妇，这个媳妇也不是原来那个，原来那个离婚了，现在这个没见过张成，不让进。张成说是找保国局长的，说着就把信封递了上去。保国的媳妇接过信封，这才告诉他，陈局长不在家，在足浴城和别人谈公事。张成也不多说，又一拐一瘸地下楼，往足浴城赶。走在半道上，他想见了孟先生后如何说，他现在很害怕见到孟先生，用了人家的车，竟一直没帮上人家的忙。但这是最后一次求人，他还是硬着头皮进了足浴城。孟先生正坐在大厅，也不知道张成将要提前退休，还是那样殷勤，立马站起来，用半生不熟的普通话说，张秘书是贵人，总不肯赏脸来坐坐，今天终于来了。张成脸红发烧，但心里有事儿，也顾不了那么多，直接问，交通局的陈局长来过吗？孟先生说，来过，就在 3 包，我带你去。张成又问，和谁？孟先生说，和一个老板。

和老板能谈啥事儿？张成说，我就在大厅里等等。

一个钟点过去了，又一个钟点过去了，陈保国这才舒展地从包间里走了出来。张成发现他身后跟着的那个人，不是啥老板，而是唐不拽。张成都不好意思见陈保国了，更不好意思见唐不拽，双手抱头，把头埋在裤裆里，等两人出了足浴城，才敢站起身来。孟先生刚送完陈局长和唐老板，再踅回来和张成拉呱。

张成说，除了陈局长，你也认识那老板？

孟先生说，认识，他叫唐不拽。

张成苦笑了一下，又说，你当年奚落过他，记得不？

孟先生很惊诧，把当年的唐不拽和现在的唐不拽一回忆、一比较，觉得也没啥区别，于是自打圆场，说，来的都是客，全凭嘴一张。他说自己是老板就是老板喽。

张成若有所思，又若无其事地说，那我也来足浴一下。

洗完脚的张成，果然感觉一身轻松。用陈保国的话说，“可他妈的解乏了”。

第二天，张成提前退休的报告被批下来了，他和办公室的人一一握手告别，最后向主任汇报了自己的想法，说是要回龙飞村去住一段时间。

张成现在具备了回乡下去住的条件，儿子张恒考上了外地大学，老婆吴欣昨晚发现他偷了金戒指，吵闹了一宿，说要和他离婚。

张成回乡那天，并没有见到唐不拽。唐不拽也不知道张成回来，他腋夹窝里夹个破旧的人造革皮包，正在去北京跑钱的路上。

## 十九

转眼间，兰花都大学毕业了，梅花也参加高考，菊花升了初中。这一年，龙飞村的那条路还没修好，就差一两百米。唐不拽很焦急，能翻的门槛都翻了，能找的人都找了，现在也没啥门道了。情急之中，他想到了县报女记者许龙飞。

唐不拽用那个尾数 168 的手机约见许龙飞，许龙飞说她已不做记者好几年了，现在西藏旅游。唐不拽不无遗憾地说，你是好人，这辈子都会记住你。许龙飞哈哈大笑起来，说，老拽，我也忘不了你。还说，等我，我会回来看你的。

唐不拽期待许龙飞快点儿从西藏回来，既然不能给自己帮忙上报，那见见她的一头刺猬发、一身牛仔装也心满意足。一个月后，许龙飞真的回了，打电话问唐不拽，啥时有空，在哪儿见面？唐不拽把见面的地点安排在县工人文化宫，那里面的林荫道尽头，有家叫“一生浪漫”的酒吧。

这酒吧还是上次和老婆闺女们出来溜达时，看好了的。那时候的唐不拽觉得自己将来要是出息了，就每周末来一次。那时候的唐不拽只能心想心说，不敢让老婆王会香知道，也不敢让兰花、梅花和菊花知道。今儿个的唐不拽在出门之前，还着意把自己打扮了一番，向王会香要新衣穿，要雪花膏往脸上搽。王会香当时还挺纳闷的，问，干啥去？是相亲呢，还是偷情？唐不拽说，瞎掰个啥呢，见记者。见记者，王会香就不得说，就放唐不拽出门。

出了门，见了许龙飞，唐不拽的一双手不知是伸过去，还是缩回来，既怕没礼貌，又怕握疼了她。最后两手朝前一摊，将许龙飞引进了酒吧。坐定，唐不拽问许龙飞，你想喝点儿啥？

许龙飞说，你还是省点儿，回龙飞村修路去吧。

唐不拽不自在，半晌才说，也不靠这点儿钱。

许龙飞说，老拽，你那钱来得也不容易，还是我请你吧。

说完，她要了两杯威士忌，挺贵的，五十元一杯，和洗一只脚差不多一样的价。不像个女人，挺大方的一个假男人，唐不拽心想。直至现在，他还不知道许龙飞的底细，人家那是老革命的后代，爷爷在望尖山上打过游击，所以才给孙女儿起了“许龙飞”这个名儿。她本是省城大报的记者，因为心情不好，前几年辞了职，躲进这望尖山，一边寻找爷爷当年的足迹，一边给县报做客串。那笔五万元的捐款，正是许龙飞的爷爷看了孙女的报道后，才寄给唐不拽的。

许龙飞今晚还是一头刺猬发、一身牛仔装。唐不拽看了一眼，眼前这个像男人一样的女人，让他有了压抑感，于是紧张地问，想说些啥呢？

许龙飞说，还是说说你修的路吧。

一提起那路，唐不拽既兴奋，又无奈。他叹了一口气，说，就差一两百米，我可是不行了，又没个儿子。如果有个儿子，让他接着干。

破旧的人造革皮包就在屁股后面放着，唐不拽一摸一个准，从里掏出计算器来，摆在掌心上，开始做算术。嘴里还不停念叨，再投个十万八万的，也就差一两百米。可就是这一两百米，比生个儿子还要难。

许龙飞大笑，说，老拽，你真逗，孙子辈的事儿你也安排好了吧？你给三个闺女的嫁妆是不是县城西边的稻花苑A栋？三套？每套一百多平米？你和你媳妇在东城头，老营盘农贸市场168号，还有全部产权？你和你媳妇，啥都不愁，只管坐吃租金？

举杯的手放在嘴边上，酒杯靠在牙门上，唐不拽直打冷战，嘴里发出了一阵乒乒乓乓的声音，脸上的汗珠子也往下掉。猛一口，喝下这杯掺和了汗珠子的洋酒，唐不拽才慢慢稳下神来，心说，这老娘儿们记者真厉害，啥都查出来了，他和陈保国之间的那些烂事儿，也查出来了吧？省里破格下拨的那几笔修路钱，不给唐不拽，说带帽儿可以，但要对口入账，对口入账就是给县交通局，县交通局就是陈保国说了算。上面发了话，中间有陈保国，下面的唐不拽也能仰起脖子，接一口漏水喝。

两人不言语。最后还是许龙飞主动，付完酒钱，甩了甩刺猬头，抖了抖牛仔装，大步迈出了“一生浪漫”的门。临了，又掉头说，再见，老拽！唐不拽还愣坐那儿，忽然觉得身后有一阵风卷来，他在想，还要不要把那一两百米的坎儿或沟儿，给铲了、给填了。

一股热血直往脑门儿冲。妈妈的，这洋酒，有了后劲儿。唐不拽低下头，那血开始往低处走，接着在身体里乱窜。再窜下去，恐怕连裤裆里都有了力量，唐不拽顿时慌了神，起身就走，边走边言语，钱是个啥？钱是屌！有屌不用，那还是个爷儿们吗？

后记：最近，县里流传一则笑话。说，一老农忽然心血来潮，上山去钓鱼，结果被鱼儿拖下了水。老农怕自己被鱼儿吃了，就不停地从口袋里掏诱饵。鱼儿受到条件反射，不停地往老农的口袋里钻。等老农挣扎上来，那口袋里竟装满了鱼儿。笑话传到代理县长陈保国那里，陈县长说，无稽之谈，纯属扯淡！更有好奇好事者，追根溯源，找到唐不拽，拉住唐不拽，非要翻看他的口袋不可，结果翻出一个小型计算器。

（选自《西湖》2008 年第 1 期）

**杨中标**

1962 年出生于湖北武汉，解放军某学院政治系毕业，曾在武警任职，2002 年退役。做过新闻记者、文学编辑，现在《芳草》小说月刊供职。早年写诗，近年致力于中短篇小说创作。出版长篇小说《你竟敢如此年轻》《去天堂使坏》《青春是一条地下狗》。作品入选多种选本。

# 两棵枣树

徯 晗

大头到死前的几分钟,都不敢相信母亲真的会对自己下手。胃部的灼痛与痉挛使得他在竹椅上拧成一团,他拼命地往空中蹬着一双幼儿一般的细腿,左手死劲地抓着竹椅的靠背,右手则伸长了往空中奋力够着。此时,他特别想吃一颗枣子,那格外清甜爽脆的枣子,他这一生还真没吃过几颗。

树上的枣子已经熟了,密密麻麻地结在枝头,像往年一样散发出诱人的红光。大头透过细密的枝叶望了一会儿,终于绝望地垂下目光,落在枣树下的母亲身上。细碎的太阳花斑洒落在母亲佝偻的身子上,母亲安详地靠着树干,歪垂着头,一缕灰白的头发夺在她的脸上,迎风扬了几扬,又被嘴角淌出的一丝黑血牢牢地黏住。

母亲比他死得更快。

大头眼里挤出两滴清泪。他把头歪向椅背,一阵灼热像要把他的肠子烧烂,嘴里不禁发出了一阵嗷嗷的叫声——他知道,这正午的时刻,除了他家的两只鹅,谁也不会听到这叫声。事实上,听到了也没用,他知道母亲一定已把事情做得滴水不漏。

母亲不过从他的碗里拨去了小半碗,而他吃完了剩下的大半碗——他的体重至少要比母亲轻二十斤吧?大头知道,就是神医赶来也来不及了。一阵剧痛再次席卷而来,大头的眼前一黑,终于从竹椅上栽下,几丝暗红的血从大头嘴角涌出,最后一丝意识终于像烟气一样飘出了他那扭成一团的怪身子。

方家的两只鹅果然闻讯赶过来了,它们一左一右,伸长着一对长脖子,硬嘴壳往自己的两位主人分别探了探,又伸长脖子,冲着天空,发出几声哦哦的哀叫。这对充满了灵性的鹅,似乎已经闻到什么毒药的味道。

常春香生了三个儿子,个个都是肌萎缩。大儿子四清和二儿子春耕都没有活过三岁,只有小儿子文革活了下来。按照医生的说法,是常春香和她的丈夫方老三基因不合引起的。

肌萎缩的全称叫进行性肌肉萎缩。常春香记不得全称，只记得肌萎缩三个字。她识不了几个字，也搞不清肌萎缩是什么病，想当然地理解成了“鸡萎缩”。

像前两个儿子一样，文革三岁时，也不肯下地走路了，他总是骨折，双脚一落地就死命地号哭。半年后，两条腿就开始萎缩、变细，歪歪扭扭的，像两根变形的肉棍子。

常春香要疯了，她抱着儿子去了一趟省城。

常春香从省城回来后，全大队的人都知道大队干部方老三的儿子得了“鸡萎缩”。常春香说什么也不肯再和方老三过性生活了。她说，医生说了，我们俩的基因不合，再生还是“鸡萎缩”。

方老三说，那就不生男孩，生女孩！

常春香说，我怎么知道再怀的是男还是女？生了三个都是男的，兴许你那东西就只会撒男种。

然而，还没等常春香再怀上，方老三就死了。方老三去公社开会回来时，不小心踩到了电线——电线是架在木头杆上的，那天的风格外大，把一根电线杆凌空刮断，掉落的电线被一根断掉的树枝压住，方老三一脚踏上去，身上立即发出噼啪的声音，很快变成了一个蓝色的火球，让目击的人们看得傻了眼。

方老三当场触电而死。

方老三一死，常春香和残疾儿子文革的日子可想而知。孤儿寡母，无亲无故，加上方老三生前得罪的人不在少数，背地里便有人骂他活该。

常春香嫁到幸福村时，村里正轰轰烈烈地搞“四清”。那会儿，村不叫村，叫大队。常春香的丈夫方老三是大队干部，一只眼睛严重斜视，人称“一只扁”(音 Biang，二声，汉语拼音里没这个拼法，汉字里也没这个字，只好用“扁”字来意会)。脸上有一块当长工时留下的疤，据方老三说是被地主家的狗腿子打的。这狗腿子也不是别人，是村里的刘二根。刘二根解放前是给地主当管家的，说是方老三偷了主人家的几块洋钱，他一怒之下才拿一把铁钳打的，谁想到那铁钳上有个钩，那钩一下子钩破了方老三的脸，这才留下个瘤疤。解放后刘二根也跟方老三道过歉，请求他原谅，可方老三愣是没答应，镇反时把刘二根也一块给镇了。方老三其实也没什么文化，只读过几个月的扫盲班，参加过公社组织的青年学习班，就当上了大队干部。方老三当上大队干部的主要原因是因为他解放前的长工身份。讲实话，方老三是哪里人谁都不知道，他是刘二根的雇主从外地捡来的流浪儿，长大了就在主人家当了长工。

搞“四清”时，方老三已经是三十多岁的光棍汉了，虽然当上大队干部，但还是没娶上女人。村里人总觉得他来历不明，无亲无故，加上方老三这个人心狠，整起人来毫不手软，村里人谁都不愿意把女儿嫁给他。常春香是翻了两个山坡，过了一条河，从邻大队嫁过来的。常春香长相一般，娘家又穷，娘家人也没什么本事，能嫁个大队干部算是高攀了。

常春香做梦也想不到，她嫁的竟是一个基因不合的男人。男人死了，她最终只落得两间土屋，一个带院墙的破院子，和一个瘫在竹椅上的软宝儿子。

文革就是大头。在大头有限的几十年人生中，除了常春香，没有人记得他的名字。大头的腿三岁时发病，四岁萎缩，五岁完全停止生长。没有停止生长的是他的头。他的头与他的年龄同步生长，与他的年龄同步长大的还有他的上半身，准确地说，是腰椎以上。由于大头的下半身状如幼童，因而衬出其头部格外硕大，加上常春香总是把他放在一把竹制的圈椅里，人们见到他时，就只看得见他那突出的头部。于是，人们对那盘在竹圈椅里的畸形孩子，就有一个形象的简称：大头。

伴着大头成长的，还有方家的两棵枣树。谁也不记得，方老三家是什么时候种了两棵枣树的，也许在大头还是个婴儿时，也许在常春香的第一个孩子开始患病时，那两棵枣树，就长在了方家的院子里。没有人知道，它们是否寄托了常春香早生贵子的愿望，甚至，没有人知道，它们到底是不是出自常春香的亲手栽培。总之，人们开始注意院子里的枣树，是其中一棵树挂满密密的果子时。那果子密实得让人眼晕，颗颗饱满圆润，在细小的叶片间泛着柔和可爱的绿光。阳光照在枣树的枝杈上，透过密密的小圆叶片，在方家的院子里洒下数不清的金色小圆点，仿佛一地的金币。夏秋的清风从乡野里吹拂过来，在枣树的枝叶间歌唱。

最先注意到树上结枣子的，自然是队里的一群小孩子，他们隔着方家的院墙，指着树上的枣子喊：枣子！枣子！看，那树上有好多枣子！孩子们仰着头，指着方家的院子。惊叹的声音立即吸引了大人们的注意，果然，人们看到了一大一小两棵枣树，大的一棵，挂满了数不清的青绿果实，小的那棵，虽是翠色一片，并无半粒枣子。有人奇怪道，咦，那棵怎么不结果？

是公的吧？

只听说银杏树有公母，这枣树也有公母？

怎么没有？这叫夫妻树。有人乐了。

这一大一小，应该叫母子树。有人一语双关道。

大头坐在自家的枣树下，听着乡人们的议论，内心便有些复杂。他们终于注意到他家的枣树了。那些果子，准确地说，那些枣子，是在他一天天的凝视中长出来的，从树上的枣花开始飘香，大头就对着那枣树凝望。他从竹圈椅下摸出一个竹筒子，掏出自己的鸡鸡，对准竹筒，闭上眼，痛快地尿了泡尿。这竹筒是母亲常春香亲手做的，他已经不记得自己用了多少年。每天，常春香下田之前，第一个动作就是把他抱到这张竹制的圈椅上，然后把这个竹筒挂在他的椅子下面。常春香一边把竹筒往里挂，一边说，大头，你屙在里面，等我回来倒，实在装不下，你就倒在枣树下面。

大头说，晓得了。

常春香摸摸儿子的头，笑笑，说，大头，壶里有水，你渴了就喝。说完把一个脱了漆皮的草绿色军用水壶挂在竹椅的背后，大头只要伸过手，就能顺利拿到水壶。

大头偏过头，避开母亲的手，说，妈，你去出工吧！

常春香把一顶发黑的草帽戴在头上，临出门，又回头招呼一声，大头，别忘了赶院子里的麻雀！

大头说，晓得了。

这样的对话，几乎每天都会重复一遍。竹椅放在枣树下，椅子下放着一把油布伞，遇上下雨，大头就把伞撑开。有时，他要这样坐上一整天，农忙时，常春香会把饭也一起放在椅子下。更多的时候，常春香会在中午赶回家，给儿子做一餐热饭，然后母子俩边吃边说一会儿话。竹筒里的尿满了，常春香就会拿着竹筒去粪坑里倒掉，再舀一瓢水，把竹筒洗一洗，重新放回大头的座椅下。

起先，枣树也不高，慢慢就长大了，两棵树渐渐拉开了差距，离大头竹椅近的那一棵，渐渐超出了它的同伴。高的枣树，因为占据了阳光的优势，越长越快。而矮的那棵，则越长越慢，大头猜除了阳光的因素外，应该还与他的尿水有关。有时，他喝多了水，竹筒里的尿装不下了，他又开始尿急时，就会把竹筒里的尿倒一些在离他近的那棵枣树下。

他并不是经常往枣树下倒尿，尿水浓度高，尤其是热尿，浇上去会把树烧死，他知道这个理。所以，他倒尿的时候，总是很小心。果然，那枣树懂得了他的心思，欢欣鼓舞地成长起来，终于开出了黄色的枣花，结出密密麻麻的枣子来。

常春香也发现了这棵枣树的秘密，她欣喜地望着树上那些绿绿的比苦楝大不了几多的小果子，说，大头，你今年有枣子吃了。想了想，又改口道，大头，我们今年有枣子卖了！卖了钱给你治病。

大头坐在圈椅里望着母亲的背影，无声地笑着。没有谁比他更懂得这两棵枣树，一年中它们什么时候转绿，什么时候变黄，什么时候长新叶，什么时候落叶，他一清二楚。它们的一颦一笑，一举一动，生长的快慢都在他的掌握中。枣树上结出了枣子，他能不知道？

柔软的枝条被沉重的果子压得伸不起腰来。树上的枣子渐渐由绿转黄，又由黄变红了。常春香家安静了多少年的院子突然不再寂静了。村里的孩子们开始围着方家的院子说话，准确地说，他们是在谈论方家的枣树。他们每天一放学，就一拨一拨，成群结队地往方家的院墙边拥。他们对着树上的枣子指指点点，大声争吵。争吵的内容往往与枣树的种类有关，有的说这是大枣，有的说是小枣，有的说是金丝枣，还有的说是蜜枣。总之，谁也没有尝过，树上的枣子究竟是甜是酸，是脆是软，谁也没有发言权。孩子们为此吵够了，又会为枣树的来历再起争端。有的说，这两棵枣树是野生的，有的说是死去的方老三种下的，还有的说是常春香亲手种的，甚至有的孩子说是大头种的。立即有一个孩子出来反驳，说你放屁，大头是瘫子，他怎么种枣树？对方说，你忘了，他小时候不是瘫子，他以前是会走路的！

对呀，大头以前会走路。他得了“鸡萎缩”后，才不会走的。

什么是“鸡萎缩”？

嘿，“鸡萎缩”都不晓得！“鸡萎缩”就是鸡鸡变小了，小得没有了，大头的腿就不长了。

我爹说他们家的男的都有“鸡萎缩”，只有方老三没有“鸡萎缩”，可惜他被电打死了……

大头听着这些议论，能准确地判断出他们是谁家的孩子。有和他一个生产队的，也有其他生产队的。他想，他们还记得他会走路，他以为他们都忘记了呢。四岁以前，他也是和他们在一起玩耍，在村子里跑来跑去的。现在，他们每天早晚都从他家的院墙底下经过，追来赶去地去上学，他却只能日复一日地坐在这圈椅上，每天唯一盼望的就是母亲的归来。从会想事起，他就知道，不能让母亲嫌弃他——他不是没听说过，有的父母把他们生下的残疾孩子扔掉。从五岁开始，每天只要常春香一回家，他就会亲热地叫她妈妈，给她唱他从高音喇叭里学来的歌。他的嗓音又甜又糯，常常唱得常春香开心地抱住他，亲了又亲。

常春香说，儿子，你唱得真好听！

大头说，我跟喇叭里学来的。

常春香说，你真聪明！常春香看着儿子细小的腿，心痛的眼神里燃着小小的希望。

大队的高音喇叭架设在村口一棵老树的枝丫上，每天早中晚都会对全大队广播。每次广播完时事要闻和各生产队的劳动生产情况后，高音喇叭里都会再播几首动听的歌。《大海航行靠舵手》、《我是公社的小社员》、《红星照我去战斗》、《太阳最红毛主席最亲》、《无产阶级文化大革命就是好》、《红太阳照边疆》、《解放区的天》、《十送红军》、《洪湖水，浪打浪》……他会唱二十多首歌。除了会唱歌，他还跟着广播学会了许多领袖语录。尽管他一个字都不认识，但他咬字和吐词都非常清晰，声音又清脆又响亮，模仿惟妙惟肖。

这样的时候是温暖的。大头心里温暖，常春香心里也温暖。最令常春香动情的是晚上，母子俩吃完晚饭，点上油灯，她坐在油灯下纳鞋底，大头就坐在她身边给她唱歌。大头一边唱歌，一边给她梳头和捶背——大头的手是巧的，他会给妈妈编辫子。他编的辫子又光滑又紧密，常春香睡一晚上也不会乱。第二天早上下田之前，常春香根本就不用再梳头。她每天都是晚上梳头，儿子大头给她梳头。

常春香想给儿子治病，她跑了很多地方，熬了很多药，大头还是老样子，头长身子不长，胳膊长腿不长。好在大头不像头两个儿子那样经不住，他很少生病，除了不怎么长个儿，他每天都是好好地瘫坐在椅子上。那张竹圈椅，被他坐得又滑又亮，泛着老竹的红光。

枣子长出来后，每天常春香出门时对他说的第一句话不再是“大头，记得赶麻雀”，而是“大头，看好树上的枣子”。

大头知道常春香的担心。枣粒眼看就大了，红了，能吃了，队里的孩子们馋着。谁家园子里的一条黄瓜一个番茄长出来，都会让孩子们眼馋，何况是树上的枣子。全大队没有一棵枣树，“四清”以后，队里就没有谁家有一棵果树了。死去的方老三家却种了两棵枣树，而且还挂满了密密麻麻的枣子，怎么会不引来孩子们的目光？

枣子是要卖钱的。这钱用处大着呢，可以给他治腿，给母亲扯几尺花布，逢年过节买一两斤猪肉，对了，不买猪肉买猪肝。母亲喜欢喝猪肝汤，自打爹死后，她还没喝过猪肝汤呢！

大头每天望着树上的枣子，心里盘算着，盼望着。

树上的枣子越来越红。胆大的孩子经不住诱惑，开始往树上扔石子。几颗枣子从树上跌落下来，大头发出了撕心裂肺的呼喊：

偷枣子啊——妈！他们偷枣子！

突然发出的惊叫令孩子们魂飞魄散，撒开腿狂跑起来。等他们反应过来时，才突然意识到叫喊的是大头。他们这才知道，大头不仅头大，声音也奇大！那声音简直抵得上几声狮子的吼叫。

一个胆大的孩子终于反应过来，说，怕什么，大头他不过是个瘫子，能把我们怎么样？走，我们回去！

对！只要常春香不在家，我们爬到他家树上去摘，大头也拿我们没办法！

好啊！干脆我们现在就去翻大头家的院墙！

几个孩子响应着，一片叫好。一群小人便雄赳赳地往回走，重新回到方家的院墙外。很快，一个用手撑着墙，另一个踩上对方的肩膀，他们很快就搭起了一副人梯，上了方家的院墙。看到他们，大头再次嘶喊起来：

偷枣子啊——

有三个孩子已经爬上了墙头。他们看见了树下的大头，大头正紧盯着他们，他们与大头的目光对视着。这一次，他们不再像前一次那么惊慌，他们坐在墙头上，警惕地往大头家的后门里张望，常春香没有出来。

常春香不在家！

你喊吧，大头，你就是把嗓子喊破，也是白搭！一个孩子突然笑道。

大头说，你们要是敢偷我家的枣子，我就告诉我妈！

告诉你妈有个屁用！常春香只是一个臭寡妇，她能把我们怎么样？

大头说，你们敢！大头突然举起了一根细竹竿。竹竿是他赶麻雀的工具，平常，常春香喜欢在院子里晒一些谷物一类的粮食。有麻雀飞来时，大头就会挥着竹竿吆喝着把它们吓走。

孩子们愣了愣，一个孩子突然跳下墙，迎着竹竿向大头冲过去，竹竿挥舞了一下，落在那孩子的头上，但很快就被那孩子一把拽了过去，远远地扔到前方。另外两个孩子也从墙头迅速滑下，只一会儿，他们就已经坐在枣树上了。

天哪，这枣子真甜啊！

就是，甜死了，简直就是他妈的蜜枣！

大头感觉舌根那里泛起了一阵津液。这枣子，他还真没吃过！有一天，常春香要用竹竿打几个给他尝尝，他不肯，他总说，再等等，等红一些再尝！

两个孩子把上衣扎进裤带里，摘了枣子从领口往下丢。一会儿，他们的上衣就鼓了起来，在腰部上方形成一个圆箍。更多的孩子还在墙头上跃跃欲试。

大头的心快痛裂了，他疯狂地叫骂起来，大头把想得出来的恶毒语言，像机关枪一样全都从嘴里扫射出来。

孩子们只管摘枣子，根本顾不上大头的诅咒。枝条上的对刺扎破了手，他们也顾不得了。两个孩子腰里的圆箍鼓得更大了。大头疯了，他声嘶力竭地叫着他们母亲的名字，轮番进行恶咒。大头一边骂他们的母亲，一边用手指自己的裤裆——这在当地是最具侮辱性的谩骂。一个孩子终于忍不住从树上跳下来，对准大头就是两耳光，说，大头，你还骂不骂？

大头继续骂。

那孩子又抽。

大头还骂。

墙头上的一群孩子开始起哄，他们一起喊：他骂人，抽他，往死里抽，抽死个大头瘫子！

大头终于绝望地闭上了眼睛。心里说，你们等着吧，偷我的枣子，你们会遭报应的！

很快这群小贼就得到了外面的接应。一个孩子不知从哪里弄来一个箩筐，从院墙外扔进来。他们迅速摘了一箩筐，在大头眼皮底下堂而皇之地抬出了方家的院子。

常春香就是因院子里的枣树和全村结下仇怨的。

孩子们偷枣的当晚，常春香就提着一把刀、一块砧板出门了。她根据大头提供的名单，坐在队屋前的禾场上，把那些孩子的祖宗十八代轮流“操”了个遍。不只是偷过枣子的孩子，只要是吃过她家枣子的人，以及所有这些人的祖宗十八代都被她“操”了一遍。她一边剁，一边骂，一边哭，一边“操”。

她说，老子操你们全家！欺负孤儿寡母，你们不得好死，吃了我家枣子的，都要得烂肠瘟死！屙血屙脓死……

她这天的打击面非常大。因为这天几乎全队的人都吃了常春香家的枣子，那一箩筐枣子被一群孩子前呼后拥地抬到路口去分时，正好赶上大人们收工，几乎经过的每个人都吃了一颗，有的甚至两颗。每个吃过的人都说，这枣子怎么这么甜？

吃得最多的是队长，他一连吃了五颗。他一边吃，一边说，老子这辈子还从没吃过这么甜这么脆的枣子！

上树偷摘枣子的两个孩子中有一个就是队长的儿子。他一边得意地往他爹手里送枣子，一边说，我摘的，大头还打了我一竹竿！

队长说，操，他一个瘫子，一竹竿能把你打疼？以后不准你们欺负大头！

常春香这天的叫骂，全队没有一个人回应。每个吃过枣子的大人都在心里后悔，早知道会挨这张烂嘴骂，真不如不吃了！

常春香骂累了，提着刀和砧板回家了。她到底是有些失落和难过，她并非心痛那些枣子，她是恨他们对儿子的欺负！想起儿子对她的描述，那不就是抢吗？公开地抢！虽说只是几个孩子，可明明就是欺负她的大头是个瘫子！她也知道自己今天这骂，其实是冲着大人们去的。她只有往狠里骂，骂痛了大人，孩子们才会收敛，往后才不会像今天这样公开欺负她的大头。

常春香的这一场骂，让村里的孩子们老实了几天。可孩子毕竟只是孩子，他们抵御不了那鲜甜枣子的诱惑。枣子们在树上兀自红着，无情地勾起孩子们肚里的馋虫。

他们想尽各种办法，企图从大头的眼皮下将树上的枣子偷走，但是没有一种办法能奏效。因为大头的眼睛看得见，耳朵听得见，嘴巴会喊，还会找常春香告状。只要常春香知道是谁干的，就一定会提着刀和砧板上门去骂。打上次常春香骂过后，他们的爹妈就警告过了：再偷吃常春香家的枣子，就揭他们的皮。孩子们知道，皮是不会揭的，但肯定会挨一顿狠揍，这顿揍不会比揭皮轻松。

一到下课，孩子们就聚在操场上商量。他们计划来计划去，最终都没能想出更好的主意。还是队长儿子的胆量大，他说，我们把大头的眼睛蒙上，他就看不见是谁偷枣子了。

可是谁上去蒙呢？

是呀！不管谁上去蒙，大头都会先看见，那等于告诉他是谁带的头。

那就拿弹弓先将他的眼打瞎！

不行，打瞎眼睛要坐牢的。一个大一点儿的孩子说。

那就拿石灰撒他的眼睛！

也不行，石灰也会把眼睛烧瞎的，只要是故意把人的眼睛弄瞎就要坐牢。

那就往他眼里撒沙子！撒沙子只是当时看不见，过后就看得见了！

这样太危险，再说，谁去撒呢？这和把他的眼睛蒙上没有区别，总得有一个人上去，上去就会被大头看见呀。

议来议去，孩子们还是没有办法。

队长的儿子又说，我们几个从前门进去，假装和大头玩，引开他的注意力。你们从后院进，上树去摘枣子，这样不是更好？

一个孩子立即笑了，他说，你以为常春香那么傻吗？自从她家有了枣子，她就开始锁前门了，除了翻院墙，我们根本就进不去！

对呀，只要我们翻院墙，大头就会喊，这该死的瘫子，他怎么不是哑巴？

他要是瞎子才好，常春香不在家，他喊也白喊！

该死的大头！该死的瘫子！该死的常寡妇！

他们朝着方家的方向齐声诅咒着，再不下手就晚了，枣子一熟透，常春香就会把它们全打下来，晒成干枣拿到镇上去卖，这样，他们就只能等到明年了。明年，那得等多少天啊！明年又是什么样子，他们根本就不知道。

孩子们急得像热锅上的蚂蚁，他们被大头家的枣树折磨得死去活来，根本无心向学。他们心事重重的样子引起了班主任的注意。他们的班主任是个右派，快四十岁了，还是条光棍。右派是个性格开朗而风趣的人，喜欢和孩子们打成一片。

右派说，不就是几颗枣子吗？我去常春香家帮你们讨几颗来。

队长的儿子说，不可能，常春香说了，谁也别想白吃她家的枣子！

右派说，那我用钱去买。我去她家买几斤来总可以吧？

孩子们说，花钱买不好吧？

右派说，我花钱，你们吃，有什么不好？

孩子们只好跟在右派后面去常春香家买枣子。常春香见右派带着一群孩子来她家，先是眼睛一亮，随后就拉下了脸，说，你们来我家干什么，我家大头又不上学！

右派看一眼坐在竹圈椅里的大头，对常春香说，我们来买枣子。你家的枣子卖不卖？

不卖！大头在圈椅里突然发出一声尖叫。

常春香愣了愣，反应过来。她怒气冲冲地说，死右派！你以为我常春香贪钱，是不是？我家的枣子就是烂掉，也不卖给你！她望望右派身后的一群孩子，目光狠狠地盯住队长的儿子，说，哼，欺负我孤儿寡母，我要馋死你们这些小毛贼！

右派无奈地摇摇头，带着一群孩子走了。

右派说，可怜之人，必有可恨之处。常春香母子可怜，但也可恨。

一个孩子说，常春香这个恶寡妇有什么可怜的？我爹说了，都是方老三做事太绝，他生的儿子才会得“鸡萎缩”。

另一个孩子说，大头一点儿也不可怜，他蛮讨厌！

右派只是笑笑，没说什么。他记得方老三，“四清”那一会儿，他没少挨方老三的整。方老三整起人来，的确让人感到胆寒。至今想起来，他仍心有余悸。

这一年冬天，孩子们发现常春香家忽然多了两只鹅。这两只鹅一身白毛，长脖子一抻一抻的，见人就伸长脖子“哦哦哦”地叫，一副要咬人的样子，十分凶悍。孩子们每次上学经过常春香家门口，那两只鹅都会伸长脖子撵着追，吓得孩子们魂飞魄散，逗得坐在竹圈椅里的大头咯咯咯地笑得直打战。

大头一边笑，一边大声说，你们小心我家的鹅！被鹅咬了，它是不会松口的，就像团鱼（鳖）咬了一样，除非打雷！

孩子们的脸吓得刷白。从此，他们上学和放学都绕开大头家门口。他们边走边议论，说，常春香弄两只鹅来干什么？

肯定是怕我们偷她家的枣子，弄鹅来看家的！

常春香这个臭寡妇，弄鹅不弄狗，真是毒绝了！

想弄两只鹅来吓我们，这个大头瘫子，我迟早要把他的眼睛弄瞎！

孩子们一边愤愤地骂着常春香母子，一边仰望着方家院子里的两棵枣树。两棵枣树一高一低，一肥一瘦，已经落尽了叶子，光秃秃地往外伸着枝条，依稀可见枝条上的细小芒刺。它们在北风中哆嗦，与路边任何普通的落叶乔木无异。如果没有对几个月前那副雄姿英发、硕果累累的盛景的记忆，他们完全会忽略它们的存在。现在，他们不会忽略了，他们盼望枣树快点返青，开花，结出一颗颗翠绿诱人的枣子。

常春香母子更不会忽略它们的存在。冬天一到，天就冷了，常春香不再把大头的圈椅放在后院的枣树下。她把他搁在堂屋的火盆边，竹椅底下照样放着大头盛尿的竹筒。农闲了，常春香坐在火盆前纳鞋底，一种特殊的软鞋底，里面铺着厚厚的棉花——大头是不用穿硬底鞋的。他的腿细、短，脚也小，比五岁的孩子大不了多少，却生着粗大的骨节，形状也奇怪，大的脚趾，小的脚掌。常春香就是根据这双脚的形状，纳着手里的鞋样。

大头说，妈，你说那棵小的明年会不会结果？

常春香一时没有反应过来，说，什么？哦，你是说那两棵枣树啊？会的，今年不结，明年肯定结。等它长大了，就会结果了。

大头说，明年开春了，你把我的椅子放到那棵小枣树下。

常春香说，为什么？小树底下哪有大树底下阴凉。

大头说，你把我搬到小枣树下，它明年就会结果了。

常春香说，那棵树离后门远，我要搬着你多走十几步。大头呀，你是想害死妈吗！

大头说，我又不重。

常春香看一眼儿子，叹了口气。是不重，不到四十斤。按年龄，大头该有这两倍的重量了吧？大头几岁了？她在心里问起自己。满十二，吃十三的饭了。真快，方老三都死了快十年了。这十年，她一个人带着大头，为他浆衣洗裳，给他把屎端尿，大头除了腿脚不长，竟也顺顺利利活到了今天。她想，这个儿子虽然得了“鸡萎缩”，可生命力还是很强的，这十年中，竟连烧都没发过一次呢！有时候，她一个人在田里出工，天上突然下起雨，她还担心大头坐在院子里，淋了雨会着凉，可也真奇怪，他愣是没病过。后来，常春香专门去买了一把黄色的油布伞，每天出门前放在儿子的圈椅下。在常春香看来，大头也不完全是个废人。他不仅能帮她看护晒在院子里的谷物，赶赶麻雀，还能帮她择择菜，编个篮子织个席子什么的。她现在剪了短发，大头不用帮她编辫子了，后来大头学会了织毛衣。他用家里省下的旧线，硬是给她织了件漂亮的毛衣。有了这件毛衣，她的冬天暖多了——守寡的日子多么清冷啊，尤其是那漫漫的冬夜。这样一想，常春香心里就多了些安慰。她想，这个儿子要是腿不残疾该多好！她守着他，也是守着一份希望啊！

春天转眼就来了，院子里的枣树开始返青，生出椭圆形的嫩叶，方家的院子里又多了些生机。大头坐在那棵矮枣树下，仰望着那棵高的枣树。枣树积蓄了一个冬天的力量，又往上蹿高了不少，与他面前这棵矮的枣树又拉开了更多的距离。他有些心痛和着急地抚摸着这棵矮枣树，心里盼望它能在今年长大长高，像那棵高的枣树一样结出枣子来。矮枣树上也长出了漂亮的新叶，除了生得矮小一些，同样焕发着勃勃的生机。大头偶尔把竹筒里的尿小心地倒一点儿在树下，并细心地观察着树上的叶子和枝干的颜色。夏天，高的枣树又开出了一束束的黄色小花，一把把小伞一样，躲在浓密的叶片间。而矮的那一棵，依然是一身青翠，大头精心浇灌的尿液只是使它的叶片更青翠更茂密些，并没有为他带来愿望中的花朵。大头扬着头，在它的叶片间徒劳地搜寻着，终于失望地垂下头。看来，这棵矮枣树今年又不会结果了。

到了秋天，高的那棵枣树上，挂满了比去年更多的枣子。孩子们的目光，又开始在大头家的院子上方游移了。每天放学后，他们又开始试图靠近那两棵枣树。现在，他们的障碍不仅有大头，还有常春香院子里的两只鹅。鹅伸着长脖子，整天在院子里哦哦地叫着，令孩子们的越墙行为出现了暂时的犹豫。

枣子已经长成了卵形，一颗颗散在枝叶间，在树上兀自绿着，散放出诱人的柔和光润。孩子们按捺不住了，有孩子爬上墙，开始往院子里侦察。果然，大头坐在枣树下，望着墙头上的孩子冷笑。还有一对虎视眈眈的鹅，伸长脖子冲着他叫唤。那孩子呻吟一声，从墙头上滑落下来。随后，墙脚下的孩子们都听到了大头的声音，怎么样？不敢了吧？

大头的声音既是尖利的，又是嘶哑的，与他们那正在变声的公鸭嗓子无异，只是更高亢一些，更张狂一些。这个该死的大头，仗着两只鹅，就敢这么放肆地对他们喊叫！孩子们气得真想撕了大头和那两只鹅。

气归气，有一天他们终于想出了办法。他们都是五六年级的孩子了，还对付不了一个瘫子和两只蠢鹅?一个大孩子,拿来了一根长竹竿,竹竿的顶部绑了一个小铁钩,铁钩下面再绑上一个圆口的布袋子,袋口用竹篾绷着,张着贪婪的大嘴,伸向了枣树的枝杈间。枣树的枝条抖动着,扑通,枣子落进了布袋。

果然,大头扯着嗓子喊起来,那惊天动地的叫喊,令院墙下的孩子们乐不可支。他们捂着嘴,无声地笑着,手舞足蹈,浑身打战。

大头仍在撕心裂肺地嚎叫:偷枣啊——

但是,枣子却依然扑通扑通地往布袋里落着。很快,布袋移出了枣树的枝丫间,孩子们心满意足地跑了。土路上腾起了兴奋的烟尘,空中只徒留下一阵阵绝望的嘶喊。

这一天傍晚,常春香又提着刀和砧板出门了。然而,这次她喊破了嗓子,也不知道自己骂的人是谁。大头只看见枣树上的布袋,却没有看见竹竿下的人。常春香边剁边骂,一边日着别人的祖宗,一边又为自己的命运感到悲哀,为她的瘫子儿子感到悲哀——就是一个三岁的孩子,只要他会走,叫得出别人的名字,她今天这场骂,也不会是空对空啊!

常春香骂完后就哭,哭完了又骂,无厘头地骂,骂得无厘头。

那些被骂的孩子们的家长,则躲在自家的门里冷笑,说,你就骂吧,常春香,几颗破枣子,你就要把人家的祖宗十八代日个遍,你有这个本事吗?又说,你除了会生瘫子儿子,还有什么本事?我倒要看你怎么日的?

一群人幸灾乐祸地向常春香走来,围着她,假模假样地劝慰。队长听不过去了,队长也站在人群中。

队长说,常春香,究竟是谁偷了你家的枣子,你应该指名道姓地骂,在这里放空炮有个屁用!

常春香说,我日他的娘!我要是知道谁偷的,我就不坐在这里骂了,我要日到他祖坟上去!

旁边有人接腔,说,常春香,不是我说你,你一个女人家,拿什么日人家的娘?

常春香愣了愣,也笑了,说,找他爹借!

又有人接腔,说,常春香,你找人家爹借,不如人家爹自己日,还要你日?

于是大家哄堂大笑,常春香提着刀和砧板走了。右派就住在队长家,此刻也在人群中。见常春香走远了,就说,这可怜之人,必有可恨之处!队长的婆娘和他开玩笑,说,于右派,你光棍一条,常春香寡妇一个,你干脆娶了她,她有人日了,就不会到处日别人了。右派便笑,说,你们这些粗俗之人啊!叫我说什么好呢?可怜之人,必有可恨之处!可怜,可恨。

就这样,常春香骂过后,又迎来了下一场骂。半个秋天,从树上的枣子由绿变黄,由黄转红,常春香隔几天就要骂上一次。无疑,每一次骂,常春香都找不到主,每一次骂都是空对空。每一次,树上的枣子都是以同一种方式消失的。孩子们已经找到了对付常春香母子的办法，他们往往是一群人候着，只要常春香一出门，他们就行动。

年年秋天，这一幕都会在幸福大队重复上演。常春香母子与他们那些隐蔽的敌人战斗着，根本就不是孩子们的对手。孩子们一拨一拨地长大，大的走了，小的又来了。孩子们该偷照偷，大人们也懒得管，谁也没把常春香的骂当回事。直到有一天，一个孩子悄悄地爬上她家的墙头，亲眼目睹了大头对着竹筒尿尿的一幕。

简单地说，是这个孩子看到了大头的鸡。孩子看到后，就对全村的人发布了一个新闻：大头没有得“鸡萎缩”！

这个孩子说，大头的鸡又大又黑，周围还长了毛：“真的，比我爹的还要大！”

大人们一听就笑了，说，你小鸡娃子懂什么？

孩子觉得屈，说，不信，你们自己去看！

这一年，常春香的心里有了焦虑，这焦虑让她吃不香，睡不着。正如那孩子看到的，大头的下体发育一切正常。从大头五岁下肢萎缩那年起，常春香都是自己亲手给大头把屎——大头没法蹲。她必须托着大头的身子，把他像婴孩一样托在手里，对着茅缸拉屎，完毕后，再亲手给他擦净，就像对两岁以下的婴孩所做的。

讲实话，现在她每天最重的活不是田里的，而是在家里，那就是给大头把屎。大头每天要拉一次屎，就算不是每天，这样的活儿也是家常活儿。十多年了，她都是这么托着大头的身体把过来的。现在的大头可不比过去了，体重少说也有六十多斤，她托习惯了，并不觉得多重，麻烦的是给儿子擦屁股。有时，她帮儿子擦着擦着，儿子的下面就有了反应，兀自胀了起来。儿子觉得难堪，想不让她擦，可她用手托着，儿子试了几次，比她帮他擦还累，终于放弃。她倒也不觉得难堪，每天给儿子洗澡、穿衣、把屎，儿子的性器她见过无数次。她只是觉得难过。儿子的鸡一点儿也不比别人的小，至少不比方老三的小，外形、大小、颜色都正常。她搞不明白那医生所言的“鸡萎缩”从何说起。

儿子的鸡，明明是正常的，怎么说萎缩呢？有时，她从外面回来，见到儿子坐在圈椅里抚弄，儿子闭着眼睛，一脸沉醉的样子，她只好悄悄地躲起来，要等儿子忙活完了，她才会装着没事地出现，大声地和儿子说话。

每当这种时候，大头总是显得心事重重，对她的问话心不在焉。显然，儿子是开始想女人了。可就他这样子，哪有女人肯多看他一眼呢？

常春香抬起头，望着暮色里的两棵枣树。也怪了，那棵小的枣树，年年长叶，年年落叶，可就是不结果。难道那棵树真是公的？她只听说过银杏有公母，难道这枣树也有公母？

这两棵枣树是方老三死后，她从娘家挖来种的。那时她的娘还在，娘说，你出嫁时，我忘了往你的被子里缝几颗枣子。你带两棵枣树回去，种在院子里，图个好意愿。枣子枣子，早生贵子，娘盼你能再招一房女婿，生几个健康的孩子。

常春香流着眼泪答应了，她想，和方老三的基因不合，和别人的总合吧？

她把枣树种在自家的院子里，它们终于长大，其中的一棵，年年开花结果，她却依然独自守着她的大头儿子没有嫁人。想当初她种下枣树不就是盼着自己还能再生个儿子吗？她摸摸自己的脸，脸上松松的，早就生了折子，都四十多了，真快啊！方老三死了多少年了？十八年了！连学校里的那个光棍右派都早已落实政策回城去了，听说人家还娶了个年轻漂亮的姑娘，又生了个如花似玉的女儿，她还能不老？

十八年了，大队已不是大队，改村了。队里的田地也早已包产到户，她还守在方家的院子里，守着方老三留给她的大头儿子。她居然就没再嫁个男人，怎么就守过来了？想想也是，那时期有多乱！她做过方老三的女人，又拖着个残疾的儿子，有哪个男人愿意娶？她为了两棵枣树，几乎跟全村的人都结了暗仇，可说是臭名远扬，谁还会娶她？

常春香苦笑着，自己这一生也就罢了，可她还有个儿子呢。虽然是个瘫子，可那里是健全的，只要能娶上女人，她就不会绝户了——这些年，她听了多少这样剜心的辱骂啊！

常春香开始有意无意地向人透露她儿子大头的信息。她说，当初那个医生是瞎说的，大头得的不是“鸡萎缩”，他那里好着呢。

人们便笑。有人刻薄道，怎么个好法？

常春香也顾不上脸面了，她说，反正大小是正常的，比他爹方老三的还大。

大有个屁用！他要能站起来走路还差不多，屙个屎还要你把，生活都不能自理，又怎么做得了那事？

常春香的脸就灰了下去。她悻悻地说，我只是说大头那里是正常的，又没有说他能做那事！

做不了那事还说什么？你说来说去，不就是为了给你儿子找媳妇？

常春香伤心地走了。她愤愤地想，我是想给我儿子找媳妇，他明明是正常的，你们怎么就认为他做不了那事？

常春香是突然在傻姑娘叶子身上看到希望的。叶子是邻二村的，有一天，不知怎么走到了他们村，迷路了。常春香当时正在责任田里劳动，叶子口角淌着涎水，直愣愣地向她走来，说，饿！

饿？你是哪家的姑娘？常春香好奇地问。

回家，饿！叶子冲她摇头。显然，这是个傻姑娘。常春香眼睛一亮，就认真打量起叶子来。叶子长相有些呆板，可模样还算周正，只是后脑勺那里有些扁，身子发育得也好，两个鼓豆包一样的奶子，皮肤也生得白。常春香喜出望外，说，你饿，姨带你回家吃饭！说完就牵起叶子的手往家走。走到家门口，常春香摸出自己的手巾，为叶子擦去口角的涎水，又帮她理了理头发，才把她带进家中。

叶子的到来,显然令大头大喜过望。他坐在圈椅里,双手奋力地撑起身子,似乎是打算下地行走。这些常春香都看在眼里,她说,大头,不知是谁家的姑娘,走丢了,我把她带回来了。

走丢了?她是个傻子?大头怔道,身子重又落回圈椅里。

常春香说,傻子怕什么?她好歹是个姑娘。心想,就不知是谁家的,哪个村的?如果大头喜欢,我就托人去她家里提亲。

常春香抬头望望院子里的枣树,飞快地奔出去,拿来一根竹竿。她从枣树上打下一把枣子,递到叶子手上。枣子刚泛红,又脆又甜。叶子双眼放亮,拼命往嘴里塞。

常春香拉着叶子的手,问,枣子好吃么?

叶子使劲地点头。

好吃姨再给你打,常春香笑道。看叶子吃得起劲儿,就又问她:你喜不喜欢在姨家?叶子鼓着嘴使劲点头。她鼓励地看着儿子,说,大头,你看她生得多瓷实。

大头的脸有些红了,不知是害羞还是兴奋。常春香说,你要是喜欢,等找到了她的家人,妈就请人去给你说亲。

这时,叶子也好奇地看着大头,看着他那畸形的、扭曲在一起的细腿,开心地往嘴里塞着枣子。大头有些不好意思地避开了她的眼神。这一年的大头,还懂得害羞,他很想碰一下叶子的手,但是他没有。枣子很快吃完了,叶子抬起头,朝树上望望,对常春香说,还要!

常春香与儿子相视一笑,说,真是个傻丫头。于是,举起竹竿,又往树上打了一把。常春香把枣子递给叶子,说,你要是愿意待在姨家,以后天天有枣子吃。

叶子说,我天天在姨家,天天吃枣子。

饭后,常春香终于打听到叶子是邻二村的,决定亲自把她送回家去,也顺便探探对方大人的口气。

叶子的父母对常春香表示了感谢,听了常春香的意思,也没说什么,只说,我们要先看看人再说。

两天后,收了礼,叶子的家人真的上门来看了。叶子的爹一看大头那样子,就摇了头。叶子的爹说,我姑娘憨是憨一点儿,可也不能嫁你这样一个儿子。他那样子跟个怪物似的,头比身子大,胳膊比腿长,腿比胳膊细,哪里能配我家叶子?

常春香就说好话,说,我儿子是差一点儿,可我母子俩都会对你姑娘好的,我一定会拿她当亲生的疼!

叶子爹说,你儿子根本就是个瘫子,你疼也是白疼!

常春香又求,说,我儿子是个瘫子,可他那地方好着,照样能让你家叶子生养啊!大哥,你就行行好,我们会对叶子好的!大哥你放心,彩礼,我们可以多下一些!

叶子的爹眼睛亮了亮,很快又回绝了,说,这是把姑娘往火坑里推,她自己都照顾不了自己,怎么照顾你那瘫子儿子?

常春香说,儿子我自己照顾,不要叶子出一点儿力!

叶子的爹没答应,走了。常春香绝望地瘫在椅子上。叶子爹的话,大头都听见了,心里的恨与哀,让他有种想死的感觉。他悲哀地想,这辈子他怕是娶不上女人了,连一个傻姑娘的爹都看不上他,谁还会把姑娘嫁给他?

可是常春香不死心,她提着礼物,一遍又一遍地往叶子家求情。这天,她提的是一篓红红的鲜枣——她还真没吃过自家的几颗枣。常春香讨好地说,叶子喜欢吃我家的枣,我给她送枣来了。我家的枣甜,你们也尝尝!

叶子的爹妈尝了尝,说,嗯,这枣还真甜!

常春香说,叶子要是做了我的儿媳妇,年年有枣吃。

叶子爹心软了,说,大妹子,你往后别往我家跑了,你要是能拿两万块钱出来,我就把叶子给你儿子做媳妇!叶子爹估量常春香拿不出两万块钱的彩礼,那年头,也没有谁会为一个傻姑娘出两万块钱的彩礼。

但是常春香却看到了希望。她想,如果能帮儿子把叶子娶上,出钱也是值得的。问题是两万块钱是多大的一个数啊,此时,他们全村还没有一个万元户,她一个寡妇,怎么拿得出比万元户还多的钱?

常春香回家想了几夜,又去了叶子家。她说,你要的这两万块钱我愿意给,可我一下拿不出来,就算我的欠账,我一年还一点儿,一直还到我死行不行?

叶子的爹想,就怕你还到死也还不清。他不忍再伤常春香的心,他说,这样吧,你什么时候攒够了,我什么时候把叶子嫁到你家。

常春香无话了,她决心从现在开始攒钱,一个子儿一个子儿地攒!

常春香待在责任田里的时间更多了。树上的枣子,她也看护得更紧——她往树上打农药,味道很重的农药,孩子们闻到后再不敢偷。遗憾的是,大头二十五岁这一年,常春香的钱还远没攒够,叶子就被同村的一个老光棍汉娶走了。据说,叶子的爹一个子儿的彩礼都没收就把女儿嫁了,人家愿意。再怎么,光棍汉是个健全人,有什么办法?

多年后,常春香终于死了为儿子娶媳妇的心。

大头已经三十多了,自从见过叶子,大头就再没近距离地见过别的女孩子。村里的女孩子们打小时候见过大头,就再不愿意进常春香家的门。大头对女人的想念与日俱深。大头几次梦见自己娶了女人,那女人有时是叶子,有时又是从未见过的陌生女人。有一天他终于忍不住对母亲说,妈,你给我娶个媳妇吧!

常春香说,你这个样子,我去哪里给你娶媳妇呢?

大头说,我不管,我就是要个媳妇,不管什么样的,是女的就行。

常春香就骂儿子，说，你是能自己洗澡还是能自己屙屎？除了我，哪个女的会要你呢？可我是你妈！

大头就一脸阴沉地看着院子里的枣树。大头说，都是你害的，是你和方老三的基因不合，我才变成了瘫子！

常春香哑了。常春香说，可这不能怪我呀。

大头说，不怪你怪谁？怪我？我能把我自己生出来？

常春香说，怪我怪我，怪我不该嫁给方老三！谁让方老三整了那么多人，这是报应！

大头便哭起来，大头说，你为什么要生下我？为什么要和狗日的方老三结婚？为什么要让我来遭报应？

常春香难过了，她忧郁地说，大头，我也想给你娶媳妇啊，做梦都想！我老了，都快抱不动你了！她想起不久前的那次发高烧，她躺在床上全身无力，心里像火烧，实在是起不了床。那时，她多么想有人给她递杯水喝啊！偏偏这时大头想屙屎，大头一个劲儿地喊，妈，我要屙屎了，你帮我把一下！她懒得动，也动不了。大头终于急了，大头喊，妈呀，我快憋死了，要拉在裤子里了！大头语气里满是绝望。常春香心里也满是绝望，她流着泪，硬撑着起来了。可她的脚下发飘，走路不稳，又怎么抱得动六十多斤的大头？她试了几下，全身的力气就像给人抽掉了。她灰心地看着大头，说，大头，妈病得不行了，你用手撑着拉一次吧！你不是有手吗？她看着他那还算强壮的胳膊，想起有一次在赶集时看见的一个残疾人，那人没有双腿，却用双臂当脚，撑着两只木凳在地上行走自如。她想，你长胳膊干什么的呢？她恨自己当初没有远见，没能料想到她今天的老和病。那时她年轻，抱得动儿子，根本就没想到要让他用手学走路。现在大头都快四十了，我死了他怎么办呢？她悲伤地想。

大头没说什么，母亲摇摇晃晃的样子显然是托不起他的。他说，你给我拿个盆来接。

常春香拿了一个盆，对着大头的屁股伸着。大头双臂撑在圈椅里，翘着屁股往盆里拉屎，样子像个奇怪的动物。常春香还是第一次隔着一点距离看儿子拉屎，她没有想到他拉屎的样子是这么滑稽。她想不明白，这个怪物一样的儿子，她是怎么托在怀里把了三十多年！她居然没有想过要放弃他，这个从她肚子里出来的怪东西，曾经是多么可爱呀！她曾无数次在梦里看见他小时候爬来爬去的样子，看他蹒跚着学走路，看他满地奔跑……常春香的眼睛湿了。早知道他会变成这样一个怪物，真不如把他扔到野外去，让他自生自灭！她恶毒地想，这个儿子怎么还没死呢？他怎么还不死呢？他死了多好！他死了她就解脱了。儿子的屎臭熏着她，她强撑着自己的身子，心中充满了无限的绝望和无限的悲伤。

这一幕恍如昨日。常春香看着大头，看着他那张老脸，那满脸肮脏的眼泪，还有硕大的头与细小的身子，突然笑着问儿子，大头，妈死了，你怎么办？

大头收住哭泣，说，你死了，我也不活了。

常春香眼睛一亮，说，真的？

大头虚虚地说，你现在不是好好的，哪里就会死？

常春香失望地说，可妈前些天发烧，差点儿死了呢，你就忘了？她又想起他胳膊撑在圈椅里，翘着屁股拉屎的样子。

大头说，你又不会天天发烧。

常春香说，可是我老了呀！老了就爱生病，我年轻时什么时候病过？几年也不会发一次烧。

大头说，你发烧时我就自己拉屎，你帮我端着盆子就行，你总不会连一个屎盆子也拿不动吧？

常春香失望地想，我总有连盆子也拿不动的一天的。她不明白，大头这样子，怎么还那么想活。他年轻时还说过寻死的话，这两年却越来越贪生了。她年轻时，生怕他寻死，生怕他死在自己前面。现在她老了，希望他寻死，希望他能死在自己前面，可他却再也不说寻死的话了。

常春香说，大头，你说这人活着有什么好？

大头说，做人总比猪狗强。猪狗都不想死，哪个人想死？

常春香说，妈真是活烦了呢！她摸着一头花白的乱发，摸着自己皱巴巴的老脸，想到自己这一生活得真是没有人味。二十多岁就守寡，生了三个儿子，个个都是软宝，活下来的一个也是一生的累赘。最没意思的是，她为了这个瘫子儿子，为了树上的几颗枣子，跟全村的人都结下了仇怨。全村没有一个人同情她，没有一个人给过她好脸色，她一个人守着那几亩责任田，年年自己下田扶犁。她一个妇人家，下田扶犁的艰难每个人都视而不见。没有一个人向她伸援手，他们都在看她的笑话。她知道他们恨她，为了几颗枣子，她操了他们的祖宗十八代，她明知骂人的后果，可她就是管不住自己的嘴。她骂起来有瘾，痛快，解气——她心里总是有股邪火，她得找个途径发泄，要不她简直会疯掉！

现在，她老了，骂不动了，也很少提着刀和砧板出门了。过去那些被她骂过的半大孩子的父母，如今已成了半大孩子们的爷爷和奶奶。那些曾经的半大孩子，也已人到中年，他们如今大都已远离村庄，出门打工。那些留在村里的人，谁不恨她！年老的对她当初的恶骂仍然记忆犹新，而那些小的，又与她结下了新的仇恨——她对骂人上瘾，他们就对她的枣树上瘾。仿佛专门为了撩拨这恶老婆子和那可恶的半老瘫子，他们就喜欢动这家人的枣树。那棵小的至今都没有结出果来，他们说这是棵绝树，就像这家人，是个绝户。他们说，光看这家的两棵枣树，就知道这家人的命，该结枣的不结，结枣的也是白结。

这话真够毒的。谁叫常春香比他们更毒！那大头更是坏，见到孩子过来，就吆喝他家的鹅扑上去，那鹅就像听得懂人话，又凶又讨厌。人们奇怪他们家永远养着两只鹅，一对鹅有这么长的命吗？这对鹅不会老？

鹅当然是会老的，就像常春香母子也会老。谁能不老？不过是老了的鹅被杀了，小的鹅又被养大了。常春香只喜欢养两只鹅，一公一母，相安无事。鹅多了会打架，就像人多了会争风吃醋，挑拨是非。

常春香自知臭名昭著，从不寄望他人的同情。她的儿子不能自理，可她能照顾他。她是个要强的人，一辈子不会低头求人，谁也别想欺负她。谁欺负她，她就要反击，不惜一切代价。她就是这样把自己弄到了四面楚歌的境地。四面楚歌她也不怕，她一个人就能独当八面。

问题是，现在她老了，一个垂老的人还有什么力量？她看着丑陋的儿子，她的儿子真是越看越丑，越看越可憎。一个如此丑陋的人竟然如此贪生怕死，她就觉得儿子更丑了。

她克制着内心的厌恶，说，大头，你真的不想死？

大头说，不想，我还没娶媳妇呢。

常春香就笑，说，你死了那份心吧，没有女人会要你的。她这么说的时候，都觉得自己不像个母亲。可她不这么说，大头就不会死心，就会天天逼她给他娶媳妇。他以为天底下真的会有女人要他吗？

大头说，妈，你是巴不得我娶不上女人吧？

常春香说，不是我巴不得，是没有女人要你。连叶子都不要你，你又不是不知道。

大头就想起了叶子，那年叶子来家，他连她的手都没摸一下，她一个傻子，他摸她一下又有什么关系呢？她只要有枣子吃，就是多摸她几下，她也不会反对的。他说，那一次，我真是苕。

常春香知道儿子在悔什么，她说，她不过是个傻子，没什么可惜的。

她傻有什么关系，我喜欢她的样子！大头有些脸红脖子粗地说。

常春香有些悲哀地看着儿子，说，大头，我要是你，我早就不活了。

大头的心抖了抖，说，妈，你的心越来越狠了。你恨不得我现在就死，对吧？

常春香看着儿子，脸上笑着，眼神却有些恶毒。

大头说，妈，你就那么盼我早点儿死吗？你是不是想弄死我啊？

常春香笑道，我要是想弄死你，早就把你弄死了，你五岁都活不过，怎么会等到今天？

大头说，你看你那眼神，就跟要生吃了我似的！

几天后，常春香出了一趟门。临出门前，她像年轻时一样，用力地把大头抱到后院枣树下的圈椅里。在大头的座椅下放好水，米饭，尿尿的竹筒，还有一把长柄的黑布伞。

现在，她已经很少抱大头进后院了。她年纪大了，抱不动。大多数时候，大头都是躺在床上，或者靠着墙头坐在床上。有时大头嚷着要出门晒太阳，她就会很烦，吼他，说，晒什么太阳？抱来抱去的，你以为我还年轻？

大头拗不过，只好成天在床上待着。他看得出来，常春香说的是实话，每次她抱他起来把屎，都喘得很厉害，常常汗得一身透湿。他就不再叫，一个人望着后院的枣树发呆。他的床对着房间的窗子，坐在床上可以清楚地看到后院的枣树。不去院子里也好，风吹不着，雨淋不着。

大头对常春香说，妈，你今天怎么想到把我抱出来晒太阳的？

常春香说，高兴呗，我今天要出去一趟。饿了，椅子底下有饭，我天黑前回来。

大头说，妈，你要去哪里？

常春香说，去镇上。

大头说，去镇上干什么？

常春香不快地瞪一眼儿子，说，话多！你问那么多干什么？

大头突然诡秘地说，妈，你是要去镇上买什么东西吧？

常春香笑着说，我是要去买东西。

大头不死心，还是问：你买什么？

常春香冷笑道，买回来你就知道了。

平常，除了买卖粮食或农药化肥种子一类的农用物资，常春香很少到镇上来。小镇变化不大，但小镇人的观念变化却很大，人们再也不会把流言蜚语当回事。女孩子们穿着吊带小背心，裸露着半个胸脯，腰低到脐下的牛仔裤，半截屁股露在外头。男孩子们更是染着红红绿绿的头发，有的还戴着半节子耳环，看上去像妖魔。不光是年轻的男女染发，那些和大头一般年纪的中年男女也把头发染成了各种颜色，不知大头看见了会作何感想？

常春香在镇上不疾不徐地走着，她想今天要把这镇子好好逛一逛。她裤腰里揣着整整两千块钱。她想好了，要给自己买身新衣服，给大头也买身新衣服，要质量好点儿的。她晓得，现在的衣服贼贵。过去几块钱就可以扯十好几尺布，做一套像样的新衣裳，如今这钱好像不是钱了，像纸。这些崭新的钱票，是她攒了多少年的心血，在手上放了好多年，钱没有变多，却越放越不值钱了，简直跟临解放的那阵子差不多。那阵子，国民党眼见着就要被共产党打跑了，那些纸钞转眼间就变成了一堆废纸。那时她还是个五六岁的孩子，钱变成了纸，孩子们就把它们折成薄薄的小方块，在地上打来打去，他们管这些钱纸叫鳖鳖。人们就说还是洋钱好，洋钱不会变成纸。她家穷，自然没有白花花的洋钱。现在人早就不用洋钱了。打解放不久，人们就不用洋钱了。人世沧桑，世事难料，她怎么能料到自己会这么无味地活一世？

常春香一家店一家店地逛着。她摸着腰里的硬纸，想着这钱原本是要留着给大头娶媳妇的，想想真是可笑，谁会嫁给她的大头啊！这跟癞蛤蟆想吃天鹅肉有什么两样？她在心里笑自己。

她在街上转了大半日，给自己和儿子各买了一身新衣服，还慰劳自己吃了一碗肉丝面，喝了一碗猪肝汤。这猪肝汤真香啊，她一口喝下去，差点儿烫破了嘴皮。上一回喝猪肝汤，还是方老三在世时。方老三知道她喜欢喝猪肝汤，去公社开会，就提了一斤猪肝回来。下一次去开会，还提了一斤猪肝回来，可惜他踩了电线，给她买的猪肝也一起烧得焦煳。

常春香在镇上花掉那两千块钱，心情舒畅地回家了。

随后的一段日子，常春香越活越不上劲儿了，时常丢三落四的。大头却比以往任何时候都安静，他常常长时间地靠在床头，有时嘴边还挂着一丝微笑，脸上的神情，平静得让常春香感到绝望。他是越活越有劲儿了。不管常春香怎样抱怨，他都安之若素。他在用他的生命与她的生命拔河。一度，她是力量强大的一方，后来他们打成了平手，现在，她终于输给他了——他越活越硬朗，饭量正常，不急不躁，睡眠也好得出奇。而她却一日不如一日。她终于抱不动他了，每天他拉屎，她只能拿一个盆子，仆人一样站在他的身后，看着他翘着屁股喷臭气。而她还要给他倒屎，洗盆子。他的双臂越长越有力，现在，轻易就可支起整个身子，他知道她已经靠不上了，他必须学会使用自己的臂膀，这是生存对一切生物的选择。

她开始恨他，恨这个寄居蟹一样让她背负了一生的儿子。她甚至觉得他过去全都是在折磨她——他明明能用手臂撑起自己的身子，却到了今天才使出这份能耐来。他让她背负着一个自以为离不开的壳东奔西走，她恨得眼里都起杀机了。

这个狡猾的儿子，他从母亲的目光里捕捉到了这种恨。他想，她真是老糊涂了，居然会恨自己的儿子。面对她的种种行为，他是警惕的。他开始防范她了，担心这个老糊涂会害死他。

有时，常春香说着一件事，突然就忘了。她说，大头，又忘了，你看，我要死了！

大头说，忘了再想想。

常春香说，想不起来了，我要死了，我死了你怎么办？

大头说，你不会死的，你身体还硬朗着。

常春香说，我死了，谁给你洗衣服，给你做饭，给你洗澡，给你接屎擦屁股呢？

大头说，你为什么老说死呢？你不会死的。

常春香说，大头啊，如果你死在我的后头，我不放心啊，没人给你种粮，你会饿死的，没人给你浆衣洗裳，帮你洗身子擦屁股，你会比猪还脏的。那样活着还有什么意思呢？

大头听出了母亲话里的意思，母亲是在要他先死，死在她的前头。可他才四十岁，他还没有活够，有谁活了四十岁就想死的？

大头说，妈，你天天要我死在你的前头，你是想弄死我吗？

常春香就笑笑，说，我不是想弄死你，我是怕我死了没人管你。

这样的对话，在常春香母子的生活中，每天都要出现几次。大头听母亲说多了，就开始警告母亲。他说，妈，你要是杀了我，杀了你的亲生儿子，死了会下地狱的。你这辈子还没苦够，还想再苦一辈子？

常春香就笑，她说，我才不管什么来世不来世呢！

大头说，这么说你是真想弄死我了？我还不如趁早告诉别人你要弄死我，免得你对我下毒手。

常春香不以为然地看一眼儿子，她说，你告诉别人，别人就会相信你呀？你从五岁就瘫在床上，我把你养到今天都没弄死你，你说这话谁会相信？

大头无话了。不过，他现在对母亲防得越来越紧，每天吃饭时，他都会仔细地闻闻饭菜，看里面有没有农药味。他说，妈，你先吃，你不吃我就不吃，我怕你毒死我。

常春香说，你跟个狗鼻子似的，成天在碗里嗅来嗅去，我能毒死你？

大头说，谁叫你天天要我死在你前面。

常春香递给他的水，大头也要她亲自尝过后才肯喝，他说，妈，你喝了我才敢喝，我怕你下毒。

常春香怔一怔，豁开嘴笑起来。她说，好，我喝，你个死大头，还真以为做妈的要毒死你呀？

大头也笑，他说，不愁你哪天不毒死我，你看你，喉咙眼里都恨不能伸出一只手来害死我。

常春香笑了，说，你个死大头！说归说，母子俩照样生活在一起相安无事。只要还能动一动，常春香就会帮大头端茶递水，洗身换衣。但是，全村的人都看出来，常春香的身体每况愈下，这年春耕过后，已经不能下地劳动了。村干部经过商量，决定由村里义务供给常春香母子的日常口粮。每月还给母子俩补助五十元现金。

现在，常春香只需在家照顾好她的瘫子儿了，种点小菜，够吃就行。这年初夏，那棵高大的枣树又开出了黄色的小花，蜜蜂在枣树的枝叶间飞舞，兴致勃勃地在枣花上采蜜。两棵枣树依然像往年一样，枝叶彼此交错着，紧紧地依偎在他们的院子里。高的那一棵，已经有十米高了，矮的那一棵，也有五六米，足有两层楼那么高，遗憾的是，它从来没有开过花，挂过果。也许真应了人们说的，这棵树是公的。

枣花一谢，枣粒儿就长了出来。这一年的枣粒儿结得比以往哪一年都多、都密。枣粒儿看着长大，圆润和饱满起来，由于树长得太高了，扬起头看久了，脖子就会酸痛。大头现在因为经常撑着胳膊在床上“走来走去”，他变得更强壮了，双臂竟然鼓出了肌肉。

大约是这年的盛夏时节，双抢接近尾声之时，反正是学生们放了暑假。与常春香家隔着一堵院墙的邻居杜麻子家读大学的儿子大伟回来了，杜大伟还带回了他在大学里交的女朋友。进了大学的杜大伟早已改名叫杜大卫。杜大卫是杜麻子的大儿子，三年前考上了省城的一所大学，生得人高马大，从小就爱打篮球，在大学读的是体育专业，小时候没少偷过大头家的枣。现在的大伟长得英俊彪悍，读了几年大学，早就是一副城里娃的帅气模样。现在，杜麻子全家供他一人在城里上大学，小儿子杜小伟没念完高中就出去打工，供哥哥上学了。

杜大卫的女朋友叫方琼，人也长得身材高大健美。方琼是南方大城市人，杜大卫本来不想把她带回自己农村的家，可她吵着非要跟着一起来见未来的公公婆婆，还说要来“欣赏乡村风光”。他们回家的时候，杜麻子家的水稻早已收割完毕，只剩下几亩已经耙好的水田还未插上秧。往年暑假回家，杜大卫都会帮父母下田搞双抢，这一回却有些为难了。女朋友头一次来家，他总不能把她带到田里去，就算不下田，户外烈日炎炎，连个蔽日的地方都没有，他怕女朋友忍受不了半日的酷晒，就会对他的农村家庭失去信心。不随父母下田，内心又颇觉不安。就这样，杜大卫在家陪了半日女朋友，中午母亲回家做饭时，他从母亲的眼里看到了不悦，于是决定午饭后就和母亲一起下田。他找了一本书，让方琼在家看书，自己下田去帮父母插秧。方琼不干，说我也要去种秧！

杜大卫哭笑不得，说，你以为插秧像在瓶子里插花一样简单吗？他抚了一下女朋友的肩，说，别去了，水田里有蚂蟥，它们会吸你的血。听话，你就在家待着看书，等过两天秧插完了，我再好好陪你。

方琼一听说水田里有蚂蟥，顿时吓坏了。她有一年暑期去云南旅游，在原始森林里见过这种可怕的吸血昆虫，当时，它们不知从哪里钻进她的衣衫，在她的腰部和大腿上吸出好几个血洞，令她想起来就毛骨悚然！

方琼只得放弃，一个人待在杜大卫家的院子里看书。她看了一会儿书，就好奇地在杜大卫家的后院里转起来，她就是在这时看到常春香家的枣树的。枣树因为长得高，隔着两家的厨房和一堵院墙，露出大半个树冠，方琼清晰地看见那上面结满青翠可爱的枣子。方琼吃过枣子，却从未见过真正的枣树，这使她感到无比的新奇。她伸长了脖子，在院子里转来转去地看，却只能看到那棵枣树的树冠，枣树的全貌到底是什么样子呢？因为隔着一定的距离，隔着院墙，她总觉得看得不那么过瘾。

犹豫了一会儿，方琼决定去隔壁家看看那棵枣树。方琼就这么走进了常春香的家。方琼一进去就看到两只羽毛雪白的鹅，她开心得不得了，就像在动物园里给小动物喂食一样，赶紧将手中的一包瓜子倒给了它们。两只鹅得了些吃食，欢天喜地地去争抢地上的瓜子。方琼看了一会儿，觉得有趣，这才蹑着脚往堂屋后面的院子看去。她刚走到屋中央，就看见一个头发花白的老妇人佝偻着身子，正吃力地抱着一个大孩子，摇摇晃晃地往屋里撞过来。几乎是出于本能，方琼就冲过去，嘴里说，奶奶，让我来！说着便一把将老人怀中的“孩子”接过来。常春香也几乎是本能地松开了手——对她来说，大头实在是太重了！她松了手就双腿一软，一屁股坐在堂屋中的一把木椅子上喘起来，也没管来人是谁。常春香刚给儿子洗完澡，累坏了。她现在不用下田了，总是每天下午给儿子洗澡，晚上洗澡费电。洗完澡，她就用一床旧床单把他包住，再抱回房间里穿衣服。

那“孩子”身上有些湿，方琼下意识地去看他，心中一惊，不觉愣住了。这分明是一张四十岁左右的成人的脸！他安静地蜷曲在她的怀里，一双好奇的眼睛正目不转睛地看着她！她猛地意识到自己抱着的，不是一个孩子，而是一个行动不便的大人。人已经接过来，方琼又不能再松手。此刻的大头对方琼而言，就像一个巨大的烫手的芋头。她只想快点儿放下这个芋头！

她镇定了一下，冲常春香喊道，奶奶，把他抱到哪里去？

常春香用手指了指大头的房间，方琼就抱着大头往里走去。大头的体重对方琼来说，不算轻，也不算重。此刻，怀里抱着一个有病的成年男人，方琼的心里却有些硌得慌。她快步走到大头的床边，迅速把他放到了床上，转身就往外走。

大头就是这时候跳起来的。他掀开母亲裹在身上的旧床单，双手撑着光裸的身子，像一只青蛙一样跳到她的背上，双手准确而有力地扣住了她的肩膀。几乎是一瞬间，他就从她的背上转移到她的胸前，他赤裸的丑陋身子立即暴露在她的眼皮下：他那硕大的头，比例失调的上身，勃起挺立的阴茎和反差巨大的细小身子，简直就是一只巨大的青蛙。方琼吓得睁大眼睛，嘴里发出骇人的惊叫。他的一只手紧紧地搂住方琼的脖子，另一只渴望了几十年的罪恶之手，总算触摸到了真正的女性的身体……

常春香冲进来，一把撕开大头的手，一只手不由分说地向儿子的脸上甩去。看见母亲愤怒的眼神，大头本能地松开了手。常春香把他扯下来，狠狠地甩在床上，像甩一只丑恶的蛤蟆。

吓傻了的方琼似乎还没搞明白到底发生了什么，常春香帮她扶起一侧被扯断的肩带，一边把她往外推，一边说，姑娘，你没长眼睛吗？怎么跑到这里来了？方琼似乎才醒悟过来，她像一只受伤的小鹿一样，从常春香家狂奔而出……

此时的常春香并不知道突然跑到她家来的那个姑娘是谁。她是在当晚杜麻子夫妇跑到她家怒骂时才知道方琼的身份的。那时，方琼已离开杜家，离开杜大卫。方琼走前，无论杜大卫怎么挽留，方琼都不肯留下，也不准杜大卫去送她。她恶狠狠地对尾随着她的杜大卫说，你要再跟着我，我就一头撞死在你面前！我再也不想看见这里，看见你家，看见你！

杜大卫只得眼睁睁地看着方琼消失在他的眼前，消失在他未来的生活里。

事后，杜大卫曾指着大头骂，你这个人渣，我要不看你是个瘫子，我就一把将你捏碎！你活在世上不如一条猪狗，真不如死了！

大头当然明白自己惹下了什么祸，不过，他的内心显得从未有过的满足和平静。他任由他们怒骂与斥责，仿佛他们的斥骂与他根本无关。

两个月后，秋天像往常一样准时来到幸福村。立了秋，常春香家的枣子就红了，一粒粒在树上透着诱人的红光。秋天里，常春香又发了一次高烧，犯了几天晕。犯过几天晕后，她的脑子就更不清醒了，几次忘了做饭。大头不高兴地说，妈，你想饿死我吗？

常春香自己不知道肚饿，就以为刚吃过饭了。她说，你刚才不是吃过了吗？怎么又饿了？

大头说，我的魂魄吃过了，你什么时候做饭了？我还是昨天吃的。

常春香就给儿子做饭，炒的菜忘了放盐，煮的饭却放了两次水。大头知道母亲的寿快到头了，心里也有些慌，但他不敢说，怕常春香生气。管她放多了水还是放少了盐，反正煮熟了就能吃，总比猪食强。猪食也能让猪长肉。大头照样大碗大碗地吃。

常春香是在那天突然起念头的。那天，她不知怎的走到了邻居徐二婶家，徐二婶见到她，招呼说，常婆来了？坐坐吧。

常春香就坐下了。徐二婶家的猫刚生了两只猫崽，她递了一条小鱼到母猫面前，母猫发出微弱的“喵”一声，就又闭上眼睛，身子一动不动。徐二婶说，常婆，这母猫下了崽，都两天了，不吃也不喝，你说是不是病了？

常春香用手拨了下母猫，说，不吃也不喝，那就是病了。我前几天生病，也是不吃不喝。

徐二婶说，这母猫一病，猫崽咋办？母猫不吃就没奶，这猫崽恐怕要饿死。

常春香说，你喂点鱼汤试试。常春香说完就回家了。过了两个小时，徐二婶突然冲到她家来，喊，常婆，常婆！

常春香虽然犯昏，但耳朵并不聋。常春香说，你喊魂哪，这么大的声音！

徐二婶拉起她就走，说，出怪事了，你来看看！

常春香说，什么怪事啊，大惊小怪的。

徐二婶说，我家那只病猫把它生下的猫崽给吃了。你看，早上你还见过那两只猫崽的，现在都没了。母猫吃下猫崽后，也死了！你年纪大，听没听说这是怎么回事呀？

常春香说，你看见它吃猫崽了？

徐二婶说，我亲眼看见的！我在里屋听见小猫乱叫，追出来一看，那只该死的母猫已把它含在嘴里了，看见我过来，它几口就把猫崽吞下去了。

常春香说，它这是舍不下它的儿。

常春香摇摇晃晃地回家了。她想，母猫一定是知道自己要死了，才把猫崽吃掉的。回家后，她发了一会儿愣，就从床底下摸出了那包毒鼠强。这还是她去年去镇上喝猪肝汤那天买的,花了两块钱。

她把鼠药放在鼻子下闻了闻,什么味道也没有,不像农药,老远就有股刺鼻的味道。想到那个叫方琼的姑娘,她的想法更坚定了。她把鼠药拿进后院的厨房里,开始做午饭。很久没有这么精心做过饭了,厨房里散发出一股浓烈的饭香。常春香仰起头,望着树上密密麻麻的枣子,笑了。随着风的摇曳,阳光在枣树的枝叶间扫来扫去,像迷人的金丝线。树上的枣子早褪了青,已经泛出诱人的红色。她自语道,是该给村里的孩子们留点儿了。

午饭时,她特意把大头的圈椅搬了出来,搬到院子里的枣树下。她开心地对儿子叫道,大头,今天让你出来晒太阳。

大头高兴地说,真的吗?

常春香说,真的。不知哪里来的一股力气,她一把抱起大头,只一会儿就把他放进了枣树下的圈椅里。之后,她盛了一大碗饭出来,当着大头的面,拨了小半碗出来,吃了。这天的米饭格外香,水放得恰到好处,完全发挥出了常春香年轻时的水平。

常春香母子死后,由村里出钱把他们安葬了。他们死后,人们在常春香的衣柜里发现了两套新衣服,一套女装,一套男装。男装的上衣是大人的,裤子却是小孩的尺寸。看到这两套新衣服,幸福村的人们恍然大悟。

他们为母子俩都换上了新衣裳。

常春香母子死后的第二年,那棵从不结枣的枣树,居然开花了,结枣了。最先发现这个奇迹的,依然是村里的小孩儿。他们欣喜地叫道,快看那棵枣树,它结枣了!它不是公的!

人走了,院子还在。两棵枣树比赛似的,争先恐后地结了密密麻麻的枣子。枣子还是甜,还是脆,却再没有孩子拿着长竹竿,举着布袋去偷打树上的枣子。

(选自《江南》2009 年第 4 期)

**徯 晗**

女,20 世纪 70 年代出生,湖北人。复旦大学中文系毕业,现居广州。16 岁开始文学创作,1989 年在《天津文学》发表小说处女作《日落》。迄今在《收获》等文学期刊上发表文学作品二百余万字,主要作品有长篇小说《爱是一条温暖的河》《爱在繁华深处》,中篇小说《扒雪》《灵魂无助》《私人经典》等二十余部。

# 幸福来到陇沙屯

周 耒

## 一

我的叔叔许树才是我们陇沙屯最有梦想的人。

他曾经无数次对我说，总有一天，我们陇沙屯家家户户都盖起楼房来，不再住这样下层住牛、上层住人、四处透风的杆栏房屋。我们的屯巷也不再这样逼仄不平、污水横流，那时候我们屯子条条道路都很宽阔，全部铺上水泥，上面找不到一泡牛屎。我们还要修一条更加宽阔的出屯的水泥道路，上面可以并排通行两辆车，一路笔直，逢山开路遇水架桥，不容得有任何弯曲。我不知道许树才叔叔为什么这样钟情于路的笔直，在我看来，路在必要的时候弯曲一下是很好的事情，那更像一条路。但是许树才叔叔坚决否定了我的意见，他说，不，路一定是笔直的。他说的时候，把手往前一伸，做出笔直的样子。这样好像一条笔直的大路真的从他的手上呼啸而出，架在我们屯对面的高山上，通向了遥远的天边。

我为许树才叔叔的话所鼓舞。但我的爸爸，即他的哥哥对此却嗤之以鼻。爸爸对许树才叔叔说，什么楼房，要有这能耐赶紧去后坡那里起个木房，娶个女人，搬出去，算你本事大。自从我懂事开始，我就无数次听到我爸爸要许树才叔叔搬出去住的要求。当然，这在我们屯是司空见惯的事情。两兄弟长大成家了就要分家。许树才叔叔只要一成家，肯定要离开爸爸和我搬出去另建家庭。我们家在后坡那里还有一块地，起了房子后还剩一亩不到的地，我爸爸打算把这块地让给许树才叔叔，让他在那里自立门户。但是许树才叔叔好像对此并不上心，他也不像屯里的许多年轻人一样晚上去外屯找姑娘，也无心去地里种庄稼，他脑子里总是在游荡着各种各样的梦想。在屯里，像我这样对许树才叔叔的话深信不疑的还有许多钱。从这个名字里你可以看出，许多钱家里是一个什么样的光景。许多钱之所以对我叔叔的话唯马首是瞻，主要是许树才叔叔的话有一次给他带来了一笔不小的财富。那是一次他们一起去外屯找姑娘的时候，许多钱遭到了一个他喜欢的姑娘的奚落。她对许多钱说，你们陇沙屯穷得只有满地的石头，就是鸟飞过你们屯子的上空都不会把屎拉到你们屯的地上，你想想吧，我怎么会嫁进你们陇沙屯呢。许多钱是一路哭着回到屯子的。许树才叔叔说，许多钱，你要是相信我的话今年你就不要种稻谷了，你改种生姜，我保证明年的生姜价格翻几番，保准你发一笔小财。许多钱于是把自己家近两亩田都种了生姜。那一年刚好风调雨顺，许多钱的生姜获得了大丰收。而那一年，生姜的价格由原来的每斤一块多钱上升到了三块多钱。许多钱着着实实赚了一笔钱。凭借这一笔钱，许多钱还娶到了一门媳妇。屯里人见种生姜得钱，第二年也纷纷种生姜。许树才叔叔急了，一家一户动员大家不要种，但是屯里人哪里听得进他的话。这一年，生姜价格却下跌了。不仅如此，因为到处有人种生姜，好多都卖不出去，家家户户都囤积了不少的生姜，整个屯子整年弥漫在一股辛辣的气味里，屯里人动不动就打喷嚏，他们一边打喷嚏一边说，许树才这小子的话其实是有用的。屯里人终于意识到许树才叔叔是个不能小视的人。

但是屯里的人也有不同的意见，他们觉得许树才叔叔对陇沙屯未来的描述是天方夜谭。就连住在屯口的阉鸡三也不信他的话，他说，哼，要是许树才说的能成真，我就自己把自己阉了。阉鸡三从小就得小儿麻痹症，还好长大了能走路，但腿明显的要比常人短小，走路两只脚往外一撇一撇的。因为不能干农活，他在自己家里开了一个小卖部，为屯里人卖些牙膏、洗衣粉、酱油之类的生活必需品。除此之外，他还阉公鸡，每隔一阵子就出外去帮人阉鸡，背上还背着个箩筐，里面放些盐、牙膏等生活必需品卖。他这样一个人，反而成了我们屯外出走动最多的人。每次他阉鸡回来，都打开他的铝盒给我看，里面是血淋淋的鸡肾，说，很补的。我提出来要吃一个，他马上很快地把盒子盖上了，说，不行，小孩子吃了是要流鼻血的。我不太相信阉鸡三的话，他多半是怕我抢吃他的鸡肾才骗我说会流鼻血。要是真的流鼻血，他自己吃了那么多怎么就没有见他自己流呢。当然，他也不是全部都吃完，留一半出来浸酒，时不时舀上一碗自斟自酌。说心里话，我有点儿瞧不起阉鸡三，觉得他多少有点儿自私自利。但是连这样的人竟然也不信许树才叔叔的话，我多少就有点儿怀疑了。我就去问德隆爷爷。德隆爷爷说，我在屯里都活了八十多年了，我们屯子是变了不少，那也就是山上的古树越来越少了，沟溪里的鱼几乎要绝迹了，而我的房子是不会倒塌的。德隆爷爷虽然已经八十多岁了，但是身子骨还很硬朗，他一边说一边拿着根棍子用力地击打着他家的屋柱子。谁都公认，德隆爷爷家的房子是最坚固最耐久的。他家全部的柱子和房梁都是用上好的蚬木做的。德隆爷爷说，水泥房子有我这屋子耐久坚固吗？德隆爷爷是我们屯最有权威的人，当年为了建造房子，他曾一个人攀上屯后的百丈崖去砍木头。百丈崖是一个什么地方，是一个鸟都站不住的地方。但是我们德隆爷爷竟然上下如履平地。为了让后人见证他的光辉历史，他还把一根蚬木插在了百丈崖上的一个石窝里面。现在这根历经几十年风雨的蚬木还傲然立在崖上。德隆爷爷说，许树才要是能上到崖上把我当年插在那里的蚬木拿下来，那他的话就成真了。

德隆爷爷的话让我很疑惑,我不知道上百丈崖去拿下那根木条和我们陇沙屯楼房林立道路四通八达有什么必然的联系,但我还是原原本本地把德隆爷爷的话转达给了许树才叔叔。

我问他,叔叔,你真的会上百丈崖取下那根木条吗?

许树才叔叔笑了笑说,我才不干这样的蠢事呢。

我说,那什么时候我们的屯子才会像你说的那样好起来?

许树才叔叔说,会有这样一天的。

我五岁的时候,许树才叔叔便和我这么说了,等到我九岁,他还是和我这么说,而他说的美好前景还是没有到来。我不得不对他说的话产生了怀疑。许树才叔叔说,是的,我们不能坐等,我们要行动。

## 二

事实证明,许树才叔叔不是一个空想家。他说了要行动后第二天就到城里去了几天,回来的时候带回来了一个鼓囊囊的袋子,里面是黑色的种子。许树才叔叔要把这些种子播种在后坡属于他的土地上。如果我没有记错的话,这是许树才叔叔第一次正经地伺候土地。许多钱当然跑来帮助许树才叔叔,他卖力地抡着锄头,把地翻得很深。他一边翻地一边问许树才叔叔,你要种的是什么宝贝。

许树才叔叔说,田七。

许多钱说,田鸡不是地里的青蛙吗,怎么变成了种子?

许树才叔叔哈哈笑了起来,说,不是田鸡而是田七,这是一种名贵的中草药,等我种成了可以换得大价钱。到时候,屯里家家户户都种上了草药,我们全屯就富起来了。

我和许多钱都为许树才叔叔的话所鼓舞,晚上我就跑到他在地边建的草棚屋里面陪他睡觉。许树才叔叔晚上也睡不着,他躺在床上,耳朵却跑到了外面的草药地里。他说,许盛来,你认真听,你听见了吗?我也学着他的样子让耳朵跑到外面。我说,听什么?许树才叔叔说,种子在地里嚓嚓地长呢。我一听,果然是种子在地下齐刷刷地生长着,千军万马响动一般。许树才叔叔还躺不住,从床上跳下来,跑到地边,把耳朵贴在地上听听,又用鼻尖点着地面闻了闻。他说,我闻到了一股草药的气味。我也跟出去学着他的样子用鼻子闻了闻,感觉到一股沁人心脾的药香直入我的胸腔。

我和许树才叔叔在兴奋难耐中等待了几个月,地面上还是一片空无,我们期待中的青苗万点没有出现。在地边徘徊了一个下午之后,许树才叔叔终于伸出他忐忑不安的手挖开了地面,地下的种子已经霉烂掉了。

许树才叔叔说，我们上当受骗了。

许树才叔叔不死心，关在屋子里三天后，他又出门了。我守在屯口三天后，终于等来了许树才叔叔。他看见我就咧开嘴笑了。他说，有希望了。许树才叔叔带来了一个塑料桶，桶里面装着水，水里面是几十只螺。这些螺个头儿比我们屯里的田螺要大上好几倍。许树才叔叔说，这是福寿螺，肉厚，味道鲜美，繁殖快，以后城里要建厂收购制作罐头呢。许树才叔叔把这些福寿螺都倒进了屯头的一泓活水。过不了多久，我们看见越来越多的福寿螺从水里爬出来，布满了绕屯而过的流水，它们很快又随着流水进入了屯前的水稻田。它们像千军万马一样，一下占据了我们屯凡是有水的地方。许树才叔叔高兴起来，他在田头水边走来走去，或者俯身到水面上观看福寿螺在里面挪动。他对每一个屯民说，你们不能随便吃福寿螺，这些都是金银财宝，我们要发财了。屯里几乎所有人都恪守许树才叔叔的话，不要说随便抓福寿螺来吃，就是走在田间陌头都要小心翼翼，担心踩了爬上来的福寿螺。过去我们怕癞蛤蟆，因为触犯了癞蛤蟆会遭雷劈。但是现在我们更怕福寿螺，生怕惹坏了它，财富就要飞走了。但是很快，屯里人发现，福寿螺啃吃水稻。

他们纷纷跑来找许树才，这样下去的话今年水稻肯定要减产甚至歉收了。许树才叔叔说，不要怕，我们屯每户就这几分水田，收的稻谷吃不到三个月，不要也罢。我们要把福寿螺养肥养大，到时候我们的米就在福寿螺里，我们的猪肉也在福寿螺里，甚至我们的老婆就在福寿螺里面。大家听了他的话，都暂时把不安的心收到肚子里面。这一年，屯里人都无心伺候水稻，有事没事都爱走到水田边，看着福寿螺在水里面挪动，啃吃水稻，咬在一起做爱。然后看着它们爬到水稻秆上，在那里产下一串串鲜红的蛋。整个屯子都沉浸在一种莫名其妙的气氛中，仿佛整个屯子都在孕育着一个未知的胎儿。但是，等到稻秆上的福寿螺蛋都孵化出小螺，小螺又顺着从水田里退到河沟里的水爬走后，城里仍没有人来收我们屯的福寿螺。水田里的水稻在这一年里像个百孔千疮的病人，再也结不出多少果实。屯里人再次围到了许树才叔叔身边，许树才叔叔第二天就去了城里。第二天傍晚，他出现在屯口的时候，就像一个被抽掉了骨头的人，浑身软绵无力。

许树才对等在屯口的人说，我对不起大家，我把屯子给祸害了。

大家连忙让他坐在路边的石礅上。

许多钱扶着他的肩膀问出了什么事情。

许树才叔叔说，我又被人骗了，我总是太相信城里人，根本没有什么人建厂收购福寿螺。更要命的是，福寿螺是一种有害的入侵物种，就像水葫芦霸占大面积水域一样，福寿螺正在南方大片地蚕食水稻、蔬菜。我们屯也要遭遇灭顶之灾了。呜呜呜，我对不起大家。

许树才叔叔说了几句就拿手臂擦着眼睛哭了起来。许多钱听了他的话哈哈笑起来，说，许树才，你说得太夸大了，福寿螺在我们这里不会成灾的，绝对不可能！

屯里的人纷纷出动，他们拿着蛇皮袋、箩筐等一切能装东西的器物。不管男女老少，都下田入沟，对福寿螺进行了地毯似搜捕，个个满载而归。说实话，屯里人早就对福寿螺垂涎已久，这回终于可以大饱口福了。家家户户都响起了啪啪的声音，大家把福寿螺拍开后，挖出螺肉，入锅炒起来。是的，不管外面怎么说福寿螺不值一吃，但在我们屯里，这绝对是凭空掉下来的美味。以前屯里人炒上一碟花生、黄豆就可以喝酒了，现在桌上又多出了一大盘一大盘的螺肉，那就更加让人开心了。大家都像庆祝一样围在桌前喝酒，大快朵颐。我们小孩子也蹲在大人后面，趁他们敬酒的空隙伸出筷子，夹上一口，吃得两耳生香。大家纷纷把许树才叔叔拉来，一边给他敬酒，一边用力地拍着他的肩膀，大声地和他说话。许树才叔叔终于慢慢释怀，但好像新的忧愁又升上了他的心头。

果然如许多钱所料，那些福寿螺根本构不成灾害。当第二年发水后，福寿螺再次爬出来的时候，家家户户又开始出动抓福寿螺，把它们变成桌上的美食。大家边吃嘴里边感谢许树才叔叔，是他给屯里带来了新的美食。他是一个对陇沙屯有功的人。但就是在这一年，许树才叔叔离开了屯子，他去了更远的南方。听说他进厂打工了，每月能挣好多钱。我想，这是应该的，许树才叔叔是一个能闯世界的人。

一年多后，许树才叔叔回到了家里。他变成了另一个人，头发油亮，西服笔挺，脚下蹬着一双能照见人影的皮鞋。更让人羡慕的是，他带来了一个姑娘。这个姑娘脖子高挺，腰身如蜂，一双眼就像蓄了水，她望我一眼我就觉得浑身舒坦。我觉得这个姑娘比屯里哪个女人都漂亮。她一走进我们家我就觉得我们家金碧辉煌，光芒甚至从我们家透风的墙壁穿透出去，照亮了半边屯子。但是我爸爸显然不喜欢这个姑娘，他对我妈妈说，瞧我们弟弟带来的什么人，中看不中用，那腰骨，不用说挑肥下田，就是让她抓只鸡都抓不住，要来有什么用。

姑娘待了一个晚上就走了。姑娘走的时候，我听见她对许树才叔叔说，你骗人，你不是说你们家住三层的楼房吗？许树才叔叔说，我们现在不是住在三层楼房里吗？姑娘说，那在哪里？许树才说，下面一层住牛，我们住二层，还有灶上一层放粮食。姑娘说，你是个骗子。

姑娘走后，许树才叔叔郁郁寡欢了一阵子，最后也离开了屯子。临走前，我问他，许树才叔叔，你还会回来吗？

许树才叔叔没有回答我，只是伤感地摸着我的头说，许盛来，你要好好读书，以后考出去，离开这里。

我说，爸爸说家里没有钱，不让我读了。

许树才叔叔就找我爸。他对我爸说，哥哥，你要让许盛来读书，他以后肯定能考上大学。

我爸爸正在地里犁田，当他手中的绳子往回一拉，嘴里说“稔”时，牛就往左走；当他手中的绳子往右边一挥，牛绳子拍在牛身上，嘴里说“哢”时，牛就往右边走了。

我爸爸把牛就这样在地里来回赶来赶去，一道道的土浪就在犁铧的底下翻涌出来。他就这样犁了一块地，看也不看站在地边的我和许树才叔叔一眼。

许树才叔叔就这样离开了屯子，他走的时候说，许盛来，无论怎样你都要去读书。你读大学的时候叔叔供你，到时候叔叔肯定有钱了。

我使劲地点了点头。就是在这一年，国家开始免收义务教育阶段的学费，我把小学读完，每个星期带上一瓶炒花生当菜，又接着去更远的镇里读完了初中。我初中毕业的时候没有能读高中然后考大学，因为我爸爸不再供我读书了。许树才叔叔也没有带着钱回来。这样我就回到屯里务农，接过了我爸爸手中的牛绳。很快，牛也听我的话了。当我手中的绳子往回一拉，嘴里说“稔”时，牛就往左走；当我手中的绳子往右边一挥，牛绳子拍在牛身上，嘴里说“啐”时，牛就往右边走了。我就这样把牛在地里来回赶来赶去，一道道的土浪就在犁铧的底下翻涌出来。

很多时候，我都会想起许树才叔叔。我想起他离开屯子时不无潇洒而又略带伤感的神情，想象着他的脚步掠过屯里的土地越走越远的声音。我有时候在晚上会梦见许树才叔叔，有时候梦见他在一个富丽堂皇的地方喝酒吃肉，惬意地吸着高级的雪茄烟，脖子上系着一条金灿灿的领带。有时候又梦见他被人拿着一柄长刀追砍着没命地奔跑。按照老人的话，每一个梦都有来由，梦见的事情其实是生活的一种写照。我不知道我这些乱七八糟的梦哪些是真，哪些是假。总而言之，我并不希望许树才叔叔跑到城里去，我为此莫名其妙地担惊受怕。我希望他快点儿回到我们陇沙屯来，即便他做不成什么，跟我展望一下那些看来永远无法实现的前景对我也是莫大的安慰啊。

## 三

许树才叔叔再一次回到陇沙屯的时候是一个不平凡的春天。

这一年的春天，中国的南方大部分地区遭遇到了百年来最大的一次冰雪。这时候我们陇沙屯已经通电，阉鸡三竟然率先买了一台电视。我们这才知道，阉鸡三这些年靠开小卖部和走屯入户替人阉鸡竟然赚了些钱。我们都挤到他家里去看电视。开始的时候，阉鸡三还很高兴，每次开电视他都调几次音，高声地问后面的人是否听见了。大家都说听见了，他才兴奋地撇着他的腿回到中间一个最高的位置来坐好。但是过了一段时间，阉鸡三就不乐意大家来看他的电视了，好像别人看了电视就从他家带走了什么宝贝似的。最后他决定每个来他家里看电视的人都要交五分钱。他的理由是，电视耗电大。此外，因为来看电视的人多，播广告的时候大家纷纷走出来撒尿，致使他房前屋后尿气熏天，大大损害了他的居住质量。对前一条理由，大家不以为然，因为就算是只有阉鸡三一个人看电视也会耗那么多的电。

而对于第二条，大家都嘿嘿笑表示赞同。于是阉鸡三就名正言顺堂而皇之地对晚上到他家看电视的人收起费来。再来说电视里这场大冰雪，我们在电视里看见大路封冻，电塔倒塌，火车停滞，大批大批的人滞留在车站，有的人还因为挤火车而被踩死了。我们都感到恐惧起来，庆幸自己没有出远门，也庆幸我们活在陇沙屯，高高的大山把冰雪挡在了遥远的山外，我们这里温暖如春。

许树才叔叔就在这样一个冰雪封冻的日子神奇地回到了陇沙屯，屯里人很是惊奇。但是和他带回的计划相比，简直就是小巫见大巫。许树才叔叔决定要在我们陇沙屯办一个卷烟生产厂。大家纷纷离开阉鸡三的电视挤到我们家里来。许树才叔叔用富有鼓动性的话语展望了卷烟厂办起来后的美好前景。他说，只要卷烟生产线开动起来，钱就会从上面没日没夜地流下来，到时候我们陇沙屯的人就可以洗脚进厂，过上城里人的日子了。这些年，他在外面打工，虽然没有赚到什么钱，但是他学到了技术。他去打工的目的也不是为了赚钱，就是要学到技术回到陇沙屯来带领大家发家致富。他已经掌握了生产卷烟的一切技术，现在是他一展宏图的时候了。

毫无疑问，许树才叔叔的话就像一个炸弹一样落在了陇沙屯每个人的心头上。过年的这几天时间里，我们家成了屯里的中心，大家纷纷登门，向许树才叔叔提各种问题。大家普遍对陇沙屯自己能生产卷烟表示怀疑，对此态度，许树才叔叔进行了猛烈的批判。他说，我们陇沙屯怎么了，我们陇沙屯的人也是人，只是我们生在这山疙瘩里面，我们一样能做好城里人做的事。何况有机器呢，只要我们有了机器，接上电，把原料放进去，卷烟就会流出来。有人问，我们陇沙屯没有种植烟叶，怎么解决原料的问题。许树才叔叔说，前期我们搞来料加工，原料甚至销售渠道他都联系好了，我们要做的是开动机器生产。如果搞得好，我们陇沙屯甚至可以自己种植烟叶，那样利润的空间就更大了。那么，我们的机器在哪里呢？又有人问。

许树才叔叔说，机器我已经看好了，要一万多块钱。现在我唯一缺乏的是资金，只要我们陇沙屯二十多户人家每户给我集资五百块钱，资金的问题就解决了。解决了资金，一切就好办了。

我不知道在别的地方是怎样，在我们陇沙屯，只要一提到钱，大家都会闭嘴，甚至退避三舍。许树才叔叔现在提到了钱，那些七嘴八舌提问的人好像被灌了水泥浆一样僵在了那里。

许树才叔叔说，当然，我们的卷烟厂要实行股份制。谁出的钱多谁占的股份就大，到时候分红的比例就大，分的钱就比别人多。谁出钱谁就是股东。不相信我的可以不出钱，但是卷烟厂没有他的份儿，大家分钱的时候不要眼红就行了。

一片沉默。我们家里几乎集聚了屯里各户的主人，还有一些爱看热闹的女人和小孩子。今日来我们家的人比任何时候都多，甚至比挤在阉鸡三家看电视的时候也多。我真担心我们家破败的房子承受不住压力垮塌下来。阉鸡三也抛下电视来了，低着头坐在人群中，不停地朝着脚下的木板缝隙往牛栏里吐口水。我们家的黄牛似乎也感受到了上面黑压压的人群传来的压力，在栏里面焦躁不安地走动着，牛铃叮当哐啷乱响。

阉鸡三突然说，谁知道你是不是骗我们，到时候卷起钱一跑了之。

这句话就像一颗子弹猛然击中正在慷慨激昂地演讲的许树才叔叔，他身子陡然僵硬在那里，但很快又恢复过来。他像突然被激怒了一样跳起来，说，你们把我许树才看成什么人了。我许树才是那样的人吗？你们也不想想，我们屯都穷成什么样了，还不快点儿想办法改变。阉鸡三啊阉鸡三，你现在是有点儿钱了，但你忘了你是怎么得小儿麻痹症的吗？是那一年你感冒，你妈没有钱送你去医院，让兽医胡乱打的针留下的后遗症。为了这，你妈到死都觉得对你有愧啊。还有，许伦、许理两兄弟都是精神病，母亲死了连买棺材的钱都没有，还是大家凑了木板钉了一口没个样子的棺材抬去葬的。你们现在去他家看看，两兄弟一天就煮一锅玉米粥度日。他们家连一床棉被都没有，夜里两兄弟就搂在一起睡觉。

许伦、许理兄弟都来了，他们就蹲在门口，看见大家目光都盯着他们，许伦傻傻一笑，抬胳膊擦了一下鼻涕。

许树才叔叔又说，我们陇沙屯二十几户人家，现在你们随便上哪家看看，哪家不是墙壁透风，根本没有哪家有什么现代化电器，都是黑乎乎的木板。还有，我们陇沙屯多少年没有人考出去，我们陇沙屯甚至没有一个大学生啊。我们连自己的小孩读书都供不起，只能一辈又一辈地来回耕这几分地，能把肚子填饱了就好了，我们就这点出息了吗？我们不能就这样过下去了。

许树才叔叔的话就像一条鞭子朝大家的头上一下一下抽去，大家都低下了头。

许树才叔叔说，当然，你们的怀疑也不是没有道理。去买机器的时候，屯里和我去几个人。再说这么个大事，也不是我一个人能办得完的。

这个晚上就这样草草收场了，大家都低着头一个一个离开了我们家。

等所有的人都走出了我家，一直坐在一边不吭声的爸爸站起来，关上了门。他转过身来后突然指着我们家的神台对许树才叔叔说，你跪下。

许树才叔叔不知道他要干什么，问他干什么？

我爸爸在屋子里走来走去，脚下的木板嘎嘎地响着。不仅木板在响，他的身子也抖得很厉害，牙齿也嘎嘎响来回抖动着，说，你要是骗了大家我怎么办，你要是卷起钱一跑了之，我还怎么在这屯子里活下去。你一定要向祖宗跪下发誓，说你拿大家的钱真是为了办烟厂，如果是骗屯里人，就被五马分尸，鬼魂永远回不到我们陇沙屯，只能做个游魂野鬼。

许树才叔叔说，开什么玩笑。我会为了一万块钱跑了吗？只要卷烟厂办起来，不说一万，就是十万、一百万，我也能赚下来，我会为了一万丢下一百万跑了吗？

但是爸爸并没有听进许树才叔叔的话，他固执地坚持要许树才叔叔跪下来发誓。许树才叔叔见拗不过他，只好跪了下来。也许是为了让爸爸放心，许树才叔叔跪下来后头重重地磕在地板上，发出响亮的咚咚的声音，但是他并没有完全按照爸爸的话发誓，而是嘴里高声地叫道，我许树才一定要想方设法让屯里人变得有钱过上好日子，如果我办不到，我一定被天打雷劈，不得好死，死了也只能做个游魂野鬼，永世不得翻身。

不知道为什么，许树才叔叔喊这几句话的时候，我感觉到堂屋里一片阴森可怕。许树才叔叔真的是要骗屯里人吗？爸爸让他在祖宗面前发那么毒的誓言，是要拴住他的心，但这管用吗？

晚上，许树才叔叔照例和我睡在一起。他躺下后就不再说话，过了好久我以为他睡着了，偷偷看了他一眼，见在黑暗中他仍亮着一双眼。见我看他，许树才叔叔说，怎么，你也睡不着？

我说，嗯。

许树才叔叔突然说，等我们卷烟厂办起来，有了第一笔收入，你要再去读书。

我说，不，我要帮你。

许树才叔叔说，我不用你帮，你也帮不上什么。关键是把书读好，离开陇沙屯。

我说，你叫我离开陇沙屯，那你为什么又要回来。

许树才叔叔说，以后你会明白的。

那时候，我还不懂好多东西，所以弄不懂许树才叔叔心里到底怎么想。但是这个晚上后，我总是感觉到有一种不祥的预兆降临到了我们陇沙屯，但具体是什么我也说不上来。虽然许树才叔叔做出一副自信满怀的样子，但是我从他的内心深处仍隐隐约约看出了某种不安。

## 四

第二天早上，当第一缕晨光从我们家四周墙壁上的空洞漏进来的时候，我听见外面响起了轻轻的叩门声。我看看旁边，许树才叔叔睡得正香，他一定是后半夜才睡着的。我从他身上跨过去，打开了门，阉鸡三夹着一股冷风站在外面。我把阉鸡三让了进来，他看见许树才叔叔还躺在床上，就坐在了床边的一个小凳子上，拿出支烟来点上吸起来。

我说，叫他起来吧。

阉鸡三说，他一定是累了，让他再睡会儿，我等等他。

许树才叔叔好像是听到了我们的谈话声，翻了一个身醒了过来。

阉鸡三见他醒了，连忙殷勤一笑，并很快地从床脚下拿起许树才叔叔的鞋递到他手上。

等许树才叔叔穿好鞋，阉鸡三说，许树才，我要向你道歉，昨晚我不应该那样说你。

许树才叔叔说，没什么，你们的担心是正常的。

阉鸡三说，我想了一个晚上，我决定入股。

阉鸡三说了，马上从口袋里掏出一沓钱，两腿并立站起来，双手郑重地递到许树才叔叔的面前，说，这是一千块，可惜我买了电视，要不我还可以多入股一点儿的。如果烟厂以后有需要征用电视，我也可以把电视拿出来。

许树才叔叔说，我刚睁开眼，你就来送钱了，这是个好兆头。今天是个好日子。阉鸡三，你是我们陇沙屯最有觉悟的人，你给我带来了希望。这一千块钱我收下，电视估计是用不上的。我马上给你写个收条，以后我们的烟厂真正运作起来了，我还要刻个章，给你们出具凭证。

许树才叔叔接过钱，认真数了数，果然整整一千块钱。他把钱收起来后，趴在床上给阉鸡三写起收条来。

阉鸡三站在许树才叔叔旁边，两眼放光，他说，许树才，我要和你说，我入股不单是冲着钱来的。我看了电视知道，北京、上海、深圳都有股市了，他们连着世界经济。我今天也成为股东了，我成为股东了，你知道吗，是你让我感觉到自己突然变得不一般起来。我不再只是一个只会阉鸡的人。我不同了，我感觉到自己看得更高更远了，我要感谢你。

许树才叔叔拍了拍阉鸡三的肩，说，阉鸡三，我和你是一样的心情。

阉鸡三激动起来，他喃喃着嘴说，许树才，你知道，我的腿虽然有点儿不灵便，但是我很会办事。我的鸡就阉得很好，我是能干的。

许树才叔叔说，你到底想和我说什么？

阉鸡三一张脸憋得通红了，他说，许树才，厂子办起来后我想到厂里来做事。真的，我总是觉得有必要为你做点儿事，随便你安排我做什么，我可以不要工钱的。真的，许树才，你要相信我。

许树才叔叔说，厂子办起来肯定请你帮忙的，我一个人做不完。眼下就有事做，你和我一起去看看有没有人入股吧，我们一刻都不能等了。

阉鸡三几乎双腿立正，说，是。

阉鸡三快步走到门边扶住了已经洞开的门板，把许树才叔叔让了出去，接着自己也紧跟着走了出去。我跟在他们身后，看着他们先是走进了许多钱家。许多钱家的门刚被他们推开，我就听见许多钱的女人黄莲像杀猪一样尖叫起来，许多钱正在和她拉扯着什么。许多钱的女人看见我们进来，立刻把双手藏在怀里面滚在地上，边滚边哭喊着，我不活了，我们还怎么活啊。不活了，啊——

许树才叔叔问，这是怎么了？

许多钱说，这婆娘不想活了，抱着八百块钱不肯让我拿来入股。

许树才叔叔就对着躺在地上哭的黄莲说，黄莲，你不要做个短视的女人，到时候你后悔了可就哭不出来了。

黄莲哭声小了一点儿，但还是舍不得放下手里的钱，腾出一只手擦着眼里的泪水，擦一下看一下许树才叔叔，说，我们可不可以先不入，等厂真办起来再说。

阉鸡三说，等厂办起来了还找你干什么，想吃肉又怕狼，算什么人。许多钱，你还是不是男人。

许多钱终于发作了，他走上去往黄莲的屁股踢了一脚，吼了一声，把钱拿出来，你个婆娘懂个屁，告诉你，没有许树才就没有你这个女人，快把钱拿出来。

许多钱一边说又一边踢了几脚。黄莲被踢得哇哇乱叫，踢一脚身子就跳一下，手里的钱也撒了出来，最后受不了，跳起来从后门跑掉了。许多钱嘴里一边骂着，一边俯身把钱捡了起来，弹掉了上面的泥土，递给了许树才叔叔。许树才叔叔接过钱，拍了拍他的肩说，许多钱，谢谢你的支持，以后有了钱对黄莲好点儿。

许树才叔叔在阉鸡三和许多钱的陪同下，走进了一户又一户的家门，他们从大多数的家门出来的时候喜色都布满了脸。阉鸡三更是兴奋难耐，两只罗圈腿一蹬一蹬，走路像一只青蛙一样蹿上蹿下。许多钱则左右摇摆着他粗壮的肩膀，像一个黑社会的打手。他们神气活现地扮演着许树才叔叔的左膀右臂。

奇迹就这样诞生了，我们陇沙屯出现了空前团结的一幕，几乎每家每户都出了钱，大家普遍对即将开办起来的卷烟厂充满了信心。许多钱很为这样的场面所感动，他声情并茂地对屯里人说，我们陇沙屯早就应该团结起来了，团结力量大。过去我们干集体，个个磨洋工，结果吃不饱，这是报应，但是我们却不清醒。分田到户了，却只顾自己家的一亩三分地，吃是吃饱了，但是却没有钱花，没有像样的衣服穿。我们陇沙屯和外面的屯比是最穷了，多少姑娘都不愿意嫁进我们陇沙屯，再不能这样下去了。好在现在有了许树才，是他凝集了全屯人的心，我们陇沙屯有希望了。

许多钱是在他们准备出发去购买机器的时候说这番话的。许树才叔叔选上了阉鸡三和许多钱陪他进城里去采购机器和原料。许树才叔叔为了让屯里人放心，当着众人的面把收到的钱分成三份，分别绑在了三个人的身上。他们三个人站在屯口向送行的屯里人挥了挥手，头也不回地走上了去城里的路。

## 五

一个星期后，许树才叔叔他们回来了。

他们带回来了机器等生产卷烟需要的东西。他们先是雇了一辆汽车把东西一直拉到了镇里，又雇了三辆拖拉机拉到了屯外的山脚下。这些东西进到我们屯还要走一段车辆无法通行的山路,我们全屯人都候在了那里。车辆拉来的是被严严实实包裹着的几个大包,机器则被分拆了装在几个木箱里面。我曾经无数次目睹一窝蚂蚁如何将比他们大不知多少倍的食物分拆运回洞穴的样子。有时候是一只蝗虫,有时候甚至是一只山雀,转眼之间,它们就会被一群蚂蚁扛走变得无影无踪。我们陇沙屯的人自然要比一群蚂蚁有力量,那一包包一箱箱的东西被我们肩扛背驮弄回了屯里。

那些木箱被拆开后,里面露出了一件件大小不一的银白色的零件。许树才叔叔拿着工具,用了整整一天半的时间,把机器组装了起来。展露在我们面前的是一台银光闪闪、硕大无比的机器。屯里人纷纷发出啧啧的赞叹声,一些年纪大的忍不住上前伸出颤抖的手抚摸着机器。

许多钱说这台机器看起来像一台米粉机。许树才叔叔对这个比喻不是很满意,他不屑地说,米粉机怎么能和我们的机器相提并论,米粉机的经济价值没有我们的高。

阉鸡三则说,它像个火车头,只要再给他装上车厢,它就能开动起来了。

许树才叔叔显然对这个比喻很满意,他说,这辆火车能把我们全屯人带到北京。

屯里人都哈哈笑了起来,仿佛他们已经坐着火车到了北京,看到了这辈子做梦都没有看到过的景致。

晚上,许树才叔叔召集屯里人开会。我们屯也就 23 户人家,连带老人小孩人口也就 121 人。这一晚大家全到齐了,大家喜气洋洋,大声说笑,无不兴奋不已。

许树才叔叔却突然像变成了另外一个人一样,变得很严肃了。他低沉着头一声不吭,在屯里人面前走来走去。慢慢地,屯里人发现了许树才叔叔的变化,开始停止说话吵闹,安静了下来。一些不懂事的小孩要说话走动,马上被大人拉住制止了。

许树才叔叔还是在走动,他眉头紧锁,来回踱步,脚下发出咔咔的声响,让屯里人的心一阵阵发紧。最后,许树才叔叔抬起了头,他说,过几天,我们的卷烟厂就要投产了,我现在在这里宣布一条纪律,谁也不许向外面任何人讲我们在生产卷烟,哪一户的人说出去,就要取消他的股份,钱也不退回。是大人说出去,我就要敲烂他的头,是小孩说出去我就折断他的脚。

许树才叔叔突然说出这么狠的话来,屯里的人都觉得很惊讶,看他的样子不像是在开玩笑,更加不敢出声了。许树才叔叔看了看大家的脸,说,我说得到做得到。

接下来,许树才叔叔开始着手准备生产。他们把机器安装在屯后山脚下的一块凹地里,在出口那里还围起了栅栏,关了门。他还让阉鸡三去镇里买了两只狗,就绑在门上,引进去的电线也埋在地里。除了从屯里挑选出来的几个帮工的人能进去外,其余的人都无法进到里面。不仅如此,许树才叔叔还让许多钱带了屯里两个年轻人，到屯外的山路上值班，答应每个人每月发给他们三百块钱。他们在那里搭了个小房子，白天黑夜住了下来。凡是远远看见山道上有外人来，他们就爬到树顶上把挂着的一面白布给扯下来。里面生产卷烟的人看见了就会把机器停下来。此外，阉鸡三也不再去外屯替人阉鸡，他每天没事在屯里面走来走去，拿狠毒的目光在屯里人脸上扫来扫去。如果谁家来了亲戚，他就会坐到这家去，瞧他们都说了什么话，直到客人走了他才起身。屯子骤然紧张起来。

我很不理解，问许树才叔叔为什么要弄得这么紧张。许树才叔叔说，这是商业机密，如果走漏了风声，烟厂就办不下去了。烟厂办不下去，我们的钱就打水漂了。

屯里人都知道许树才叔叔这是为屯子好，都自觉听从他的话。但是，也有嘴巴不严的，他是住在屯东的许昌伯。许昌伯的女儿许秀在烟厂里面帮工，第一批烟生产出来后，她偷偷带了几支出来给许昌伯抽。许昌伯抽就抽了，但是那天他们家刚好来了一个客人，许昌伯就拿出一支给客人抽。客人抽了几口说，这什么烟啊，挺好抽的。许昌伯不无夸耀地说，好抽吧，这是我们屯自己产的呢。客人说，放屁。许昌伯这才发现自己说漏了嘴，赶紧打了个哈哈过去了。但是这话却还是让刚走进来的阉鸡三听见了。

晚上的时候，许多钱就闯进了许昌伯家里，二话不说，一把抓住他就往外面拖，一直拖到了屯中的空地上。叔叔和阉鸡三他们几个人早就等在那里了，他们面前燃着一堆熊熊的火。

许昌伯被拉到了许树才叔叔面前，他也许还没有弄明白怎么回事，许树才叔叔已经扬手扇了他一巴掌。许树才叔叔下手很重，所有在场的人都听见了“啪”响亮的一声。

许昌伯捂着脸吃惊地站在那里，火光照亮了他因惊恐和痛苦扭曲的半边脸。他说，许树才你为什么打我，你竟敢打我。按辈分你应该叫我一声叔，你是喝我的尿长大的，你竟敢打我。

许树才叔叔扬手又是“啪”一声响，重重地又扇了许昌伯另外半边脸。

许昌伯这下真的被打蒙了，两手捂着已经开始肿起来的脸愣在那里，脚竟然抖了起来。

许树才叔叔说，你忘了我的话了吗？

许昌伯说，你说什么？

许树才叔叔说，今天你和外人说了什么？

许昌伯说，我没有说什么啊。

阉鸡三在旁边说，你还敢顶嘴，今天你和客人说我们屯产烟了，你这不是找死吗！

许昌伯说，我是无意说的。

阉鸡三说，无意说的，许树才定的规矩你也敢破坏。

在旁边围观的屯里人也说，许昌，你说了糊涂话，你这是在害屯里人，有人甚至还朝他扔了一截萝卜。

许昌伯说，我知道错了。

许昌伯开始像一个小学生一样在许树才叔叔的面前检讨自己的错误，发誓以后不再犯这样的错误。也许许树才叔叔只是为了教训一下许昌伯，并以此让屯里人引以为戒，见到许昌伯已经道歉，他不再追究下去，放了他一马。但是他又同时宣布了一条规定，那就是谁也不能从烟厂里面拿出一支烟，屯里任何人也不能抽烟。厂里的烟，谁敢冒犯，见一次就砍掉一个指头。

许树才叔叔又说，我们陇沙屯不抽自己生产的烟。我们要把这些烟卖到城里去，换回他们手里的钱。城里人手里有大把大把的钱，我们不去拿他们也会把钱浪费掉。我们把钱拿回来，给我们治病，买电视机，起楼房。

这个晚上就这样过去了。说实在话，我感觉到许树才叔叔变了。他以前是一个多么可爱有趣的人，就是在最初他回来动员大家集资入股的几天里，他还是那样满脸笑容，对待谁都是那样热情。但是转眼之间他怎么就换了一副面孔了呢。开始的时候，我还要求到烟厂里面去帮忙，但是他一口就回绝了我。并且他不再回家里住，吃睡都在烟厂里面，我想和他说一句话都难了。在陇沙屯，我和他是最亲近的人了，他竟然这样对我。此外，许昌伯也是一大把年纪的人了，还是我们同族的亲戚，许树才叔叔说打他就打他，也不给他点儿面子。一连几个晚上，我都做着一个相同的梦，我梦见那台机器摇身一变变成了一列火车，它搭载着我们陇沙屯男女老幼，呼啸着从我们陇沙屯出发，越过了我们屯前面的高山，来到了一片平原上。我们屯里的人在火车里面唱啊跳啊，高兴得不得了。但是火车跑着跑着，突然就掉进了一个黑咕隆咚的巨洞里。我感到了不祥的预兆，我把我的担忧对我爸爸说了。

我爸爸沉思了一会儿说，这小子还没有发达呢，尾巴就开始往上翘了，我要和他谈谈。

爸爸逮到了一个机会，他对许树才叔叔说，许树才，不要忘了，你的厂是屯里人出资帮你搞起来的，没有他们就没有这个厂，你不要在他们面前耀武扬威的。

许树才叔叔说，你好好耕你的地，我的事不要你管。

爸爸说，许昌是你叔叔，你要威风也不要耍到他头上。

许树才叔叔说，谁叫他不知好歹违反了我的规定。

爸爸说，你这是小人得志。

许树才叔叔狠狠地盯了爸爸一眼，说，哥，别说是许昌，就是你违反了我的规定，我照样扇你。

爸爸打了个激灵，以后不再和许树才叔叔谈这个事情。

一个多月后，许树才叔叔的第一批烟终于出厂了。它们被密封着全部装在了十个纸箱里面，除了在厂里面做工的几个人，屯里谁也没有能一睹它们的真面目。

许树才叔叔请了屯里十个年轻力壮的人，每人负责扛上一箱，晚上扛出屯到了山外。一辆福田小卡车已经奇迹般地等在了那里。许树才叔叔指挥他们把烟搬上了车，他亲自押送着车走了。几天后的一个晚上，许树才叔叔回来了。还是那辆福田小卡车把他送了回来，车里面装着比上一次更多的生产原料。此外，他还带回了一堆钱。

许树才叔叔连夜召集屯里人开了会。在一盏明亮的电灯的照耀下，他把钱按照每户入股数额的两倍分了二十多份的钱，屯里每户都有份。他这是要分红了，许树才叔叔一个一个点着名，被点了名的人站起来，走到他面前把钱领走。这个夜晚，对陇沙屯的人来说是令人兴奋的，屯里人终于真实地感受到跟着许树才叔叔是大有希望的，他们一个个走上来领走了属于自己的那份钱，每个人的脸上都有抑制不住的喜悦，但是大家竟然紧张得说不出话来。许昌伯也有一份，等到他上来领的时候，许树才叔叔把他那份钱在手上顿了顿，对他说，许昌叔，虽然你违反了规定，按照规定，你的股份是要取消的，但是我看你认错态度好，也就不收回你的股份了，以后你要管好自己的嘴。

许昌伯连连点头说，是的，以后我不敢了。

许树才叔叔这才把钱交到了他的手上。

许树才叔叔分完钱后又宣布了一个规定。他说，家里凡是有小孩辍学在家的，明天都要全部送去学校。学费由烟厂出，以后如果烟厂效益更好了，还要补贴伙食费。

我们屯共有六个小孩辍学在家，第二天家长都把他们送去了学校。许树才叔叔的威信就这样在陇沙屯树立起来了，现在他随便在陇沙屯吐一口口水，屯里人都会像宝贝一样珍视。

## 六

我也被许树才叔叔送到县里复读初中，准备明年参加中考。

我说在镇里复读就行了，但是许树才叔叔一定要送我去县城。他说，镇里条件不好，城里条件才好，你要接受最好的教育。是的，城里不管什么都比我们这里好，这是许树才叔叔教给我的一个人生经验。

许树才叔叔亲自送我去学校，从我们屯到县城要走很远的路。我们先是步行出屯，一共走了一个多钟头的山路，来到外面的乡道上。我们在乡道边蹲了四十多分钟，终于等来了一辆后三轮摩托车。摩托车载着我们走了一个钟头终于到了镇里。我曾在这里读了三年的初中。然后我们挤上一辆塞满了人，座位底下塞着箩筐、鸡、猪仔等东西的客车，客车走了三个多小时山间公路，穿过三个隧道，终于到达了县城。这是我第一次来到我们县政治、经济、文化的中心。一下车站，我立刻被扑面而来的巨大的车声、人声给击蒙了。我长这么大第一次看到有这么多的人。我数了数左边的一栋楼，有八层，又数了数右边一座楼，有六层。在屯里，我登过的高山比这里任何一栋楼都高，但是面对这些楼房，我不知道我为什么有点儿头晕目眩。

我感叹地对许树才叔叔说，这就是传说中的城市吗？

许树才叔叔复杂地看了我一眼说，这不算城市，还有比这更大更美的城市。

我在课本上读到过我们的祖国还有北京、上海、广州等更多更大的城市，但是我无法想象它们有多大多美。

许树才叔叔说，你要好好读书，考出去，到那些城市去工作、生活。

许树才叔叔搂住我的肩膀走着。从我们身边走过的是城里穿着打扮漂亮的人和如流水的车，街边尽是漂亮的橱窗，里面摆满各色的商品和美食，人们可以任意挑选和享用。许树才叔叔一直没有和我说话，但是我能感受到他搭在我肩膀上的手越来越沉重，我也越来越感受到他的手上传来的无限的期望和难言的感触。我终于明白，许树才叔叔为什么一定要让我们陇沙屯的小孩读书的原因，他为什么一直努力拼搏的原因。

许树才叔叔带我到学校注册安顿下来，又给了我三百块钱后就走了。真的，握着那三百块钱，我落泪了，泪水嗒嗒地掉在手里的钱上。我在心里默默地说，我一定要争气，一定要考上大学，不辜负许树才叔叔对我的期望。在学校里，我几乎把所有时间都用在了看书上，除了吃饭睡觉，我都捧着书看，上厕所也看书，我不参加学校里的任何活动，除了早上统一的早操。但是我的成绩老上不来，那些公式，那些字母，就像一个一个神秘的符号让我迷茫困惑。我觉得我可能要辜负许树才叔叔对我的期望了。同学们说，许盛来，你不参加体育锻炼，光看书没有用的。甚至老师也开始对我说，许盛来，你应该注意锻炼身体。他们说多了，我再也不能沉默了。上体育课的时候，我一扬手，就把篮球扔出了几百米开外。摔跤的时候我把他们都放倒在沙坑里起不来。他们终于知道了我的厉害，纷纷说，许盛来，没有想到你看起来精瘦，但却这么有劲儿。我心里说，我挑一百多斤柴火在山路上来去自如的时候，你们还在吸手指头呢。他们不再来招惹我，我又可以不受干扰地看书了，但是我的头脑还是无法开窍。我想，肯定是这几年来辍学在家把我的脑子弄坏了，现在我的脑子就像糨糊一样，一团迷糊。

我很少回家，大多数的时候都是爸爸给我送来伙食费。爸爸一来我就问许树才叔叔的情况。爸爸每来一次都能给我带来新的好消息，比如说屯里又分钱了。许树才叔叔又出钱修了哪条路了。许树才叔叔还出钱买了个电视给屯里人看，电视要比阉鸡三的大一倍，他还安了个大锅盖，看到的节目眼花缭乱。许树才叔叔还每月供给许伦、许理两兄弟每人六十块钱，保证他们有米有油吃。许树才叔叔还让屯里人在后山的地里种下了烟叶,因为这样可以省下进原料的钱等等。许树才叔叔的事业越来越好了。当然,我也抽空回去过,如爸爸所说,屯里在发生着潜移默化的变化。当然,这些变化也只有陇沙屯人自己才能看出来。如果外面的人来,还是觉得陇沙屯是那样闭塞贫困,人们不思进取。一进屯口,总是看见许多钱他们无所事事地打牌,屯里也静悄悄的,老人都坐在灶火旁烤火打瞌睡,青壮年或者在田里,偶尔锄锄地,然后扶着锄吸支烟傻站半天。屯子四周的山永远湿漉漉的,像屯里人暧昧困顿的脸。外人来了都不爱待,站几分钟就想离开,心里说,这个地方的人,只能这样了,也只能自生自灭了。

在学校,我最头疼的是晚自习前总有十分钟的读报时间。不知道为什么,一站到讲台上,头上是雪亮刺眼的灯光,底下是同学们齐刷刷的目光,我的心就跳得厉害,两条腿抖个不停。这天晚上,我匆忙中拿错了报纸,把一张报纸翻来翻去就是看不到原来准备读的那条新闻。我不只心跳得厉害脚也抖得厉害,头上也开始冒汗了,牙也抖得磕起来。我听见同学们开始在下面窃窃地笑了,我压住手中的报纸,胡乱捡字大的一条读了起来。

在河南省漯河地区的一个屯庄里,只要随便弄一台卷烟机就可以生产卷烟了,而且是什么牌子的烟都能造。而按照《中华人民共和国烟草专卖法实施条例》规定,设立烟草制品生产企业,应当由省级烟草专卖行政主管部门报经国务院烟草专卖行政主管部门批准,取得烟草专卖生产企业许可证,并经工商行政管理部门核准登记后,才能进行烟草制品的生产。记者对此进行了暗访……

我不知道我是怎么坚持读完这则新闻的,也不知道我是怎么回到座位上的,我也听不见同学们哄堂大笑的声音。我趴在桌子上,膝盖上放着那张报纸,我又看了两遍那条新闻。新闻里报道的虽然不是陇沙屯,但其实说的就是陇沙屯。许树才叔叔的卷烟厂原来是在非法制烟!我终于明白他为什么要定下那些规矩了,知道他为什么把生产的地方搞得那样神秘,为什么都是在晚上才往外拉东西了。他蒙骗了我,蒙骗了屯里所有的人。他这是在犯罪,我痛恨自己怎么现在才明白过来。我只懂得课本上的东西,我读书看报太少了。许树才叔叔如果继续走下去,他将会走进监狱,他也将把屯里人带进万劫不复之中。我不知道这个月我是怎么度过的,月底爸爸来给我送伙食费的时候,我抓住了他。

我说,爸爸,许树才叔叔他们在做犯法的事。

爸爸瞪着牛一样的眼睛看着我,说,你在说什么呢!

我说,国家不允许个人制作卷烟,这是要坐牢的。

爸爸说,你不要乱讲,我们是靠自己的双手挣钱,这个国家也要管吗?

我说,爸爸,不像你想的那么简单,再这样下去屯子是要出事的。

我说着就拿出那张报纸给他看。

爸爸说,我不识字,看什么看。

我说，我念给你听。

爸爸说，报纸上的东西能信吗，听它干什么。

我说，爸爸，你糊涂了吗？

爸爸说，你不要想那么多，你许树才叔叔给屯里带来了希望。你想想吧，没有他，你能上学吗？

爸爸不再和我说了，他放下提来的米，塞给我钱，匆匆就走了。

我看不进书，睡不着觉。我找老师请假，我说我叔叔要死了，我得赶紧回家。老师马上批准了我的假。我不是在咒许树才叔叔，如果他真这样一直搞下去，离死就不远了。下了车，我几乎是跑着进了山道。我急急地走着，我爸爸糊涂，但我想屯里的人不会都糊涂，我有必要告诉他们真相，让他们清醒过来。远远的，我就看见屯口的山坳上的龙眼树那里白光一闪，我知道那是许多钱拿着望远镜在瞭望。他一定通过望远镜看见我心急火燎地赶路的样子。等我走到屯头的时候，果然看见许多钱刚从树上滑下来，抓起牌和屯里的两个小青年在那里打牌。那副牌他们已经打得边都起毛了。许多钱看见我，说，大学生，今天又不是礼拜天，怎么跑回来了？

我本来不想搭理许多钱，但是他竟然先和我打招呼，我就停了下来。我直直地喊他名字对他说，许多钱，你知道你们在做什么吗？

许多钱估计没有想到我会和他这样说话，他抬起牛一样的脸对着我说，我们在打牌啊，你这个大学生也看不出来。

我大声对他说，你们私制卷烟，你们这是在犯罪，你们迟早要坐牢的。

许多钱定定看着我，眼里好像也有了火，但是显然他眼里的火没有我的猛。他说，许盛来，你能读书都是因为有了烟厂。你不会考上了大学以后出来当警察把我们抓进牢里去吧？

我和许多钱对视着，我感觉到自己心里熊熊的火要把自己焚烧了。从许多钱的话来看，他清楚地知道他在做的事的性质，但他却心甘情愿竭尽全力地做这件事。难道只有我糊涂吗？是不是屯里所有的人都心知肚明呢？我调头向屯里走去。

许多钱在我身后说，许盛来，好好待在学校里读书，这才是你要干的事。

我在屯头碰见了许昌伯，他正埋头在铲一泡牛粪。我唤了他一声，许昌伯把头从牛粪堆里抬起来。

我说，许昌伯，许树才叔叔他们在做犯法的事。

许昌伯吓了一跳，把铁铲往地下一丢说，不关我事，我什么都不懂。

我逼近他说，你不要装糊涂，以后他的钱你不能要了。

许昌伯说，不关我的事。

他不再理我，捡起地上的铁铲，挑起用来装牛粪的筐，匆匆走进屯里去。许昌伯惊慌失措的样子让他在我的眼里变得陌生起来，陇沙屯也一下子在我的眼里陌生起来。屯里人其实都知道许树才叔叔在做一件犯法的事情，但是他们默认了，并且支持他，对外帮他保守秘密，因为许树才叔叔的烟厂可以为他们带来好处。但是从许昌伯的态度上，我看出来，只要一有事，屯里人肯定把责任推得一干二净，让许树才叔叔一个人承担。我突然感觉到一阵悲哀。

我没有进家门，加快了脚步向后屯的山坳走去。我看见山坳前的栅栏木门紧闭，里面的空地上种植着蔬菜，最里面一排鸡皮果树掩映间是一间泥糊的瓦房。不知道的，一看以为这里是一间菜园而已。但是其实里面的泥屋里，许树才叔叔用几十床棉被在里面把屋子围得严密，里面马达的声音无法传到外面来。他现在一定是在里面开足马力生产卷烟。看见我走近，门里的两只黑狗马上站了起来，吐出灰白的舌头呼呼地喷着气。我抓住栅栏摇起来，高声地喊着许树才叔叔。

里面的两只狗见我摇栅栏，也跳起来，脚搭在栅栏上向我吼叫起来。它们脖子上的铁链也被扯得哗哗响，乱成一片。

里面房子的门打开了，许树才叔叔先是探出了一个头看看，然后走出来，一边走一边脱掉手上白色的手套，朝狗吼了两声。两只黑狗听见他的声音，马上安静下来，伏在了地上。

许树才叔叔见我突然回来多少有点儿吃惊，站在里面对我说，许盛来，怎么了？

望着许树才叔叔，我满身的怒火和焦虑突然在这一刻变成喷涌而出的泪水，竟然在这一刻里说不出话来。

许树才叔叔说，是不是在学校里有人欺负你了？

我说，我都知道了，你是在做犯法的事。

许树才叔叔久久地看着我，他的目光就像一把剪刀在我的脸上刮来刮去，说，许盛来，你懂事多了。

我说，叔叔，你停下来吧，这很危险。

许树才叔叔说，你先回家吧，晚上我再去找你谈。

晚上，我吃了饭就等着许树才叔叔来和我谈。我没有等来许树才叔叔，屯里几乎所有的人却来登我的门了。先是许多钱的女人黄莲来找我，我不知道这个一碰就倒地哭的女人突然来找我到底有什么事。她也不看我脸上露出的嫌弃的神情，拉了个小凳坐在我旁边兀自说开了。她说，许盛来啊，别人不知道我为什么把钱看得那么重，不知道我为什么嫁到这个穷山沟里来。那是因为我有难言的苦衷啊。我的乳房一边烂了，另一边也已经开始疼了。医生说我得了乳腺癌，割掉的话要很多钱，现在钱差不多积攒够了。

黄莲说了站起来，抓住衣襟对我说，你要看吗？

我吓了一跳，站起来双手摇摆着说，不，不。

黄莲并没有听从我的制止，还是把上衣撩起来给我看。我看见她左胸那里的乳房像一个已经松弛得要装不住水的胶袋一样肿胀着吊在那里，一半已经黑烂，似乎还散发着一股恶臭。

我恐惧地对她喊道，快走开。

黄莲把衣服放了下来，朝我笑了一笑，走了出去。

就这样，屯里的人络绎不绝地踏进了我家的门槛，他们跟我说他们身上各式各样的病，和我说他们看上的某屯的媳妇，和我说这些年累积下来的陈年旧账。年长一点儿的，还给我说了他们漫长的一生遇到的苦难。一夜之间，我们陇沙屯在我面前来了个大起底，上面布满了百孔千疮的苦痛，每一桩每一件都粘满了血泪。不管哪一桩哪一件落在谁身上都要付出一生沉重的代价。

连德隆爷爷也来登我的门了，他身子骨没有那么利落了，走路已经颤颠颠的了，他坐下来就跟我说，不服老不行了，身子不行了。许盛来啊，你知道吗，百丈崖上的那根木条已经掉下来了，雨水把它腐蚀了，我也知道我要死了。

我惊讶地说，那根木条掉下来了？

德隆爷爷说，是啊，世界是你们年轻人的了。

德隆爷爷是来给我看他拟定的屯规民约的。许树才叔叔要在屯头立一块石碑，上面写上“陇沙屯”三个大字，然后再刻上德隆爷爷拟定的屯规民约。他说要给我这个屯里文化最高的人看看。德隆爷爷拟定的屯规民约密密麻麻地写在一张纸上，无非是一些不许偷盗、不许赌博、不许打架斗殴诸如此类的禁令。说老实话，如果我们陇沙屯人真的能做到像屯规民约上说的，我们屯就变成了一个世外桃源了。

德隆爷爷说，现在屯子好了，再没有偷盗打架，也没有田产林木之争，邻里和睦，屯里太平了，这是多少年来没有出现过的景象啊。

我知道，德隆爷爷其实不是来让我帮他修改什么屯规民约的。他那些半白半文的文字在我看来是那样艰涩隐晦。他是来向我说教的，所有今晚来向我诉苦的人都是来向我说教的。他们共同向我传达了一个信息，那就是不要告发许树才叔叔制造假烟的行为，不要粉碎陇沙屯美好的前景。如果我那样做的话，我就成了陇沙屯的罪人。

我把屯规民约还给德隆爷爷，我说，写得很好，我根本无从修改。

德隆爷爷意味深长地说，你还是个孩子，不要试图改变什么。

当所有的人离开我们家后，我爸爸站起来嘭的一声关起门来。他转过身来对我说道：“跪下！”

爸爸说话的语气和神色极像他那天让许树才叔叔跪在神台前的样子，我不由自主地跪在了神台前。

爸爸说，我要你发誓永远不说出去。

那天爸爸让许树才叔叔跪在神台前发誓的时候，我还觉得荒唐可笑，但是今天突然轮到我跪在了神台前，我感觉到自己脊背一阵冷飕飕。我仿佛看见我们家的

老祖宗们出现在了神台上，他们一个比一个苍老，胡子一个比一个雪白绵长。他们都伸出手指着我说，不要说出去，不要说出去——

爸爸在我身后转来转去，一边说："你都看见了吧，如果你说出去，你就把整个屯子都得罪了。你许树才叔叔也不会有好下场。那样的话我们家还怎么能在陇沙屯待得下去。我们家养的鸡啊猪啊会被毒死，我们种的庄稼也会被人拔起来，我们会挑不到水，家里的电线也会被人剪掉，到时候我们根本无法在陇沙屯立足。"

我感觉到一阵阵压力向我袭来，我感觉到我在承担着整个陇沙屯的重压，整个陇沙屯一团漆黑，里面夹杂着愚昧、贪婪、自私、险恶，向我压来。我扑通一声倒在了神台前。许树才叔叔答应今晚来和我谈，他没有来，但是他化身成无数个屯里人来和我谈了，他自己没有来，但一下就把我击倒了。

## 七

第二天天不亮我就离开了陇沙屯回到了学校，我感觉到我多待在陇沙屯一刻，我就会神经错乱疯掉了。

在学校，我变成了魂不守舍的人。打篮球的时候我再也没有力气把球抛得那么远，反而被篮球频繁地砸在脑袋上。我也无法把同学们摔倒，反而是我被摔得鼻青脸肿。上课的时候，老师说什么我都听不进去，看见讲台上的粉笔我就神经质地心惊肉跳，那些粉笔在我眼里总是变化成一支支香烟，在教室里飘来飘去，在我头脑里飘来飘去，在我的梦里飘来飘去。我不再和同学们说话，不敢看老师的眼睛。我担心自己一说话，秘密就像一只青蛙从我的嘴里跳了出来。

老师在一个下午把我找去他的宿舍，老师说，许盛来，你心里有事。

我摇摇头。

老师说，许盛来，如果你心里没有事，你不会这样。

我还是摇摇头。

老师又说，是不是家里供不起学费了？

我还是摇摇头。

老师说，是不是家里有人病了？

我还是摇摇头。

老师久久地盯着我，突然厉声说，你是不是喜欢哪个女同学了？

我猛烈地摇了摇头说，不是。

老师说，你一定是喜欢上某个女同学了，不是你怎么脸红了。

我说，不是。

老师说，你不要狡辩了，我已经观察你一段时间了，你是不是喜欢班里面的刘丽丽！

我的泪几乎要涌出来了。

老师说，许盛来，你如果敢在学校谈恋爱，学校就要开除你。

我的泪水涌了出来，我站起来说，老师，你错怪我了，我没有谈恋爱。

老师说，那你为了什么？

我知道，如果我不说出心里的秘密，我就要背负在学校谈恋爱的罪名了，那我怎么还可能在学校待下去呢？我说，我说了你不要告诉别人。

老师说，老师不会说出去的。

我说，我叔叔在屯里生产假烟。

执法队是在天还没有亮进入到陇沙屯的，这是一个星期后的事情，我是事后才听说的。执法队冲进了后山的坳地，缴获了一台卷烟机和一批已经生产出来的假烟，这些假烟涉及多个知名品牌香烟。这是我们这个地区发现的第一例制作假烟案。涉案人员显然精通卷烟的制作工艺，所生产的假烟几乎达到了以假乱真的程度。办案人员在拆除卷烟生产机器和铲除那些已长成的烟叶的时候遭到了屯里人的阻挠。执法队经过耐心说服，晓之以理，动之以法，屯里人在法律的威慑下终于退去。执法队成功将缴没的制假工具和相关责任人带离了制假屯庄。

告诉我这一消息的是我的老师，他说，许盛来，你是个诚实的学生，见到违法犯罪勇于斗争，学校决定对你进行表彰，号召全校师生向你学习。

我说，老师，是你把我叔叔制作假烟告诉了公安吗？

老师说，许盛来，应该说是你立的头功。

我的眼泪落了下来，我说，老师，你欺骗了我，你说过不告诉别人。

老师说，许盛来，我们不但自己不能犯罪，我们也不容许有任何犯罪行为在我们身边发生。

是的，老师的话没有错，正确得严丝合缝无可挑剔，让我无话可说。我低着头回到宿舍，躺在床上我睡不着。我突然是那样讨厌这个学校，讨厌我自己，我想我应该离开这里，回到陇沙屯去，那里才是我待的地方。我想象着陇沙屯现在的样子，它一定在夜色的笼罩下死气沉沉，鸡不鸣狗不叫。屯里的人一定猜出了是我告发的，也许，有人已经把粪便涂抹在我们家的大门上，有人还把石头扔在我们家的屋瓦上，人们一定在对我爸爸进行冷嘲热讽。这都是我应得的，我没有任何怨言。

晚上，我做了一个梦，梦见我到了监狱里面，我见到了许树才叔叔——

我看见许树才叔叔胡子拉碴，头发凌乱。我对他说，叔叔，我对不起你。

许树才叔叔说，是的，你对不起我。我给陇沙屯带来了钱，带来了希望。是我让你重新进学校读书，但是你却把我送进了监狱。

我说，不，叔叔，你错了，是你自己把自己送进了监狱。你是给陇沙屯带来了点儿钱，但那不是我们陇沙屯的希望，陇沙屯的希望不建立在制作假烟上。

许树才叔叔被激怒了，他提高声音对我说，你知道什么，那你能把希望带给陇沙屯吗?

我说，陇沙屯不可能由我们带来希望，陇沙屯肯定能有自己的希望。

许树才叔叔哼了一声说，你知道什么，你不知道这些年我在城里受了多少罪。

许树才叔叔说了，把头顶在铁栅栏上拨开头发，让我看他头上的伤疤。他又把手伸出来，捋起衣袖给我看手臂上的伤疤。他说，这都是我在城里受的伤，但这都不是最主要的。他指了指自己的心口说，我的伤痛在这里。

我说，既然城里给你那么大的伤害，你为什么还那么向往城市。

许树才叔叔显然被我问住了。我继续说，许树才叔叔，你想像城里人一样过富足的生活，或者干脆过上城里人的生活，这都没有错，但是你不能采用这样极端的方式，这样只能害人害己。

我的话再次把许树才叔叔激怒了，他咆哮着站起来向我吼道，你知道什么！我为什么不能这样，难道要我永远像一个没见过世面的人一样在陇沙屯辛劳至死，或者让我像一条丧家狗一样在城里游来荡去。再说，我害谁了，你回陇沙屯问问，他们有谁说我不好了。

我说，许树才叔叔，你难道只看见陇沙屯一点点地方吗。你制作的卷烟流到城里，你欺骗了城里所有买你烟的人，你侵害了烟厂的利益，你侵害了国家的制度。

许树才叔叔说，去你妈的城里人，他们吸几支假烟死不了人。如果他们有点儿良心的话，应该多吸几支我们陇沙屯的假烟。

我不知道许树才叔叔哪里得来的这想法，这简直有点儿荒唐和不可理喻。我知道我无法和许树才叔叔对话下去。我定定地看着他，我说，许树才叔叔，我不读书了，我要回屯里去种地。

许树才叔叔说，许盛来，虽然你把我送进了监狱，但我还是劝你把书读下去。

我说，我已经读不进去了，再说，你的烟厂被取缔了，爸爸再没钱供我了。

许树才叔叔说，看见了吧，报应马上来了。

我摇摇头说，这不是什么报应。如果真的是什么报应的话，我反而安心了，不再那么有愧了，这未尝不是好事。

许树才叔叔摇摇头，对我的话表示不理解，就像我不理解他的话一样。我突然觉得我和许树才叔叔有很深的隔阂，这隔阂比我们之间的铁窗还要深远坚固。

探视的时间很快过去了，许树才叔叔被狱警架起来走到了里面。他没有和我告别，也不回头再看我一眼。铁门哐当响，把他的身影关在了黑漆漆的监狱深处。

## 八

第二天我就回到了陇沙屯。

我穿上了厚厚的衣服，在肚子和后背那里又放了两本课本。我想，这样如果有人要踢我，至少可以挡一挡，就没有那么疼了。如果他们要打我的头，我只能用双手抱着头了。

屯里人却像过节一样，对我的到来不以为意。

屯里人老老少少都来到了屯前的地里。他们个个喜气洋洋，站在田埂上有说有笑。我看见德隆爷爷了，他坐在一块石头上，颤颠颠的手一边吃力地卷着一支烟一边笑着，那些烟末掉到了地上，他又低下头捡起来。我看见烟里夹杂着几粒土，但德隆爷爷一定是老眼昏花了没有看出来，但这时候我已没有心情去提醒他了。我还看见许多钱和他的女人黄莲也傻笑着站在那里。我盯了盯黄莲的胸，里面一片扁平，她是不是已经把她的乳房割掉了呢。屯里人都在笑阉鸡三。此刻，阉鸡三正在拿着一个类似手机的仪器，绕着一块一块的田地跑着。他一定是很兴奋，手里高高举着仪器，奔跑的时候两只脚夸张地往外撇着。他的跑姿把屯里人都逗乐了。阉鸡三每跑完一块地，就跑着回到一个人面前停下来，把手里的仪器伸给他看。那个人一看显然是城里人，他肩上背着一个包，手里拿着一个文件夹和一支笔。他接过仪器，一阵噼啪响摁着，然后报出一个数字，把它记在文件夹上，阉鸡三马上又接过仪器跑起来。

远远的地里，也有一个城里人在走动着。他每走上一段路，就把手里的一竿铁器钉到地里，然后又拔出来。铁柄的那头是一个钢杯，他把钢杯里的土挖出来，装进一个小塑料袋里，然后小心地扎上口，放在背包里面。

我看见我爸爸独自一个人坐在一边，我走过去问他这是在干什么？

爸爸说，量地。

我问，量地干什么？

爸爸说，城里的烟厂看上了我们的地，说我们的地能种特级烟，要把我们屯建成特级烟基地。

我说，许树才叔叔呢？

爸爸说，跑了。

一切都是那样富有戏剧性，执法队没有抓到许树才叔叔。栅栏外狗叫的时候许树才叔叔早就翻身下床。他在烟厂后面留了一个门，开了一条通向山上的路。许树才叔叔早就预留了一条逃跑的路，他一定是知道这一天会来到，只是可能没有想到来得那么快而已。没有抓到许树才叔叔，这就变成了无头之案。屯里人都说不知情，卷烟机器是许树才叔叔自己拿来的，不关他们的事。是的，你无法追究一个屯所有人的责任，难道你要把陇沙屯的人都抓进监狱里去吗。也许陇沙屯的人还真巴不得被抓进去，这样他们就可以不劳而食了。许树才叔叔把一切罪责都带走了。更令人欣喜的是，执法队把没收的屯里人自种的烟叶带到了城里，烟厂的人看见了如获至宝。这是他们苦苦寻觅的特级烟烟叶，远在深山不为人所知的陇沙屯是一块能生长出特级烟的上好之地。

那两个城里人是烟厂先期派来的技术人员，晚上他们并没有走，他们留下来还有很多事要做。吃完晚饭后，他们召集屯里人开会。

在一盏明亮的电灯下挤满了屯里人的头，男人们都尽情地吸着烟，一时烟雾弥漫。如果没有记错的话，这是我第一次见到陇沙屯的男人们这么集中地大规模地抽烟。那个白天记数的男人就站在屯里人的中间，他用富有鼓动性和号召力的语言描述着陇沙屯未来的前景。他说，基地建起来后，你们陇沙屯就是我们烟厂的第一车间了，你们都是车间的工人，你们就算是我们烟厂的编外职工了，再不是农民了。我们还要修一条公路进来，可以并排走两辆车。你们就靠种烟叶，种烟叶你们的日子就好过了，到时候你们就有钱盖楼房了。我们还要帮你们修建公共设施，帮你们接自来水，建娱乐室，建篮球场，硬化屯道，你们将过上像城里人一样的生活……

屯里人哗啦啦地鼓起掌来。屯里人都学会鼓掌了，以前他们如果表示赞同和喜悦大多哈哈大笑或大声嚷嚷。我突然流下了眼泪，我想起了许树才叔叔，我想起他以前说的话，他说的和这个城里人说的一模一样。那时候大家都嘲笑他，但是他说的马上就要变成现实了。当时我们不相信许树才叔叔的话，是因为他那是痴人说梦话。但是现在这个说的人是城里人，他的身后站着更多的城里人，他说的话我们不信也不成了。

阉鸡三就坐在我旁边，他也在使劲地鼓着掌，看见我在流泪，他拍了一下我的肩说，大家都高兴呢，你哭什么哭。

我说，你们吸的烟气太重了。

我站起来，拨拉开屯里人的头和胳膊走到外面来。我感到一阵阵的心酸，我想屯里人可能已经忘记许树才叔叔了。叔叔的烟厂没有给屯里人带来真正的幸福，但是谁都无法否认这次的希望是因他而来的，而他要为此付出一生东躲西逃的代价吗？

外面的夜空一片寂寥，银色的月光洒在陇沙屯的土地上。那些土地就像一个丰腴的孕妇睡着了一般，她在梦里孕育着陇沙屯的幸福吧。我看见对面的山像一个人一样站在那里，他静静地看着我。我想那会不会是叔叔化身在那里看着我呢？我抬起头，看见天上的一颗星星突然闪了一下，就像许树才叔叔向我狡黠地眨了一下眼一样。

我的泪忍不住又流了下来。我听见我的心对着空洞的夜空喊道，叔叔，你回来吧。

（选自《星火》2008年第5期）

**周 耒**

出生于20世纪70年代中期，广西崇左人。广西作家协会会员，已在《星火》《作品》《文学界》《广西文学》《红豆》等杂志上发表中短篇小说三十余万字。曾获《广西文学》“金嗓子”广西青年文学奖。

# 白莲浦

陈旭红

## 一

爷死那天，我确信人世间的岁月是又长又凉，我应该背着包儿去流浪，在世上任何一个角落，还不是一样的阴晴风雨，但是我没有，我默默地跟在母亲身后，没什么可想也没什么不可想，像自青岗峰顶掠到白莲浦上空那一缕变化万千的云。

爷疼爱母亲没得个止，母亲爱吃螃蟹，每年入秋后，他都会去白莲水库里翻拣。这次他捉了足有两斤多螃蟹，回家在白莲浦的碧幽潭边清洗，谁也不知他是怎么栽下水的。

垸里有人跑到我家来，告诉母亲爷落水的消息。母亲忙丢下正择拣的黄豆簸，又嘱咐细骚儿说："快，把拗种牵到浦北去。"在母亲的意识里，爷生在水边长在水边，一个猛子可以游半个白莲浦，无论如何爷是不会被淹死，她以为不过是多喝了几口水噎着了，将爷放在拗种背上倒立出水，爷就会醒过来。

母亲快步来到一群人前，人们纷纷让开一条缝，她看到摊在青岗峰下白色石崖上的爷，她挽起他的手背，努力将他抱起来，可没有用，那一刻她才明白事情完全不是她想的那样，她一下子没劲了，泪水开始涌出来，然后，她一头砸在爷怀里，哆嗦地、轻轻地叫："我的人我的人你起来你起来啊……"

许多人，都流下了眼泪，我悄悄地转身，泪水爬满了我的脸，让母亲痛快地哭吧，她有足够的理由放声大哭。

这是星期天的下午，如果爷没出事，过一会儿我还得去上学，我在镇上念初一。但现在，我远远地听着母亲撕心裂肺的哭。爷死了，我得像个懂事的孩子去劝慰母亲，或者陪她一道伤悲。可那时我明白，我应该离开，我在场一点儿也安慰不了母亲，她的眼里已没有任何人，只有躺在那里的爷。

母亲已忘了世上还有她的一个女儿，她的女儿才感觉有父亲是那么幸福时，父亲却死了，而母亲也做好了陪他前行的意状。那情景让我认定，她并不是真的爱我，她最爱的人是爷——继父柳逢春，再说我毕竟不是她亲生的女儿，她可以随时抛下我，我有可能会再次尝到被父母抛离的痛恨。我又犯了爷初来我家时的疑病，固执地这样想。

我心上一层层的霜凝结起来，慢慢地变成一坨冰雹。

细骚儿牵着拗种黄牛迎面走过来，他傻呆呆地看着我。我已抹干脸上的泪，走过去，牵住拗种。细骚儿惊疑地问我："爷么样了？"

我没有回答，于是他飞快地向那群人跑去。

这一天的天气竟是这样的平静，蓝天上飘着朵朵白云，青岗峰上黄一团青一团的秋色是如此的静美，白莲浦的水一点儿浪都不曾有，碧幽潭淹死了我的爷后，一如往日的平静幽亮，一派与它无关的样子。它们像是不知道我爷死了我母亲正天崩地裂地悲怆，云远远地闲着，水暖暖地亮在阳光里，拗种在我身边衔起一棵草正悠闲地嚼着，它居然也漠视主人的离世，这无情的畜生。

而我又在做什么呢？我什么都做不了，我想自己如果是一团静止的风就好，等我凝到足够力量的时候，我就飞奔开来，搅乱这些不动声色的所有东西，然后扶起爷，让他和母亲一道做好晚饭，安然坐在饭桌上方与我们一道吃螃蟹，让他避着我和细骚儿，逗得母亲呵呵笑……

## 二

爷葬在白莲浦北面的青岗峰尾下，远远地与家门和南窗斜望。

爷死后的第三天，母亲将我和细骚儿喊到饭桌前，母亲像爷生前那样坐在正上方，母亲叫细骚儿坐到她一直坐的位置，而我仍坐在我原来的位置，细骚儿从最下方坐到比我更显优势一点儿的位置上。我猜想这是母亲对他的安慰，因为带他来这个家的爷死了，母亲以这样的方式告诉他，在这个家里他仍有着很重要的位置。

母亲说："细骚儿，爷不在了，我们娘仨的日子还是要过下去。这几年你学过木匠，做过砌匠，爷在世时不让你出去打工要你在家学艺，爷要你学得两样手艺，将来走南闯北也有个挣饭钱的本事。现在你也长大了，该让你出去见见世面，你联系一下以前在外打工的伙伴，妈给你两千元盘缠出去转转，看看外面的世界，腊月赶回来过年就行。"

细骚儿说："我不想出去。昨天豪儿哥打电话说要接你去北京住一阵子，我在家看家吧。"

母亲说："妈如今哪儿也不去，白莲浦才是我待的地方，我一天也离不得它。"

细骚儿说："妈，等开年我再出去吧，这时候出去，我挂欠你和云儿，爷晓得了也要怪我。"

母亲没有再坚持要细骚儿出门。

她扭头对我说:“云儿,这几天不见你说一句话,一个人又乱想些什么?”

听到母亲说这句话,我心里一惊一戚,母亲仍是母亲,她是知道我的。

抬眼望着母亲肿胀的双眼,我哭哀哀地说:“妈,我帮不了你……”说着,我伏在桌上大哭起来。

母亲的泪一下子涌了出来,连十八岁的细骚儿也哭了起来。

多年以后,我想起这些事儿,就怨自己那时简直是母亲的心魔,不时地折磨着她。而母亲变得沉静了,如同入秋的白莲浦,天高云淡,水瘦山明。

## 三

我的家在白莲浦的一个边角上,浦的上游是横隔畈野并排下来的两条约两丈宽的流水冲,它流经许多村落田野,到了我们这里合为一条,成为一大片浅水域,早远的年岁里,这片水域清一色地种着白莲,白莲浦也因此而得名。

白莲浦半接群山半接良田,群山之中数青岗峰最高最峭,早年有佛脚行至这里,正是雨后才晴的初夏,僧人看到山中云起雾开,缭缭绕绕一片蔚然,山下的村落上炊烟微微,竹树掩映,鸡犬相闻。浦中碧圆阔大的莲叶撑起一支支白莲花,朵朵丰盈净美,阵风经过,一大片的荷莲摇风荡气,满世界的清香洁净,白莲向他频频颔首,他欣然止步,在青岗峰中落下佛脚,筑起佛坛,从此,这里佛事兴盛,晨钟暮鼓敲打着众生的古往今来。

可是年深日久,改变也随之而来。原本春夏秋季这里的人们天天闻着荷香过日子,连做的梦都是香的,偏近些年各种各样的兴农政策,将白莲浦改田的改田,造湖的造湖,凼凼凹凹各有名堂,到现在只剩下我家门前十来亩清波浅浪的水面,意幽幽地映着旷空流云,浦尾是一条两丈余宽的小水港缓缓地向东而去。

生长在浦边的孩子,会行走后到学龄前这段时间几乎都是在水边度过的,我们与浦上的一切物种共同生长相伴,从不生厌。

白莲浦首尾的小水港生机盎然,两岸臭柳株株,别见它的名字不好听,枝叶儿排排对对地生长,开的花一串串,秋季里,叶落了果儿一串串地悬在枝头,阳光好又遇上无风的时候,枝枝果果地映在水里,水更清幽明净,偶尔些些小鱼虫鸟倏然而过,一圈圈儿的清波漾了开来,直消失到两岸的水草丛中去。水草儿和杂蔓随着岸坡浸入水中,除了冬季外,人们无不来水草丛中捕捉小鱼小虾,给餐桌上添一碗腥荤。不管你用什么器具,只要向河中捞一把,就没有扑空的,总会捉上几只活蹦乱跳的鱼虾来。小时候,细骚儿带着我常在这里捉鱼,我捧着半捧水,让小鱼儿小虾儿在我手中游荡,小家伙们在我掌中乱窜,正痒着我的手,让我欢喜不尽的时候,它突地一个猛跳,跳到河浦里,让我怅然半天。

河浦中的小鱼小虾捕不尽捉不完，这一湾水域因了爬虫飞鸟鱼虾多出许多生气，尤其是鱼虾们欢快地攒动着，随流水似乎可以一同游进西边流金泻银的晚霞里去，时常地我神思渺渺地想，羡慕不止。水岸外侧全是正抹籽儿的稻谷，勾头搭脑的似羞涩似满足。水面左上侧有一小浅港，种了一港的莲藕，藕叶有些衰败，泥底的藕儿却已长成，冬季里人们便可以挖起来或炖或炒着吃，泥底下没被挖出来的藕便做了第二年的荷种，我就出生在这条荷岸上，但我绝对不是从泥藕里长出来的。

十二年前，我的母亲在六月的晨风中路过这里拾到了我。一个用粉色小被包裹着的瘦小女婴正熟睡在竹篮里，母亲说当时只看到像一瓣荷花的小脸儿，她伸手弯下一株莲花，从莲瓣上滚落几滴荷露，母亲将露珠在掌中温了温后，拍上我的小脸，母亲嘴里念念叨叨，算作替我去尘。随后她连忙将竹篮托抱在怀，眼睛盯着篮里的我半跑着回家，拿出一挂长鞭让隔壁的长生伯帮忙放了。湾里的老小霎时听到消息，都前来祝贺。母亲说我来到白莲浦比垸里出生小孩子还热闹，那天我其实出世已有一个多月，母亲得到我，如获至宝。

我来到我家第三天，母亲同样办了三朝酒，请了满垸乡亲，并告诉他们说："爹爹婆婆们，婶子嫂子们，大伯细叔小哥细弟们，我的伢起名了，跟我姓白，叫白云，你们叫我伢云儿吧。"

我渐渐长大，听到一些关于我身世的话儿，问母亲。母亲如实告诉我："不要怨恨你的父母，他们有他们的难处。从包裹你的物件看，你的父母是不错的人，将你扮得小仙子一样。可能是青峰寺的菩萨显灵，特地让你父母把你送给我，妈有你活得才有意思。"

我相信母亲是真的爱我，但我一想起世上有两个人合伙丢了我，我就恨，恨得两眼仇天。这以后听说或见到女婴被遗弃在街口岔道旁，我心里就发狠，暗暗地想长大了要杀掉这些丢儿弃女的父母。

不过我的这些恨是想起来就恨，大多数时我忘了，因为母亲很疼我，我心里从来就没想过还有别的人与我有关，既没关系，我又何必去杀他们。

我小的时候，每年有个哥哥来家一趟，母亲让我叫他豪儿哥。他像小大人那样或坐着或站着，也帮妈妈做做事儿，但我感觉他其实很不习惯。住了一星期左右，豪儿哥在北京做事的亲戚又把他带走了，去北京他爸那里。

他一走，母亲会偷偷地抹泪，我装作不知，可心里明白，那才是母亲亲生的儿子。夜里，我搂着母亲的脖子，要母亲说爱我比爱豪儿哥多。母亲有点儿苦涩地笑，用手拍着我的小屁股说："妈肯定爱你多一些，你和妈相依为命。"

这话没说多久，我快满四岁的那个春天里爷带来了细骚儿，我们四人在一起吃饭，母亲带着我和细骚儿住在家里，爷住在白莲水库中央的小岛屿上。

白莲水库是以青岗峰为主的群山中的一个大型水库，六十年代初依山塘而造成，深山中辟就这么一块广袤的水疆，汛期蓄水旱时为流，滋养浦上万物苍生。每逢汛期山里各处小沟壑中浑浊的雨水流入水库，入库时如同一条黄龙钻入库底，什么样的浊流到了这里，经过时间与宽广的水域来慢慢澄清与融合，使得它们沉下泥沙，化成山中一面更亮更宽的镜面，仰照苍天，藏星纳月。

白莲水库最大的一条水渠直通白莲浦，这条水渠也是大旱年间向山外通流的干渠，逢夏燥秋干便抽闸开渠，白莲水库的水在水库时是绿蓝绿蓝的，流到渠里一路变成白色的游龙，沿途触须四散，滋润着山脚下白莲浦以及白莲浦方圆几十里的农田作物。近些年白莲浦的水日渐见少，只好将水库里的水以浅流长年潺潺地浸润它，慢慢的，白莲浦人将白莲水库与白莲浦统称为白莲浦。有路过白莲浦的人说："这才是人住的地方。后有高山，前有平湖畈田，有山有水，好地方好地方哦！"好像不能生长在这里很遗憾。我的爷和母亲生长在这里，他们同白莲浦一道浸润我的生命，让我享受到了人世间最温暖的情义，让我能与他们成为一家共同生长在这里！当我心中感念这一切时，我会像母亲一样，面对青峰寺祷告谢恩。

爷是水库管理员，他初来我家时，我背地里叫他守鱼的或看水的，长大后渐渐懂得爷的工作是多么有意义。他在水库中央的云踪屿上垒了两间小石屋，里间安了张床铺并存放着水库上要用的渔业工具，外间的一角垒了个小石灶，屋子中央放着个小木几，上面还有一副围棋，两只编得很精致的柳藤篓分别装着黑白棋子儿。我跟母亲来到屿上，我常把棋子儿倒出来，用小篓来装花花草草或小虫儿们，离开时，母亲一定要我放下它，并重新分装好黑白棋子。爷看出我很喜欢小篓，在一旁嘿嘿笑着说："小云儿，等春天来了爷给你编个柳藤小篮，好不好？这对小篓是顿危师傅送的，爷不能拿它送你。"我嘴里说要得，心里一点儿也不期待他给我做柳藤小篮，也不相信他会做。

回去的路上，母亲告诉我，这"云踪"小岛的名字还是青峰寺里顿危师傅取的，他常就着月色或微雨来小屿和爷下棋，因为爷只有晚上或下雨的时候不忙。我们这里的人都敬畏顿危师傅，没想到他居然与爷要好，爷在我心里一下子变得可敬起来。但我担心母亲嫁给这样的一个好人，会不爱我，我还是不应该喜欢他。

爷和细骚儿来我家有八年。八年中，爷给我编了柳藤小篮；有时我和细骚儿来云踪屿学下围棋，爷坐在一旁要么拧着一根绳，要么修个什么渔具，边指点我们，等我们稍知点儿皮毛，就不大听从他的指导，他也不要求我们听他的，只是过一阵子过来瞧一瞧笑一笑；逢庙会的日子他荡着小木船送我和母亲去青峰寺里烧香；还捉小兔子给我，捉到红鲤鱼儿也会送回来，让我养着。我像细骚儿那样叫他"爷"，他总是笑眯眯的，对这个人世充满了心满意足。

有一次，我和细骚儿就着月色偷偷地荡着小划桶来到爷的云踪屿，见爷和顿危师傅正在一只煤油灯下下棋。

爷见我俩在夜间摸到屿上，一惊，站了起来，有些恼地说："细骚儿，你胆子不小了，这划桶是你能划得好的？万一翻过来，扣住你们，我和你妈的天就塌了啊，娘爷呀，想想脚就发软。你们以后要来先跟我招呼一声，我来接你们。”爷说到后面，声音越发低落下来。

才收了声，他又紧着问：“你妈知道你们来云踪屿了吗？”

细骚儿红着脸，低着头，不说话。

我第一次见爷数落细骚儿，平时我还敢在他面前娇纵分辩几句，这回也噤声不语。加上顿危师傅在这里，他可是能预知人命运，还能化解命中劫难并指路将来的高人，我对他充满了敬畏。我很想像大人那样请他给我占一卦，我是多么想知道我的未来是什么样子，可是不敢说出来，七八岁的小女孩子只能偷眼观察这位人神的心肠是好是坏。

顿危师傅一直面带微笑地看着我们，眼神里有着喜爱，我便觉他也可亲，心里的那种敬畏变得平和了些，我相信顿危师傅其实和我们一样，是人，于是，走到小桌儿前看他们正下的棋。

爷和顿危师傅的棋下得很细密，边角上几乎没留什么劫路和征子。我不喜欢这样的下法，我和细骚儿下棋全盘下到，处处留下断点生机，又处处会被心细的人盘算殆尽。好在细骚儿和我一样，下棋像敲棋子儿玩，要满盘开花，到最后，他连输带让，我总是远远地胜他几十目。我高兴地说他：“牛儿啊牛儿啊，只会走沟上不了岸。”我家的拗种黄牛小的时候，爷常挥着鞭让它“沟儿的走沟儿的走”，黄牛就是那样驯会了犁田犁地。那时我却没想明白细骚儿驯会了什么，竟也如此作比。

爷轻言慢语地给细骚儿讲了道理后，过来抚了抚我的头问：“小云儿要下棋？”

我摇了摇头，说：“爷，是我吵着要细骚儿来云踪屿，我想这里凉爽又好看月亮，爷莫怪他。妈这会儿在院子里跟婶子们乘凉，我们出来时没跟她说，玩一会儿我们就回家。”

说完，我拉着细骚儿出去看月亮，大大的水库因为缕缕的山风吹拂一层层的银浪远远地递出去，到峰影下就黑了，远处全露在月色中的水面透着神秘的回响，好像有什么虾兵龙女在水底打闹，我问细骚儿水下面是不是住着水怪鱼仙。

细骚儿说：“你想它住着什么就是什么，爷天天夜夜住在这里都没看见过他们，天晓得到底住了些什么。”

那时细骚儿是这个世界上最顺着我意的人，时常地遭我欺负，他看上去也心甘情愿，有时我心里明明觉得自己过了，嘴里却不饶过他。

细骚儿是他刚来爷家时，爷见他壮实得像头牛犊子给他取的小名，他原来的大名叫牛建成，他娘走了后，他自改姓柳，直到他读一年书后，爷看到成绩通知书才知道细骚儿改成了他的姓，对他更是疼爱如命。

细骚儿的命运和我差不多。他的老家在湖北与安徽搭界的大山里，他父亲在他三岁时病死了，五岁时他随有点儿姿色的娘改嫁到爷家，七岁时细骚儿娘回趟娘家再没回来，半年后爷找过去，他娘嘤嘤地哭，说她想在老家过日月，更重要的是她肚子里已有了别人的孩子,让他将牛建成送回去。爷回来问细骚儿愿走愿留,细骚儿说:“爷要不嫌弃我,就留下我吧,我愿意跟爷在一起,爷老了我养爷。”

爷就这样带着细骚儿从爷的老家白莲浦西搬到水库来,爷自那以后便做了一名水库管理员。爷在水库做事,天天与水库打交道,天长日久,爷变得像月夜下的水库那样广纳宁静,月色中的水面包容了鸟的惊鸣、鱼的欢畅、戏水行人赶路的脚步声、寺宇的钟鼓声,这所有的声响在水波中一漾一漾,美妙而神奇,爷生活中的所有气息声响与它们一道融合相互感通。

这时的我成天撞在母亲腿边怀里。爷是母亲的姨表哥,他时常送点鲜活的鱼虾来家,农忙时前来帮母亲做农活。细骚儿负责领着我在浦边玩,玩泥捧沙,捉虫捕蝶,最多的还是我背着小鱼篓跟着他后面沿浦岸捉鱼儿。母亲说我小的时候特别喜欢细骚儿,与他一道疯。细骚儿背着我,玩得像风中的风车,要多开心有多开心。后来爷娶了母亲,细骚儿和我们成为一家人时,我一点儿也不开心,与爷和细骚儿气扭扭的,偶尔与细骚儿玩着忘情,心中的怨气自个儿消了也不知。

那天夜里,爷和顿危师傅下完那盘棋后一道出来,陪我们说话。

顿危师傅温和地问:“小宝、小丫多大了?”

细骚儿嘿嘿傻笑着说:“我十四了,云儿八岁。”我知道细骚儿和我一样对顿危师傅充满着敬意,能得到他的关心十分激动。

顿危师傅回头对爷说:“你家一对好孩儿!”

爷一笑说:“我知足了。”

这时,青峰寺的晚鼓敲了起来,幽幽长长地荡入群山的旮旮旯旯,最后缓缓流泻于水面,余声随月波层层递消。

此时,仿佛有个神秘的大手在安抚尘世上的一切,而又开启了另一天地。空明的天气里,月亮变得格外的幽古魅惑,它是精灵妖魔的领袖,它正鼓动着它们闹响夜的另一个世界。我瑟缩地往细骚儿身边靠了靠,说:“细骚儿,我们回家吧!”

寺里的鼓声一声一声地递过来,顿危师傅也要回了。爷用小木船先送顿危师傅往青峰寺最近的山路边。

顿危师傅下了小木船,他踏着寺里的鼓声上了树掩藤牵的小山路,看着寂寂又魅影丛丛的山路,我想顿危师傅也算是菩萨吧,所以他不害怕。

顿危师傅走了后,爷缓缓地划着小船。

我怕这种寂静,不解地问爷:“爷,你一个人住云踪屿,怕吗?”

爷呵呵笑说:“不亏人不欠人怕什么呢?爷白天忙累了,晚上头一挨枕头就睡着了。”

不亏人不欠人,是爷常说的话,听得多了,我和细骚儿也明白了其中的意思,慢慢地以此作为某种准则来左右我们平常的行人处事。

前两年大凡爷与母亲亲近,我总会找碴耍脾气。我爱母亲,也爱爷,可就是见不得爷与母亲在一起，最担心母亲有了他而不要我，后来慢慢地知道爷和母亲愈好他们就会愈爱我，几次想跟母亲说让爷回家住，又不好意思。那晚，我借了月色的掩护，对爷说："爷，今天回家去住吧，青峰寺的鼓点敲得多幽哦。"

爷高兴得胡子碴都翘翘的："小云儿晓得体贴人，你妈晓得了要笑出眼泪来。今天不回，爷明天大早趁鱼儿闹汛捞鱼，隔壁长生伯六十岁大寿办酒宴要用。"

我们这一家四口，幸福快活地才过了四年，爷的去世如同早到的秋霜寒了一家人的心。

## 四

爷的头七那天，豪儿哥又打来电话，说要回来接母亲去北京，母亲不让他回来，说自己不会去北京，电话是在村部接的，挂了电话母亲一路悄悄地抹泪。

回到家来，我装作看不出她流过泪，与母亲亲近起来。母亲吁口气说："小云，下午早点儿洗澡，让细骚儿骑车送你去镇上转转，看中了什么叫细骚儿给你买，在学校里像往常一样学习玩耍，家里的事你都要撂开，好好念书，妈现在就指盼你和细骚儿将来都有个好落处。"

"你不指盼豪儿哥有个好落处?"我不知自己是怎样说出这句话来。

母亲稍稍愣了一下，说："他已在好去处，我放得下心。"

母亲的话我相信，因为豪儿哥随着他父亲住在大城市北京城里，而且他父亲在部队里当了个官，自然可以安置好豪儿哥，我也见过豪儿哥的父亲。

那是爷带细骚儿来我家快三年了。

有一天一个陌生男人来到我家院门前，母亲正在院里喂鸡，我在一旁戏耍。他叫母亲"白莲"，母亲扭头见他有点意外，很快镇静下来，说了声："你回来了。"母亲略顿了一下，忙问："豪儿呢?"

"我是出差顺路回家看看，没带他回来。"他回着母亲的话，神情不大想进屋的样子，母亲也没叫他进屋，淡淡地哦了声。过路的长生伯见了，忙教我喊他"三爸爸"。我拿眼看着他，只觉他是另一个天地的人，母亲不会与他有什么干系，不想叫他，也叫不出口。他向母亲问了问家里的收成及生活情况。母亲说都好。这时有他家的亲戚前来叫他，他跟母亲说声我走了，便随来人去，没走几步，回头又对母亲说："家里有什么为难，告诉我一声。"说完这回是大踏步走了。

这个三爸爸似没来过我家一样，一家四口人谁也没提他。这天夜里母亲做了好吃的酱面就着肉末儿，好吃得很，我吃了两大碗，额头上汗密密一层。母亲笑看着我说："晚上吃多了，出去转转。"爷在一旁就喊正在收拾碗筷进了厨房的细骚儿："细骚儿，陪小云儿去屋外转转。"

这正是晚春时节，空气又暖又软地舒服着人。我和细骚儿一前一后出了家门，出门便见月亮像长歪的红桃子挂在天上，我对细骚儿说："细骚儿，你把那颗桃摘下来。"细骚儿问："在哪儿？"我噜嘴向着天上。细骚儿挠着头皮说："那怎么摘呢？"突然他灵机一动，指着他的胸脯说："这儿有一颗桃，你要的话，我给你拿出来。"我冲他呸了一口："你那什么烂桃，拿来给我吃！"

说完我向隔壁长生伯家门口去。长生伯搬出凉床，和长生婶一起坐在枣树荫里。我还没到凉床前，长生婶就挪着屁股说："小云儿，这儿坐。"长生伯也招呼细骚儿过来。我盘腿坐到凉床中间去，伸着鼻子嗅向枣树。长生婶揪着我的脸蛋说："小精怪。"

细骚儿赶忙溜下竹床，跑过去抱着枣树一阵摇晃，枣花儿香米粒似的纷纷地撒下来，我高兴极了，大声说："细骚儿，使劲摇使劲摇。"

长生伯忙叫住细骚儿："别摇了，再摇秋天就没得枣儿吃。"

"就当风吹下来的。"细骚儿很聪明地说，说着又使劲摇了两把。

长生婶说："小云，要不要我讲红毛狗精的故事给你听？"

红毛狗是真的有，爷说他父亲上山打柴时常见过，它们三五成伙地同行，悠悠荡荡可爱得很。大狗的体形比现在的家犬要小，身体圆，腿偏短，红毛丝丝绒绒披在身上讨人爱。爷还听他父亲和老辈人讲红毛狗通人性，经常帮助迷路的行人引路。还有它们灵敏的嗅觉会预知洪灾来临，那些年还没建白莲水库，山雨下来，直冲白莲浦，再加上平野各处涨水，白莲浦周遭年年遭洪涝之灾。在洪涝之前，它们会纷纷跑下山，咬着山下人的裤腿往山上拉。山下的人们喜欢美丽的小红毛狗，火艳火艳有吉祥色，古往今来一直奉它为神狗。新中国成立前几年，不知哪来的一批人，突然以高价收购红毛狗，一些财迷心窍的人迅速上山捕捉，满山的红毛狗几乎捉光。由于价钱出得高，当初反对捕捉红毛狗的人看到那些以红毛狗换回钱物的人们也眼红了，纷纷参与捕捉的队伍中去。最后山下周边的"红眼人"一起进行了拉网式的再一次捕捉。在近青岗峰顶的一穴内，发现了一窝毛狗，这窝毛狗有一公一母和两只小狗，小家伙不知眼前处境，它们如同两团落地祥云在父母身上翻滚踩踏，狗妈妈不时亲昵地用嘴努一下它们，当它抬眼看到一步步逼近的"红眼人"时，眼里晕起一层泪雾，它用美丽惊疑的眼不解地看着人们，那些利欲熏心的人仍向洞穴进逼。狗父亲轻轻扫了一眼这些人，扭头探出温软的舌舔了舔它们的孩子后，注目它的妻子，伸出前爪在它驯红的毛下抚了抚，用头顶了一下它的头，轻轻跃出洞穴，迎向正逼近它们的那群人。走到他们跟前，狗爸爸半跪前身，伏地就擒，抬起饱含泪水的眼，乞求这些人放过它的妻子和孩子。人群中一阵慌乱，有人说作孽啊作孽啊，放过这只生灵吧。而洞穴中另一双泪水长流的眼正看着这一幕。可仍是有人套牢了狗父亲，还有人向洞穴逼近。狗父亲见此景，凄厉长叫，奋然挣脱了捕捉人的牵制，飞身跃上向洞穴逼近的人，四脚缠绕那人，咬得他满脸流血，最后与那人一同滚下山去，狗死人亡。狗母亲刹那间，停下了泪眼，口含两朵小祥云纵身跃出洞穴，直奔崖下，青岗峰飘失了最后一团祥云。这些人随后去崖下找寻那三只红毛狗，却连狗毛也不曾找到一根。

从那以后人们纷纷传言，最后的三只狗集聚了所有红毛狗的灵性，异化为狗精，而且将会下山来找他们复仇，山下的人们日夜惶恐不安。一年之后的某个有月亮的冬夜夜半，他们隐约听到毛狗母亲凄厉的号哭声，人们瑟缩在被窝里，担心不已。那些年天灾人祸，理亏心虚的人们传言是红毛狗变成了精，大家小户的不幸都是毛狗精用妖术报复他们的结果，毛狗精要让这里的人们尝尝骨肉分离的痛苦生活。近些年，又说只要是有月亮的夜里，毛狗精就会下山来，叼走小孩子的魂魄去陪它的小红毛狗玩。长生婶说得有板有眼，我半信半疑。最初听时，回家特地问母亲有月亮的夜晚是不是不能待在屋外，不然毛狗精会叼了我的魂魄去？

母亲说毛狗精是白莲浦人编的，没有这回事儿，是人自己做了亏心事心不安，红毛狗从老早老早的时候就和白莲浦人结缘，后来捕杀得绝了种，现在想找出一只来，翻遍了山连一丝狗毛也见不着，这是白莲浦人遭天谴。我和母亲分辩，我说得有鼻子有眼的，仿佛自己也在场亲见，某个月夜谁在山地里下兔网时遇见了一飘红毛狗形，谁在夜半乘凉时有妖魅的毛狗精前来逗弄他……母亲一笑，那些人爱好，他们说自己看到了毛狗精，怕是想借红毛狗来助助自己的势，世上就是有红毛狗，有情有义的它们还会回白莲浦？母亲这句话让我想了很久很久，想通透了，我再不相信红毛狗精害人的话，也不担心红毛狗精会叼走我的魂魄，心里隐藏着巨大的希望，希望白莲浦的月夜里，真有毛狗精前来，它们这样的好看可爱，这样地爱人们爱自己的家，它们是天下最好的生灵，比我们人都好。只要是有月亮的夜晚，我会悄悄地躲在枣树下，很多时候都等到夜露湿了脚，月亮被我看得更精神了，毛狗精还是没有来，它大概知道我没有伤害它的同伴和孩子们，所以不找我，许多月夜令我无比怅然。

这个故事白莲浦附近的大人小孩子早已耳熟能详，但小家伙们仍是无数次瑟缩在一起听大人们讲。而我再不向任何人打听关于毛狗精的故事，也再不听这个，因为他们讲的与我心想的是那么不一样。我似乎不再关心红毛狗了，其实是我把它们藏在心里了，不让别人抚摸我心中的红毛狗。我没让长生婶讲故事给我听，心里还惦记着今天来的那位“三爸爸”，我很想知道有关他的事，我不敢问爷和母亲，只好向长生伯打听。

“长生伯，今天来的那个人我为什么要叫他三爸爸呢？”

长生伯没有马上回答我，摸索出一根烟抽上一口，才说：

他原来是你母亲的男人，是白莲浦秋田湾的人，姓章，兄弟五人，他排行老三，从小就叫他老三，大名我不晓得。湾里人叫你母亲三嫂、三婶、三娘，就因为这个章老三。原先你外公是大队民兵连长，看中章老三人长得高大周正，书也念了几句，就留心看他平时的行为动静，认为他还算机敏聪明，便有心把你母亲嫁给他。那时的章老三巴不得成就这样的好事，你母亲虽说只念了个高小，身形模样标致，行为脱俗大方，戏儿歌儿唱得清亮亮，样板戏中的李铁梅阿庆嫂只有她演得活像，哪样配他都有足余。

那时你妈的姨表哥也是你现在的爷暗地里一直喜欢你母亲，可他觉得自己配不上你母亲，也就不敢请媒说破。你母亲隐约晓得你爷的心思，但也不好主动开口说这事儿。再说章老三这人看上去也不错，你母亲也就由着你外公定下了章老三。

章老三与你妈定亲后，你外公很快给他弄到一个当兵的指标，将他送到部队去，你外公当初想到的是一个女婿半个子，只要章老三在部队好好干，肯定会有出息。章老三果真有出息，才三年时间就提了干。你外公急急地叫他回来和你妈成亲，一年后添了章豪。又过了三年，你外公不知哪儿打听到凭章老三的身份，可以带你妈随军，但章老三回来只字未提要你母亲过去的话。你外公悄悄地让你妈带着章豪去部队探亲，你妈去了三天就带着章豪回来，对部队的事只字儿不提。这年年底，你外公死了，你母亲哭得像个刚出壳睁不开眼的雏鸡儿，你母亲要说娇贵也娇贵，说苦也是最苦。你外公外婆在世时把她当花儿养，可怜你外婆在她十五岁时就不在人世，娘不在还有老子疼，你外公走后，你母亲又没得个兄弟姐妹，身边只有个三四岁的小儿子，么样不伤心。章老三回来奔丧，待三天就回部队去了。第二年秋天，他们就离了婚，你妈留下章豪。有一次章老三把章豪接到北京玩了几天，章豪再也不愿意回来。你妈先是死活不甘心，最后没得办法，只得依了他们父子俩。

唉，遇上这样的事没得法儿，磨命儿。

听到这里，我说不出有多心疼我妈，一溜儿地下了竹床，趿着拖鞋往家去，细骚儿跟在后面。

回到家里，母亲和爷在灯下正编着渔网上的洞洞，他们平静安宁的神情，让我觉得刚才长生伯讲的只不过是故事，我的母亲如此的平和安然，她的心上肯定没有伤心事，有我们在母亲身边她肯定是安心乐意的。

见我和细骚儿进屋，母亲笑盈盈地招呼我们过去，探着身子望向我和细骚儿说：“你们头上都是些什么呀？”

细骚儿一摸脑袋，枣花儿米粒似的往下掉。我忙把脑袋伸过去，让母亲和爷闻闻，问他们：“香吗？”

母亲深深地吸着气儿说：“香，香哦！”

爷的双手总也不停歇地做着活儿，笑眯眯的眼望一望这个望一望那个，一副爱不尽的样子。

爷走了已经八天，他的眼光往哪儿看呢？我仿佛看到爷闭着的眼渗出许多不舍的泪，他像一粒种子埋进山里，他牵不动山也就走不出来，他只会在地底下一个人苦苦地想苦苦地恋。其实母亲和我还有细骚儿无时不在想念他，只是我们现在都不大提起他，可我们的眼神相互诉说思念爷的哀痛，细细密密地布满家里家外，这份哀思出了家门就荡进了浦上的秋风里，栖在云踪屿上，也会散浮于水库里，却没有一个地方可以消融它，它聚了散，散了聚，来来去去，萦绕不断。

## 五

又是一个星期六，又是祭七的时候。母亲说："今天是七七，你爷的魂儿得了这次祭奠就要离家去。"

听母亲这样说，我似乎感觉爷正在云踪屿上做事，待会儿会回来吃午饭，可母亲说他吃过了就要走，他的魂魄要去哪里，还有地方是他愿意去的？他肯定是不会离开这里的。

我和母亲在家准备好了祭奠用的东西，等细骚儿回来一起祭奠。

细骚儿竟和顿危师傅一起回家来。

爷死那天，垸里有人看到顿危师傅来看过爷，只是我们没注意到他。顿危师傅这是第一次来我家，爷在世时，他只在云踪屿会爷。

顿危师傅没有念"阿弥陀佛"就进了家门，脸上的神情平静淡远。母亲进里屋找出一只紫红砂杯给他泡了茶，递给他说："这还是你送给逢春的砂杯，他怕忙手忙脚摔坏了它，一次也没用，只说等老了清闲下来再用它，可他……"

顿危师傅接过砂杯，放在桌上的酒水边，说："供七七吧！"

依照前六七一样，我们烧香磕头，一样样依仪式顺序而行。

事毕，顿危师傅平和宁静地说："今天我只做俗子，告诉你们一段俗事，你们听听吧。"

他略顿了顿，说道："早年我有妻有子，我们三人坐船渡河，妻和子落水死了，我活着。反过来其实是我死了，他们都活着。他们的人世课业已满，我仍在不明中向明……"顿危师傅说这些话时言语清淡，脸上没有安与不安的神情，他心里想些什么，对母亲和我与细骚儿到底要说明什么，我弄不懂。母亲似乎懂得了，她眼神虚缈地飘到大门外远远的地方，我不喜欢她这样的神情，于是我有点厌烦顿危师傅的到来。

顿危师傅没喝我家一口茶水，更不用说吃饭，讲了一段不清不楚的话走了。母亲送他出门，看他离去后边往回走边说："早听人说，顿危当初就是青峰寺的老和尚捡回来的命，劝留下来又收他做徒弟，取法号顿危，原来是这么个缘故。"

母亲喃喃自语，我似乎听出什么不妙之音，赶紧说："妈，那顿危是没有亲人的哦，我和细骚儿可要你呢。"

母亲听了我的话，一怔，等她缓过神来，忙走过来一把揽过我坐在椅子上说：

"我的傻女儿，你小脑壳里尽想些么事，妈在想啊世事就是这样子，这世上有几人修得全能全满，有你爷在，我们一家过得圆满。爷走了，就像顿危师傅说的，其实他没死，在妈心上搁着，眼前妈还有你和细骚儿，妈要大谢天和地。"

细骚儿在一旁听了，忙着表态说："妈，你放心，我和小云儿会养你后半辈子的，一定让你享福。"

母亲笑着松开我，说："细骚儿，你是爷的好儿！也是妈的好儿！只要你和小云儿平安幸福地过一辈子，妈就享尽了福。"

可是，又一桩事儿突临。这年的春节前夕，细骚儿的娘来了。

## 六

细骚儿的娘提着酒水香烟还有食品猪肉一大堆东西，一路问询着摸上了我的家门。母亲开始没弄清这位不速之客的来路，她一直说她是牛建成的亲娘。牛建成这个名字在白莲浦从没被叫过，母亲脑子绕了一下，终于转了过来，知道来人是谁，她忙乎乎地招呼她。放寒假在家的我躲在房里向外瞧了一眼细骚儿的亲娘。她长得像极了电影中的地主婆，脸庞又白又圆，大眼弯眉，鼻略有点塌，一张笑脸让人顿生防备之心。以前听人说细骚儿的娘有点姿色，仅用"有点姿色"来概定她是不公正的，突如其来的来临让我相信她还是个会谋划的活溜人。

她双手接过母亲递给她的茶杯，拉了一把椅子并排放着，母亲与她排排而坐。她喝了一口水，顺便叹了一口气，对母亲说："老姐，建成这些年有劳你们啊，我这做亲娘的不折你一半，几次想过来看看你们，又没得这个脸来见你们。现在逼得我没得法，也管不了脸不脸，你们大人大量，莫计较我，我会遭报应的……"

"哎，莫咒自己，活在世上的人没几个容易。"母亲打断她的话劝说道。

她拿手压在母亲手上，语气诚恳地说："老姐，这不是咒自己，我真的遭报应了，我那后头的男人无事生端中风瘫痪了。"

"哦？现在好些了吗？"母亲忙问。

"哪里好得了，半瘫在床，吃喝拉撒都得要人照顾，我现在是顾里顾不了外，前几年跟他一起起五更睡半夜，好容易撑起石材厂。这两年生意刚做得顺当些，他却倒下了，家里厂里的事儿全撂下。眼下的石材厂没人打理，临时让小叔子帮忙看着。你说现而今他瘫痪在床，两个孩子一个上学，一个才两岁，都是要照料的人，我再有能耐也顾不过来这里里外外的事情。这次来想让建成跟我回老家打理石材厂，建成若不回去，只怕石材厂迟早要落到小叔子的手上，到那时我什么都没有。虽说眼下他什么都好，哪一天翅膀硬了，想欺负我们这又残又弱的人还不就吹熄灯的劲儿。老姐，我也想过了，建成不得跟我去，你帮我劝劝他，求老姐儿你能多体谅体谅我。”说罢从挎包里掏出一个厚厚的红包，双手递给母亲说：“老姐，这是五千块钱，请你们收下，钱不值么事，只是我的一点儿心意，你千万莫嫌弃。”

母亲推开她递钱的手，站了起来，对她说：“钱，你还是拿好，细骚儿是你的儿也是我的儿，我不卖我的儿。”

细骚儿的娘有点儿窘，半坐半立僵在那里，好半天才说：“老姐，我晓得你的心思，可是我这也是没得办法。这钱给你，只是我的一点儿心意，建成这辈子都是你的儿子，就是我想他不是，他也不会答应。他跟不跟我回去，还要求老姐你帮我说合……”说着说着，她的眼眶红了，声音有些哽咽。

母亲听完她的一席话，重重地叹了口气，过了好半天才说：“细骚儿会跟你回去的。”

我就知细骚儿的娘这次来非比寻常，爷当初娶她可能是一时之念，她的离开早在爷的意料之中，所以尽管人近中年才娶妻，失去她爷并没有多大的伤痛。正因为此，我坐在室内并不愿意出去，悄悄地自门隙间打量她，听她和母亲讲话。

想到她这半生的经历，变着法儿地要得到，可终究也是顾此失彼，到头来还得回头向早年丢下的儿子求助，好在她还明白细骚儿已不是她想叫走就能走的，这大约也是知晓自己有愧于细骚儿，她也就算不上是个十足的坏人。

可母亲说细骚儿会跟她回去，我不明白。我不相信细骚儿会随这个女人走，他像我一样早是白莲浦的人，还回哪儿去?

我正坐在床前发愣，细骚儿从南浦回来，进屋前路过窗口，一个挺胸直背的高个儿小伙子一晃就闪进了屋，看到家里来了客人，他放下肩上的锄说：“妈，家里来客啦!”

细骚儿的亲娘看到细骚儿回来忙站起来，听了细骚儿的话羞愧地低下头。

母亲忙说：“细骚儿，看清这是谁——是你亲娘来了!”

细骚儿这才定睛仔细打量起来。

“你怎么来了?”细骚儿问她。

“我来看看你……”细骚儿的娘眼神忽闪，眼里已起了一层雾水，不过她仍是努力制止。面对已人高马大的细骚儿，她心中定是百味纷呈，想亲近他又有一种惧怕，上上下下不停打量着细骚儿。

“这些年你没来看过我一次，你刚走那一年我想你，爷送我回老家两次，两次都没见着你，你就没听人说我回去过，你就没想过来看我一次? 现在遇上什么事了吧，不然你肯定不会来看我。”眼前愤愤不平的细骚儿是我第一次见到，我相信母亲说的话是对的，他肯定会随他娘走。

这时，我涌起一股莫名的恼意，丢下手中不曾看过一页的书，走出房门。

“妈，让他们走吧。像从前那样子，就我们娘俩过。从这些人绕到家来，我们就没消停过。”我扶着母亲的胳膊，又扭头对细骚儿说：“你娘来接你回去，你就随她回去吧，省得她在这里大吐苦水，还嫌我和母亲不够苦啊！”

“云儿！”母亲制止我不让再说下去。

其实我的话也说完了。

母亲牵着我的手，站起来说：“细骚儿，陪你妈说说话，她有事要告诉你。云儿，你和我做饭去。”说着，母亲牵着我往厨房走。

一边走我的眼泪就往下流，坐在灶膛里，我不停地抹泪。

母亲说：“伢儿，莫坐在灶膛哭，哭得灶神不安，你我往后就有得哭了。生死由命，富贵在天，当初不该让他爷俩来就好了。”

“妈，我别的不气。你看细骚儿那样儿，见了他娘那么大的脾性，到底是见了亲娘。”我不知我生什么气儿，反正气儿大着，尽扭着说。

母亲见我这样子，一笑。

“细骚儿的娘现在这处境，细骚儿要是丢下不管，他这样的人你愿意认他做哥？再说细骚儿就是走了，哪怕走到天边，白莲浦在他心里这一辈子走不丢，他永远是你哥，将来妈老了，谁欺负你，他就是舍了性命也要来护你的人，你莫哭，也莫冲他撒气，听见没？乖伢。”

我和母亲正说合好，屋外细骚儿的娘忽然大哭起来。

我和母亲赶紧出来，只见细骚儿扭着脖子冲着门外望着，他娘扭身伏在椅背上鼻涕一把眼泪一把地哭。

“我的儿哟，你么这样苕啊，爷走了也不把个信我哦……”细骚儿的娘抹了一把鼻涕甩出去，接着哭。

“我这一生，不欠你的亲老子，不欠这后头的人，只欠你爷一生的大人情啊……你叫娘哪生哪世找他还啊，苕儿哦……”

细骚儿的娘哭得我的眼泪止不住地流，她那好听的哭声带我入深林下幽潭般寻觅爷，爷却哪儿也不在，我也就一把一把鼻涕一把一把眼泪地甩。

母亲红着眼过去安慰细骚儿的娘。细骚儿的娘接着哭。

“老姐姐——啊……我俩同样苦的命哦……”这次我倒哭不出来了，细骚儿的娘脸上的脂粉已浑成一片水粉白，进屋时的光洁大发髻也松垮向一边，那朵用缎带系出来的花儿像被雨打蔫了，欲谢的样儿。

母亲抽抽搭搭地将细骚儿的娘半抱在怀里，我不想再看，回厨房烧火。

吃过午饭，母亲和细骚儿的娘又说了好半天的话。我在一旁坐了会儿，就有些犯困，大凡我认真哭过一次就这样。我回里屋关门睡下，很快就睡着了。

爷披一身的亮光回来，堂屋敞亮敞亮，爷面目清正地对娘说。

“白莲啊，细骚儿还是你的事，你不要因他回去就丢了手啊。再说小云儿将来也要有这个哥帮衬着才好。”

我从不见爷在世时这样与母亲说过话，见爷回来我更是高兴，想跳到爷跟前与爷说笑儿句。爷说完话，自顾自走了，连问候母亲的话都没有一句，他只提到细骚儿，而我不过是爷希望母亲留下细骚儿的由头，我心里好不憋闷难过，使劲地捶胸，眼里的泪向两耳纷纷贯注……

“云儿云儿，醒醒。你莫不是做噩梦了？”我听到细骚儿急促叫我的声音，我睁开眼，看到的细骚儿与原来的细骚儿是完全不同的两个人，他有太多的人挂牵，而我只有母亲，母亲却又分出那么多的爱要给这个哥哥那个哥哥，其实他们谁也不是哥哥，母亲只有我一人，我只有母亲一人。

我没理会细骚儿，扯过被子蒙头继续睡。母亲走过来，拉开被子问我两句，见细骚儿的娘在后面跟了进来，我说自己刚才做了个梦，梦是假的，我不信，只想再睡睡。

母亲帮我掖了一下被角退出房，我隐约听到细骚儿的娘问母亲小云儿今年多大？

母亲说满了十二，进十三……

后面的话我没听到，也不想听，怪母亲将自家的事与一个外人说。

细骚儿的娘在我家住了一宿。

第二天吃过早饭，我和母亲便送走了细骚儿娘俩。冬日的阴天雾霭霭一片，哪怕扬一下眉也觉得费劲。白莲浦畈上的稻谷早割了，只剩下一片枯苍的草蔸，畈野上下死沉沉的寂静，一只野鸟惊飞或一只冬虫仓皇逃走，隐隐地透着孤单与悲凉。十二年来我一直担心自己会有这样的一天，母亲的力量不够强大，她驱不走它们，就像我不能抹平母亲内心的哀伤一样。可是母亲总会放下自己的心思，来眷顾女儿。

母亲蹲身在田埂上扯起一蔸小小叶儿的鹅儿草说：“云儿，你看这草儿，你小的时候叫它糯米草，一棵棵扯起来，小手掐着小叶儿一片一片地吃。”

我走在母亲前头，回身将母亲手中的草儿接过来，细细地看，叶儿又嫩又小，跟糯米粒儿大小差不多，能吃糯米小草的小孩子肯定挺乖，我自个儿想着，不由笑起来。

“那时细骚儿来我家了吗？”我问母亲。

母亲说：“来了，他大些，知道这些草儿不能吃也不让你吃，你就闹，他只好眼巴巴地看着你吃一棵又吃一棵，回家后还带一棵给我们看，说你吃好多棵这样的草儿。”

我悄悄地又摘下一片叶儿放进嘴里，竟没有任何感觉，不青不涩也不甜不酸，小时候吃它是什么味道呢，我一点儿也不记得。

“云儿，你是大人，妈有些话要对你说。爷死了，细骚儿走了，我们舍不得他们，伤心难过。人活在世上就是这样子，来的来去的去，你要懂得放下。活着只求个暖意儿，爷在时给了我们暖意儿，有这些在心里就要得，莫再去苦思乱想。细骚儿离开我们，可他和我们在一起时，暖意儿也多，这家里哪样没得他留下的印迹，再说他的暖意儿也都在，人活在世上有分有聚，先分才有后来聚拢时的乐，放豁达一些。妈看到你提不起神的样子，心里着急啊……”母亲说着有些哽咽。我听着，感觉母亲其实也是在劝她自己。我打起精神，笑吟吟回头等母亲与我并排走上机耕路。

我扶着母亲的臂膀说：“妈，我好好的，是天气不好闷雾秋气。我们去菜地扯大萝卜，回家用瓦罐煨了，香香地吃。下午我还得去同学家借书回来，没日没夜地看它几天……”说着说着，我就想起许多的事儿要做，心里也真的有点儿急。

母亲开心地笑起来，大眼半眯起来含蓄着欢喜。

到处都是苍黄枯败，菜园子里却是青葱一片，白菜白茎绿叶滋滋亮亮，萝卜叶儿黄蔫气虚，萝卜却大得可爱，水晶晶的似雕玉儿。葱葱蒜蒜在地边地角直伸着腰长不够似的往出拔，紫菜薹儿胡萝卜香菜儿芹菜儿热热闹闹的，香的香，嫩的嫩，全是好日月。我提了大萝卜，母亲捏着一把白菜和几根葱，说些山话儿水话儿往家里荡。

白莲浦的水瘦瘦的沉静而清和，通向水库的渠道此时完全干涸了，我们走在渠道的石板桥上，一侧是渐渐高去的渠路，蜿蜒去了深山，一侧是渐渐入浦的渠路，斜脚伸进水里，山水似共枕一渠而眠，任天高地阔日月时光，它们做自个儿的梦去。

我有了安详自若的迷离，母亲与路遇的行人打招呼，相互交流某腊味的制作，我在一旁听着，晃着大萝卜，闲性悠悠，细骚儿你走吧，我和妈这不也在共度好时光。

## 七

腊月二十八，北京的豪儿哥回来，准备在老家陪母亲过春节，他说也陪我，我想那是他对我的客气话。

豪儿哥正在一所军事院校念大二，母亲说他长得像夏天里的一棵水杉，笔直笔直向天上钻去，蓬蓬枝叶儿便是那绿军装，一副得人爱的样儿。

我不喜欢豪儿哥的心性儿，感觉他像那个三爸爸，冷声冷气。我私下觉得他不过是小孩子，不懂事儿，所以心性浅，也就不跟他一般见识。可他这次回来，他的心性似乎长得跟我一般大，已配得上我叫他的那声“豪儿哥”。

我慢慢地也看他顺眼些，仔细打量，发觉他倒是大帅哥，顶平额宽是母亲最爱形容他外貌的话句，他那双略带凉淡的眼神让人一怔，他也有不如意？细想想，他很小离开母亲跟随父亲，父亲不久娶了后娘，生下一个小妹，这些在他的心底肯定添了许多的孤单与忧伤，一时之间，我忽地很同情他，原本他怨我和细骚儿也是应该，我们占据了他的母亲，削弱了母亲对他许许多多的爱。

仅两天时间，我和豪儿哥玩得极熟悉。母亲没吩咐我们做事时，我带他去白莲浦上逛荡，他处处都觉得新奇，说他中间每次回来匆匆忙忙，随便看一眼，没觉得有什么意思，听到我各种趣闻乐事地讲来，他说老家是故事天地。

与他在一起时，我随口乱编乱造些是非曲直的故事，他听得津津有味。年三十的上午，我跟他讲到长生婶版的毛狗精故事，他听了后神色变得惊诧疑惑，不像个有知识的现代人，倒像个迷信的妇人，也认定是毛狗精前来复仇，祸害山下的人们，他认真地说："要不，你和妈回我爸的老家秋田湾去住吧，避开这里。"

我大笑起来说："这是假的，妈也不信，再说妈生在这里长在这里，当初你爸都是倒插门来白莲浦，她怎么会去你爸的老家，我就更不乐意去那个生克克的地方，就是真有这样的事儿，我也愿意待在这里，要受苦那也是我和妈的命。"

豪儿哥少年老成的样子，许久才意沉沉地说："你才像我妹妹呢，难怪妈疼你。"

我没心没肺地说："妈爱我在嘴里，妈爱你在心上，我倒想与你换过个儿呢。"

"你这没良心的小丫头，怕也是妖精变成。"没想到他说出这样的一句话来。

"你……"心头被什么东西梗塞了一下，我甩掉他拉住我的手，一路向家快走。我全然不顾他在身后叫喊我，任冷冷的风从脸上硬直直地撞过，我一声不吭。

回到家，泪眼模糊中，晃见细骚儿回来了，我没有细看，直接进了我的卧房，将房门死死地闩好，把自个儿扔倒在床上。

我伏在被子上大哭，细骚儿在门外不停地叫唤我，我仍是不开门，母亲来到我的窗前，细细地说："云儿，是不是豪儿哥欺负你，你开门，跟妈说说。要是他的不是，我现在就让他回北京去。"我仍是不理他们。

细骚儿走到窗户边，让母亲回了屋，他将脸紧贴着窗纱，把整张脸弄成一格格，像我小时候画的比例图，低压着声音说："云儿，大过年呐，不要惹妈伤心哦。就是豪儿哥有错处，这也是他去北京后回老家陪妈过的第一个年，你这样做，妈多伤心，豪儿哥也没意思。你现在是大姑娘，要学会体谅别人，莫任性好不好，有什么气儿冲我出，来，开开门，打细骚儿一顿。"

哭了一阵我一点儿也不生气，豪儿哥的话也犯不着这样无端的哭闹，大过年的真是扫兴。想到母亲和细骚儿的不安，我心生许多愧意，起身将门"哐当"一下开了。母亲进来，嘴里仍说着豪儿哥的不是，我心里又生出许多的嫌隙来，当两人辩理时，劝说的方总会说自家的不对，这是一种礼节上的谦逊，从这里我感觉豪儿哥在母亲心中的位置是重过我的。而一旁的细骚儿正替豪儿哥辩护，我忽地觉得这世上只有细骚儿是最疼我的，尽管我知道这样想不对，却仍是这样去想。

豪儿哥没精打采地回来时，我正坐在窗前发呆，瞥见他那无趣的样子，暗暗开心不少。细骚儿见他回来，赶紧上前招呼，活像个马屁精。

母亲从厨房出来说："小豪，怎么玩得好好的惹妹妹哭？"

豪儿哥说："我无心说的话，谁知她这么计较，我这就向她赔不是。"说完他就进了我的卧室。我仍倔在窗前不看他一眼，他嘿嘿一笑："好大气性的妹妹，吓得我半天不敢喘气，来，跟哥哥笑一个。"我扫他一眼，鼻子哼哼气，起身出了卧室。

他倒好，尾巴似的长在屁股后面，嘴里还唠叨："你这娇小姐，比我那个妹妹还娇气，都是因为妈太宠你，还有那个细骚儿惯的。你以后面对的可不仅仅是妈和细骚儿，要学会让人拍着头生活哦，不然，将来遇点不顺心的事儿就会觉得天崩地裂……"

"你有完没完，妈宠我细骚儿惯我，其实都是可怜我，我不像你有好爸好妹可粘连，我也不想顺着谁的气过，不好就跟我妈一起过算了……"我嘴里只管说出来，也不想母亲和细骚儿听了会怎么想，只是豪儿哥听到我说"不好跟妈一起过算了"忍不住笑出来，伸手拧着我的鼻头说："你怎么还是要与妈一起过才算了呢？小丫头，你很幸福哦，明白吗？"

母亲在一旁瞧见，偷偷一笑回厨房，才进去又出来说："小豪，爷不在，今年本该不贴春联，可你们哥妹三个聚在一起不容易，还是贴上一副，用绿纸写白字，你和云儿两个做好这事儿。"

母亲说过，去厨房里继续忙活。

我去大橱柜里取出旧墨和纸张，豪儿哥仔细地对折裁开。

接下来必得想写点什么，我将在厨房帮妈当下手的细骚儿也喊了出来，说："你也想副春联，到时择优选一副。"

细骚儿乐乐地一笑："又捉弄我，晓得我不会这些。"

我不依，说："那是你把爷忘了，所以脑子里没得。"

细骚儿也不辩，摸了一圈他的脑袋，好像这一摸，里面就有些东西能滋长出来，他说："我想一想，不过你们莫笑话我。"说过，他找出一个小本子和一支铅笔，灶膛里红亮的火光映在他脸上，暖暖的，只是他的神情正冥思苦想。

我心里飘忽忽，对爷的思念不知是淡了还是沉入心底，爷不在后的许多夜半我醒来，听到屋外的风声更想念爷担忧爷，老觉得爷在外面进不来。我拿起笔，写了一副：昨夜东风掠窗过，只疑爷亲又归家，横联写上：我爷不去。

豪儿哥拿起纸笺看了看，没说话，挥笔写就。他的字写得很好，笔墨饱满，字体敦实有力，整体看来沉着、大气、庄重。

细骚儿在厨屋也写好了，他先递给母亲看。

母亲看了看，说："过年了，应个景儿，莫多想。"

细骚儿拿出来，见豪儿哥已将我的写上，呵呵笑着说："我凑着写了一副，你们看看。"

他话才脱口，我已扯过来，一瞧：秋去春来慈父永在，南迁北徙孝儿怀恩。

在这一刹那，我有些羞愧，细骚儿是爷的好儿子，而我远不是爷心疼的女儿。

我对豪儿哥说："把我的那副丢了，写上细骚儿的。"我把细骚儿的春联递给他。

豪儿哥看过后，极认真地看了一眼细骚儿，墨饱字遒地写下细骚儿的这副春联。

写好后，豪儿哥搬了一只木凳，用一把干净的扫刷把门窗上的浮尘一一扫去，然后将我的那副贴在南窗上，细骚儿的这副贴在大门框上。贴完后，豪儿哥仔细端详，神情敬重又庄严。

我感知到，豪儿哥的心正慢慢靠近我们，也靠近死去的爷。

依照我们白莲浦的习俗，团年饭之前，要先去坟地祭拜先祖和亡灵，给他们带去祭祀供品、光亮与冥钱，这些，母亲早准备好了，等我们贴好门联，她就催我们早些去坟地祭奠。

一绕过浦上的藕塘，无意中我回头看到母亲正站在大门前，看新贴上去的门联和窗联。母亲略高抬的头看着对联，她正在此中，爷在此外，我们儿女可以坦然祭拜倾吐，而母亲只能悄悄默默地怀想。我第一次想到是不是毛狗精在作怪，让我的母亲如此伤心孑然呢？可是我的母亲如此良善温厚，上天何故要作难于她啊？

回望到的这一切，在两个哥哥面前我不动声色，更不提起。来到坟地，豪儿哥主动拿出祭品摆好，替爷亮上烛光，烧冥钱，放鞭燃炮。坟前，我和细骚儿趴在地上给爷磕头时，豪儿哥半蹲在爷的坟侧替爷扯了几把草，添了几把土，轻轻地拍了拍，仿佛叫爷安心地睡。

亮了灯火的坟地，变得温馨许多，香烟缭绕，仿佛可以看见爷在坟地里满面含笑、心满意足的模样，好似我们三个都是他的亲儿女，其实在我们心里，爷就是世上最好的父亲！

从坟地往回走，垸落里鞭炮起起落落地响，各种菜肴香味，鞭炮硫黄味散漫而来，满是我记忆中过年的好味道。我的家可以远远地斜望着，母亲已不在门前，我料想她此刻或许独坐南窗下正往这边探望。往年的除夕团年饭都是爷来做，她只管烧火，母亲哪有不哀伤！母亲在我们面前几乎不展露她内心的哀思，逢上这大年大节她会隐忍得更好，好在两个哥哥都回来，多少可以宽慰母亲一些。我这样想想，那样想想，径自走路，也不说话，细骚儿和豪儿哥找话逗我。

我不想让自己这样胡乱想下去，有意大声对他们说："我闻到家里的饭菜香啦，它们等着我们回家吃呢。"

听了我的话，两个哥哥都加快了脚步往家里赶。

一进家门，就瞧见酒菜已摆上了大方桌，母亲正在堂屋等我们，脸上依稀有过泪痕，但此刻的笑脸是温甜而亲和的。

母亲吩咐我们三兄妹去洗手，然后放过一挂短鞭，将大门关严实，用黄表纸从里面将大门封好，此时封门，表示旧年已尽，所有的好与不好都成过去。只待时钟指向零点，重开门时，要放长鞭响炮，祭天拜地，求取来年人兴物旺，五谷丰登，也是我们白莲浦人所说的出天方，出天方讲究万响鞭响起后不能中断声响，不损坏任何

器物为最好,大凡出了点差错,便预示这一年将会有什么不吉不利的事发生。

母亲封好门,开了各屋的窗,堂屋里烧了一盆旺旺的板炭火,炭火旁煨坐着一壶水,用来湿润空气,我们笑呵呵地倒酒打趣儿。母亲笑落落地坐到上座,举杯祝福她的儿女们。

我和两个哥哥先后给母亲敬了米酒,母亲端起酒杯,笑盈盈地慢慢喝尽,说:"你们吃丸子,要连吃三颗,云儿豪儿正读书吃完三丸可以三元及第,建成吃了三丸事圆业圆心圆,妈跟着你们共个家圆。"

两只红亮的台烛下,我们一家人都喝下几杯水酒,酒晕上了大家的脸,母亲格外地温慈怜爱我们,不时地招呼我们吃这个菜吃那个菜。

豪儿哥和细骚儿喝到兴起时,说起未来的打算,亮亮的双眼足够照射一路理想的征程。

我们三兄妹不停地相互嬉酒,一杯一杯。

母亲看我喝多了,不让我再喝。我快乐地握着杯说:"好……妈妈……最后一……杯,我们一起……干掉……它……"我的舌头有点儿不听话,说出的话牵牵绊绊不明晰,两个哥哥歪着嘴笑,妈妈也忍不住在我额上点了一下。

这一杯下去,我是真的醉了。妈妈扶我在火盆边的沙发上半躺着,替我盖了一床薄棉被,两个哥哥一左一右地替我掖被子,我仿佛就要醉死了,仿佛就要幸福死了,我的心底涌起巨大的热浪:我爱母亲和哥哥们,希望生生世世与他们在一起,这就是我人生最大的梦想。我不让那幸福的泪涌出来,我小心翼翼地珍藏它们,让它们在我心底慢慢地发酵酿成酒,供我一辈子来享用!

嘿嘿,可是呀,他们仍当我是小女孩,他们不时唤我一声,我哼一下,表示自己没睡着也没醉糊涂,他们的谈话我听得见。两个哥哥听到我的应答之声就哈哈大笑,母亲嗔笑地说:"这丫头,喝多了,闹酒话。"我嘿嘿地笑,不时会睡过去一阵,但我努力不让自己沉睡过去,我想知道我的亲人们在说些什么好听的年话。我醒来时,会听到一句半句不成串的话,又很快睡着了。

"云儿,起来,出天方了!"细骚儿喊醒我。

我一骨碌爬起来,忙着洗把脸,将头发重新梳理一遍,穿上新衣衫,回头看到母亲整洁素净地等着我开门出天方。

细骚儿一手执绕鞭的长竹篙一手拿着香火在前,豪儿哥抱着三十响的春炮在后,母亲点燃一挂小鞭,迅疾上前抽了门闩,细骚儿自屋内点着鞭,几步踏到院中央,举着鞭四面燃放,豪儿哥将春炮放置已选好的地方,点燃它。

此刻,白莲浦向来幽远沉寂的上空在我的醉眼中格外绚丽奇俏,双耳里灌满了屋前岗后连绵不断的鞭炮声。年事变得千古由来的沉实厚重,它牢牢地把我们吸附在上面,美好而又轻微的伤感,世事变迁不过一瞬之间,明年今日会如何呢?当这个念头爬上心头,我晃了晃脑袋,在心里郑重向天祷告:愿年年今日永团圆!

烟花过后的那片天复归沉寂，黑蓝蓝地幽罩着，一种神秘莫测的天意混合其中，我不愿去想关于天意的事儿，只瞧在门前东方祭拜天地的细骚儿，正燃香烧纸，仿佛就是旧岁爷在时的模样，只是细骚儿口中没有爷轻轻的叨念声。

两位哥哥做完各自的事儿，在院子里边甩着手脚相互祝愿。母亲刚才还站在门口看烟花，此时已进屋忙着给我们煮甜甜的蜜枣汤。

我有些恍惚地走进屋内，两哥哥随后进来，打趣我酒后的醉态。我向他们表示了祝愿，祝愿他们一个当上将军，万里风云由叱喝，一个做上大老板，净石铺向北京城。他们听了哈哈笑，豪儿哥说："云儿这酒醉得好，出口不凡。"

细骚儿赶紧着说："我祝你年年做状元。"

"你心里只有状元，你就不能祝我快快乐乐过上一年又一年吗？"我打断细骚儿的话。

"你本来就是快快乐乐的呀，这个不需要祝愿就有。妈多疼你，豪儿哥多迁就你，还有我，随叫随到……"细骚儿说着，还做了个听话的模样。

"谁叫你们是我的哥哥，做哥哥就得这样子，谦让小妹，世上所有的好东西全给小妹……"说着说着，我来劲了，掰着手指一桩桩地算下来。

细骚儿看着我一个劲地傻笑，嘴里说让的让的当然让的。豪儿哥却神色淡淡地看着。

我赶紧不再说下去，有点摇晃地往厨房去，准备帮母亲往外端蜜枣汤。

母亲拿托盘已装好了四碗，努嘴让我去堂屋。

吃过蜜枣汤，母亲说："伢儿们，都睡觉去，天明再玩。"说过将火盆里的火炭微微散开来。

我头一挨上枕头，就入梦了。满天烟花热热闹闹地又响又亮，我在天底下看它们，看得累了，低头寻找亲人，竟无一人，我孤孤单单明明暗暗地映在地上，心里慌乱害怕，妈妈呢？哥哥们呢？我也想到了爷，梦里仍然清楚爷躺在青峰岗里，他陪不了我，那为什么母亲和哥哥们也丢下了我，我在热闹的天底下哭泣，哀伤无助……也找不到我的白莲浦上的家园，都去哪儿了？我在梦中疯跑，哭倒在地。母亲喊醒了我，一只手臂环过来拍着我的背。我见到母亲，心里喜极，眼泪更多地流出来，嘴里叫："妈，妈，妈……"

母亲有点哽咽地说："云儿，又做噩梦了吗？妈盼着你长成大人，将来我老了，还要你来安慰，你莫乱想乱猜，养好精神读书习文章，将来有个依落饭碗，不乞求别人，一辈子腰直背不驮。再说两个哥哥哪个不心疼你？只是现在都是大人了，各人有各人的事，没得以前那多工夫陪你，你要学会他们来了我们欢喜，他们不来我们也不忧愁。"

十二岁是我人生的一个大转折，爷走了，两个哥哥脚步悠悠地行过来，来来往往对我和母亲照顾入微。我安心乐意地享受人世间最美好的情义，享受他们所给我的关爱与呵护。六年后，我顺利地进入了北京一所地质院校。

## 八

我考上了大学，人生此刻于母亲来讲是莫大的快慰，她的眼中我的前路是一片光明朗照，母亲将会少一份顾虑，不再担心我的将来行事的去向，我的出息也是母亲乐意接受的最好回报。母亲自我收到录取通知书以来，行也笑坐也笑。

母亲大办起酒宴，母亲说要宽宽阔阔地摆，因为她心里太宽阔了，敞亮了。

白莲浦人无不羡慕母亲，都说是母亲心好修来的晚福。宴请头天下午，建哥（在我十二岁那年，细骚儿随他母亲走了。有一次他回来，我高声叫他细骚儿，两人大声说笑。母亲趁细骚儿有事离开时悄悄对我说，云儿，再不能像小时候那样叫他细骚儿，该叫他建哥。经母亲这一说，分明也觉出叫他细骚儿的难为情。等他转回时，我直嚷嚷地叫他一句“建哥”，他哈哈大笑地应了一声，要我再叫他几声，我便数声地叫“建哥建哥建哥”，两人笑成一团。从那以后，建哥也就顺了口）也回来了。宴席上，母亲带着建哥和我端着酒盅一桌桌敬酒。每一席上，她满盅一口喝尽，亲友乡邻们皆举杯干了。我从没看到母亲如此的豪爽，兴奋地叫：“妈妈，真是好样儿！”母亲双颊红艳，如同三十岁的少妇一般，扭头含笑对我和建成哥说：“是我的云儿和建成了不起，儿女贵母随荣啊！”

人们的欢快声浪一阵高一阵，赞誉不断。这个曾经被别人称之为“三凑”的家成为白莲浦上最被人称道的人家。

然而，这天却有一个小小的插曲，垸中许多人知情，我和母亲却不知道。事后的第二天午后，我和长生婶一起坐在她家挂满青枣的树下歇荫，长生婶告诉了我这件事。

她说：“昨天我从浦上的菜地走出来，远远瞧见一个女人在浦上向几个垸里人说什么。等我上前去时，已围了不少的人，她正在向人打听十八年前遗弃的女儿。云儿呀，她长得跟你太像了，她是你的生母肯定错不了。垸里有人气愤愤说没这么个人没这么个人，想打发她走。你生母看上去不相信他们的话，我的心一下子乱了，知道哄她肯定哄不了。再说她万一不听劝，跑到垸里来，正巧你家又在为你考学宴请大家，她竟挑了这样的好日子。最后，我横心下来，直截了当地告诉她，孩子在垸子里，是被一个孤身女人养大的，她们娘俩相依为命十几年，女儿刚养大成人，你就前来认她，你想没想过那个养娘么样承受得了？你不能前去认她。你生母听了半天没出声，说只想看你一眼。我还是那句话，不能见。她长长叹了口气，才对我说，不看也罢，有劳垸下的伯爷婶子们多照应照应她们娘俩。你生母说完，向垸里望了几眼，才走。云儿，做人都不易，你妈这辈子太苦了，这是她，换了我早活不过来，我实在不忍心再看她受这一波折。也不知婶子这样做要得要不得，我心里是这样想的，这件事你最好不要对你妈讲起，日后万一你生母找到了你，对她你要有个态度，在你妈面前，还是不能提起这件事，人老了，忧虑更多，你不要让她劳神费心，人经不起这样的搬来折去啊。”

听了长生婶的话，我恍惚在梦中，不知多么遥远的事情突地拉到面前，纷纷杂杂，我好久没说话。

长生婶见我这样子，有点儿担心我，不停地叫云儿云儿，哎，这本就不能告诉你的。

我缓过神来，对长生婶淡淡一笑：“长生婶，没什么事儿的。那个生母有缘见了，我会报答她的恩情。可是我妈是我的亲人，她丢不了我，我丢不了她，只要她能过得乐和些，做什么我都高兴。”说了这番话，我已彻底从刚才的恍惚中出来。一阵风从浦上送过来，吹落几个病枣，有一粒滚在脚边，枯干黄涩的样子，我将它踢得远远的，起身寻母亲。

手挽菜篮子的母亲出了家门，笑微微地冲着长生婶家喊我，我迎上去平静一如往日，和母亲一道往浦上去。母亲带我来到爷的坟前，她扶着细骚儿前两年特地给爷做的青色大理石墓碑说：“逢春呢，你这没福分的人哦，看我们的儿女个个好样，你要是活着，只怕乐得像只檐前叫的花喜鹊啊！唉，你这没福分的人哦！”

母亲喜归喜，到了夜晚，就偷偷抹泪。我知道母亲舍不得我离开，可我不离开又不是她所希望的。我劝慰母亲说：“妈，别伤心，等豪儿哥回来，你也去北京住。”

母亲摇摇头，缓缓地说：“妈是伤心也不是伤心，舍不得你走是人之常情，只要你们在外面样样好，妈也就放心了。北京我不想去，妈守着白莲浦，等你们想家了，就回来住住。”

我陪母亲静静地坐着，浦上的秋风透过南窗渗进来，凉凉淡淡。顺南窗远望是青岗峰尾，爷在那里日夜将母亲守望，如同母亲日夜思念他的心。我们母女都无法言说什么，我握着母亲的手，不得不说：“妈，爷去的地方大家迟早都会去，你就好好的吧，没有妈我们几个伢们心往哪儿靠啊，再说爷看不到我们的造化，你就替爷多瞧几眼。”

母亲抑制伤感，浅浅地笑：“有你们兄妹仨，母亲满足得很。人生没得个万全，妈晓得想。倒是你去北京念书，妈有点儿放心不下，好在豪儿哥在那里，多少能照应一下，你也要学会照顾自己，更要学会爱惜自己，做到这些，妈就放心了。”

明天我即将去北京，夜里我睡不踏实。我几乎从未真正意义上地离开过母亲，进入初中高中，每隔三两天我就回家一趟，或者母亲送菜送衣过来看我。而今完全地离开母亲，离开白莲浦，那种茫然若失的感觉困住我。母亲感到我的不舍，说，我们娘俩出去转转吧。

我和母亲出了门，才知已是八月初了，一弯弦月斜贴西空，梦晃晃的。我忽地觉得自己其实可以不去读书，外面的世界一点儿吸引不了我，我愿意生活在这里。有山有水有月色，我在其中，母亲在其中，我的过往都在这里，为什么要离去呢？外面有什么好。但是我知道，这里的人们都向往外面的世界，只有我像母亲一样，愿意待在这里。可母亲似乎不希望我待在这里，待在这里就是没有出息，尽管我心里不这样认为，但我还是没有把心里话说出来，如果说出来，母亲可能理解我，但她会有失望，母亲希望我走到大城市里去，过另外一种被世人都认定为好的生活。

浦上的凉风吹过来，带着鱼的腥甜草的芳香，这些气味早入了我的衷肠，轻轻一拨动，它们就缓缓蠕动，胸腔中有依依绵绵的难舍。上天把我放置在这半围山半围水的人间天堂，有母亲菩萨心肠，爷的福音启旨，人们各样关爱，我如何不造化成他们的骄傲与自豪，我是白莲浦人，他们爱我，我爱他们，哪怕行程千万里，我终生归属白莲浦。我心中起伏万千，感慨万千，一句也不曾说出来。我依着母亲脚挨脚地走，耳听的是母亲絮絮叨叨的嘱咐，眼见的是黑灰灰的山，清灰的水，我踏实我安详，我回屋一夜好睡。

建哥没有食言，带足了钞票准备乘机送我去北京，豪儿哥此时还在国外，无法前来接我，再过五天他就回国，他来电话表示道歉并说回来再为我接风，夸我这个妹妹真是好样的。

我的两个哥哥现在在他们自己的位置上都有了显著的成绩，人更显成熟稳健。尤其是建哥，当他与人谈生意时，言简意赅，礼节周全又不失真诚。我真不敢相信他是我记忆中的那个细骚儿长成的。有着高大魁梧身材的他，给人一种稳实可靠感，一双浓眉下的大小适中的象眼预示着未来生活的安定富足，高高的鼻子一点儿也不像他娘，倒像死去的爷，有这样的哥哥我像依在铁塔旁般稳固。以前的细骚儿早没人叫了，人们早叫唤他的大名柳建成。

建哥这次陪我去北京，直玩到豪儿哥回北京。那几天里，建哥带我去了故宫、长城、颐和园，这些让我感到都城的深厚贵气，但分明少了我喜欢的灵秀。最后去了雍和宫，在这里看到几层楼高的木雕大佛，人来人往中只觉这里的神佛也透着富丽堂皇，少了一股肃穆神秘气概。这里的香火似乎也不及青峰寺的近人情，处处皆显帝王的气势，压抑着人。

我们玩得累了，刚休整一天，正好豪儿哥回来了。

豪儿哥一回来就为我们接风，并请来了三爸爸和豪儿哥的妹妹，三妈妈没有来，豪儿哥说阿姨生病了，不方便前来。见到三爸爸，分明感觉到他老了，比母亲更显得苍老。我略有点儿拘束，也不知怎么称呼他才好，好在他很大度，主动关切地问候了我母亲，也问到我和建哥的一些学习生活情况。

豪儿哥的亲妹妹欢欢喜喜地半拥着我的肩说："白云姐，我叫章浦云，很小的时候就听我哥说起你，十几年了，哥哥每次回老家都带来你的消息，一直想见到你，今天终于看到了你，我又多了个西施一样美丽的姐姐，真是幸福。"她说完回头嗔怪她爸道:“老爸,你早就该带我回老家,都是你和妈不让我回去,要是小的时候就能认识,我们早是天下最好的姐妹了。”

浦云真是个好女孩,明明朗朗的性情,圆润白净的脸,让人感觉她的生活幸福安详,一双清澈的眼没沾染一丝儿世事的杂芜,自那双眼可以看到她心底的清亮与明晰,初次见面我就深深地喜欢她,我愿意跟这样的女孩子一起玩耍,她可以驱散我内心诸多对世事人情的忐忑难安。

我俩坐在一起,相互探问各自的情况。我知道她正上高二,成绩很好,她希望自己能进入清华大学,言说之间,那也是件简单的事儿,并不让她多为难,这份自信透着一种坦然的高贵。由这份高贵中,我似乎可以想象她的母亲,大约是位雍华的贵妇人,但必定是冷漠的,浦云跟她母亲应该是不一样,她某些特质应该与豪儿哥相近。

饭桌上,豪儿哥与建哥相互传达各自的生活,我和浦云也有说不完的话,三爸爸不时地参与一下豪儿哥那边的对话,一会儿又参与我和浦云的对话中来。他看上去特别的开心,也许是我们四个小青年让他感到某种快慰吧,尽管我和建哥与他并没什么关系,可因为某种关联他心底同样认定与他仍有某种切不断的东西在里面,他肯定这样想过,因为他每每跟我们聊了几句后,总会独自愣一下神,愣过之后,几次问起我母亲的情况。于是我有点感激他对母亲的挂念,母亲其实早淡然了他,母亲的心中只有爷。我告诉他母亲在家过得很清静,她喜欢生活在白莲浦,也请他安心。他哦哦哦地应声,不再说什么。

浦云俯在我耳边轻轻地说:“这就是负心郎的下场。”我笑着抬眼看她,这傻姑娘嘿嘿地笑,其时我感觉她是如此的真纯可爱。

我轻轻地问浦云:“你爸和你妈过得好吗?”

“还好吧,我妈很爱我爸,我爸呢,可能是对大妈有些愧疚,他们一翻拣这过去的事儿就有点闹别扭。这事儿梗在其中,怕也要随他们一辈子。”浦云有点无奈地说。

我又看了一眼坐在我对面的三爸爸,他眼望着豪儿哥、建哥,神情却飘到了遥远的地方。我心里添上了一阵难过,想帮帮他。

我跟浦云说,想过去与她爸说说话,浦云睁着一对亮灿的眼说:“好啊,老爷子肯定很高兴和你说话。”

我在三爸爸旁的一张椅上坐下来,浦云参与豪儿哥和建哥的聊天中去。我告诉三爸爸,我母亲现在身体不错,内心也平静,对他早没什么责怪,让他不要过于自责。三爸爸轻轻地吁了口气说:“我知道她不会怪我,要是你爷在,我什么都放得下。如今她一个人,我哪有不挂欠,这辈子我最对不住的人是她。都说人老了会变得通达,可是这些年我老梦见白莲浦,往事忽左忽右地上心来,我也帮不了你妈什么,可心情还是有。你转告你妈,三爸有愧于她,三爸希望她健健朗朗地多活些年,三爸老了,愿意有她在世的念想。”

我理不明白,三爸爸怎么会对母亲产生了这样的依念之情,他让我感到一阵酸楚,我忍不住说:“三爸爸,人生走过的路途无法更改,何必要这样去折磨自己和身边的人呢。浦云和浦云的妈见你这样子,她们心里怎么想?再说我妈真的不在乎你记得不记得,豪儿哥、建哥还有我都是母亲的安慰,你莫自寻烦恼,想老家了,一家人回去看看,我妈肯定会接待你们。”

三爸爸又吁了一口气,说:“她有她的理儿,自然不在乎我记不记得。可我有我的错儿,这辈子就宽待不了我自己。”说过,喝了一杯水,不再说话。

我一时愣着,不知如何是好。

浦云过来,伏在三爸爸肩上,脸凑到他跟前说:“老爸,又在搞自我批评啊。其实大家都不在乎这事,连老家的大妈也是这样子,就你无事生非折腾自己,弄得妈妈也不开心。记得有首诗言:满目河山空念远,不如怜取眼前人。这样才对哦,不要等到眼前人也变成了远人再去空念想,那有什么意思呢。我的老爸,想想你宝贝女儿的话吧。”

浦云的一番话,似笑似闹,却含着真切的道理。

两个哥哥和我们一起给三爸爸敬酒笑闹,三爸爸看上去又开心了许多。那时我就想啊,大人也同小孩子一样,做错事为错事而后悔,其实这样的对与错在多年以后早变得不那么单纯为对错,道理虽然人人明白,却仍要固执地去惩处自己。

长辈的事儿,我们作为小辈看在眼里,也帮不上他们什么忙,还是要他们自己去找寻放归自己的心路。

在北京念书的五年,我是幸福快乐的,豪儿哥一家人都很照顾我。豪儿哥的照应不必说,三爸爸时常来电话问候我,三妈妈逢节假日时也邀请我去吃饭,但我很少去,不想让三妈妈想起许多旧事而闹心。再说,节假日我喜欢和浦云一道去逛街游园,人事不停地变化着的大街小巷多么有趣,我们喜欢这种繁华喧闹带来的黏人热情,我和浦云如两只快乐的小金鱼漫游在这座大都市里,我们成了真正的好姐妹。这样的时候,我似乎忘了白莲浦。

## 九

但逢寒暑假,我必定回到白莲浦与母亲一起生活。念大二那年,我将浦云带回白莲浦度暑假,母亲见到浦云很是喜欢,说这伢儿跟栀子花一样细腻香净,舒手舒脚的大模样儿,一看就是体面人家生长出来的。浦云傻丫头悄悄地对我说:“白云姐,大妈素净得跟个道姑差不多,你看她将头发全拢梳成一个圆圆的发髻,清瘦的脸庞,恬淡的眼神,神情和顺,这哪里是个普通农妇,哪有天天上山拜佛拾柴、下山弄渔船织渔网、夜里翻棋谱悟玄机的农妇，我简直要拜她为师，听听她讲玄说道。”

我知道母亲现在过的生活完全是爷在世时的生活模式，只是她没有顿危师傅来陪着下棋，不过没关系，孤灯之下，她已习惯一人双下，每下至收官时，她大致扫一眼黑白子儿各占的目数，就搁下来放着。第二天醒来，又端详一阵，再各自收聚黑白棋子儿放在小藤篮里，从不真正地收官。

这年，我大学毕业，工作还没有明确定向。浦云已是北京某所高校历史系大二的学生，暑期又吵着要回白莲浦度假。想到以后工作了，难得有长时间陪她回白莲浦，答应她这次一定要玩个痛快。

浦云再次回来，坚持要住云踪屿。母亲顺她的意思，划着爷留下来的小船带我们去云踪屿，将石基小屋打扫清理干净，并重新安放了两张小铺，挂上蚊帐，供我和浦云歇息。浦云掐了云踪屿上的小野花儿，拿一只小瓶装上水插放好，将小瓶子放置在灰白的石窗台上。做完这些她倚靠在石槽门边，看水库遥遥的波面上鸟儿上上下下飞来飞去，水库四围进进退退的山峰葱茏碧绿。浦云眯着眼，偏低着头笑着回望我：“白云姐，我仿佛在梦里似的，梦里我回来过呢。你看我这样子，像不像等郎来的小阿妹呀?”说得我和母亲都笑了。

她这样子，倒让我想起爷在世时和母亲的一件旧事。记得那是一个细雨霏霏的秋天午后，母亲抱着干爽的夹被和一个干净的枕头带我来云踪屿替爷换下脏了的被褥。大凡秋雨缠绵，我就显得格外的困。母亲在整理小屋时，我迷迷糊糊地伏在爷的小铺边睡着了。那时爷被村长抽出去做水利，说好要半个月才回来。可是离回家还有两天时，不知怎的他提前回来，还是从水库那头的茄子岗摇船直接来到屿上。爷上得屿上，见我睡着了，笑着对坐在门前清整杂物的母亲说：“我就晓得你在这里，连家都不回。”说完一屁股坐在石门槛上。母亲起身给他倒了一缸子茶水，问他怎么提前回来。爷嘿嘿笑道：“麻喷雨儿稀，哪有丈夫不想妻。”母亲嗔怪道：“才出去几天，学得一张油嘴回来。”爷回来我实际上似睡似醒，但又醒不完全，迷糊中听到爷和母亲说话，感觉爷说的话又顺口又好听，只是爷很少说这样的话。现在想起来，爷和母亲的情义真是浓而又浓，甜而又甜。母亲年轻时大概也似浦云这样的清纯得惹人爱。

暑假期间，我和浦云每天晚上八点左右来屿上，上午九时以后离开，因为小屋太低矮，旁边又没什么杂树生荫，尽管小屿处在水中央，酷暑季节里白天仍是格外地炎热。

逢上有月的夜晚，浦云感慨万千：“白云姐，我们好像回到古代了，看这李白月，自大自小自个圆缺，听那僧敲鼓点夜沉沉，嗅那风送荷露香，鱼儿浅水嬉，我都想活到跟天地一样久……”

浦云沉浸在白莲浦美妙的夜色中，有说不尽的感慨与留恋，于我来讲这一切不过是又一次身心的回归，白莲浦的一切都化为魂灵永远跟随着我，走到哪里都有它来昭示我。

我和浦云在家的日子，建哥回来得会比平常更密切一些，他已是当地赫赫有名的财神爷，财大气粗更显得他派头十足，每每驾车回来，吃的喝的几大箱往家里搬，母亲仍像多年前那样叮嘱他节省着点，不要乱花费。我和浦云才不管那些，安然享用。

浦云边喝着饮料边说："白云姐，扯你的衣角，我也添了个哥哥，建哥有个小名对吧，是叫什么细牛儿的，以前听我哥说过，现在忘了。"

建哥抿嘴笑着，不搭腔。

我告诉她，他叫壮牛儿。建哥扬眉笑瞪着我，有点儿相视一笑的感觉。偏这落入浦云眼中，她嚷道："肯定不是这名，你们瞒着我。"

建哥说："没有，就是壮牛儿，你不觉得我像牛儿那样健壮？"

我们在家闹嘴玩，屋外忽地变得阴沉起来，云层自白莲浦外的天际处涌过来，黑压压铺伏上了浦上的闲滩荒岸，田野里的秧苗谷物一片晃荡，水鸟山雀匆匆忙忙呜呜喳喳地飞过。我们走出屋感受大雨之前的劲风，看这片天地之间霎时变化中万物的惶惑。

雨点一颗颗掷下来，石子落水般溅起一晕轻尘，顷刻雨点密集起来，把我们打进了家门。浦云站在门口，看屋外雾水一片，说："乡下的雨下得真有趣，雨像被人赶着似的踏过来，看伏在屋檐前哭得多可怜，谁惹得它这样伤心哦？"

建哥笑着说："云儿，你看浦云这小丫头像个坐绣楼的小姐！"

浦云望着建哥笑，不说话。

我走到浦云身边，对着她的耳朵说："是建哥惹的。"

浦云一串脆生生的笑声在雨天里响得格外地明亮，她指着我对建哥说："白云姐说是你惹得雨这样伤心的，你说是不是你？"

建哥望望我又望望浦云，半天才说："我没得那本事吧。"

聊着聊着，天放晴了。雨后的天空格外清新，浦云说去山中的水库划船吧，这个建议我和建哥都赞成。

此时的四围山峰一派清明爽净，身旁的青枝亮叶上不时地垂滑着雨滴，惹人怜爱。

建哥划过小木船，把我和浦云搭手扶到船上。他慢悠悠地向云踪屿划去，浦云用手不停地在水中搅摆，时不时地发一阵感慨，说什么现在哪里也不想去，要永远留在白莲浦。

小船过了一峰弯，浦云惊叫道："你们看，彩虹彩虹！"

啊！真是一条七彩飞虹啊！这条飞虹正架在两座高峰之间，弓形顶正在水库上空，我们坐在小船上仰望它，不停地赞叹天地间这份美丽造化，恨不得搬来梯子搭架而上。

建哥带了一部相机，他慢慢地将小船靠向云踪屿，从不同的角度调试着拍下彩虹。建哥替我和浦云拍了几张以彩虹为背景的相片，浦云要求与建哥合拍一张，我从建哥手中拿过相机，认真地选景。水畔后的半空中一轮彩虹精美如画，湖光山色相互映衬，恰时临晚午，阳光璀璨过朝霞，又不渗伤人的眼眸，图景中浦云裙裾轻扬，建哥如一树临风，任其依傍，如同明净的天空配上亮丽的虹霞，万物都是那样和谐丰美。

没想到的是，因了这张美妙无比的相片，我、浦云和建哥之间竟生出丝丝微妙来。

## 十

早在小的时候，我就知道人的际遇变化莫测，但我料定这一生与细骚儿也是我的建哥不管以什么关系在这个人世，我们终会是一生相守，可后来我知道这不过是我一个人的美好想象，人生的际遇并不一定有可寻的轨迹，我有了失落与挫败感。

浦云拿到她和建哥的合影，日日夜夜不时端详，从她的眼中我看到她喜欢或者说迷恋上了建哥。她对白莲浦不再感兴趣，不停地打听建哥的过往以及现在的生活，我心里有些烦乱，但仍是将知道的一切告诉了她。

建哥再来时，她吵着要他驾车带我们去外面玩。建哥隐约感觉到什么，不时地用目光询问我，我避而不理，那时心里生了他的气，认定是他闹成这样子，再说这事儿只有他自己心里拿捏分寸，我不应当表示什么。

这次，我借故没陪他们一道出去。他们一走，母亲过来陪我坐着说话。

“云儿，今年你已二十三岁了，学业也完成得差不多，你建哥都二十九了，有些事该敲定的要敲定，这些年见你在念书，妈也没好跟你说起个人的事儿，现在你跟妈说说你的心事儿。建哥可是用心等你，这个你我都清楚，这五年你在外面念书，见的世面多，你对建哥还有没有那个意思呢？”

母亲的话让我如同误入了旧梦，过去生活影像不停地来来回回，想起小时候细骚儿将心比月的事儿，心里难过起来。

我没有马上回答母亲的问话，细想几年来，我时常忘记建哥，白莲浦的旧日时光幽幽地潜伏在我的心底，我所有的向外延伸都凭借它的内力，是它支撑着我，我希望它是我今生永远的根据地，而不要因为某种特殊的情义去更改变化它，我害怕任何一种更改变化会摧毁我内心的这片乐土。一面我试想过我与建哥能否存在爱情，这种试问的答案是模糊不清。于是我试想与另一个人发生爱情更合适一些，不管将来怎么变化，建哥都将成为我生命中回退的根据地，还是让他永远做我的哥哥吧。可是看到浦云和建哥如此，我真的感到心痛，有不可以承受的哀伤，我理不清自己该怎么做，也不想让母亲知道我此刻的心情，怕母亲牵强他。再说浦云这大概也算是初恋吧，故我伤她也不应当，最重要的也许还是建哥自己怎么做吧，再说了一时的喜欢也并不能定论未来的方向，这样想来，在母亲面前我居然装得像个有点修持的僧人，淡淡一笑说："妈，随缘吧，有缘自会在一起，没缘呢，拉扯也不中用。"

母亲用食指轻轻点了一下我的额头："你在这儿端着架子吧，等别人带走了人，你一个人找个旮旯哭鼻子去吧。"

母亲这一说，让我一下子不舒服了，气哼哼地说："他要是这么一个人，要他有何益？尽管走好了。"

母亲一愣，浅浅地坐下来叹口气："云儿，人生在世，没得几人像你这样活，有些事儿由不得你想。世上没有生下来的坏人恶人，都是生活打磨成的，我只是担心你这样的心性遇上真心待诚你的人，将一辈子幸福，遇上个没良知的人，哄你就像小伢过家家那样轻松。建成这些年不在我们身边，看着仍旧是他，我们现在倒不知道他有些什么变化……"

我不想听母亲这样说建哥，便对她说："妈，不管他怎么变，我想他是我哥这一生都变不了。我只求保这个底，其他的我想可能真的需要缘分来解决。"

母亲没再说什么，找出菜篮子问我要不要一起去菜地。在家没什么事儿，我愿意陪母亲去逛菜园，这是我向来喜欢的事儿。

在浦云正痴迷白莲浦及白莲浦上长大成人的建哥时，豪儿哥来电话说三妈妈病重，让我们早些去北京，而且三妈妈想见我母亲一面，希望母亲能一同去。

母亲略思索了一下，还是答应了下来。

当天我和母亲建哥护送着茫茫无措的浦云飞往北京。

我们离开北京不足两个月，三妈妈竟病成这样，是我和浦云怎么也料想不到的。浦云见过三妈妈后，一人躲在窗户旁，借着窗帘的遮掩悄悄地掉泪。

病床上的三妈妈见母亲来了，颤抖着伸出枯瘦的手，母亲上前双手捧握着，一时两位母亲没有说一句话，只有眼泪轻轻滑下来，人生多少的恩怨至此只是一行清泪，她们相生相惜。

这一幕让我们这些儿女们感伤无语，人生更多的应是相顾疼爱。

三妈妈还是走了，平静安然地走了。

三妈妈一走，三爸爸颓然老去许多。

一天下午，我和母亲在宾馆正商量着回老家的事，三爸爸来了。给两位老人倒了茶水后，我回避到里间看电视，可屋外的谈话我仍能依稀听到。

几天来三爸爸在我母亲面前，一直是欲言又止的神情。最后还是母亲对他说开了："老三，有什么话你就直说吧，别压着自己，活着就要健健康康的，让孩子们放心。"

三爸爸抖抖索索地说："白莲，我对不住你，对不住老父我的好丈人，他当初用心用意对我，希望我能好好待诚你一辈子，我却……日后我死了拿什么脸面去见他……”

“老三，人死如灯灭，就是在天有灵，我父现在也想通了，不会怪你。你放健当些，少想这些过去的旧事，过几天又是重九，我呢，也要回白莲浦去。”

两位老人面对着即将的别离，相互宽慰对方，也知道此去各各都是未可知，顾惜之情都出于心灵深处。他们慢慢聊着些旧时的人事，我在里屋一片伤怀，人生能说哪样是对哪样是错呢？哪是真哪是假？宽宥了世事，自会赢得真悔与彻悟。

离开北京之际，我们一致不要三爸爸前来送母亲，只让他们在电话里通话，说着说着母亲哽咽了，可以想见三爸爸那头同样是黯然神伤，好在有浦云和豪儿哥在身边抚慰照顾他。

重九前两天我和建哥一齐送母亲回白莲浦。母亲经见这一世事变化，心里同样有许多哀思，人显得疲倦不堪，我决定在家陪伴照料母亲一些日子。

重九这天上午，母亲挽着竹篮，里面盛装着祭奠爷的酒水菜肴冥钱香烛，来到爷的墓地前，我正好自青岗峰上下来，手里拿着用菊花编好的花环，准备献祭给爷。我和母亲祭奠过了，母亲拿锄细细地刮坟地里的衰草，边和我说些人情世故的话儿。我边听着边将花环套在墓碑上，如同套在爷的脖子上，我甚至能感受到爷正笑眯眯地看着我。我蹲在爷的坟前拣开较大一些的石子，不时地站起来看看白莲浦四围的山水闲径，远远地看到顿危大师自一条山路往这边来。十多年没见到他，看上去他似乎没有多大的变化，只是背稍稍有些驮，但还是能一眼认出来。我忙喊母亲，母亲抬头一看，放下锄，来到离爷坟地极近的山路一侧站等往这边来的顿危师傅。

顿危师傅走近，双手合十，道了声“阿弥陀佛”，母亲忙低头跟着默念一句什么。顿危师傅抬眼对母亲说：“施主，老僧要回乡了。”说罢眼神似乎扫过了爷的坟茔又似乎没有，他径自走了。母亲对着他的背影，伏地而拜。我忙上前去搀扶母亲，站起来的母亲冲着顿危师傅的背影洒下泪来。我有点莫名其妙，想问母亲又怕扰乱她的心思。

第二天上午，母亲带我来云踪屿，刚坐定。青峰寺的钟鼓鸣成一片，我问母亲庙里出什么事了？母亲说：“顿危师父去仙乡了。”我说什么也不相信，昨天还硬硬朗朗的顿危师傅怎么会说不在就不在呢？母亲说他昨日前来，是有意而遇，有些僧人临死前会向生前走得近的施主道别。

以前常听人说佛家人万事皆空，这个空原本也是有个对应的不空。人世间俗人也罢僧人也罢，心里都有理有念，在世求存的方式不一样，拈花一笑也是有花有笑，人世温暖最为重要，他来招呼一声，便是传存暖意儿，活着的人需要这个仰捧。

不管俗世之中我们是什么样的人，有了温暖才能相安相存，我慢慢地明白爷和顿危师傅的友情，爷和母亲的爱情亲情，以及三爸爸三妈妈之间诸多的情义，还有豪儿哥、浦云、细骚儿和我之间的情分，不论世事人情如何变化，我们一定要让它长久地温暖着。

我在白莲浦待了一周，母亲要我去北京，让我到北京后多陪陪浦云，多去看望三爸爸。我问起她一人在家怎么办？母亲说："你走了，我去云踪屿住住，回家住住，不会生闷，再说垸下老小都挺关照我的，又有你建哥时常回来看我，你放心好了，我这身子骨还硬朗呢！"

看着母亲的情形，我相信母亲已平静了，因为这些年母亲就是这样走过来的。说起浦云，我真的有点担心她，一向生活在福窝的女孩子，一下子母亲去了，父亲苍败无神，她怎么过？

我来到北京，豪儿哥已跟我联系了一家单位，虽说与专业不对口，但更适合生存生活。我前去看过一次，也算不上报到，就着这个空闲我可以陪陪浦云。

浦云因为三妈妈的过世，三爸爸的落寂，她倏然长大成人，变得沉默少言。我们偶尔相约出门，多半是寻个地方坐下来，喝点儿茶，说几句天高云淡的话。我清楚这不是我们内心有什么疏离，而是我们已经踏上人生的又一段征途，生活中突临的际遇让我们只得以沉默来应对，似等待似无言地接纳也似包容，也是我们眼睁睁的无可奈何。

豪儿哥和建哥到底是男人，他们能以事业为重心，摆脱其他的各种干扰，在各自的路途上仍是一往无前。我和浦云论起两个哥哥来无不自豪安适，只觉我们的人生有厚重的依托，不应该有什么不安与惧怕。

渐渐地，我和浦云自三妈妈和三爸爸的不幸中脱离出来，开始了各自有序的生活。

临近春节时，我开始还打算着在北京陪浦云过年，后来建哥打电话来说，单位一放假，你就赶快回白莲浦，母亲身体不太好。

我怎么也不相信母亲的身体会不好起来，在我的记忆中母亲从来就没有身体不好过。不等放假，我提前两天就回到老家。

回到白莲浦，又是枯寒阴冷的天气。才三个月不见，坐在藤椅中的我的母亲竟衰老得这样快，似乎空气中有某种东西吸干了她，枯瘦的脸，呆滞的神情，少语而又长久地愣怔。我真想抱着母亲大哭一场，我责怨建哥对母亲照顾的不周全。母亲听了，冲我摆摆手说："莫怪建成，伢儿，妈的时候到了。"说完后竟似要睡觉一般，眯缝着眼耷拉着脑袋。

我让建哥抱母亲回屋睡，母亲没有抬头睁眼，伸手缓缓地摆了摆，说："让我坐在这儿。"母亲就这样坐在寒风一阵阵吹来的大门口，好似要等候谁归家来。我关闭了门窗，切断所有外屋的寒凉，亮了屋内的灯，又把炭火弄得旺一些，让建哥抱母亲回屋躺下。母亲没有再坚持，半靠着被褥舒展了脸庞，有了安然的神情。我和建哥进进出出跟她说话，吃吃喝喝热热乎乎地照应着，母亲竟然睡着了，还有了鼾声。

我鼻子一酸，母亲真的衰老了。

腊月寒天，母亲不时地要我和建哥送她去云踪屿住一住。我和建哥买了御寒的衣被和用具，每每与母亲更换时，母亲带着暖暖的笑意儿由我们侍弄，不出声地抿着嘴笑。

一天，母亲又要来屿上，我和建成哥送她过来后，她便叫我们回去，她要独个儿静坐一阵。我们在离小屿不远的小船上望向她，冬日午后的阳光稀薄而晃悠地照在屿边的几株枯芦苇上，母亲在一侧如一株矮树丛长在那里，她勾着头打盹儿，嘴不时噜一下，似含着一口的梦话欲说又留，漾漾的水波轻轻地抚着屿石，怕惊着母亲的沉沉酣梦，我想不明白母亲为何一下子这般地苍老。

夜里，母亲不回家，我和建哥只得陪她在屿上住。母亲这晚精神气特旺，话也多了些，她说她这一生过得真好，尤其是在有豪儿哥之后又添了我和建哥这对儿女。说着，她伸出双手，分别握住我和建哥的手，她有点乐呵呵地说："我还能捉住你们两个呢！"说着把我和建哥的手叠在一起，她抬眼看着建哥说："妹妹今生就交给你照顾，你不许丢下她哦。"母亲说话，亮着眼盯着建哥。建哥隐含着眼泪不说话，冲母亲重重地点头。

母亲又扭头看着我："有什么心事儿跟哥说，莫隔着肚皮猜心思，哥是个老实人，凡事儿你说明白些，你轻的重的话，他都承得住。"

母亲说完，笑眯眯地看着我和建哥，像极了爷曾经的神情。我的心一抖一抖的，母亲已有了要陪爷的意象，我嘤嘤地哭，母亲笑着说我成了小孩儿，建哥在一旁红着眼看着我和母亲，不出声。

夜半中，我迷迷糊糊地睡着了。

睡梦中，一片金色的光亮中走来了爷，爷的旁边跃动着紧紧相随的两只小小红毛狗，我在画外，看到母亲笑盈盈地走向爷，他们含笑相逢，然后各自抱起一只小红毛狗背离我，慢慢地化入渐渐耀目的光亮中，慢慢地几乎是看不到他们了。我正焦急万分，建哥急急地推醒我说："云儿，妈——怕是要走了！"

母亲最后睁开眼，看着她跟前的一对儿女，流泪了，却说不出一句话来。我和建哥一人握住她的一只手，可她最终还是走了，随爷去了。

这天夜里，远在北京的三爸爸竟然也离世了，当建哥电话通知豪儿哥母亲去世时知道了这一消息，豪儿哥自然是赶不回来，我和建哥发送了母亲。三爸爸的骨灰留在了北京，陪伴着三妈妈，愿他们二老在另一个世界不再生嫌隙，能幸福美好地生活。

我的母亲走了，走到爷的身旁，两座坟墓并排而立，像两扇洞门，洞后是上通天下入地的深广幽邃大道，只是不知爷和母亲行在哪一条，我们日后是否能追寻得到他们我不得而知，只祈愿母亲能追上爷，他们能相搀相扶走上另一番永不离弃的路途。

豪儿哥和浦云是在母亲头七那天赶回白莲浦的，正是大年三十。

头夜下过一场小雪，次日浅浅地露出凉淡的阳光来，把河川山路上那一抹抹的雪痕映上一层浅浅的金色，透着逢迎新年的暖意儿。我们兄妹四人路过浦上，顺着小道来到母亲和爷的坟前供祭，并排的两座坟茔一新一旧安稳地坐着，这几天俩老人定然相互转达了离别后的尘事。此时的爷和母亲如若能感知到我们的到来，应有着满心足意的安然。而我心里，真的感觉母亲与爷已重聚，所以并不悲伤。

一些小山腰上四散着祭奠的人们，座座山坟给活着的人传送着隔世的温暖，活着的人因此有源可寻，有念可执，祭奠时已不必忧伤与哀戚，生命来向归程便是这样地运行，一代一代如此传承，不忍离去不忍归来，在人世的日子我们必得相亲相爱，相互依恋相互温暖。

我们闲话了一阵往事，沿着蜿蜒的土路向山里去，大家都想去看看白莲浦，再去探望一次云踪屿。

冬季的水库瘦了许多，云踪屿也就显得壮实了些。四围进进出出的山林似乎已睡着，山中静谧得连飞鸟也不见一只。水面透着轻寒沉静，全没了春夏的碧波曳浪，如同暮年的人生光景，混浊的眼中全然是世事洞明的豁达与开怀。我们带着他乡的尘埃来到，似乎捅动了这群山这水域，我的双目早已潮湿：我来了，你们都好吗？

我的兄妹们同我一样，目祭这里的一切过往，爱在我们心底相互传达相互渗透。建哥以自居老家为主人，说起白莲浦即将得到改造，国家已准备投资在此新建水力发电站，开年就动工。继而又说起自己新的规划，正说着，他的手机响起，原来是他妈妈请我们兄妹几人一起去她家吃团年饭，建哥嗯啊地说着，把手机递给了我。

我接过来放在耳边，我还来不及叫喊她一声，她用唏嚷声说："云儿，回来过年吧，你们都过来，这里还有个妈妈等你们回家过年！"

泪一下子冲出我的眼帘，其他几位兄妹一一接过电话听着，大家"嗯"了一声，说不出一句话来，都顺着羊肠小道向着阳光渐次下山的浦西走去，建哥的车正停靠在那里。

（选自《芳草》2009 年第 1 期）

**陈旭红**

女，1970 年出生于湖北浠水。自由撰稿人。小说《人间欢乐》《世界原来如此美丽》等发表于《芳草》杂志，《人间欢乐》被转载，并入选花城出版社编的《二〇〇八短篇小说精选》。

# 田园诗

## 畀 愚

二十多年前的田野里还没有公路,田野的半空中也没有高速公路。一到秋天,金黄色的稻浪被风吹鼓着,推推搡搡地卷着田野一直涌到天边。我们的村庄就在这天边的树丛中,一眼看过去,就像老天爷拉的一坨屎,那么的热气腾腾,那么的郁郁葱葱,每一片树叶上都折射着阳光,几乎是望不到屋脊的。所有的屋脊都掩盖在巨大的树荫下,而那些树就是我们孙家浜村的先人们。它们护佑着这个村庄,同时,也淹没了这个村庄。

有一天,孙卫东忽然在院子里竖起了一根电视天线。笔直的竹竿捅破那些茂密的树盖,一直向上升,把一个锃亮的"×"挺到了半空中。村里的老人们都很惊讶,更多的是慌张,这样直挺挺的一撇一捺可不是闹着玩的,在他们的印象中,这个形状在前几年,通常是用在现行反革命分子的名字上。这可不能由着性子胡来。老人们站在他家院门外,翻着眼皮等他忙完了,才有人斟酌着问了声,小三子,你这是干啥呀?

孙卫东又名小三子,按照他妈周定香的叫法有时也称狗剩子。主要是他上面有过两个夭折了的哥哥,而男孩子的小名取得越贱越好养活。村里的老人们都是这么说的,还有什么比狗剩下来的更不值钱的?可是,孙卫东在孙家浜村里不一般,从小就是含在周定香嘴里的一块肉,他爹在临死的时候光知道惦记他了。那个时候,孙卫东还在周定香的肚子里,他爹快不行了,剩下最后一口气时,他坚持竖起一根手指头,指着老婆的大肚子吐出最后三个字:叫……卫……东。那场面非常感人,大队书记都到场了,当场指着周定香的肚子下了指示:一定要好好抚养。生产队长马上拍了胸脯,指着周定香的肚子,下了保证:这就是我们大伙儿的孩子。

孙卫东的爹死在红旗塘的开河工地上。他想用胸口去堵堤坝上的缺口,结果没堵住,让坍下来的石块压得就像张烙煳的大饼。虽然,报是报上去了,可没评上烈士,但村里的人都把孙卫东当成了烈士的遗腹子。一个人要生得伟大不容易,死得光荣就更难得了。怎么说孙卫东的爹死得总算跟光荣是沾上一点儿边的。然而,“大伙儿的孩子”孙卫东却一点儿都不像他爹,简直就不像是我们孙家浜村上的人,越大就越不像,头发留得老长不说,关键还是在眼神上。那眼神看上去怎么那么的阴沉,那么的凶悍?而且,看人的时候还不拿正眼看,好像每个人都欠他家三斗米似的。村里的老人们都看不惯他这一点儿,而孙卫东也从没把这些人放在眼里过。这些人一年四季不刷牙不说,还整天坐在太阳底下说三道四的。孙卫东曾有过一句名言:这些老不死的,嘴巴比茅坑还臭。

说这话那年,孙卫东十九岁,却干了一件让孙家浜村“炸锅”的大事。谁也不知道他是怎么搞的,一点儿眉目都没看出来,就把村支书家的小女儿给睡了。按说,这也没什么大不了的,偷鸡摸狗的事在村里每天都有,哪个朝代都没断过。支书家的女儿也是人。是人,这种事情就免不了。只要咬紧牙关不松口,两个人的事情只能是天知地知,你知我知,草垛子知道。可是,不争气的是肚子,泄起秘密来比嘴巴还勤快。村里的老人们最先看出来了,支书家的小女儿不对劲,走起路来两条腿撇得就像夹着蛋的小母鸡,屁股还一个劲地往下坠。以前给人接生的孙二婆子一看这屁股,都敢打包票:至少三个号头以上了。

本来,让人搞大了肚子也不算稀奇,最多是婚事办得仓促一点儿,嫁妆置得马虎一点儿。可大肚子的偏偏是支书家的小女儿,而且,支书还不姓孙,是孙家浜村里的外来户,姓徐。那天,徐支书又狠狠地给了徐小英一个巴掌后,趁着暮色敲开了周定香家的门。周定香知道儿子出的这档子事,早就想赶着棚里那头猪,上支书家赔不是去,是孙卫东拦住了她。孙卫东看他妈的眼神也那么阴沉与凶悍,说省省吧。可这种事情怎么能省?周定香真是着急,脑门上的青筋一跳一跳的,跺着脚说,人家可是支书家的闺女。

孙卫东横了她一眼,不冷不热地丢下句:皇帝不急,太监急个屁。说完,一甩头发出了家门,跟村里伙伴们打牌去了。周定香一个人静下心来想想也是,支书家的闺女怎么了?迟早还不是自己的儿媳妇?周定香一屁股坐到老伴的遗像前,心里一下子明朗起来,这狗剩子平日里不声不响的,在这档子事情上怎么这么能干?看来明年开春她就可以抱上孙子了。那几天里,虽说村里的乡亲们在背后指指点点的,周定香却挺着胸,走得比什么时候都神气,好像已经是支书家的亲家母了。但是,徐支书一来就给她出了道难题。徐支书坐在他们家的一张板凳上,不说话,一口接着一口地抽烟。周定香紧张得捏了一手心的汗,心里面本来有的那点底,一下子沉到了脚后跟,就知道眼巴巴地看着支书。徐支书长长地吐出一口烟后,把烟屁股丢在地上,用脚尖仔细地捻了好一阵,才抬头看了看她,两手一摊,说,怎么办?

周定香赶紧说,支书说咋办,我们就咋办。

徐支书点了点头,又从口袋里掏出烟来,点上,深深地吸了口,一边往外吐烟,一边说,一切从简。

周定香说，听支书的。

徐支书站起来，说，那就下礼拜六吧。

周定香一愣，说，太急促了点吧？还得置行头呢。

徐支书从口袋里掏出一叠钱来，两根手指沾着口水点了一遍后，往桌上一放，说，明早我让村里的船放一趟镇上去。

哪能掏你的钱？周定香慌了，抓起钱就往徐支书手里塞，一边说，钱，我们有，该我们掏才是。

收着。徐支书一摆手，说，聘礼可不能免，我们共产党人也得讲规矩。

周定香捏着钱，愣在那里好一会儿，才一个箭步冲到院子里，不管三七二十一，拼命往徐支书口袋里一塞，说，支书，我家狗剩子，不给人做上门女婿。说完，她涨红着脸看着徐支书，哀求，我就这么一个儿子。徐支书像是没听明白，看着她。于是，周定香又补充了一句，说，我们家老孙可是在工地上光荣的。

徐支书把口袋里的钱掏出来，看了眼，又放回口袋，走到大门口，想了想，回过身来点了点头，说，那好，那就让你家狗剩子等着坐牢去吧。

那个晚上孙卫东回到家里已经后半夜了，听他妈一把鼻涕一把眼泪地唠叨完，没说话，一甩头发钻进房里，蒙着被子睡了。第二天，他一起床就卷起自己的铺盖，找了根绳子捆上，扛着去了村委会。一路上，孙卫东对人特别客气，嘴巴特别的甜，话也特别的多，乐呵呵，像个新郎官。碰上比较要好的，还特意停下来，发上根烟，聊上两句。人家问他背着铺盖干什么，孙卫东笑呵呵地说支书要让他坐牢去了。大家都是明知故问，问他犯了什么事，孙卫东还是笑呵呵的，说犯事的不是他，而是他裤裆里挂着的那家伙。

孙家浜村里一下子热闹起来，多少年没见过这么大胆的人了，而且还那么的不要脸。大伙儿都要看个究竟，就一路跟在他屁股后头，乱哄哄的。孙卫东人还没走到村委会，在村子的另一头，徐小英一头扎进了孙家浜里。这是谁也没料到的，小姑娘的性子这么烈，隔着一条水泥船就跳下去了。好在人没事，给捞上来了，掉了的是肚子里的孩子。徐小英就像一条浸湿的破麻袋，被搁在水泥船上，脑袋挂在船舷上，哇哇地，一口一口地往外吐。接着，血水就顺着裤脚管流了出来。看见的人都不忍心睁着眼睛看下去。徐支书把办公桌上的玻璃台板都拍碎了，对村里的民兵连长下令，一定要把这畜生给法办了。

孙卫东是给绑着押去了斜塘镇上。大伙儿都以为肯定会被枪毙，可过了一个多星期他回来了。孙卫东的两只手插在裤袋里，敞着衬衫进村的一路上，所有的眼睛都瞪大了。徐支书的脸涨得跟猪肺一样，摇起挂桨就去了镇上的派出所。所长把话说得很明白，证据不足。徐支书问所长是不是共产党员？所长说，是，当然是。徐支书说是党员，就得相信他这个党支部书记，他是代表了孙家浜村二百三十三名党员、群众来的，一定要把孙卫东这个畜生给法办了。所长不高兴了，一搁茶杯说，

“四人帮”都粉碎那么多年了，这一套不兴了。徐支书还是不死心，说他知道这一套不兴了，可现在不是兴“严打”吗？他请求所长为了他家的三丫头，就对孙卫东“严打”上这么一回。所长一下就愤怒了，一拍桌子，手指都快戳到徐支书鼻子上了，大喝一声，同志！“严打”是你说打就能打的吗？

在这件事上，徐支书是彻底地蔫了。挺起来的是孙卫东，脑袋抬得比谁都高，一天到晚走到哪里，屁股后头总有几个村里的小青年跟着。但孙卫东从没把这些人放在眼里，村里的伙伴们什么都不懂，跟镇上的同龄人是不能比的，说话的腔调都不一样。在派出所里就待了这么几天，孙卫东的眼睛已经不落在孙家浜村里了。

现在，就连周定香都不敢说儿子半句。孙卫东倒不像别人家的儿子那样，老是逆父母，大吵大闹的，弄得鸡飞狗跳。孙卫东不会，孙卫东通常是不说话，叼着香烟静静地听他妈唠叨，实在听不下去了，两个手往裤袋里一插，甩着头发就去了镇上。孙卫东常常是一去十天半个月，这日子怎么过的，没人知道。但回村的时候大伙儿都是看在眼里的，不是带吃的，就是带穿的，而且身上的衣服趟趟换式样，好像每次回家都是来过年。孙卫东孝顺妈，乡亲们也是看在眼里的，可受不起的人是周定香。周定香看着那么多东西摊在桌子上，问过不知多少回了，儿子的回答却只有一个：用得着就用，用不着就收着。可当妈的害怕，看儿子的眼神也越来越不一样，总是提着一颗心堵在嗓子眼上。孙卫东却一点儿都不在意。那天，他站在窗口，一指院子里竖着的电视天线，说，妈，哪天去给你搞个电视去。

什么是电视？周定香不知道，也不需要。周定香要的是儿子，只有这么一个命根子了。她泪汪汪的，口气都在哀求了，狗剩子哪，你就别让妈提着这颗心了。孙卫东最烦的就是叫他狗剩子。如今全世界已经没有人叫他狗剩子了。他把大半个烟屁股狠狠地往院子里一丢，掉头就走。周定香一直追到院门外，还明知故问，狗剩子哪，你这又是上哪儿去啊？

孙卫东是在派出所里认识丁立民的。他们被关在拘留室，每天晚上都睡在同一块水泥板上，水泥板就是拘留室里的床。可是，一开始的时候，他们谁也不说话，坐在那里你看看我，我看看你，都像是在等人。后来孙卫东要睡觉了，站起来把自己脱光，丁立民这才瞪大了眼睛，问他是不是有病？这里又不是澡堂子。孙卫东说，你才有病呢，我是嫌这张床脏。

丁立民说，那就该穿上衣服睡。

孙卫东说，洗衣服有洗澡来得方便？

丁立民想了会儿，背着身子也把自己脱光，可他低头看了一眼就羞怯了，赶紧把裤衩重新穿上。丁立民瘦得像块排骨，而滑稽的是他的脸，比屁股还要白，上面长着一双女人一样的大眼睛。孙卫东发现他什么都不看的时候，那双眼睛比红旗塘的水都要清澈，深得可以让人一头扎下去。

丁立民是个孤儿，也是镇上有名的小偷与赌徒，但在介绍自己的时候却说他是个诗人。好像是为了证明，他每天躺在水泥板上背颂诗歌，一首接着一首，就像个念经的小和尚。他告诉孙卫东：高尚是高尚者的墓志铭，卑鄙是卑鄙者的通行证。丁立民认真地说，所以我们才会到这里来。可这样的诗孙卫东也会写。有一天，孙卫东站在窗口随口就说：牢房的床就像块蒸板，我们成了两条热水中的鱼。丁立民一下就从床上蹦起来，睁圆了他那双大眼睛，盯着孙卫东看了好一会儿，说，天才，你天生就是一个诗人。

几天后，派出所的屋顶大翻修，把两个人一起放了出来。一到大街上，丁立民非要拉着孙卫东去他家里，把枕头边上的诗集一本本地摊开来。可以这么说，孙卫东就是在丁立民的床上认识了北岛与顾城，还有女诗人舒婷。丁立民一说起这几个人，就像多年不见的老朋友，仰望着窗外的天空，都有点热泪盈眶了。但孙卫东却发现了诗歌的另一个用处，他在电影院门口试过。他笑嘻嘻地对一个女孩子说：如果我是一只鸟，我就用嘶哑的声音为你歌唱。那小姑娘一下子就脸红了，睁大眼睛直愣愣地看着他，然后捂着嘴巴一边走，一边偷偷地笑。这让孙卫东心花怒放。可孙家浜里的小姑娘不这样，相比之下乡下丫头就是不懂事，同样的两句诗，她们听完之后基本上都是让他走开。他笑嘻嘻地还想往下背，她们就竖起眉毛问他，小三子，你是不是又想把谁的肚子搞大了？要么就干脆三个字：臭流氓。

孙卫东知道，自己在村里那些野丫头跟前，已经成了当年的四类分子，一时三刻是翻不了身的。有一天，他一到镇上就对丁立民说，总有一天，他要找一个镇上的女人搞对象，空下来就带着她去喝喝咖啡，喝完了再去看看电影。丁立民冷冷地说那得先上了城镇户口再说。孙卫东问他得去哪儿上？丁立民说念大学是不可能了，当兵或许能行。但这也是不可能的，只要姓徐的还在孙家浜里当着支书，孙卫东知道自己这辈子都别想动这个脑筋，那就只剩下挣钱了。丁立民说，当个万元户也一样。他一指大街上来来往往的人，又说，要把他们口袋里的钱都掏出来，装进你的口袋。

丁立民说这话的时候，就像拿着刀在大街上拦路抢劫，那么的雄心勃勃，那么的气势汹汹。可是，这双眼睛一到赌桌上就变了，像是对着满天的风沙。丁立民紧眯着双眼，一支接着一支地抽烟，盯着的却是桌子前围的这些人，好像他们的脸就是他手里的牌。后来，他告诉孙卫东，发到手上的牌是不会变的，但看牌的人心会变。丁立民说一副牌的好坏，说穿了都是写在脸上的。他还说赌为的就是赢钱，要吃大放小，还要见好就收。从赌场出来的一路上，丁立民一下子就成了师傅，他对孙卫东说五十四张牌里的名堂，一辈子都别想摸透。最后，他在路灯下长叹一声，又说，人生其实就是一局牌啊。

丁立民就是这么个奇怪的人，两个人都快到他家弄堂口了，他忽然说要喝酒，还拉着孙卫东非要一起去。可这个时候已经后半夜了，街上除了路灯什么都没有。丁立民笑了笑，不说话，一直把孙卫东拉到副食品商店的后门外，从裤袋里掏出一根铁皮尺，就像是把钥匙，他往门缝里一捅，副食品商店的后门就开了。孙卫东紧张得不得了，就知道往门外的两边张望。丁立民一拍他的肩，说，怕什么，就当是我家里的食品柜。

丁立民熟门熟路，才划了一根火柴，就抱着一瓶白酒、几个罐头与两包香烟出来。孙卫东松了口气，在心里面笑了笑，说，你的胃口也太小了点儿。

你还不懂。丁立民说，这叫细水长流。

孙卫东慢慢就懂了，赌博跟做贼是一个道理，要的就是胆大心细，在什么时候都脸不红、心不跳，看准了就下手，大不了就是鸡飞蛋打嘛。不然，赌桌上也不会有人"偷鸡"了。可以说，孙卫东是一下钻进去的。跟经济有关的活动总是那么深入人心。孙卫东不光学会了"牌九"、"筒子"、"沙蟹"、"十三张"与"二十一点"，更重要的是打开了眼界，也锻炼了胆色。老话说得一点儿没错：富贵险中求。可现在刷在墙上的话更有道理，更显力量，就两个字：拼搏。拼的就是一口气，搏的就是一副牌。孙卫东那一股子狠劲，常常让丁立民眯着的眼睛都瞪圆了，尤其在"沙蟹"的时候。丁立民有一次实在想不通，当场就问他，四张才到一个对，你都敢跟三家的牌？

这不是赢了吗？赢钱之后的孙卫东气势都不一样，他把夹着香烟的手撑摊在牌桌上，说，要看事实嘛。他还说——不管白猫黑猫，抓到老鼠就是好猫。

丁立民闭嘴了，赶紧叼上一支烟，什么都不说了，却在心里面连连摇头，乡下出来的就是没办法，就是这副样子，这叫一朝得志便猖狂。不过，说到底，丁立民还是高兴的，赢钱总比输钱好，赌桌上有时候还是需要不怕牺牲的愣头青。

事实上，孙卫东不是不知道，自己有时候是过分了，有点儿轻飘飘的了，都不知道自己是谁了。这些，孙卫东心里面都明白，可就是忍不住。口袋里有了几个钱总是在不知不觉中爬上脸去，挺在那里，想拉下去都不行。这有什么办法呢？主要是这人民币作的怪。现在，孙卫东牌桌上赢来的钱，不是穿在身上，就是吃到肚子里去，要么买回家里孝敬他妈。用他的话说：赢了，花了，就等于赚了。等到没钱了，他也不着急，白天闲逛的时候多留个心眼，到了后半夜再去爬墙也不迟。反正，孙卫东就认一个理：做贼要比赌钱容易。做贼有胆量、有力气就行了，有时候连脑筋都不用动。

有一天，丁立民看着他，一本正经地说，你这样下去，这辈子都别想当上万元户。

孙卫东却不这么想，他每天都站在镜子跟前看自己，虽然敞着花衬衫，戴上了蛤蟆镜，可脸还是黑了点儿，皮肤也粗糙了一点儿，但最要命的是口音，一开口就穿帮。孙卫东实在想不通，才这么一条红旗塘，就把城里跟乡下分开了不说，连说话的口音上头都分得一清二楚。孙卫东决定还是先把口音的问题解决了，说不出一口地道的城里话，就算口袋里有了一万元，你还是个乡下人。现在，孙卫东说起话来特别留神，一定要跟镇上保持一致。他十块钱不叫钱了，成了"一张分"；打架也不叫打架了，叫做“开片”。然而，这样的变化在斜塘镇上谁也没觉察出来，可回到孙家浜村里就见效果了，只要孙卫东一开口，大伙儿都睁大了眼睛，过了好一会儿还是反应不过来。这种感觉让孙卫东很过瘾，改变就得从嘴巴上开始，他就是要把自己跟孙家浜里的人区分开来，让他们看一看，给他们提个醒，他孙卫东人尽管在这里站着，心却早就去了镇上。他的人迟早也会像飞过天空的那些鸟一样，总有一天，他会带着他妈飞到镇上去，而且是一去不返。

丁立民的家在粮管所的围墙外面，从窗口望出去就是他们的会议室。孙卫东有一次问丁立民，他们干嘛在屋顶上竖个叉？

丁立民看了一眼，说，那是天线。

天线？孙卫东又问，派什么用场的？

丁立民说，放电视的。

那天晚上，孙卫东一看电视就被迷住了。他跟着丁立民趴在粮管所的围墙上，新闻联播还没结束，心里就有想法了。可是，丁立民不愿干，他说，粮管所里有狗。

孙卫东说，不怕，我有办法。

丁立民说，这不一样是看吗？还省电费呢。

孙卫东说，可我想放在家里面，躺在床上看。

丁立民说，那会把事情弄大的。

孙卫东说，你的胆子太小了。

跟胆子是两码事。丁立民说，兔子不吃窝边草。

孙卫东有点儿不高兴了，说，好了，我们不说这个了。

丁立民叹了口气，却还要说，等你派出所里去多了，你就明白了。

只有不中用了的老头子才说这样的话。孙卫东很扫兴，都有点儿看不起他了，看来他只能赌赌钱，写写诗，只能小偷小摸地混日子。孙卫东不再开口说话，却开始在心里面盘算。可再怎么想，关键还是在那条红旗塘上面。

其实，斜塘镇距离孙家浜村并不远，也就是大半天的路程，只是中间隔着条红旗塘，而且河上没有桥，河里也没有渡船。有时候一条河除了把一块土地隔开，还能让一个世界变成不同的两个。孙卫东每次到了河边都是把自己脱光，用手高高托着那些衣服踩水过河，到了对岸再穿起来。这可是乡下人忌讳的事，乡下人不怕水，也不怕赤身裸体，但他们从不触犯河里那些看不见的东西。开挖红旗塘的两年里，多少人死在了这里面？这个数字是保密的。不过，用老人们的话说，那里的每一朵浪花中藏着一双死人的手，就想伸到岸来把活人往下拖，要不，后来也不会有人上红旗塘里来自杀。但是，孙卫东从来就不听老人们的话，这帮老家伙吃饱了就知道满嘴喷大粪。事实从他第一次爬上岸那一刻就证明了，红旗塘里的水是他这辈子见过的最清澈的河水。

那天，离开孙家浜村的时候，孙卫东上磨房里转了转，找了个盛粉用的旧木盆，带着它一直游过红旗塘，藏在了河边的草丛中，然后来到镇上，称了半斤酱排骨。老鼠药是早就准备好的，就搁在粮管所门外的墙洞里。孙卫东把那半斤酱排骨也放了进去，就像什么事情都没发生，跟丁立民一起吃过晚饭，两个人去了电影院门前的广场上，在那里一局一局地打桌球。路灯亮了起来，丁立民催他该走了，今晚阿三家里开了桌牌九。孙卫东说不去，等会儿他还有事呢。丁立民站在那里看着他，说别干傻事，那会捅出大娄子来的。孙卫东不理他，就当没听见，狠狠地一杆捅出去，把黑球打进底袋里。

孙卫东觉得自己的一生都在等待这一刻。

第一场电影散了，第二场也散了，人们如同一群过街的老鼠，浩浩荡荡，却又匆匆忙忙，就知道往自己的窝里钻。纹丝不动的是路灯，直挺挺地立在街两旁，昂着脑袋。可再亮的路灯到了后半夜就等于是睁眼的瞎子。孙卫东刚爬上粮管所的围墙，里面那两条狗就蹿了起来，叫得就像野地里的狼。孙卫东一点儿都不怕，和了老鼠药的酱排骨就是为它们准备的。等他扛着电视机出来时，那两条狗再也横不起来了，躺在地上抖抖索索的，就像小孩在呜咽。它们眼睁睁地看着孙卫东打开边上的小铁门，扛着电视机大摇大摆地走了出去。

但是，孙卫东没想到的是一台电视机竟有这么重。出了镇子他就后悔了，早知道还该准备一辆手推车。他扛着电视机在黑暗的田野里走了又歇，歇了又走，来到红旗塘河边时，整个人就像刚从河里捞上起来，汗水把他里外两件衣服浸湿了不说，还在顺着下巴一个劲地往下淌。孙卫东站在河堤上，飞快地把自己脱光，把电视机放进木盆里，再把衣服与裤子放在电视机上面，就下水了。可是，老东西就是不中用，还没游到河中央，木盆撑不住了，一下子断了箍，散了板。电视机一头扎进河水里，咕嘟咕嘟一个劲地往下沉。孙卫东抱住不肯放，也只好跟着往下沉。深夜的河底比坟墓更黑，却闹得像个打谷场。老人们的话这个时候应验了，孙卫东就觉得到处都是手，数不清的手，成群结队地拉着他、抱着他、摁着他、缠绕他，每只手都在叫着他的名字，好像都是他的亲人，都在拼了命地把他往下拽。一直等游回岸上，孙卫东的腿上还沉甸甸的，还像挂满了一只一只的手。他扭过头来往红旗塘里望了望，木盆没了，电视机没了，他的衣服裤子也没了。这是个没有月亮的夜晚，水汽正贴着河面凝聚，慢慢成为雾。

孙卫东就像只拔了毛的光板鸡一样回到镇上。天快亮的时候，他躺在丁立民床上，还在说真是他妈的碰到鬼了。丁立民却说要是真有鬼的话，那也是老天爷救了他的命。丁立民从床上坐起来，认真地看着他，问他，让他说说看，粮管所里丢了电视机怎么样？孙卫东说报案。那报了案呢？不等孙卫东回答，丁立民就说，派出所肯定会来查的。

孙卫东说，派出所就是干这个的。

丁立民指了指他的屋子，说，他们会上这里查。

孙卫东说，让他们来好了。

你还不懂。丁立民摇了摇头，说，我是控制对象，现在又成了头号怀疑对象。

孙卫东说，怕什么？电视机在河底呢。

幸亏它在河底。丁立民叹了口气，重新躺下去，过了好一会儿，忽然说起了他的哥哥。就为了邮电所里那辆自行车，他哥哥不是偷，他就是想弄来骑两天。丁立民说得很轻，像是自言自语。他说，就为了一辆自行车，他哥哥把命都赔进去了，他哥哥的半张脸让子弹轰掉了，脑浆溅了一地。

怎么可能呢？孙卫东不相信，说，又不是杀人。

丁立民不再出声，像是一下子睡着，躺在那里一动不动。但他估计得一点儿没错，一大早，两个人还在床上躺着时，派出所的同志就来敲门了，把屋子里里外外翻了一遍，就带着他俩一起去了所里，一人一间办公室，上午审了一回，到了下午又把同样的问题再问一遍后，一拍桌子，让孙卫东再好好想想，要记住一句话，坦白从宽、抗拒从严。派出所的同志说完又走了，一直到了晚上，换班的进来，还是把相同的问题再问了一遍。孙卫东仍旧是这几句话——在电影院门口跟丁立民一起打桌球，一直打到第二场电影散场就回去睡觉了。孙卫东说，你们来敲门那会儿不是都见着了吗？我们还睡着呢。

警察现在问的这些话，丁立民在床上问过孙卫东好几遍了。他比警察想得都周全，他对孙卫东说要是他们问起那半斤排骨，就说我们下酒吃掉了。他还再三叮嘱孙卫东，一定要记住：坦白从严、抗拒从宽。丁立民严肃地说，这是我们的政策。

看来做贼也得讲文化，丁立民放在枕头边那些书不是白看的。孙卫东出了派出所就蹲在他家门口，一直等到都快中午了，丁立民才被放出来。他的脸苍白得就像一张纸，一瘸一拐地走过来。孙卫东问他，让他们打了？丁立民没说话，开门进去就忙着收拾，他把两条裤衩与诗集、扑克牌一起放进一个黄书包里，才直起身来，说他得避避风头去，派出所肯定还会回来杀个回马枪的。孙卫东相信，现在他对丁立民的每句话都深信不疑。他接着又问，那你上哪儿避风头去？

我还能去哪里？丁立民说，当然是你家里。

孙卫东二话没说，接过黄书包就想一步跨回孙家浜去。这可是件露脸的事，多少年了，还从来没见谁把镇上的人带回村里过。但是，两个人到了红旗塘边上，孙卫东的步子就迈不开了，好像一脚踩进了秧田里。孙卫东忽然那么的怕水，河面上波光粼粼，他却看到了无数的手在那里张牙舞爪。孙卫东犹豫了一下，对丁立民说还是改天吧，等有了船再过去。丁立民扭头看着他，问他什么意思？孙卫东让他往河里看，看那些水里面。丁立民却一动不动地盯着他，还是问他什么意思，丁立民说，你是不想让我去你家里。

孙卫东说，我不是这个意思。

那还磨蹭什么？丁立民说着，自顾自地脱起衣服来。

孙卫东没办法，硬着头皮把自己扒光，连同那个书包一起高高地举过头顶。他几乎是闭着眼睛下去的，一到河里就拼命地踩水，像是要从那些水里挣脱出来那样。他咬紧牙关，紧闭着眼睛，就知道一个劲地往前游，直到脑袋撞在河堤上，才把跳到嗓子眼的那颗心咽回肚子里。孙卫东用力喘了两口，往两边看了看，马上回过头去，丁立民不见了。河水泛着刺眼的金光，一如既往地奔流不息。孙卫东大叫一声丁立民后，慌忙爬上岸，一屁股坐在堤岸上，一声一声地叫着丁立民，却怎么也站不起来。

孙卫东回到家里已经是夜晚了，他沿着红旗塘的河堤整整走了一个黄昏，也叫喊了一个黄昏，水面上到处飘荡着丁立民的名字，却没有他的人影。

一连三天，孙卫东吃不下饭，也睡不着觉。他的嗓子哑了，眼睛红得就像只惊慌的兔子。他哪儿都不敢去，整天坐在村口的老银杏树下，就像村里那些老头，一支烟抽完了，把烟屁股插在另一支上，接着抽。孙卫东每天都是用一根火柴就把烟连着抽到晚上。可是，晚上比白天更难熬，孙家浜村的夜晚静得就像人都死绝了。丁立民却在这天夜里从红旗塘里浮上来，一直被水送到岸边。消息传到孙家浜村里已是翌日中午，孙卫东扔掉烟屁股，一口气赶到红旗塘河堤上，挤在人群中才看了一眼，就赶紧把眼睛闭上。丁立民再也不是那副苍白瘦削的模样，他变得又黑又胖，就像一头淹死在粪坑里的猪。这时，派出所的小汽艇也来了。所长站在船头望了望后，大声说，畏罪自杀。他指着尸体，对船里的其他同志强调，这就是典型的畏罪自杀。

谁会穿着裤衩自杀？新来的指导员马上提出异议，说，我看是畏罪潜逃，这叫多行不义必自毙。

所长看着指导员，好一会儿才点了点头，说，有这可能。

秋天的雨下一场，天就凉一场。乡下人从不听天气预报，只要翻翻日历、看看云彩就知道了。田里干活的人个个都是气象预报员。可是，今年这个秋天有点特别，都快十一月份了，天没凉下去不说，雨也是没完没了地下，本来已经垂着脑袋的稻穗，如今都趴在了田里面，眼看一颗一颗又在抽心、发芽，返老还童。农民们着急，心里火烧火燎的，就是没有办法。靠天吃饭，只能由着老天爷的性子来。他们只能耷拉着一张脸，站在屋门口伸长了脖子，就知道朝天上张望。整个孙家浜村里，也只有周定香还能笑得出来。周定香确实是高兴，这是她做梦都没想到的，儿子忽然转性了，像是变了个人，一下把脚收住了不说，还捧着本书整天在那里看。看来狗剩子是懂事了。都说女大十八变，男孩子要变起来比女孩更干脆，更利索，一个晚上就能改头换面。周定香这种高兴有点像新媳妇的座上喜，不好说出来，就想抿着嘴一个人偷偷地笑。

孙卫东每天读的是丁立民书包里的诗集，现在说起来也算是遗物了。原本他是打算一把火烧掉，让丁立民带着上路。可拿到灶膛口，想了想，把书包与那两条裤衩塞了进去。孙卫东留下那些诗集与扑克牌，每天不是一首一首地念诗，就是坐在八仙桌跟前，一副一副地发牌。丁立民说过赌钱靠运气，行家凭手段。手段就是技术，只能苦练，要把十根手指练得跟十根面条一样软。但这还不够，丁立民活着的时候每天用碱水浸泡手指，再用细砂皮在上面打磨，要把它们磨得比脸皮还薄，上了台面这些手就能变成你的眼睛。丁立民不光这么说，还一样一样示范给孙卫东看。他用刀片在每张牌的后面做上记号，并且说这就是传说中的“开花”。开了“花”的牌碰上锻炼过的手，那每张牌都等于朝天了。

孙卫东决定冒雨去一趟镇上。孙家浜的代销店里买不到他要的细砂皮。可是，等他提着两只鞋子站到红旗塘的河堤上，却怎么也不敢下水。孙卫东忽然怕得要命，跟个走散了的孩子似的，站在那里，两眼茫茫。天上的雨铺天盖地，像是从河里泼上来的，而河水更夸张，仿佛谁在下面生着一把火，热气腾腾的，在那里起劲地翻腾。孙卫东四下看了看后，往红旗塘吐了口唾沫，调头就下了河堤。好在孙家浜里家家户户都有磨刀石。孙卫东回到家里就把磨刀石搬进房间，每天晚上都在上面打磨自己那十根手指。现在，孙卫东算是彻底明白过来了，做贼这条路行不通，发财致富还得指望这十根手指头。可以说，他是憋足了一口气：只要功夫深，铁棒磨成针。

但吓坏的人是周定香。后半夜，她起来撒尿，见儿子房里亮着灯，就趴着门缝望了一眼。这也是老习惯了，儿子再大也还是儿子。可就是这一眼，她的心一下蹿进了嗓子眼里，像是房梁上着了火。周定香把门拍得砰砰作响，大叫，狗剩子，你这是干啥呀？

孙卫东吓了一跳，大声说，你叫什么叫？

你开开门，这半夜三更的，你磨手指头干啥呀？周定香嗓门更大了，门也拍得更响。孙卫东虎着脸，一把拉开门。周定香赶紧抓过儿子的手，眼泪都快掉出来了，说，你这是干啥呀？

你别管。孙卫东说着，用力抽回自己的手，反手就把周定香关在门外。

周定香心头像是灌了铅，一夜都没睡踏实，看来儿子这不是转性，而是撞了邪。第二天，太阳出来了，秋天的空气中弥漫着春天的水汽。孙家浜的乡亲们都在地里忙，恨不得一天就把稻子全部收上来。但周定香的心思根本没在这上头，跟儿子比起来，地里面的稻子连个屁都算不上。天蒙蒙亮，她就在灶间里摆开桌子，斟了三杯黄酒，烧了一刀黄纸，东南西北的头都磕到了，还是放不下心。她在房门口一直守到儿子睡醒了出来，小心翼翼地看着他，说天晴了。周定香见儿子没反应，又说，你看大伙儿都在地里忙呢。

往常这种日子不用周定香开口孙卫东都会下地去，他有力气，也体贴他妈。不过，现在不一样了。现在，孙卫东的十根手指是要用来发财致富的，怎么还可以拿着镰刀下地去？他朝周定香看了眼，什么话也不说，一口气喝了两碗粥后，一抹嘴巴又回了房里，关上门，摊开一本书就趴在床上面。周定香没办法，只能去找七姑娘。

七姑娘六十来岁，头发掉得没剩几根了，还梳着两根小辮子。那是孙家浜村里的老规矩：一辈子没嫁人，进了棺材都得把辫子扎起来。七姑娘不嫁，是没有人敢娶她。这六十年里，她前前后后已经咽过七八趟气了，最长的一次是1976年。大家都当她这回是死定了，装进薄皮棺材都钉上钉了，她在里面把脚踹得噔噔响。殓葬的人不敢动，你看看我，我看看你，七姑娘踹开棺材的板自己爬了出来。她出来就说幸亏在黄泉路上碰见了毛主席，是他老人家亲自把她送回了孙家浜。这话听得在场的人脸都吓白了，怔了好一会儿才给她捆起来。孙家浜村里总算出了现行反革命。可是，押她去镇上的船还没挂上橹，广播里的哀乐先响了。这天下午之后，七姑娘不再是死过七八趟的大活人，她几乎成了孙家浜村里的神人，只要她肯开口，唾沫星子里撒把泥都能搓成仙丹吃。但孙卫东不会给她面子，从来没正眼看过这个老太婆。周定香在房门外怎么说都不成，儿子就是不开门，躺在床上屁都不放一个，就像是死了。七姑娘摆了摆手，说小三子是孙悟空投的胎，不看她也知道，他这是躺在太上老君的八卦炉里修炼呢。七姑娘摆着手，一连说了三个没事的，走了。

周定香将信将疑，趴在门缝上又望了会儿，忽然想起来了，狗剩子，你不是让镇上人欺负了吧？周定香由衷地说，就当让狗咬了口，我们以后不去镇上就成了。

你就不能让我一个人待着？孙卫东吼了一嗓子，跳下床，拉开门就出去了。

田野里面湿漉漉的，同时，也是金灿灿的，一脚闯进去，要费很大的劲才能拔出来。孙卫东站在田埂上，忽然有种说不出来的烦躁与落寞，他搜肠刮肚，想找句念过的诗在舌头上滚一下，想了好一会儿，却什么也没记起来。这时，兴强的二叔在地里直起身，看着他，又扭头看了看他家那片地，笑着说，小三子，你可真悠闲哪。

这话是记软拳头，听上去像是在羡慕，眼红得很，可实际上就等于在骂你懒，骂你不成人，骂了，还让你瞪不起眼，回不了口。孙卫东可不管这些，当场回敬了他一句，操你妈的。

兴强的二叔笑不出来了，放下捆结实的稻子，双手在裤子上一抹，说，小王八蛋，你再骂一句看看。

孙卫东毫不犹豫，瞪着他，大声说，我操你妈的又怎么了？

空气凝固了，可僵持了一会儿，兴强的二叔忽然一笑，点了点头，一竖大拇指，说，你有种，你妈真是他妈的有福气。

孙卫东一手握紧拳头，一手指着他，让他再说一遍看。兴强的二叔闭嘴了，哼了哼，背起那捆稻子走开了。孙家浜里的人就这副德行，你狠过他头了，他只能朝你笑，只能跟只乌龟似的缩紧了脖子。孙卫东的火却给惹起来了，莫名其妙的，一下子，那么的想骂人，那么的想打人，可他也知道，在孙家浜村里他找不到这个人的，从小就是这样，怕他的人不惹他，打得过他的人也不敢把他怎样了，大家惹不起的是周定香。老寡妇护起儿子来什么都做得出，谁敢欺负她家狗剩子，她就敢跟谁拼命，拼不过，就拿脑袋往谁家的柱子上撞。这些年里，周定香撞过两回人家的柱子，孙家浜村里再也没人敢惹毛她儿子了，除非谁家想收这女人的尸。可是，孙卫东这个时候特别的手痒，心坎里好像浇了汽油，谁敢溅一颗火星，他就能让火苗子蹿上脑门去。但是，他找不到这样一个人。大家都在忙，忙得一头都是汗。孙家浜村里面根本不会有这么一个人。都说愤怒出诗人，窝火也一样，孙卫东就在这时憋出两句诗来：如果给我一把刀，全世界的脑袋都会滚到我脚下。

晚饭一过，徐支书家的小女儿就等在路口的井台边。冬天的夜来得特别快，眨几下眼睛的工夫，看什么都朦朦胧胧了。小姑娘一动不动地坐着，自从出了那档子事，她基本上不搭理人了，说什么她都不吱声，整天低着脑袋，走路都是匆匆忙忙的。大姑娘的裤裆就是这么回事，那个口子一开，只能夹着自己的脑袋做人。已经连着两个傍晚了，她等在井台边，想跟孙卫东见一面，说上一句话。可是，孙卫东一天到晚钻在阿新家里赌。

阿新家里摆赌有段日子了，差不多是跟分田到户一起展开的。但管着桌子的人不是阿新，而是他老婆李秀红。李秀红生了女儿后就没去过地里，女儿都断奶了，她还像在坐月子，家里那两头猪都是阿新的妈在喂。李秀红什么活儿都不沾手，却迷上了赌博，每天不是麻将，就是牌九。女人就是这样子，沉迷起来比男人更死心眼，钻进去就不想拔出来，但这归根结底还得怪阿新。

阿新好赌，这在孙家浜一带是出了名的，结婚没几天，就把收来的礼金全输了。说心里话，女人不怕男人赌，恨的是他们输。为了这笔钱，李秀红的火发大了，一张俏脸板得铁青，把陪嫁来的锅碗瓢盆都砸了不说，还口口声声地说这日子过不下去了，蹦着跳着要离婚。阿新很没面子，好话说尽，可说什么都是火上浇油。大家都知道，婚后的第一场架对小两口的未来至关重要，谁把脑袋低下去，这辈子就别想抬起来。阿新是忍无可忍，最后一个耳光扇过去，李秀红不闹了，捂着腮帮子愣了几秒钟，但还是不服输，一扭头就冲了出去，一口气跑回娘家。

李秀红的父亲一听就火了，一拍桌子说赌钱又怎么了？哪个男人不赌钱？老头子帮理不帮亲，瞪着女儿说出了一句至理名言：嫁鸡随鸡，嫁狗随狗，赌钱不是偷婆娘。李秀红一脸委屈，抬起泪眼只能指望她妈了。李秀红的妈长长叹了口气，拉起女儿的手，一下子想起了自己这一辈子，由衷地说一个女人的命就是嫁男人。当天晚上，夜很深了，当妈的坚持要把女儿送回婆家去。结婚才几天，怎么可以在娘家过夜？一路上，李秀红的妈苦口婆心地劝女儿，别使小孩子脾气，记住，媳妇熬成婆，什么都要等给他们生了儿子后再说。

可是，李秀红生的是女儿，却还是忍不下去，看着辛辛苦苦挣来的钱，在桌子上转两转就进了人家的口袋，心疼得就像拿把刀在剁她的脚指头。她还是要跟阿新争，她把钱藏起来，把值钱的东西也藏起来，好像家里养着一个贼，还在村里家家户户打招呼，话说得极不客气：谁想拆她这个家，就尽管把钱借给她男人。特别是去镇上交粮的时候，她就守在粮管所的结算室外，好像是等着要债的，款子才从窗洞递出来，她一把就夺过去。李秀红就是这么霸道的一个人。阿新手里沾不到钱，办法还是有的。有地就有钱，农民的钱都是从土地里长出来的。开年的麦子还在春风里绿油油的，长势喜人，阿新一场牌九就“推”给邻村的三毛。这一次，李秀红没发火，几乎连话都没说半句，她抱着女儿在屋里坐了一整天。天刚黑，她拔出奶头，把女儿往婆婆怀里一塞，翻出一叠钱就往门外跑。婆婆不敢拦，追在后面就知道喊秀红，你这是干吗去啊？李秀红不答话，就当没听见。现在的婆婆不好当，只能对着怀里的小孙女说，儿子生不出来，就知道使性子。

然而，女人赌钱跟男人不一样，男人个个都是烂屁股，好像赌的不是钱，而是脸上的颜面。他们输了的想翻本，赢了的还想赢，就想一夜赢成万元户。李秀红不这样，她给自己定了个指标，每天就做二十块的输赢，那也是城里人半个月的工资了。可是，钱这东西由不得人做主，它不光能让人眼开，还能让人眼红。没几天下来，李秀红的指标变了，一下升到了五十块，但这还不够，世界上没有人嫌钱多的。现在，只要能赢钱，就算阿新在坐庄，李秀红都会把钱一把一把地押下去。大家都觉得李秀红这样不太好，这样不是在拆自己老公的台吗？李秀红回答得很干脆：与其让别人赢，不如输给自己的老婆。想想也对，肥水不流外人田，谁的钱不是钱？但钱这东西不是想赢就能赢的，它就像躲在花丛中的花蝴蝶，看上去在那里稳稳当当的，就等你伸手去抓。蝴蝶都是从人的手指缝里溜走的，飞走了，还回过头来对你扇翅膀。

李秀红是输惨了之后才在家里开桌子摆赌的，很有点老酒鬼开馆子的意思，以赌养赌，为的还是赌。但她摆赌跟人家不一样，人家就知道盯着桌子，就知道挣多挣少地跟庄家收利钱。李秀红从不这样，相反，她想得很周到，不光准备了吃的、喝的、抽的，每次还煮上一大锅的赤豆粥。李秀红深知赌博是个体力活，而且赌场上的人就想饭来张口，衣来伸手，却从不计较那几块小钱。李秀红在那个时候就知道服务的重要性了，她把睡觉的房间弄得就像代销店，里面可以说应有尽有，就连扑克牌都是成打地搁在抽屉里。赌场里用量最大的还是扑克牌。

孙卫东诈赌靠的就是扑克牌。他每次都是在外面买了一模一样的，在家里开上“花”，再封好，就像新的一样，然后找机会，隔三岔五地把它们混在李秀红那些牌里面，神不知，鬼不觉。行家管这个叫做“种”。但是，孙卫东第一次做得很不像样，主要是紧张，牌是开了“花”的牌，手却好像不是他自己的，什么感觉都没有，仿佛那是十个小棒槌。心里一哆嗦，这十个小棒槌就在台面打鼓。那晚，才“推”了没几把，阿新说话了，劝他算了，卸庄吧，还是大白天上村口小来来算了。阿新完全当人家是小字辈，他说，有几个钱还是交给你妈存着去，娶媳妇的时候用得着。

大伙儿都笑了，场子里的气氛很活跃。农村里赌钱不像镇上那些人，偷偷摸摸的，鬼祟得很，关紧门窗还在那里提心吊胆，一路上要安下好几个望风的。农村里面大方，赌桌有时就摆在家门口，男女老少都能下一把，就算来个过路的也没关系，很多女人都是一边奶着孩，伸长脖子一块一块地往下押。赢瓶酱油也好嘛，桌上的钱总比田里来得要省力。往年农忙一过，孙卫东就是挤在这些人中间，一挤就是一整天。但现在不了，现在就算有人拽着膀子拖，他都不会往里看一眼。赌博跟打仗一样，小打小闹不成气候。孙卫东很快总结出了一条经验：诈赌要心平气和，要脸上挂着笑，腰里别着刀。劳动改造人，但真正改造人的是人民币。看在钱的分儿上，孙卫东话多了，待人脾气好了，看人的眼睛也总是笑眯眯的了。

除夕的前一天，孙卫东抽空去六指大爷的代销店里剃了头。村里的男人都这样，新年新气象，一切都是从头开始的。他围着块蓝布坐在镜子前，忽然发现里面那双眼睛说不出的陌生。只有丁立民才长这样的眼睛，那样的清澈，那样的温和，深得就像一潭水。孙卫东怔在那里，好一会儿才吐出一口气，对六指大爷说剃短点儿，就来个游泳式吧。

孙卫东一出代销店就碰见了徐支书的小女儿。徐小英站在屋角边，看样子已经站了有一阵了，西北风把她的鼻子吹得像个胡萝卜。孙卫东摸了把头皮，想走，徐小英却已经拦在他跟前，看着他，一动不动地盯在他脸上。路的两头空空荡荡的，连狗都没有一条，这个时候大伙儿都在后村的晒场上杀猪。孙家浜的天空下只有猪的惨叫在回荡，让人心惊肉跳，同时又喜气洋洋。孙卫东笑了笑，说买东西哪？徐小英的眼睑垂下去，但很快又抬起来。她见六指大爷在店里探头探脑地张望，慌忙转过身去，丢下一句：有话跟你说。

其实，话就是那么两句，她要嫁人了，那人在温州，做皮鞋的。但说话的地方不对头，徐小英在前面走，三步两回头，就怕孙卫东半路上溜走。两个人一前一后出了村，徐小英站住了，转过身去，眼睛看的却是边上堆的那些草垛子。那些草垛子，孙卫东当然忘不了，晚上睡不着的时候也想起过，可就是不明白她现在想干什么。孙卫东还是有点儿紧张，站在那里，掏出根烟点上，一直等她把话说完，才松了口气，点了点头，说这样也好，这样好。徐小英眼睛一眨不眨地看着他，忽然问他，你就这么不要我了？这是孙卫东没想到的，一下子瞪大了眼睛。徐小英马上又说，现在还来得及，你带我走。

孙卫东问，上哪儿去？

随便哪里。徐小英说，我是你的人。

那怎么成？孙卫东说，你都要结婚了。

徐小英说，我不去温州。

孙卫东说，温州是个好地方。

小姑娘闭嘴了，垂下脑袋就掉出一滴泪来，但还僵持在那里，咬着自己的下嘴唇。孙卫东走也不是，不走更不是，想了一会儿，从裤袋里掏出一把钱，理了理，递过去。徐小英一下抬起头来。孙卫东说，回去找张红纸包一下。徐小英不动，看着他。孙卫东抬了抬伸着的手，又说，别客气，我的一点儿心意嘛。

徐小英最后看了孙卫东一眼，用两只手捂住自己的脸，扭头就跑。男人的一下子，就是女人的一辈子。孙卫东松了口气，把钱放回裤袋里，看着她的背影仍然有点儿想不通，怎么连钱都不要呢？孙卫东摇了摇头，对自己说，一个给钱都不要的女人，怎么可以成家立业、给人当老婆呢？

第一个发现孙卫东诈赌的是李秀红。大年初一，孙卫东在阿新家里吃午饭，两个人喝了一瓶黄酒后，他忽然站起来，自说自话的，要去李秀红房里来包烟。孙卫东一进房间就掏出裤袋里开了“花”的那两副牌，刚拉开抽屉想换进去，一回头，见李秀红就靠在门口。李秀红两只手抱在怀里，不说话，就这么一动不动地看着他。孙卫东有点慌，还是把牌丢进抽屉里，从酒箱子里提了瓶黄酒出来，打开了就喝。

整个下午，孙卫东都没敢坐下去做庄，就在一边看着，不声不响的，两只手插在裤袋里，像是来替人看场子的。倒是李秀红的脸上一点都看不出来，见人家的庄“沉”下去，就拼命地往下押钱。可是，李秀红手气不好，几把下来，不光输了钱，还把庄家的运气“调”起来了，一连三把都是“统吃”后，桌面上的钱不多了。庄家把牌往外一推，站起来，说好了，今天就到这里吧。输了钱的人都窝着一口气，谁也不想走，就是没人愿意坐到庄上去“推”。大家都在抽着烟，等着谁来再掀起一个高潮。李秀红忽然转身进了房里，拿着一副扑克牌出来，啪地扔在桌子上，扭头对着孙卫东一笑，说，来，卫东，你也推两把嘛。李秀红一边说，一边拉过孙卫东，就把他按在朝南的座位上。李秀红用力一按他的肩，说，来嘛，我们俩合个伙，输赢对半开嘛。

赌桌上的话就等于签字与画押，从来都是说一不二的。这天下午，孙卫东这个庄一直“推”到晚上六点多了才收场。李秀红始终站在一边，抱着两条胳膊，不该说的话半句都没有，完全是一副你办事我放心的架势。这对于一个女人来说是很难得的。尤其是孙卫东的庄“推”到一半的时候，他故意松了松口子，一连放了好几把。眼看赢来的钱潮水一样退下去，李秀红还是很沉得住气，不像别人那样咋咋呼呼的，她抿着嘴，一动不动地站着。孙卫东在嘴里叼上一支烟，她才趁划火柴的工夫凑上来，在他耳边轻轻地说没事，不用急，慢慢来好了。李秀红话说得很轻，像是鼓励，又像鞭策。但孙卫东心里有数，他刚拆开那副牌的时候就把形势摸清楚了，李秀红是捏住了他的软肋。

一个拎得清的女人从来不在脸面上做文章。散场后，两个人分了钱，阿新愣头愣脑地凑过来，笑呵呵地说早知道赢这么多，他也跟着参一股了。李秀红不动声色，还跟往常一样，把钱往棉袄的内袋里一塞，连谢字都不说一个，匆匆忙忙上隔壁婆婆家里接女儿去了。走到门口，她忽然又折回来，收起桌上那副牌，也揣进了口袋里，对着阿新吆喝了一声，让他把灶膛里的火点上，把厨里的菜热一下。李秀红有点难为情，对孙卫东笑了笑，说，你看这大过年的，光知道赌钱了。

一连三天，孙卫东都没去阿新家里。这大过年的，乡亲们都在走家串户，一个个不是把脸喝得通红，就是眼睛让夜熬得血红。孙卫东反倒把自己关在家里，一个人看起书来。年初五的大晌午，孙卫东一起床就听到了村里的鞭炮声，出去一看是徐小英出嫁了，几乎全村的人都挤在了她家的院门外。孙卫东调头就走，但还是看见了，徐小英烫着个大波浪，身上穿了件大红的缎面袄。新娘子总是比别人要漂亮一点儿。孙卫东多少有点感伤，回到屋里想想，自己搞过的女孩子要做人家的新娘了，怎么说都是别有一番滋味在心头。

李秀红就是这个时候闯了进来，一手抱着女儿，一手提着几块方糕，说是特意送来让周定香尝尝的。可大家都知道，周定香后半夜就跟人上下甸庙接财神去了。自从改革开放以来，周定香每年初五都要去接财神。整整一天，她要跟着财神爷把周围的乡村都走遍，才捧着一个纸糊的金元宝回到家里，供在灶台上。

李秀红放下那几块方糕，没有走的意思，抱着女儿东拉西扯的，尽说些不着边际的话。孙卫东却很有耐心，抱着两条胳膊，屁股靠在桌沿上，笑眯眯地看着她。孙卫东一点儿都不急，该开的口，迟早会张嘴。李秀红扯到那天的赌局，就提出了合伙的事。她从口袋里摸出那两副牌，往桌子上一摊，直截了当地给了孙卫东两条路：要么两个人合伙，往后也不用偷偷摸摸在她抽屉里换牌了；要么她就对人说出去，让孙卫东别说是赌了，就算是想输钱都找不着人去。李秀红说大家都是为了那几个钱，她这人不贪心，分三成就足够了。说着，她又从口袋里掏了一叠钱，递到孙卫东眼前，说这就是那天分她的钱，合伙就得像个合伙的样子，她是相信孙卫东的。孙卫东没动，看看她，又看看她手里的钱。李秀红笑一笑，说这事只有天知地知，你知我知。她让孙卫东尽管放心，她对阿新都不会说半个字。说着，她认真地看着孙卫东，又说，真的，我说的都是心里话，你有这个本事，我有这个条件。

孙卫东接过钱，揣进口袋里，盯着她上下看了眼，一抬下巴，意思是让她进里屋去。李秀红有点摸不着头脑，抱着女儿跟他屁股后头，问有什么事？孙卫东不说话，到了房里四下看了看，一转身出去搬了一个粪桶回来，往地下一摆，一把接过李秀红怀里的孩子，往里面一放。粪桶一下成了小孩子的立厢。李秀红却一脸迷惑，又问他，你这是干什么呀？孙卫东不说话，抱着她就往床上按。李秀红明白了，慌忙往外推，说，小三子，你这是干什么呀？孙卫东还是不说话，腾出手来就扯她的裤子带。李秀红一脚蹬开他，站起来系上裤子带，一边说，昏头了你，你当我什么人呀？

孙卫东说，不是你说合伙吗？

李秀红说，谁跟你合这个伙了？我们是合伙赌钱。

孙卫东说，这都不让，我凭什么信你？

李秀红想了想，说算了。说着，她伸出一只手，你把钱还我。

孙卫东抓住那只手又把她拉到床上，算什么算，你又不用花力气。

李秀红挣扎，你再这样，我要喊人了。

孙卫东说，你喊吧。

李秀红说，孩子看着呢。

孙卫东说，她懂个屁。

李秀红说，门还开着呢。

孙卫东急了，说，那你还不快点。

女人就是这样子，进去了，她就听话了。可是，李秀红的女儿不懂事，忽然哇的一声哭了，把两人都吓了一跳。李秀红一把推开孙卫东，套上裤子就去抱女儿。孙卫东不肯放，正在要命的关头上，赶上去抓住李秀红的裤子就往下扒。两个人就跪在粪桶边，一前一后，推推搡搡的，反把站在粪桶里的孩子逗乐了。小孩的脸上挂着泪，张着没牙的嘴，咿咿呀呀的，手舞足蹈的，一派欢欣鼓舞，就像个小拉拉队员，在给两个人加油助阵呢。

李秀红抱着女儿走后，孙卫东觉得有点对不起阿新，可转念一想，老婆每天都在场子里混，让人睡是迟早的事。孙卫东深吸一口气，到外屋找了一块湿抹布，把裤子上的一块污渍擦干净后，拿了本诗集，搬起一张凳子，坐到太阳底下仔细地读了起来。中午，他吃完两块方糕就去了阿新家，像个没事人似的，一进去就给阿新扔了一支烟。

李秀红每次把分到的钱记在一个本子上，一笔一笔写得清清楚楚，再藏进一个谁也想不到的地方，一个人的时候就把它们拿出来，一张一张地点上一遍。钱确实是个好东西，不光能暖人的心。李秀红是慢慢开始变化起来的。有一天，她搭村里的挂桨船去了趟镇上，回来头发就烫成了大波浪。过了没几天，她又搭船去了镇上，带回了一大包的毛线与花的呢料子。现在，李秀红就连贴身穿的花裤衩，都是百货商店里买来的，又柔又软又鲜艳，包在屁股上弹性十足。这让孙家浜村里的女人们个个都眼红，晾在晒场上，都要看上一眼，捏上一把，然后再说她们穿着的花裤衩，缝缝补补不要说，就算刚做好时，那也是穿旧的衣服裁裁剪剪改过来的。李秀红至少在穿戴上已经像个城里人了，可她忽然感到了害怕，每次一想到孙卫东，就不敢再往下想。一天深夜，阿新已经在枕头上打呼噜了，她却睡不着，爬起来，打开灯，坐在镜子跟前，一遍又一遍地梳着满头的卷发，心里面却理不顺，有一种说不出的压抑与烦躁，越盯着自己看，就越喘不过气来。李秀红忽然抓起床头的衣服，穿上，悄悄地出了家门。整个孙家浜里没有一丝光亮，有的只是一路的狗叫，此起彼伏。李秀红充耳不闻，也不知道要往哪里去，她在黑暗中走，就像在梦游，一直等到了孙卫东家门外，才一下抬起脑袋，直愣愣地瞪着那两扇紧闭的院门，好一会儿缓过神来，自己被自己吓了一跳。李秀红在脸上狠狠地搓了一把，扭头就回了家里，钻进被窝一把抱紧阿新。

李秀红的身上凉得就像一块冰，阿新却没感觉出来，他睡眼蒙眬，又有点受宠若惊，回应了好几下，才想起问她这是怎么了？李秀红不回答，她紧抱住阿新的肩，拼命地往上拱，这可是很反常的。自从那个耳光后，都快两年了，李秀红在床上总像憋着一口气，弄得阿新每次爬上去都像在奸尸。但这回不一样，李秀红疯狂了，而阿新更疯狂，这么冷的天，他一把掀开被子，那架势仿佛铁匠铺里的老师傅，不是拉风箱，就是抡锤子，但每一下都落在点子上，每一下都可以说是火花四溅。事后，一头汗水的阿新重新盖上被子，碰了碰身边的李秀红，见她不再有反应，就在黑暗中无声地咧开嘴，在心里笑着说，女人再犟，也总有憋急的时候。

事实上，李秀红一夜没睡，她闭着眼睛想了一整夜。第二天，趁大伙儿赌兴正浓的当口，朝孙卫东丢了个眼色，就扭身进了灶间，悄悄打开后门出去，绕到一边存粮的库房里。孙卫东经常跟她上这里来分账，两个人插上门，一五一十，老相好，明算账。每次都是孙卫东主动，揣好钱就把她往墙壁上推。李秀红紧张，但更多的是吃惊，一个不到二十的小青年怎么会知道这么多？站着都能弄出那么多名堂来，许多招式都是她做梦都没想到过的。完全是好奇，李秀红系裤子时问过一次，你到底有过几个女人？孙卫东不说。李秀红换个口气，又问，这些到底是谁教你的？孙卫东说了，他是从扑克牌上看来的。李秀红睁大了眼睛，孙卫东却满不在乎，说外国人都是这么搞的。说着，他笑了笑，又说这算什么？他在镇上还见过好几个人在一张床上搞的扑克牌。李秀红想不出好几个人在床上怎么搞，可再怎么想，就算野地里的畜生，搞的时候也是一对一的嘛。

李秀红下定了决心，等孙卫东一闪进了库房，她开门见山，张口就说我们不能再这么下去了。孙卫东一愣，问她是不是让阿新知道了。李秀红摇了摇头。孙卫东一笑，手贴着她的衣襟就往里伸。李秀红躲开，说，我们不能再这样了。孙卫东问为什么？李秀红说，从今天起，你就当我是你的姐。

你这是要跟我拆伙。孙卫东说着，又是一笑，还是往上凑。

两码事。李秀红闪到一边，说，你还要成家呢，我这是为你好。

孙卫东说，省省吧，你。

真的，我们就做姐弟。李秀红一本正经地说，我给你介绍对象去，保证比我漂亮，保证是个黄花大姑娘。

孙卫东不开口了，仔细地看了李秀红一眼，点了点头，转身拉开门就出了库房。深夜，场子差不多就要散尽了，人们一个个离开，孙卫东却坐了下去，掏出三十块钱往桌上一丢，看着李秀红说，去把院里的鸡杀了，我们三个人好好喝两瓶。

李秀红的脸一下涨得通红，但阿新没注意到，他满脑子想的都是昨天晚上，这会儿正惦记着洗洗上床，再扮上一回老铁匠呢。阿新说，晚了，改天吧。

孙卫东坐着没动，还是对李秀红说，听见没有？就杀只鸡好了。

李秀红忽然一嗓子，杀你妈的鸡去。

阿新赶紧说，秀红，怎么好骂人呢。

李秀红一扭身就进了里屋，孙卫东叹了口气，收起钱，站起来对阿新说，我是真想跟你喝两杯。

阿新说，明天，明天，我一早起来就把菜备着。

孙卫东走了。阿新匆匆忙忙刷了牙，洗了脚，端着脚盆正打算把水倒掉，一开门，孙卫东捧着一包花生米，提了两瓶酒又来了。孙卫东一进门就说，我真是有要紧事，得跟你们两口子商量。

孙卫东的要紧事就是赌。他在桌边坐下，等李秀红披着衣服出来了，才从口袋里掏出一副牌，“弹”了两遍后开始发牌。孙卫东发一张，嘴里就报一张，他把每张牌都摊在阿新跟前，就像是透明的，花头、点数，没有一张报错的。阿新一拍桌子，扭头对李秀红说，难怪就他能赢钱。李秀红就当没听见，也当没看见，她的脸板着就跟这张黑漆的桌面一样，泛着青光。孙卫东的话大部分是对着李秀红说的，他的意思是不能光赢村里人的钱了，一是不忍心，二是钱太少，要做就做一条龙。孙卫东的意思是由李秀红管换牌，管场子，阿新赌了这么多年，人头熟，负责拉人、撑门面，他们三个人合伙，两条腿走路，既能走出去赌，也可以把外面的赌鬼引进来。最后，孙卫东说，胆子大一点儿，步子快一点儿，时间就是金钱，团结就是力量。

阿新热情高涨，抓过一瓶酒，用牙齿一口撬掉瓶盖，对李秀红说，不杀鸡，那你就去煎两个蛋嘛。

李秀红狠狠地白了他一眼，扭身去了厨房里，却没有打蛋、生火、开油锅，而是一屁股坐到灶口的板凳上，一把将十根手指叉进大波浪里。李秀红紧闭眼睛，在心里对自己说，这下好了，这下真成一家子了。

李秀红怨归怨，但是没办法，不看僧面看佛面，就冲着人民币的面子，她也得给孙卫东叉开自己那两条腿。不过，有一点李秀红看出来了，孙卫东喜欢自己是真的，不然有谁肯把吃进嘴里的肉吐给人家？有一次在库房里，她扒着墙壁使性子，非要孙卫东说出来，村里那么些女人不去搞，为什么非要这么缠着她一个。

孙卫东停了停，说，你的奶子大。

李秀红问，还有呢？

孙卫东说，你的屁股大。

李秀红问，还有呢？

孙卫东烦了，说，还有就是你这股骚劲了。

李秀红不高兴了，一扭屁股直起身来，说，没一句正经的，就知道耍流氓。

孙卫东一把将她按回去，垂下脑袋，忽然吟出一首诗来：生命诚可贵，爱情价更高，若为自由故，两者皆可抛。

李秀红怔住了，诗她不懂，可里面爱情那两个字她知道。活了二十五年，这还是头一回碰到，一个男人贴在她屁股后头吟诗，而且这诗里面竟然带着爱情。李秀红双手摁在墙上，一点一点地仰起脸。椽子上挂下来一只蜘蛛，她的眼里却雾蒙蒙的，什么也看不清楚了。

冬天说走就走，没头没脑的几场雨一下，太阳一探出脑袋，身上的棉衣就穿不住，热烘烘的，好像怀里抱着个火炉子。周定香最早是在洗衣服时发现的，儿子换下来的那些衣裤里不光有稻粒与麸皮，还粘着好几根女人的长头发。周定香把每根头发都举到太阳底下，认真地观察，仔细地研究，每根头发都是弯弯曲曲，捋开来一尺多长，缩回去也有七八寸。周定香断定就是李秀红，孙家浜村里面除了她，没有第二个女人烫头发的。可等到把衣服洗完，她又有点吃不准了，儿子一天到晚在外面赌，也有可能是别的村上的骚娘儿们。周定香一肚子的疙瘩，夹着脚桶回到家里，都不记得把衣服晾起来，往屋檐下一搁，一屁股坐在台阶上。孙卫东这个时候还在睡觉，但她不敢去问儿子，问了也白问。周定香活到五十二岁才明白一个道理：儿子的口袋里有了钱，那就等于是老子。权力从来都是跟在经济屁股后头转弯的。现在的孙卫东俨然成了一家之主。早在大年三十的饭桌上，他把一叠钱推到周定香跟前，叫了声妈，让她从今年开始，到了春天就不要给人去摘桑叶，也不要四处打猪草了，哪怕是地里的活都用不着干。孙卫东把她的一年四季都规划好了，就种一点儿口粮田，再养上两头猪，余下来的地雇得掉的雇，雇不掉就送人种去。周定香急了，乡下人不种地，那只有死路一条。孙卫东一指桌子上的钱，问她种一年的地，赚得到这点儿钱吗？周定香说不上来，看着桌上的钱，心虚得很。孙卫东却意气风发，伸手在屋里一扬，把今后的两三年也顺便一起规划了。他说不出两年，他要把这屋拆了，造上一幢两楼两底的水泥房。可这让周定香更不踏实了，睁着眼睛在屋子里转了好几圈，还是一句话都说不上来。孙卫东这时拉住周定香的手，拿起桌上的钱，放进去，又叫了声妈，说，你就等着享儿子的福吧。

周定香垂下眼睛，看着手里厚厚的一叠钱，一口咬住自己的下嘴唇。沉默就意味着落幕，周定香知道，儿子是再也管不了了。周定香现在唯一能做的就是赶紧托人给儿子说个媳妇，当妈的管不了，就把希望寄托给儿媳妇。但是，周定香不敢太张扬，儿子钱虽然来得快，可名声已经很臭了，找媳妇最忌讳的就是在男女问题上出过岔。

整个二月份，周定香都在为这事犯愁，看着孙卫东，她一脸都是忧心忡忡。这天，周定香做姑娘时认的干娘死了。七十多岁的老太婆贪嘴，让一块冷年糕活活地噎死了。周定香一大早赶着去送葬、吃豆腐饭，匆匆忙忙才出了家门，李秀红抱着女儿就来了。其实，两个人昨晚早在库房就说定的，机会难得，孙卫东早在床边把粪桶准备着了。他一把接过小孩放了进去，拉着李秀红就上床，话都顾不上多说一句。可是，两个人都没料到，周定香会忽然折回来。她走到半路上想起来了，把昨晚包好的“上香钱”忘在了枕头底下。没钱怎么可以去送葬？周定香推开家门就听见小孩子在哭，声音从儿子的房里传出来。周定香心里怦地跳了一下，赶紧趴着门缝往里看，就见儿子光着屁股在抱小孩，一边拍，一边哄。李秀红坐在被窝里，笑得咯咯的，就像只抱窝的小母鸡。周定香没想到自己的火气会那么大，想都没细想，伸出巴掌就拼命地拍房门，那架势，好像里面光着屁股的不是她儿子，而是她的男人。直到李秀红一把拉开门，抱着女儿冲出来，周定香才醒过神来，看清了儿子脸色，知道自己闯祸了。孙卫东直挺挺地躺在床上，睁着眼，闭着嘴，他的胸脯在被子里一起一伏。周定香一下子很无措，站在房门用力搓着两只手，说，狗剩哪，你再躺会儿，你躺，妈这就走，妈送葬去了。

周定香想来想去还是要去趟李秀红家里。为了儿子，当妈的什么都敢做，也做得出来。周定香一进李秀红家里，先把里里外外几间屋子都看了一遍后，走过去一把关上大门。李秀红很害怕，抱着女儿，一动不动地盯着她。周定香慢慢地走过来，忽然两腿一软，扑通跪倒在李秀红跟前。周定香仰头看着她，说，秀红，我这张老脸不要了，我求求你，放过我家狗剩子。李秀红慌了神，本来惨白的脸，一下涨得通红，伸手要拉周定香。周定香却一把抓住她的手，又说，秀红，我们家狗剩还没成家，我求求你，你就放过我家狗剩子吧。李秀红这才辨出话里的味道，一口气冲上脑门，但她忍住，用力抽出手，不说话，转身去了房间里。周定香赶紧站起来，跟过去扒着门框，继续说，秀红，我跟你说真的，我不怪你！真的！我这也是为大家好嘛，你就放一马，我家狗剩子还没媳妇呢。周定香眼泪水都快掉出来了，眼巴巴地看着李秀红，嘴巴却没停下，她说她这都是实在话，等狗剩子娶上了媳妇，你们想干嘛她都不会管！周定香唠唠叨叨，一个人一直说到阿新敲门进来才闭上嘴。阿新手里捧着茶杯，看了看老婆，又扭头看了看周定香，两个女人的脸色都不对劲。可是，阿新一声不吭，放下茶杯一头就扎进厨房里。周定香却要自作聪明，扯起嗓子对李秀红说，秀红哪，这事你可要放心上，我可全指望你了。临走，还要回过头来说，秀红哪，你可一定要给我家狗剩子说个对象噢。

事实上，李秀红抱着女儿从孙卫东家里出来时，阿新就在巷口跟人聊天。大家都看到了，李秀红头发乱糟糟的，脸上的红也不是一般的红，有经验的人一看就知道，这是热被窝里焐出来的。大伙儿一下都住嘴了，扭头看着阿新。阿新的脸上没有一点儿反应，好像老婆不是自己的，他仰头喝下一大口茶，把在吹的牛继续吹完，又喝了口茶，看着茶杯，说要回家去添点水。整整一天，阿新过头的话半句没有，还是中午一顿酒，到了晚上又喝一顿。孙卫东也是一样，吃过晚饭就来了，一会儿坐下去"坐庄"，一会儿站起来"打闲"，场子一直拖到后半夜才散。大伙儿离开后，李秀红发现自己累得不行，浑身上下酸得像散架了，她洗都没洗就上了床。阿新关上门，把屋子收拾干净，摆开桌子又喝掉了一瓶黄酒后，去房里一把拖起被子里的李秀红，狠狠地揍了她一顿。阿新一言不发，紧紧地咬着牙齿。李秀红同样咬紧牙关，但痛是忍不住的，李秀红忍了几下就还手了，一边哭，一边跟阿新对打。女人动手，个个都像在拼命。夫妻俩把熟睡的女儿都惊醒了，小孩子扯开嗓子也跟着凑热闹。整个孙家浜村里都听到阿新打老婆。可是第二天，夫妻俩的脸上虽然都挂着彩，却照样敞开大门摆桌子，好像什么事都没发生过，照样跟人说说笑笑的，完全是一副摆开八仙桌、笑迎四方客的精神头。

然而，李秀红再也没让孙卫东碰过，阿新看得紧，就算去隔壁聊上两句天，他都要问声去哪儿。孙卫东火得不得了，但这种火又发不出来，只能憋在肚子里干瞪眼。孙卫东每次盯着李秀红看，那两只眼睛里一闪闪的。可就是没办法，人家的老婆由不得他做主。为了能单独碰上李秀红一回，孙卫东一空下来便在村子里转悠，要不就是坐在六指大爷的代销店里，一支一支地抽烟。这天，李秀红拎着一个酱油瓶来了，大大方方的，把瓶放在柜台上，说了一斤酱油后，对着孙卫东一笑，又说，卫东也在啊。孙卫东狠狠地看着她，不说话。李秀红有点紧张了，慌乱地跟六指大爷扯起了白砂糖怎么又涨价了？

孙卫东扭头就走，他沿着代销店转了一圈，见李秀红还没出来，就又转了一圈。孙卫东一直转到李秀红拎着酱油瓶往家走了，才跟在后面，一边抽着烟，一边咳嗽。李秀红转过井台，两边看了看，回过头来说，你别跟着我，他在。孙卫东不说话。李秀红又说，他会找来的。

孙卫东说，让他来好了。

李秀红说，你什么意思？

孙卫东说，就是这意思。

李秀红低下脑袋想了想后，说，卫东，我们不能再这样了。

孙卫东说，这话你说过一百遍了。

李秀红说，这次是真的了。

孙卫东说，你哪次是假的？

我真的要走了。李秀红说着就转身。

孙卫东拉住她，说，那你叫我怎么办？

下次吧。李秀红一把挣开，说，下次再说。

就这次。孙卫东说着，伸出手要去接她的酱油瓶，李秀红紧抓着不放。孙卫东又说，没事的，就一会儿。

孙卫东没想到李秀红会松手，酱油瓶啪的掉到地上，把两个人都吓了一跳。孙卫东赶紧低头去看，酱红色的酱油里夹杂着玻璃碴儿，一股脑儿地溅在他的裤管上。孙卫东更没想到的是李秀红会忽然转身就跑，招呼都没打一声。孙卫东拈着两条裤腿，对着她的背影喂了一嗓子。李秀红头也不回，她的裤子上也沾满了酱油，就像是小产了。孙卫东拧起眉毛，又喊了一嗓子，你跑什么跑？

孙卫东恋爱了，大家不奇怪，而让人想不到的是那个介绍人，竟然是李秀红。但明眼人还是看出来了，李秀红这一招厉害，把村里那些嘴堵住了不说，在阿新那头也有交代了。不是都说我跟孙卫东有一腿吗？有没有看行动，有哪个女人舍得给自己的姘头做介绍的？李秀红想得到就做得出，抱着女儿去了趟娘家，一回来就带着张照片去了孙卫东家里。周定香正在院子里收被子，李秀红一进来就是一声卫东妈，叫得那么的理直气壮，那么的正大光明，都忘了那天是谁光着屁股在屋里穿衣服的。周定香没理她，举着笤帚，在被子上一下一下地拍打。李秀红心里掠过一声冷笑，但脸上看不出来，脸上还是堆满笑，既兴奋，又神秘。李秀红又叫了声卫东妈，说事情有眉目了。周定香顿了顿，不知道“事情”到底是什么事。李秀红掏出照片，却没往周定香手里递，好像自己都没看够一样，举在手里，沿着目光一直向前伸，又收回来。周定香瞥了眼，见照片上是个大姑娘，心里明白了。她又瞥了眼，见照片上的大姑娘长得眉清目秀，可她不稀罕。李秀红手里的人，不是女赌鬼，就是烂破鞋，她家狗剩子才不当冤大头呢。周定香还是不出声，举着笤帚继续在被子上用力拍打。李秀红只好说，二十岁，跟卫东正好同年。

周定香停下手，转过来对着李秀红笑了笑，说，秀红哪，你可真是有心啊。

李秀红说，你托我的事能不上心吗？

周定香哼了哼，说记住就好，说完，一扭脖子，转身回了屋里，被子都不收了，扔下李秀红一人站在院子。热脸贴了冷屁股的人都窝火，李秀红对着周定香的背影，就想冲上去，一把揪住她的头发，狠狠扇她两个耳光。但是，李秀红忍住了，把柄落进人家手里的人都这样，只能拍掉牙齿和着血往肚子里吞。李秀红小心翼翼地收好照片，心想好在孙卫东还是听她的。李秀红深信，孙卫东一定会听她的。

照片上的姑娘叫高春燕，说起来还是李秀红的远房外甥女。她爹以前在生产队里学过两天兽医，现在整天走村转乡地给人阉猪卵，却穷得叮当响，主要他床上还躺着个糖尿病的老婆。李秀红坐在他家堂屋里一说起孙卫东，高兽医当场就皱眉头了，说赌鬼怎么成。李秀红说人家来钱快。高兽医说那也是鸭背上的水，去得也快。李秀红说人家二十岁，都快是万元户了。高兽医说到老还不如阉猪卵的。两个人在屋里说话，高春燕一直坐在门槛上剥蚕豆。这时，她忽然回过头，蹦出一句来：赌鬼总比穷鬼好。

高兽医的脑袋垂了下去，李秀红却一下抬起眼，看着高春燕的后脑勺，心里有把握了，但同时又像打麻将吃了“诈和”，推出去的牌那么地想收回来，但这是不可能的。见面安排在一个星期后，就在李秀红的家里，相当的巧妙，像相亲，又像是偶遇。高春燕来了,完全是一副走亲戚的样子,手拎着一包梅干菜。三个人摆开桌子正要吃饭,孙卫东也来了。孙卫东还是每天来赌钱,就算阿新心里再泛酸,人民币却是张万能膏药,什么样的伤都能遮得住。在对待钱的问题上,三个人是走统一战线的,枪口一致对外。这天中午,四个人围着一张饭桌,不是一家人,胜似一家亲。孙卫东很活络,对高春燕尤其的殷勤,好像是这屋里的当家人,不光在饭桌上往她碗里夹菜,高春燕吃完饭,还没等李秀红开口说什么,孙卫东就邀请高春燕走走去。高春燕看着李秀红,不表态。李秀红慌忙咧开嘴笑,说走走也好,是该出去走走,这么好天。孙卫东却一眼看出来了,李秀红笑得很不是滋味,尽管嘴咧得很开,那只是在往肚子里吸冷气。这让孙卫东的心情特别好,跟李秀红拿着照片给他看那天完全不一样。那天,他看中的是照片上高春燕的长相,但主要还是落寞,想不到李秀红会对自己来这一手。孙卫东说她这是在给自己找替班的。李秀红摇头,眼睛里竟然泪光闪闪的,说她这是为孙卫东好,也是为她自己好。李秀红强调她这个表外甥女是个好姑娘,就是家里穷了点。孙卫东很不客气,让她别来这一套,好不好要他试过才知道。李秀红担心了,说你可不能胡来,人家跟我不一样,人家可是大姑娘。孙卫东说那也要试过了才知道。李秀红说,你这人怎么这个样子?

孙卫东说,我是什么人你还不知道?

不过,现在已经不一样了,才一顿饭的工夫,孙卫东已经发现高春燕是个不一样的女孩子,虽然她还没对自己说过一句话,孙卫东却能感觉出来,她跟李秀红不一样,跟徐小英更不一样。可到底区别在哪里,他说不上来。沿着巷子走向村口的一路上,乡亲都在看着他们两个,孙卫东不禁挺了挺胸,停了停脚步,等高春燕走上来,两个人几乎是肩并肩地出了村子。孙卫东还是发现了,搞对象跟搞女人不一样,搞对象就是可以在光天化日下,两个人挺着胸膛肩并肩地走在一块儿。这种感觉怪怪的,微妙得很。孙卫东忍不住又扭过头去,仔细地看着高春燕。小姑娘文文静静的,大大方方的,脸上的表情既不害羞,也不像别的那些女孩子,男人一盯在脸上仔细看,就竖起眉毛一脸的假正经。高春燕不这样,她不回避别人的目光,孙卫东看她,她总是抿着嘴角,仰起脸。大太阳底下,高春燕的脸白得几乎是透明的,孙卫东几乎可以看到皮肤下面流动的血液。

孙卫东是忽然带着高春燕来家里的。周定香一点儿准备都没有,正坐在灶口烧水,儿子与女朋友已经进来了。高春燕很大方,也很有礼貌,叫了大妈。周定香却有点儿乱,赶紧站起来,在围裙上搓了两下手,一想,又坐了回去。高春燕笑了笑,又叫了声大妈,走过来,蹲到她跟前,抓一把稻草扎了个"草鞋"就往灶膛里塞。周定香慌忙抢过来,说,用不着,不用你。

高春燕抓着"草鞋"不放,说,没事的,大妈,你歇着。

周定香还在扯"草鞋",儿子开口了,说,叫你歇,你就歇着。

周定香只好站起来让位,看着坐下去的高春燕,心里面在冷笑:拍什么马屁?

装腔作势。但高春燕确实是个能干的小姑娘，时间一长，周定香还是看在眼里的，跟自己一个脾气，是个闲不住的劳碌命，会说话，更会干活儿，来了家里不是干这，就是干那，好像她什么都拿手似的，有时候弄得周定香反倒没事可干，只能待一旁看着她。不过，一个女孩子真正的好不光是勤快，要娶进家门当媳妇，品性尤其重要。周定香最看不起的就是没骨子的小姑娘，一来就往男朋友的房间里钻，好像什么都愿意似的，其实是贱。而高春燕从不这样，她从来不进孙卫东的房里，就算孙卫东再怎么请，她都是找一个借口，两个人不是坐灶间，就是在堂屋，面对面地喝茶、聊天、吃瓜子。而且，两个人买了瓜子进来，高春燕总是第一把捧着送到周定香手里，一定要大妈尝尝，还要说明，这是卫东买的。吃不吃无所谓，有那份心就成了。周定香是看到了小姑娘对大人的那一份心。

孙卫东现在经常是吃了晚饭出去，把高春燕接到家里，坐着吃点儿瓜子，听上会儿收音机里的歌曲点播，然后溜出去一趟，说是办事去。孙卫东的事就是赌，工作、恋爱两不误，赢了钱，高高兴兴地把高春燕送回家去。五月份以来，高春燕每次上家里来，手臂上多了个针织袋，坐在堂屋里一边打毛线，一边跟周定香没话找话地闲聊天。大家常说女孩子要心灵手巧，这个“灵”与“巧”就集中体现在打毛线上面。高春燕打毛线，不像其他女人，低着脑袋，专心致志的，一口气闷头打。高春燕的本事就在一边打，一边还能伸着脖子跟你说话，看着你，眯着眼睛，有种说不上来的轻松与自在，而那两根棒针拿在手里一来一去，就像歌里唱的“日月在穿梭”，十根手指一挑一钩，快得整个人就是织布机。周定香都有点佩服她了，心想，狗剩子这辈子毛衣是不愁穿了。但上点年纪的女人都有一个毛病，看着越是称心，就越贪心。有一天，孙卫东一声不响地走了，周定香装作没听到，坐在房间里的马桶上脚抽筋，喊出来的声音都带着哭腔了，让狗剩子快来。进来的当然是高春燕，不光扶着她站起来，还蹲下去给她把裤子都提了上来后，一回身连马桶盖都是她盖的。就算是亲生的闺女也最多到这份儿上了，周定香一边系着裤带，一边想。当天晚上，儿子送完女朋友回来后，周定香还坐在堂屋里。孙卫东一看母亲的坐姿就知道这是有话要说，赶紧钻进房里关上门，蒙上被子就睡觉。周定香的话是隔着房门传进来的：狗剩哪，春燕是个好姑娘，你要好好待人家。说完，想想，觉得还不在点子上，就又说，这么好的女孩子找着是你的福气，可别让人家飞跑了。周定香同时也强调：这回可不要跟上次那样了，要对得起人家春燕。

事实上，孙卫东更急。手拉过了，腰搂过了，嘴也亲她好几回了，男人想来想去，想得更多的还是上床。孙卫东不是没试过，试过好几回，最近一次就在村外的麦田边，亲着亲着就把高春燕摁在田埂上。孙卫东在这方面也算老手了，可是不成，高春燕跟别人不一样，她不推，也不叫，反而是紧搂着你，搂得孙卫东都不好掰开她两只手干别的，只好也搂着她，等在那里。谁知，孙卫东等来的却是两行泪。高春燕无声地哭了。孙卫东问怎么了，一连问了好几声，高春燕才说，不要这样，好不好？不要欺负我。

孙卫东问她，我怎么欺负你了？高春燕不说话，像是冷得扛不住了，整个人都在孙卫东下面瑟瑟发抖。很久，她深深地吸了一口气，屏在肚子里，过了好一阵才一点一点地吐来。高春燕忽然松开怀抱，睁着一双泪眼看着孙卫东，那样子柔弱得不行，也可怜得不行，让人看着都想一把重新将她搂进怀里去。孙卫东支起身体就把一只手伸进她衣襟里，一把握在手里。高春燕啊了一声就绷紧了，眼睛睁得滚圆，张开的嘴巴很久都没合上。高春燕用两只手抓住孙卫东胳膊，把它一点一点地从衣襟里拉出来，然后，一把钩住他的脖子，贴上去，把整个上半身都吊在了孙卫东身上。高春燕说，是你的总归是你的。高春燕嘴里吐出的气热烘烘的，她贴在孙卫东耳边说得更轻了，像是乞求一样，又像在撒娇，说，让我给你留着。

留着干什么？孙卫东很纳闷，但不好问，这时候需要的是顺应，女朋友可不像别人家的老婆，心急吃不了热豆腐，这个时候只能装糊涂。孙卫东伸出舌头舔了舔姑娘脸上的眼泪水，咸丝丝的，像是医务室里挂的盐水。孙卫东很无趣，坐起身来，有点儿不甘心，看着半空中的月亮，忽然记起两句诗来：与其站在悬崖上展览千年，不如倒进爱人怀里痛哭一晚。孙卫东忍不住还是问高春燕，留着干吗呢？这有什么好留的？

事情来得有点儿突然，高春燕的妈不行了，送去镇上的卫生院，住了两天就给退回了家里。大家都明白，退回来的意思就是没得治了，叫你准备后事，可以落叶归根了。病人回家的头一天，周定香抓了两只老母鸡去过一趟，没说上话，高春燕家里已乱成了一锅粥。第二天，周定香又去了，而且还带上了七姑娘。医院里看不了的病，往往七姑娘都能看。七姑娘就是能人所不能，她站在高春燕的家里，捧着一杯红糖茶，眼睛没往床上的病人看，而是在屋子的四下里打量，像是在找东西。看完了屋内，又去院子里，沿着屋子转了两三圈，进来一拉周定香的衣袖，把她拉到门边，说阴气太重，其实是地底下的东西在作怪。周定香赶紧问怎么个办法？七姑娘不说话，走过去，到床边抓起病人的手，贴着她耳朵根说了两句。高春燕的妈仿佛吃了灵药，一下睁开了眼睛，虽然说不出话来，可屋里的人都看到了，七姑娘的悄悄话就是一帖药。高春燕的妈紧抓着七姑娘的手，七姑娘一下就成了高春燕的妈，直起身来，环视屋里的众人，最后把目光落在高春燕脸上，说了两个字：冲喜。

孙卫东当然不信这个，嘴巴都快撇到后脑勺上去了。高春燕也不相信，但母亲的意思就是这样。高兽医说，死马当成活马医，冲就冲吧。可结婚不是小事情，不说新房、嫁妆，就是时间也不对路，哪有人在黄梅天里成亲的？这几天，每天下着雨，雨水都把大地泡透了，这新娘子一路上走下来，迎进婆家都成泥冬瓜了。周定香做不了主，也知道自己这回又闯祸了，一再对高兽医说不妥，还是不妥，这毛脚女婿都没上门呢，怎么可以一步跨过去成亲呢？高兽医也知道不妥，但这是治病救人，十万火急哪。他用眼睛看看女儿，又看看孙卫东，说，就当发扬一下人道主义精神嘛。

高春燕咬着嘴唇，眼睛里一闪一闪的，好像有泪，却始终没有掉下来。她一把拉起孙卫东的手，拉着就去了自己的房里。高兽医问她这是干吗去？高春燕不回答，一直把孙卫东拉进房，关上门，靠在门背后，才抬起眼睛看着孙卫东。高兽医的声音从门缝里传来，他在对周定香说坐，坐，卫东他娘，我们坐下说话。周定香也在说不急，不急的，先让他俩合计合计，合计了再说。

高春燕始终不说话，慢慢低下脑袋，慢慢地解开衬衫的扣子。孙卫东明知故问，说这是干什么？高春燕抬起头来，就滚下两颗泪来。她一头扑进孙卫东怀里，说，答允我。孙卫东还是明知故问，说答允什么？高春燕说，你答允我。

孙卫东已经顾不上说话，嘴巴在这个时候可不是用来说话的。他到了床上就放开了，把握机会，才可以争取未来。孙卫东一把扯掉高春燕的裤子带，随手扔到什么地方都不知道。

高春燕做梦都没想到会这么疼，就像有把刀子扎了进去。她一把捂住嘴巴，为了不让自己叫出来。可进去的刀子一会儿就成了锯子，在那里一来一去，那又是一种漫长的痛，都快把她的人拉成两半了。这时，孙卫东忽然在她耳边说要忍住，我轻轻的。高春燕用力点了点头，不敢眨眼睛，就怕眼睛一动泪水又要跟着掉下来。孙卫东又说，再坚持一会儿，下次就舒服了。高春燕咬紧了牙关，再次用力一点头。但是，两个人并没有成亲。话都是高春燕在事后说的，她从床上爬下来，抓过衬衫抹了把额头的汗，又使劲把床上的席子擦干净后，拉开橱门换了件衬衫，穿好，看着孙卫东，才轻轻地说，我把什么都给了你。

孙卫东有点儿疲惫，尝到甜头后的男人都这样，像是喝一瓶半的黄酒。他软绵绵地点了点头，说，我听你的，你说了算。

高春燕摇了摇头，在他身边坐下，替他一个个把衬衫扣上，说，我要你答允我。

孙卫东说，我这不是答允了嘛。

高春燕还是摇头，她对孙卫东说两人定亲，就当是结婚那样，要办得热热闹闹的，要让她妈高兴，要让她走得安心。高春燕说，到那时，你就算把我甩了，我也感激你一辈子。

孙卫东一把将她拉进怀里，不说话，抱着她。两个人坐在床上，此时无声胜有声。高春燕长长地吸入一口气，身上疼得厉害，趴在那里不想动。高春燕猛然记起一句话来，不知村里哪个婆娘说的：男人都是顺毛驴，给他一点儿甜头，就会一心一意围着磨子转。她扭过头来看着孙卫东半边脸，一下子悲伤得受不了，同时也幸福得受不了，像要把人活生生扯开来一样。高春燕的泪水不禁夺眶而出。

断“七”之后，高春燕基本上就像在孙家浜村入了户。乡下人规矩多，乡下人同时也无所顾忌。定亲就等于成婚,反正迟早是两口子。但主要还是高兽医不像话,每天在外面阉猪卵,老婆活着的时候就有个女人,现在老婆死了,他也明目张胆了,"七"还没断就把那女人往家里带。

高春燕一气之下就住进孙卫东家里,最高兴的当然是孙卫东,开头几天弄得天天像是新婚,睁开眼睛就等天黑了后往床上钻。这天晚饭过后,周定香出去了,孙卫东洗了两条黄瓜,一人一条,正在吃的时候李秀红来了。李秀红是来看望高春燕的,一来就拉住她的手,一副很想念的样子,说这么多日子了,怎么也不来串串门?高春燕还没来得及开口,李秀红的眼睛已经转向孙卫东,笑吟吟地埋怨他把新娘子藏这么好,还怕让人拐走了不成?孙卫东哼了哼,叼着黄瓜去里屋拿了本书出来,坐到院子里看书去了。李秀红在心里骂了句,脸上一点儿看不出来,扭转脸对高春燕笑得更开了,一拉她就去了里屋。两个人肩并肩坐床沿上,看上去像对要好的小姐妹,但李秀红的口气却像个老大人。她是来叮嘱这个远房外甥女的,跟周定香一定要和气,婆媳关系不好处,尤其像她这样还没登记的,一定得忍着,忍字头上一把刀,为的却是自己好。高春燕不出声,一脸听得很在心的样子,认真地看着李秀红,弄得她反倒不知道说什么好了。李秀红笑了笑就说起了房事,她要高春燕一定得注意,男人都是只顾自己的,怀上了吃苦头的是女人。高春燕起先还不知道"房事"是什么,一听怀上就明白了,脸唰的红了,一下把黄瓜塞进嘴里,用力地嚼。李秀红一本正经地说,这有什么?你现在也算过来人了,要是你妈还在,她也会对你说这话的。李秀红说着,从裤袋摸出一个纸包往高春燕手里一塞,说,拿着。高春燕问她是什么?李秀红抿嘴笑得有点神秘,说,用的时候就知道了。

李秀红送来的是一包避孕套,但孙卫东心里面清楚,她才不会这么好心呢,她这是来打自己招呼了,不要一门心思用在这上面。李秀红临走的时候,高春燕把她送到院门外,她像是忽然记起来的,回头对孙卫东说,噢,对了,卫东,你还有几副扑克牌在阿新那里呢。

现在,孙卫东赌钱跟以前有点儿不一样,他每次来,高春燕都跟在边上,不怎么说话,就像是专程来打毛衣的,坐在一边就知道低着脑袋一针一线地打。可是,高春燕不明白,为什么赢了钱还要分一半给李秀红夫妻俩?她在家里问过孙卫东。孙卫东说,你不懂的。但不懂可以问,高春燕问他为什么别人赢钱都是自己的,而你要分人家一半?孙卫东还是这句话:你不知道的。

孙卫东不肯说,高春燕就不再问,这件事情再也没提起过。女人不管男人的事是对的,管了也白管,费心费力,到最后的结果都是一样,都是一把鼻涕一把泪。历史有过这种教训,李秀红就是一个。高春燕是个聪明人,管不了的事情不管,也懒得管。现在,高春燕只要稳定,安安稳稳的,一天一天这样过,一年一年也这样过。没有什么比稳定更重要的了。可在这个时候,事情偏偏出来了,收猪仔的福建人来了。每年这个时候,福建人都来收猪仔,开一条六十吨的"铁驳子",沿着红旗塘顺流而下，一路上，一个村子一村子地收。福建人收猪仔跟镇上的收购站里不一样，他们不管大猪小猪，也不管公猪母猪，只要是猪，他们都收，而且价钱比收购站里高。关键还是在价格上，几乎所有养猪的人每天都在盼着福建人来，但福建人每年只来一次。

福建人除了收猪仔就是赌钱，阿新已经跟孙卫东打过招呼了，牌由他去“种”，你只管好好地“杀”一场，就像杀猪一样地杀。可是，福建人精明，他们从不在“铁驳子”以外的地方赌钱。船是他们的猪圈，也是他们的家。孙卫东是由阿新领着上船的，阿新跟这些人熟，每年不光跟他们赌，还带着他们到处去收猪。那条船就停在红旗塘的河堤边，孙卫东人还没踏上船，满脑子已经都是丁立民了。他站在河堤上，红旗塘的水在暮色中乌沉沉的，泛出一种只有夏天才有的水草的气息。孙卫东忽然那么地想呕吐，都快要喘不过气来了。阿新这时在船舷上催他，还愣着干吗？快啊，都等着了。

第一次，孙卫东比较客气，就像是开运动会，友谊第一，比赛第二，“推”了没几把就“卸庄”了。孙卫东主要是“打闲”，先把情况摸熟了再下手也不迟。大伙儿赌兴正浓的时候，他伸了个懒腰，起身说要走了。福建人不让，还没见出输赢来呢，怎么可以走？孙卫东笑了笑，说明天，明天再来。阿新也出来打圆场，说人家还是新郎官呢，得赶着回去签到。船舱里的人都笑了，孙卫东也跟着笑，对阿新使了个眼色，出了船舱，下船走了。可孙卫东并没急着回家，他在回孙家浜的一路上走走停停，没见阿新赶上来就想到了李秀红。孙卫东心里多少有点惦记这女人，尤其是跟高春燕在床上的时候，总拿两个人在一起比较。

孙卫东一进村子就去敲李秀红的窗户。但李秀红不开，隔着窗缝让他回家去。孙卫东就是有这股黏乎劲，赖在窗口，非要她去把门打开了再说。李秀红隔着窗子说，卫东，回家吧，我们不能再这样了。

孙卫东说，你先去开门，我有事对你说。

李秀红说，有事明天说。

孙卫东说，是要紧事。

要紧也不开。李秀红说，我怎么说也是春燕的姨。

孙卫东说，你不开门就开窗户。

李秀红不理他，回到床上挨着女儿继续躺下，再也不出声了。孙卫东在窗外等了好一会儿，火了，骂了一声，扭头就走。可是，孙卫东不甘心，走了没几步又回转过来，在地上找了半块砖，想了想就甩了过去。李秀红家的窗玻璃咣的就碎了，响声大得吓人，但是没有人出声，屋子里静悄悄的，李秀红的女儿都没被吓醒，孙家浜里也静悄悄的，连狗都像睡着了。孙卫东很没趣，低着脑袋只能往家里回。他走到井台边时，一抬头，看见有个人蹲在上面在抽烟。烟头在黑暗中一闪一灭，像是红旗塘口子上的航标灯。孙卫东问了声谁？同时也看清楚了，蹲着的人是阿新。阿新没说话，递了根烟给他。孙卫东也不好说什么，接过来，在身上摸了好一会儿，没摸到火柴，就拿过阿新手里的烟头，点上，一口一口地吸着。

阿新一直到把烟抽完，才说，明天狠狠地杀。

孙卫东点了点头，说，放心。

福建人的船在红旗塘里停了三天，孙卫东就在船上"杀"了三个晚上，每晚都是输输赢赢，弄得很紧张，高潮迭起，但结果当然是赢。福建人很不服气，很有点不信那个邪的意思。第四天，船舱里的猪收得差不多了，阿新说这是最后一晚了。孙卫东点了点头。阿新说这话时，人坐在村口的医务室里，手背上吊着盐水。他从早上起床就拉肚子，整整一天了，人已经虚得说话都快接不上气了，可还是对孙卫东笑了笑，说，我的肠子都快拉到茅坑里去了。

孙卫东仍然点了点头，没说什么，一个人出了村子，朝着红旗塘走去。孙卫东是上了"铁驳子"才发觉不对劲的，一进船舱，就那五个福建人围着桌子在喝酒，一见他来了，拉过一张凳子说坐，一块儿喝点儿。孙卫东摇了摇头，说不会。福建人不理他了，自顾自地碰杯，划拳，一碗一碗地往嘴里灌啤酒。孙卫东掏出烟发了一圈，每人一根替他们都点上后，说看来今晚没人来了，那他也回去了。福建人中的一个这才站起来，搂着他的肩，把他摁在凳子上，说坐嘛，一块儿喝一点儿。说着，那人给他倒上酒，提着裤子出了船舱，像是要去撒尿。孙卫东没办法，只好笑呵呵地跟那些人碰杯，一口一口地往肚子里喝。

孙卫东听到柴油机的发动声才猛地跳起来，想冲出去，但这是根本不可能的，船舱里四个人八只手呢，一起摁住他，把他死死地摁在地板上。孙卫东在地板上挣扎，说放开我。没人理他，也没人放手，他们从床底下拿出一根绳子，把他捆结实了后，往边上一扔就继续喝酒，继续叽里呱啦说他们的福建话。孙卫东慌过之后也冷静了，问他们这是为什么？他哪里得罪大伙儿了？孙卫东的话越说越多，声音也越来越响，可是不会有人听到，船上的四个柴油机都发动了，所有的声音都淹没在了机器的轰鸣中。

"铁驳子"沿着红旗塘一直向前开，天上没有月亮，却有无数的星星。孙卫东透过窗口看到了那个航标灯，但航标灯很快消失到黑暗中，像是从来没出现过一样，孙卫东知道船已经出了红旗塘驶进了汾湖里。这时，福建人的酒喝完了，他们齐心协力，把桌子收拾干净，把地也扫干净，把空酒瓶一个一个放回酒格子里，然后一把拉起孙卫东，把他口袋里的钱全部掏出来，还有那半包烟一起扔在桌上，然后把他拖到船尾，给他解开绳子。孙卫东犟了犟脖子，看着那四个福建人，张开嘴，却一个字都没吐出来。其中一个福建人往水里一指，说，跳下去。孙卫东这才问了句为什么？那人说，叫你跳，你就跳。

孙卫东还在犟着脖子，问，为什么？

那人想了想，凑到他耳边，说，你游回去，回去问孙建新去。

孙卫东明白了，瞪大眼睛想求饶，但已经来不及。胳膊扭不过大腿，双拳难敌四手，人多就是力量大。孙卫东是被这些手抓着扔下船的，螺旋桨搅起的巨浪一下就把他刮进水底，又把他拉到水面上。孙卫东拼命地踩，拼命地游，可是，黑暗的水面上是没方向的，他只能拼命地游，一直游到水底那些手伸出来，抓住他的腿，抱住他的腰，摁住他的脑袋。

孙卫东只能拼命地往前游。

（选自《江南》2009 年第 2 期）

**畀　愚**

1970 年出生，现居浙江嘉兴。1999 年开始小说创作。曾获浙江省“文学之星”称号、第八届上海文学奖等，部分作品被改编成影视作品并译介到国外。主要作品有中篇小说《煲汤》《胭脂》《塑料地毯》等。

# 在天上种玉米

王 华

## 一

我们的村庄从播州的一个角落搬到北京六环上东北角的一个角落以后，王红旗还想让它叫三桥。他的理由很充分：三桥人大大小小老老少少都搬这里来了，而且团团地住在一起，实际上就是三桥挪了一下脚。人挪了脚不改名，村庄挪了脚也该一样。儿子王飘飘笑他，这些年，山里的往镇里挪，镇里的往县上挪，你看到哪一个把地名也带着走的？爹你是醉翁之意不在酒。儿子飘飘在外飘了好些年头了，偶尔那舌头也能搅出一句跟文化沾点儿边的话来。飘飘初中没念完就飘出了家门，到大世界里也不务正业，常常有一些不好听的话传回家去，王红旗听了就脸上乌黑。别人跟他出主意，让飘飘把名改了吧，叫那名，怎能不在外面飘？看别人眼里充满诚恳，王红旗有点儿信了。王红旗因自己叫红旗，就给儿子起了个飘飘，起名的时候还真没想得很远。

过年时，儿子回了老家，王红旗不再叫儿子飘飘了，叫他老大。他排行老大。儿子一直都听他叫自己飘飘的，突然听他叫自己老大，吓了一跳，以为爹对他了解得太多。后来才知道爹是为了让飘飘这个名字淡到后面去。王红旗是村长，村长这么叫，大家也都跟着这么叫。飘飘暗暗乐上一阵，回到北京以后对弟兄们说，我现在不光是你们的老大了，我还是我们村里的老大。我发誓，一定要把我们村搬到首都来，让他们整整齐齐地到皇城过过日子。

王飘飘没有食言，他把村里的青壮年男子都带了出来，又把女人娃娃们也带了出来，最后，把老人也搬了来。善各庄是原先外地人来这里租地种菜卖时建起来的，起先只是东一间西一间，零零落落的几座遮风挡雨的棚，后来，来这里租地种菜卖的外地人越来越多，房子就多了起来，再后来这片地方全剩下房子了，种菜人没地种菜了，就挪窝了。那些房子建得很简陋，红砖垒的墙，有的抹了层灰，有的连灰也没抹。顶是水泥板儿，极个别的修了两层。王飘飘就让我们村的人都住到这里，租金便宜，还能一个村的人团在一起。

这件事情在王红旗脸上抹了很厚的彩，但儿子的那一套活法却又是被人耻笑的，这就让他时时舌根发涩。飘飘也深知他的感受，并不拉村里的男子入他的伙，有能耐的他借钱给他们包工做去，能耐差点儿的，他给他们介绍活儿。

最后搬来的一批是老人。

王飘飘的意思，这里一切都安顿好了，该把老人们接来享享福，见见世面了。老人们年轻的时候可不如我们现在这般潇洒，能随便在世面上走来走去，他们一辈子的世面就只是自己家里那几块地，整辈子就在那几块地里脸朝黄土背朝天。王飘飘一定要让他们在人生的尾巴上把这个遗憾抹了。

王红旗也在最后一批。但王红旗迟迟不奔儿子去，却不是因为他是老人。他还算不上老人，他自己是这么认为的，王飘飘也是这么认为的。王红旗起先的托词，是说他是村长，只要村里还留着一个人，他就应该留下来陪着。老人们准备集体奔北京善各庄去的时候，王红旗那托词站不住脚了。但王红旗还是不情愿跟儿子走。王飘飘说，这村里的人我都请动了，就请不动自己的老爹，你让我这脸皮怎么绷啊？王红旗说，你也知道脸皮不好绷啊？王飘飘说，爹是啥意思？王红旗说，要我去可以，但你得从此改邪归正。你要是也像张准准他们那样凭自己的劳动挣钱，我就可以跟你一起去。要不然，你就是把地球上的人都请走光了，我也不会跟你走。王飘飘哧哧地笑，说幸好我没遗传爹这点儿德行。王红旗说，你要是遗传了我这德行倒好了，就不晓得你从哪儿遗传来一肠子坏粪。王飘飘又哧哧地笑，说爹你背后骂我妈，就不怕今后到那边去她老人家收拾你？王红旗很吃惊，说我哪里骂你妈了？你妈活着的时候我从来没骂过她，她死了这么多年了我还骂她？王飘飘还是嬉皮笑脸，说，你刚才那句话，不是在骂我妈？你的意思，是她遗传给了我一肠子坏粪，还是她当年给你戴绿帽子，让我从别人那里遗传来了一肠子坏粪？

王红旗气得全身气血倒流，竟有这样跟老爹说话的！

看爹气成那样，王飘飘才把那副吊儿郎当的表情抹了，青着脸跪到王红旗面前发下了毒誓：从今以后，再不务正业，老天让我不得好死！

发完誓，他就那么看着他爹，一直到他爹的气顺了，脸色恢复正常了，他才说，爹，我起来？

王红旗叹了口气，说，我就暂且相信你一回，如果到了那里你把自己发的誓忘了……王飘飘赶忙接上去说，我不得好死！过马路让车轧死，自己开车让别人撞死，坐飞机让风给吹下来摔死！

看爹的脸色又不好了，他让舌头刹住了车。

王红旗恨铁不成钢地说，你就不能正经点儿？

王飘飘说，爹我很正经。

王红旗又叹气，鼻子眼睛挤成一堆，很痛苦的样子。

王飘飘说，其实不用爹这么克我，我早都打算洗手了。

王红旗的脸平展了一些，很寄希望地看着儿子。

王飘飘说，你想啊，我把你和老婆儿子都接去了，我还敢像以前那样坏飘吗？我接你们去是要你们去过好日子的，可不是要你们去担惊受怕的。

王红旗把儿子那张脸往深处看了一阵，没看出他在说谎，就点了下头。他说，到了那儿，我就得看着你每天做正事。

王飘飘是真的决定洗手了。把爹接到北京，他就像张准准们一样做起了包工头。张准准们底儿薄，做的是小包工头，也就是在一栋大楼上接手几百到一两千平方米的大理石外装工程，干上个一二十天，赚个万把块钱。王飘飘飘了这些年，底儿稍厚些，一次能接手一栋楼的一个面，干活儿那声势也要浩荡得多。单说这行头，王飘飘来去都开自己买的北京现代，而张准准却开的是一百块钱一天租来的旧桑塔纳，别的也有开着车来去的，那也是几辆破长安，一走起来就全身稀里哗啦响的那种。有的是花两千块钱买的二手车，有的是租来的。北京这地方太大，要想每天既能干活，又能在干完活后舒舒服服睡在家里，自己最好得有四个轮子代步。要不，善各庄这地方，地铁不通，公交不通，你怎么办？也有手捏得紧的，不肯松几个钱出来花在这上面，工地在哪儿，自己就睡哪儿吃哪儿，工程完了，才回来善各庄住几天。

王飘飘觉得自己是给老爹挣脸的，以为老爹定是要好一阵子都阳光满面呢。可王红旗并不像他想象的那么洋洋得意，倒像个思想家一样皱起眉头寻思要不要把善各庄改叫作三桥。

王飘飘说，爹，我看你不光想把村名搬来，还想把你村长的名分也搬来。

王飘飘一不注意就露出嬉皮样儿来，这让王红旗很不喜欢。儿子右嘴角下有块刀疤，是飘出来的第二年落下的。问题就出在那块刀疤上，不嬉皮还没什么，一嬉皮就显出坏来。

王飘飘说，爹，我们还是很像的。我们都喜欢做老大，不管到哪儿都喜欢做老大。

王红旗说，你给我正经点儿好不？

王飘飘还是那一脸坏样子，说我是正经着的啊。

王红旗说，别跟你爹嬉皮笑脸。

王飘飘还笑，他说我这不是嬉皮笑脸，是微笑。

王红旗说，我不稀罕你的微笑。

王飘飘不笑了，说，对不起爹，早知道你不稀罕我就不受这个累了。

王红旗又要生气，王飘飘赶紧张嘴占领氛围，说，其实爹这个想法很好啊，让这地方叫三桥，听着亲切，想着也会少很多流浪的感觉。但我是想，我们来这里图的就是个见世面呢，图的就是个沾皇城的气息呢，可一旦把这地方叫三桥了，那就没皇城的气息了。你想想啊，别人问你，你家住哪里啊？你说北京善各庄啊，别人看你的时候眼神就不一样了。

王红旗插进去说，眼神怎个不一样法？

王飘飘说，不一样啊，人家看你的时候就自然而然把头仰着点儿，那眼神儿是润润的，带着景仰的，带着羡慕的，带着向往的。

王红旗说，那我要是说我住北京三桥呢？

王飘飘稍想了想，又笑起来，这一回是笑自己。他说，爹比我精，这地儿不管叫什么，只要在前面套上个北京，就是土的也变成洋的了。打个比方，一个长得矮瓜瓜的人，只要头顶上戴一顶官帽，那这个人你怎么看都很高大。他说，行啊爹，你愿意把这地方叫三桥就把它叫三桥吧。而且你还可以继续当村长，但现在这个村可能不太好管，如果你真想管管人过过瘾，你就管管我们的女人们吧。

## 二

王红旗其实并不是他儿子想的那样，真有当村长的瘾。他其实就那么点儿朴实得不能再朴实的想法，就是把善各庄改成三桥。他清早起来就往各家去串门儿，去把自己的想法告诉别人。秋天了，北京的风比我们播州的风要硬些，吹到王红旗身上，他感觉真有点儿“刮”的意思了。

在老家当村长的时候，他爱找张准准的爹说话。他叫红旗，张准准的爹叫冲锋，两人是光着屁股一起玩大的。去年张冲锋从自家二楼上摔下来，把腿摔断了一条，从此就瘸了。

张准准早上起来已经开着一天一百块租来的桑塔纳出门了，婆娘也送娃娃去学校了，张冲锋一个人在家里打点自己的早饭。在我们老家，早上起来第一件事就是做饭，那可不是随便吃点什么可以了事的，我们的早饭是当正餐做的，女人要一直忙上两个来小时，到九点或者十点的时候，早饭就熟了，炒的炖的煎的，男人们香香地吃，吃饱了才打着满足的嗝下地里去。到了这里以后，这种习惯自然就给弄丢了。一早起来，男人要赶着出门，读书的娃娃也要赶着出门，也只能是随便弄一点儿，潦草地安慰一下肚子了。

儿媳要送娃娃去学校，张冲锋起得晚的时候就得自己对付早餐。他在煮面，王红旗进门去时，他正把一团乱麻似的面条扔进锅里，王红旗一出声，他就多往锅里扔了些。他们两个之间从来都是这样的，如果一个碰上另一个正吃饭，那这一个不管是不是刚刚吃过，都是要坐下来陪另一个吃上一点儿的，哪怕把肚子撑破也改变不了这一点儿。

王红旗坐下来，看着张冲锋一瘸一瘸地在屋里晃。这房子窗小，屋里光线有些差，王红旗感觉张冲锋这么晃来晃去，就把屋子搅得有些温暖。

他说，你习惯么？

张冲锋说，不习惯。

他说，我想把这个地方的名儿改了，既然住的都是我们三桥人，就还叫它三桥。

张冲锋正往碗里挑面，挑在空中停住了。

王红旗说，你认为如何？

张冲锋没马上回答如何不如何，他装了两碗面，叫王红旗去端自己那碗。王红旗端起来吃了一口，说，差点儿味儿。张冲锋说，差煳辣子，带来的吃完了。王红旗说，自己烧啊，电磁炉上也能烧，我那儿媳有时候就那样做，她还往锅里炒过，炒煳了搓碎。张冲锋说，是哩，可我这儿媳懒，一天就打麻将哩。

王红旗说，飘飘叫我还当村长，管这些女人。

张冲锋笑起来，说，你怎么管？叫她们不要打麻将，说多管管娃多管管家？

王红旗也笑，说，是不好管的。

张冲锋说，你说想把这地方改叫三桥，是要改到哪个程度？

王红旗说，哪个程度？就是从此以后我们都把这地方当三桥，不把它当善各庄啊。

张冲锋说，是我们把它当三桥就行了，还是要别人也把它当三桥？

王红旗说，我们把它当三桥就行了，别人问我们住哪里，我们就说，我们住北京的三桥。

张冲锋说，那有啥子意思？

王红旗说，有意思的。

张冲锋说，那就依你。

王红旗说，我们得跟村里的人说去，向他们宣布。

张冲锋说，那就依你。

一件在别人看来十分可笑的事情，他们却真的把它当大事去做。他们挨家挨户去宣布，从此这个村庄不再叫善各庄，改叫三桥。一路走下来，他们满脑子都晃荡着别人惊讶的表情。王红旗说，光这么说说不行，得有个正式一点儿的东西。

于是，走完了最后一家以后，他们决定去打印店。这个村子里没有树，一棵也没有，这样的地方风就走得狂些，王红旗的外衣给掀起来，旗帜一样飘扬。张冲锋见了，按着自己的肚子说，把衣服扣上，像我这样，又说，这儿的天气比我们那边的硬。他们的身后站着些人，或者在那些错落的窗口还伸着几颗头，那些人的眼神跟着他们的背影，却又在他们的背上给撞散了，散得都无法收拢来。奇怪呀，这两人是不是脑子闲出问题来了？有人这么自言自语。

这庄子里有两家发廊和一家超市，还有一家打印店，但它们都不是三桥人开的。所以，当王红旗叫人家给他打印那张“村规民约”的时候，人家在“善各庄从此改名叫三桥”这句话上跟他打起了丝绞。是哪里决定要把善各庄改为叫三桥？王红旗说，是我们决定的。人家说，你们？你们是谁？王红旗说，我们就是我和他，我叫王红旗，他叫张冲锋。张冲锋补充说，王红旗是村长，几十年的老村长了。人家说，是哪儿的村长？张冲锋说，是三桥村的村长。人家说，三桥村的村长哪有权力制定善各庄的村规民约？王红旗说，现在这里全都是我们三桥人，全都是我的村民，你说这儿的村规民约不由我来制定那由谁来制定？人家说，哪能说全都是你们三桥人啊？我们就不是，我们店里五个人都不是。王红旗说，你们不是，这村规民约你们可以不遵守，我们这东西也不会来管你们。人家说，你要管你的村民可以，但你没权力把这个地名改了呀。王红旗说，这要什么权力呢，跟大伙儿商量着就办成的事儿。人家说，哪是你想的那么简单啊，你跟谁商量了？就跟你那些村民？你问过善各庄的人了吗？你请示过政府吗？

人家是一个小姑娘，顶了一头红发，舌头能搅着哩。王红旗给她搅得有些拿不住阵，张冲锋就赶忙接过了话，问姑娘说，这善各庄是你家的？人家尖叫起来，说我可没说这善各庄是我家的。张冲锋说，我是问你们家是不是祖辈就住在这里？人家说，不是，以前这里是一片地，这里变成村庄的时间还不长。张冲锋说，那就是说这里有一块地是你家的？人家说，这里也没有一块地是我家的。张冲锋如释重负地笑笑，说，那关你什么事？人家又尖叫起来，说怎么不关我的事啦，我不也在这里做生意吗？张冲锋说，你做你的生意，我们改我们的村名，井水不犯河水好不？这句话虽是商量的口吻，但语气里却带了很多不容商量的意思。

张冲锋的话还真把小姑娘给镇住了。

她咕噜了一句什么，才接着哗啦啦敲起键盘来。

那天下午，善各庄东西南北四个方位都贴上了新的村规民约。那是一张比门板稍小点儿的纸，上面写着：

**三桥村村规民约**

第一条：从二〇〇六年十月二十日起，善各庄改名为三桥。

第二条：今后，每一个村民都要记住，这里叫三桥，而不再叫善各庄。违者一次罚款五十。

第三条：凡三桥村的妇女不能聚众打麻将，违者一次罚款五十。

……

看前面两条还都笑，看到第三条，女人们有气了，说你以为这真是在三桥啊？

看女人们气，男人们更忍不住笑，说，你们不用急，这村规民约没用，看吧，上面明明写着“三桥村村规民约”，可这里是北京善各庄啊，他说要叫三桥就是能叫的吗？明明是我的儿子，你硬说那是你的儿子行吗？

## 三

王飘飘也笑他老爹，说爹你要是真觉得闲着无聊，你也可以去打麻将的呀。王红旗说你啥意思？我啥时候说过闲得无聊了？王飘飘说你要不是闲得无聊弄这些事儿？王红旗说，这些事儿不对？王飘飘说，对哩对哩，我爹是村长呢，谁敢说他做的事不对我跟他急。一贫嘴，王飘飘脸上就起坏笑，他说，爹你精啦，这么一弄，你肯定比我还能挣钱。

王红旗真想一巴掌扇过去，但这想法还只是一个想法的时候，门外突然撞来一辆摩托车，车没停稳，人就扑进门来了，口里喊着"老大呢老大呢"。王飘飘租的是三间房，里间供自己和婆娘晚上睡觉，外间稍大些，墙角给老爹安张床，另一大半屋子还可以承担客厅的功能。当时王飘飘就坐在爹的床上，一边抠着脚丫子一边跟爹说着话。撞进来的扁脸小子白着脸说，老大你怎么把机关了，急死我了！王飘飘还抠脚丫子，说什么事儿把你急成那样？小子说，你还抠脚丫子啊，快藏起来吧，他们来找你来了！王飘飘这才一激灵放弃了脚丫，说他们真来了？就想跟小子一起出门逃走。但来不及了，那些在夜幕里像孙悟空的金箍棒一样可以随意伸长的摩托车灯光已经伸到了他家门口。王飘飘一转身拉起小子就钻进了自己的卧房，越窗逃走了。

王飘飘前脚刚跨出窗户，后面就跟着进来了几个脸上横着长肉的男人，刚从摩托车上下来，满脸的灰尘。善各庄这地方除了趴着一堆凌乱不齐的平房，就是这一世界的尘土了。来人问正发着愣的王红旗，王飘飘呢？王红旗没吭，他看了看那几个人的脸，已经有些明白他们的来路了。他知道跟这样的人还是少张嘴的好。来人见他不配合，自己满处找，连床下也没放过。找完了，一辆小轿车也到了门口，车里出来一个脑门儿上带疤的。那疤红红的，在灯光下像趴那儿的一条老蜈蚣。王红旗看着它走了神儿，想象着那一刀的力度和深度，想得一股冰冷爬上自己脑门儿，他咧了一下嘴，好像自己的脑门儿上刚刚挨了一刀。

王红旗咧嘴的样子给红疤脑门儿看见了，他冲王红旗笑了笑，问，你是王飘飘的爹？王红旗说，是。红疤脑门儿说，他去哪儿了？王红旗说，他跑了，知道你们来就跑了。红疤脑门儿哈哈大笑起来，笑得脑门儿上那条老蜈蚣似的红疤直闪光。笑完了他问王红旗，他跑多久了，我们还追得上吗？王红旗说，怕是追不上了，他腿快，从小腿就快，村上跟他同龄的那帮娃儿，没谁跑得过他。红疤脑门儿又是一阵干笑。那实际上不是笑，顶多是几声干咳而已。咳完了他问王红旗说，你儿子真改邪归正了？王红旗没吭气。他白一眼王红旗，说，你该劝劝他，做那小包工头能挣几个钱？还是回去做他的老大的好。王红旗咳了一嗓子。红疤脑门儿就把嘴闭上了。红疤脑门儿闭着嘴的时候看起来更凶些,那凶是从那块疤里透出来的。王红旗感觉自己的腿弯子颤了两下。

红疤脑门儿也学着王红旗的样子干咳了一嗓子,然后假装突然想起似的问道,老人家,你孙子呢?

王红旗的嘴闭得很紧。

红疤脑门儿说,你儿子是清楚的,这地方,有时候孩子会丢,给人偷去换钱了。老人家没听说过吧?

红疤脑门儿上了车,带着他的摩托车队走了。车声射出去很远了,但屋门口那一团被车轮子搅起来的尘土还久久地扭结在门吐出去的那片灯光里,一直到王飘飘走进那片光,把它们撞破。

王飘飘看一眼他爹,说,没吓着你吧爹?

王红旗说,我倒没给吓着,可你好像给吓得不轻。

王飘飘听出味来了,讪讪地笑,说,那是好汉不吃眼前亏呢爹。

王红旗说,你可是发过誓跟那条路断瓜葛的。

王飘飘说,我是发过誓,我没忘。但爹你不清楚,断那条路可不是像切瓜那么干脆。

王红旗说,我是不清楚,可人家说你清楚,这里有时候会丢娃娃。

王飘飘说,他真这么说的?

王红旗说,这种话我编不出来。

王飘飘闭住了嘴。他想抽烟,朝爹面前递一支过去,王红旗看一眼,没接。王红旗对王飘飘这人白眼,同样对王飘飘的烟也白眼。他抽自己的草烟,抽出一团一团的辛辣烟雾来。

王飘飘打婆娘的手机。

在哪儿呢?

涛涛呢?

回来。

婆娘很快就带着儿子回来了,一大一小的两张脸上都还带着怕意,他们显然是知道家里刚刚发生的事情的。进门后,他们还没忘了悄悄看一眼在他们看起来可能藏着恐怖的角落。王飘飘把儿子拉进怀里,故意把一口烟雾吐到他脸上,呵呵乐。儿子给呛得咳嗽,他还乐。婆娘在一旁站了一会儿,去了厨房。

王飘飘冲着她的背说,不要怕,有我在呢,听我说,从明天开始,不要让涛涛去学校了,你带着他跟我一起去工地,又说,我就不相信我摆不平这事儿。婆娘站下,扭半边脸给他看,似乎有话要说的,但最终只发出一个很响的吸溜鼻涕的声音。

王飘飘感觉自己的脸皮显沉重了,想冲儿子笑,那脸皮却很难往上推。他看着屋中央一块地一个劲儿吞吐烟雾,把儿子忘了。儿子涛涛觉出了无趣,自己去开了电视看。电视里正在放云南版的《猫和老鼠》,画面里轰然一声,那只猫成了一块猫形焦炭,儿子咯咯乐起来。看儿子乐,王飘飘也把眼睛放电视屏幕上去,看一只猫被一只小老鼠耍得毫无尊严,他也觉得好笑,就笑了。

正吃晚饭的时候,张准准来了,见他们吃饭,也不找地方坐下,站屋中央问王飘飘刚才是不是真有人来找过他。王飘飘不说刚才是不是真有人来找过他,叫他坐下来吃饭。张准准说他吃过了,在工地吃过了才回来的。说,回来的半路上就听说有一大帮人来找你,是不是真的?王飘飘还是叫他坐下来吃饭。他找个凳子坐下了,却并不答应吃饭,还一个劲儿地盯着问那回事。王红旗说,你先坐下来吃饭吧。王飘飘叫婆娘去给张准准盛饭去,婆娘站起来要去,张准准把她拉住,不让她去,死活说自己刚吃过了,肚子实在装不下了。王飘飘一边儿斜眼看着婆娘,说,吃得下的吃得下的,你只管盛来哩。婆娘就坚决地去了厨房,很快就替张准准盛了一碗饭过来,张准准也就坐到桌子边儿,拿起了筷子。王飘飘问他,喝杯不?张准准说,有酒不?你想喝不?王飘飘看一眼他爹,笑从眼角化开,一直到全脸,他说,不喝,今晚喝了怕出事儿。张准准说,怕出啥事儿呢?我听说刚才那帮人来者不善呢,老大你要是需要出个力气,你别不吭气。王飘飘还是笑眯眯的轻松样子说,哥哪个时候向你们借过力气?你跟哥出来也有些日子了,以往哥过的是啥生活你清楚得很的,以往哥都没借过你们的力气,你觉得今天哥就一定得跟你们借力气了?张准准说,以往是以往,以往你这个老大下面养着一大帮子弟兄,那时候你不找我们借力气我们信,可现在不一样了。王飘飘终于丢掉了他那副做作出来的笑看炎凉世态的模样,跟张准准认真起来。他把一双筷子舞在空中,说哥现在有啥子不一样了?虽然哥现在改邪归正了,但哥的那帮弟兄却是人散心不散的,我还是他们的老大,有什么事,只要我吭一声,他们就全都拢来了,他们的力气随时都为我养着的……

王红旗"咣"的一声把筷子拍桌上了。全都去看他,他的碗里还有半碗饭。

王飘飘给张准准递个眼色,装一副没心没肺的样子往爹碗里夹菜,一边冲张准准说,看你把我爹气的,你哥都改邪归正了,你少来这里撒油粑面儿勾我下水。又叫儿子涛涛,去给爷爷重新拿一双筷子过来。涛涛应声要去,王红旗呛着嗓门说,不用了!我吃不下了!

他真走开了,到一边抽他的草烟,他是很生气了。

谁家的猫在屋外一个劲儿地叫。

## 四

第二天一大早,张准准来门口堵王飘飘。王飘飘刚出门就给他拉进他的桑塔纳,王飘飘说你干啥呀,长出息了有胆儿绑架哥了?张准准说,兄弟请你吃早餐。

一口气把他拉到出村半里远的一家包子馆,张准准点了两笼包子,两碗绿豆稀饭。

王飘飘说,说吧,谁欺负你了?

张准准说,老大想歪了,我是想帮你去出气呢。

王飘飘说,哥的事儿不用你插手,哥希望我们村只出我这一个报应,你们,一定要做我们村的骄傲。

张准准说,哪能呢。

王飘飘吞包子喝稀饭,吃得像张准准根本就没在面前一样。两三下吃完了,他叫老板来收钱。张准准赶紧掏钱,却不如他快。王飘飘说,你还得把我送回去。张准准说,今天我做你的司机。王飘飘很有意味地把张准准往深里看了一回,说,你小子肯定有事需要我帮忙是吧?张准准吞吞吐吐,嘴上依然说没那样的事儿。王飘飘说,说吧,老大站你面前哩。张准准又吞吞吐吐了一回,终于下决心把所有的难为情都吞到肚子里,说,是有个小事儿。

他跟王飘飘说的这个事对他来说其实很大,他已经干了五天的三千平方米的大理石外装工程,可生意却被人生生给撬掉了。他接这个工程是跟建筑公司签了协议的,可昨天那个专门管他们的苞谷嘴经理却对他说,剩下的工程他们不用管了,公司按违约赔他们的钱。张准准一定要弄清楚是怎么回事,苞谷嘴经理告诉他说,另外一个包工头以一个更有利于公司的价钱争取了这块活。张准准去见了那个撬他生意的包工头,那人竟然是个熟人,名叫陈倩倩,以前一起喝过酒还一起在同一个夜总会搂过同一个三陪小姐的腰。张准准拿不准这事儿该怎么办,正是因为对手是这么样一个熟人。

王飘飘说,他怎么跟你解释的?

张准准说,他说对不起兄弟,我也要养家糊口。

王飘飘想都没想就说,这人该揍!

张准准说,揍?

王飘飘说,走。

他钻进了桑塔纳。

张准准也钻进了桑塔纳,但他拿不准王飘飘是要往哪里走,怯怯地问他,老大,去哪儿?

王飘飘说,去你工地,哥替你出气去。

张准准说,那你的事儿呢?

王飘飘说,眼下先处理你这事儿,你的事儿就是哥的事儿。

张准准说,真打啊?

王飘飘说,有哥在,你还怕?

张准准说,哥亲自?

王飘飘说,哥已经不亲自动手打人好多年了。

他开始拨手机。张准准紧张地盯着他的嘴，好像那里随时都会蹦出一条大灰狼来。实际上王飘飘的声音听起来很柔软，而且还带着点沙哑，他对手机那边的人说，有人皮痒了，你叫上几个弟兄，马上赶到平房桥来。

张准准深吸一口气，驱车飞驰。

工地上超分贝的噪音与尘土裹成一团，人到这儿耳朵嗓门儿也都派不上用场，王飘飘和张准准下车以后，噪音低下去一小会儿，那是工人们暂时停止了手中的切割机。但当他们看到王飘飘他们身后又到了一辆面包车，而且面包车又吐出来几条汉子的时候，他们又开起了切割机。他们已经闻到了一点儿不对茬儿的气息，他们需要尖锐的噪音来麻木他们的神经，不到万不得已，他们不想招惹别人。

张准准带着王飘飘和他的弟兄们穿过一片噪音和尘雾，找到了他们要找的人。陈倩倩竟然坐在那儿看着一本《故事会》！王飘飘杵到他跟前，他感觉到空气突然有些稀薄了，才抬起了头。

你找谁呀？因为外面的噪音，他不得不把声音提得很高。

王飘飘没张嘴，这种地方他张嘴得很费力气，而且他身后有人替他动嘴。是昨天跑他家给他报信的那扁脸小子，个子很单薄，声音却很大，他问，你叫陈倩倩？

陈倩倩点点头，站了起来。他突然感觉到面前的这堵人墙让自己有些呼吸困难，他站起来是想透透气。王飘飘咧了一下嘴，围在他身边的弟兄们就哈哈大笑起来。妈的，一大老爷们起了女人名字，他们说。

陈倩倩在他们的笑声中挪一下头，看到了王飘飘身后的张准准，他站在从工人们手下飞起的一团大理石尘雾里，像站在一个梦中。于是，他重新把眼睛落到王飘飘脸上，说，我已经跟他道过歉了。

王飘飘不理会他，做一副很没心情的样子，转身去看那帮制造噪音和尘土的工人。这一看，噪音就停下了。远处也还有噪音传过来，但已经显得温柔得多。王飘飘这才转过头来问陈倩倩，你是说这事已经结了？

陈倩倩说，公司赔了他违约金的。

王飘飘还是问，你是说这事已经结了？

陈倩倩说，那你还要怎样？

王飘飘说，我要你把工程还我兄弟。

陈倩倩说，你是他谁？

王飘飘说，我是他大哥。

他又挪脸去看张准准，尘土久久悬浮在空中，张准准站在尘雾里，显得很虚幻。张准准就从这种虚幻中一步一步朝他走过来，站到了他的面前。

陈倩倩说，对不起，我也要养家糊口。

王飘飘说，你还还是不还？

他想了想，说，我接这个工程已经是折了劲儿了，赚不了几个钱的。

王飘飘说，还是不还？

他又想了想，说，不还。

王飘飘咧了一下嘴，把一个笑切断在刚开始的时候。然后，他向后退了一步。他的七八个弟兄被他这一步送到了前面，他转过身体，背对着弟兄们。

也就是一秒钟的工夫，他就听见背后响起了弟兄们的拳头声和陈倩倩的喊叫声。好些时间没听到过这种声音了，现在听来依然让他全身忍不住地兴奋。当他看到工人们拥向这边的时候，他微笑着侧过身给他们让道。他是那么迷恋拳头发出的声音，越多越刺激。二十几个工人全加入了，与他的七八个弟兄搅成一锅，突然间变得壮怀激烈的拳头声让一边儿的王飘飘兴奋得全身发抖。

陈倩倩右腿折断时的声音一定是很惊人的，因为据张准准说，那一声响起以后，那场斗殴事件就戛然而止了，就像那是一声命令，一声停战的命令。那时候，先前还抱成一团儿悬浮于空中的尘雾不见了，天空显得很干净。那时候，远处的切割机声也显得很遥远。

结果很令张准准称快，陈倩倩断了右腿。

张准准也没跟王飘飘商量，就往陈倩倩那张血脸上扔下了五千块钱，说，拿去接你的腿吧，以后做事可得长点儿德行。

陈倩倩慢慢撸开脸上的钞票，问一边儿的王飘飘，你是谁呀？

王飘飘说，王飘飘。

## 五

张准准跟他婆娘说这事儿时特别叮嘱过，要她不要把这事儿告诉别人，尤其不能让王飘飘的爹王红旗知道。但王红旗第三次要罚她款的时候，她就没把住自己的嘴，把这事儿抖给王红旗了。

王红旗说不准村里的女人打麻将那是来真格的，自贴了村规民约以后，他就每天在村子里转，看哪儿聚了一桌他就把她们撵散。女人们先看他儿子王飘飘的面子，他撵就散了算了，一天不打麻将也死不了人。第二回，人家还看他儿子王飘飘的面子，想两天不打麻将照常死不了人的。第三回，照样看在王飘飘的分儿上，不跟他计较。可往后王红旗还跟她们认真，她们就觉得这有些过分了。娃儿送学校了，家务就那么点儿，不打麻将做什么呢我们？那么多的时间，我们也就是为了打发时间，又不是赌博。她们这么想，以后王红旗再来撵就不走开了，看在王飘飘的分儿上也不走开。王红旗要罚款，一人一次五十。她们赖脸，说我们这桌上的钱全收起来也没五十呢。王红旗不干，全收起来没五十也不行，记账，这回拿不清下回拿。记账就记账，我不信你王红旗还真能变成黄世仁？张准准的婆娘就是这么想的。有的为了继续打麻将，当场就交了罚款，但她不交，第一回，她叫王红旗记账，第二回，她还叫王红旗记账，第三回，她还是那句话，给我记账吧大伯。王红旗不干了，他说事不过三。婆娘家容易着急，王红旗不让路了，她就想找个能砸王红旗的脚的，两片嘴唇一张，就把王飘飘替张准准出气的事儿抖出来了。

我们打个麻将你都要罚款，那你家飘飘出去打架你罚款不？我们打一回麻将罚五十，你飘飘把人家腿打断了罚多少？

这还真是块有分量的“石头”，王红旗要不是上了点年纪，真有可能让她给砸得跳起脚来。

这一下砸出去，张准准的婆娘就后悔了，想起了王飘飘是为了帮自家男人，也想起了自家男人在耳边的叮嘱。但后悔已经没用，吐出去的唾沫收不回来。她掏了一百五十块钱放王红旗怀里，撤了。乡下婆娘没见过太多的钱，一百五十块在她们这里算多的了，更何况那是交罚款。张准准的婆娘在把钱放到王红旗怀里时咕哝了一句，说拿去吧，就当是我们还你家飘飘的情哩。如果说刚才那一下砸到了王红旗的脚背上，这一下就是砸到脚指头上了。十指连心，刚刚给“砸”得发愣的王红旗这一下真的感觉到疼痛钻心，差一点儿没晕过去。

他气冲冲找到了张冲锋。

他把张准准婆娘揣他怀里的一百五十块钱甩到张冲锋面前，说，这是你儿媳还给我家老大的情。张冲锋看着那钱，咂着嘴琢磨出了什么事儿。王红旗说，飘飘又去打架了，还把人家腿打断了。张冲锋就琢磨出一点儿眉目来了，说，是替准准打的？王红旗说，我想是吧。张冲锋说，准准那婆娘太不懂事，飘飘哪时候替村里人打架要过人还情的？王红旗说，就是啊，这不是打我的脸吗？他虽然坚决反对飘飘那一套活法，但飘飘骨子里那种仗义他还是蛮欣赏的。问题就出在这里，张准准婆娘最后咕哝出的那句话不光砸痛了他而且还激怒了他。他冲着张冲锋发火，这不是打我的脸吗?！张冲锋咬着牙说，你在这儿等着，我去把那狗东西找来，当着你的面儿我抽她的脸，我让她长点儿德行！张冲锋一瘸一瘸要走，王红旗把他拉住了。王红旗说，我是那种人吗？我能让你为了替我出口气去打儿媳落个笑话？连飘飘都知道为人讲个仗义，我就不知道？

张冲锋一条腿儿长一条腿儿短地站下来，说，我依你。

王红旗的情绪在这里得到了缓冲，嘴上的劲儿也就减了许多。

王红旗说，我也就是要你多加教育，让她以后不要再去丢你的脸了，说实话，那也是丢你们张家的脸呢。

张冲锋说，是。

王红旗说，你坐下吧，站着累，坐下来我们摆摆我家那报应儿子，你说他怎么就狗改不了吃屎呢？

张冲锋坐下来，慢条斯理地卷草烟。第一支是给王红旗卷的，第二支才是自己的。

那天他们聊了好半天儿子，一直聊到张准准的婆娘回来煮晚饭，在张冲锋的追问下，儿媳只得把自己从张准准那里听来的全捅给了他们。她的话里明显表现出对王飘飘的不满，她认为教训教训那人可以，但不应该把人腿给打断了，让她的男人白白赔给人家五千块医药费。儿媳蠢到这一步让张冲锋一阵一阵地脸红，他真想抽她的嘴巴，但又碍于他是公公，老公公不能打儿媳妇，是中国人都应该知道这一点。

王红旗是打定主意晚上要跟儿子飘飘理论一番的，但接下来的那件事情比前一件事情大多了，大得他的脑子都装不下，把别的事情都挤出了他的脑子。

儿子王飘飘的左手少了三根手指。

儿子王飘飘少了三根手指还满不在乎。看屋里的另外三口都盯着他裹了纱布的手看，他还笑着说，看啥呢看？不就是少了三根手指吗？他说，就这三根手指还都是我自己切下来的，我当着那帮家伙的面儿，切给他们看，我切一个，他们眼睛都不眨一下，我又切了一个，他们还是眼睛都不眨一下，我再切下一个，那家伙说，王飘飘你有种，你回去做你的正经人去吧。爹你说我是不是有种？那家伙要是再不吭声，我会继续切下去，后面还有两个哩。如果我切完了他还不吭声，我打算把切下来的那些手指当萝卜条吃给他们看……

王飘飘正说得得意，王红旗一巴掌就扇到了他脸上。

王飘飘红着半边脸，继续得意，他那样子好像他爹刚刚根本就没有扇过他的耳光，他的脸也并没有火辣辣地痛。他说，你们是不知道那家伙现在的野心，居然打起了偷国家文物的主意，他一次一次地找我就是为了拉我入伙，我要是不答应，他们就要拿我儿子或老爹说话，我跟他们说，老爹和儿子我不能让他们碰，伙我也不能入，但我可以把我的左手留给他们……

王飘飘的婆娘率先哭了起来，呜呜咽咽的，儿子涛涛虽然到底也没弄明白爸爸正说的那事儿有多么严重，但看妈哭了，也跟着哭起来。

王飘飘不高兴了，哭啥呢哭？都不许哭！

娘儿俩就都噤了声。

王飘飘过去把儿子拉进怀里，一只手搂着，话却是冲着爹去的。他说，爹，我知道这手指头不是我一个人的私人财产，它们也有你和妈的一份儿，我这样擅自地当萝卜切是对你们的大不敬，但我这样做是为了彻底跟那种活法断绝关系，我切我的手指头一方面是向他们表示我的决心，也是在向我自己表示我的决心，爹你不是想我改邪归正吗？我这样做就是为了彻底地改邪归正啊爹。不就是少了三根手指头吗？可从此以后王飘飘就不是人渣了，这可是一件很划算的事情啊爹……

那晚王红旗没等王飘飘把话说尽兴就出门找张冲锋去了，两老哥儿们到超市去买了一瓶红星二锅头，在村西头的一块废弃的石桌子边坐下，喝起来。造这张石桌的人可能是个爱好下棋的，但后来这人不住这里了，而且房子很破了也没来修修，所以后来也没人来租这房，这一下，这里倒成了老哥儿俩说话的清静之所了。

风有些冷，王红旗一边喝酒一边不断地流鼻涕眼泪，抹了几回都抹不干净，他索性不抹了，反正夜黑着，反正对面坐的是他的贴心哥们儿。

他说，我现在特想回家，回我们的三桥去。这话里透着孩子气，但张冲锋知道他这时候比任何时候都要认真。他们旁边的墙上就是一张他们贴上去的“村规民约”，王红旗说话时就看着那一块模糊的白色，说，我原来想这里虽然是北京，但住的都是我们村的人，也就是一整家人挪了个窝罢。所以我想把这里还当是家，是我们的三桥村。可现在看来这些都是我们在妄想，再怎么妄想，它也是北京的善各庄，它不是三桥，不是我们的三桥。我真的，真的好想回去。王红旗吸鼻子的声音变得越来越重，最后，他干脆呜呜咽咽哭了起来。张冲锋觉得，这时候坐面前的不是王红旗，而是一个孩子，这个孩子告诉他，他想家，想家里的亲爹亲妈。

## 六

王飘飘丢了三根手指，跟他们住的这个地方叫善各庄而不叫三桥没有直接的逻辑联系，但王红旗要将这个村庄改名为三桥的念头却因为发生了这件事情而变得迫不及待而且不容置喙了。他不光要村里人从心里把这个地方当成三桥，他还要让地球和地图也承认这里叫三桥。

他和张冲锋一起到村头的牌坊下站了好几天，他提出要把那牌坊上的村名改掉，改成“三桥村”。改个字不难，但张冲锋觉得这件事情肯定得得到什么人的同意。王红旗也明白这一点，但他当了几十年村长还从来没弄过改地名这事儿，所以不知道这事儿具体归哪个部门管。王红旗说可能是镇里，也有可能是区里。张冲锋说，也有可能是当地派出所，人要改名不得经过派出所吗？

最后他们决定先去找镇里。

王飘飘深夜才回来，发现他爹还没睡。王红旗说我等你呢。王飘飘说，爹担心儿子做啥，你儿子又不是在外面吃苦，晚上回来得晚，是因为儿子在外面享乐呢。王红旗现在已经习惯儿子这种不正经的样子了，他心平气和地问，老大啊，这善各庄归哪里管？王飘飘说，归中华人民共和国管。王红旗说，正经点儿。王飘飘说，归北京管。王红旗脸色开始变乌，王飘飘才真正正经下来说，归北里屯镇管，怎么了？王红旗说，改这个村名我想肯定得找镇里，得镇里同意。王飘飘哧的一声笑起来，而且一“哧”起来就没完没了，像个高压锅一样“哧”了老半天才停下。他说爹啊，你闹着耍耍就行了，还想动真的呀？王红旗说，我一开始就没想是闹着耍。王飘飘喝得有点儿多，说话直喷酒气，王红旗不想跟他多搅和，问他北里屯镇政府怎

么走。王飘飘却不告诉他怎么走，只叫他不要去做那种落人笑话的事情。王飘飘还说爹你要是闲得无聊你天天到村外逛，逛着逛着的说不定你能给我招引一个后妈回来哩，有了后妈，你肯定就不管这个村叫个啥名儿了，咯咯咯！喝多了酒的王飘飘笑起来像极了刚下完蛋的母鸡，声音像，脸也像。

王红旗去找张冲锋，说老大叫我没事出村去逛逛，说不定哪天就给他逛回个后妈来。张冲锋笑，你打算今天就去逛？王红旗说，我想去镇里。张冲锋说，行，我跟你一起去。

两人出了村，先随便在大路上抓一个过路的问，北里屯镇在哪里？答，不知道。王红旗说，得找个像北京人的问。又拦了一个，王红旗感觉他像北京人，但那人一张嘴是四川话，啥子镇？不晓得。张冲锋说，得找个在房子里的人问，房子里的人至少有可能是在这里住了些日子的。真找了个坐在房子里的问，可人家正好又是没住这儿多久的，不知道北里屯镇政府怎么走。

王红旗皱眉，张冲锋说，就当是来给儿子逛后妈吧。

王红旗咧嘴笑，说，那我们就专找母的问？

对面正好碎步跑来一只细腰黑狗，张冲锋说，你去吧，看那腰身肯定是只母的。王红旗说，那是你表妹呢，还是你去。正说话，狗跑近了，原来是只公狗，两人不禁哈哈爆笑，突来一股风，刮一把沙进他们的嘴，两人忙止了笑，吐嘴里的沙。

他们找到镇政府大楼的时候，正好是中午下班时间。他们在附近一家成都小吃店儿坐了，一人要了一个盖饭，还要了一瓶小二锅头分着喝。

王红旗说，不能多喝，多喝了舌头不麻利，过会儿到镇里影响说话。

张冲锋说，你说镇里会同意我们改吗？

王红旗说，不管他们同不同意，我们一定要争取。

张冲锋说，如果人家硬是不同意呢？

王红旗认真去想，如果人家硬是不同意又该怎么办，结果没想出该怎么办，倒把脑袋想大了。于是他情绪突然就低了下去，喝酒也不跟张冲锋招呼，自己端着闷喝。

张冲锋说，你不要还没办事先自己认输嘛，他们要是不同意，我们自己立个牌坊，就在那个牌坊的边儿再立一个，上面就写“三桥村”，你说行不？王红旗眼睛有了光，说，真的哩，端杯跟张冲锋碰一下，又说，我们这是捡了个娘，自己心里想把她当亲娘不行，还得要别人也把她当是我们的亲娘，我们心里才踏实啊。张冲锋想说，捡来的娘，你自己把她当亲娘别人也把她当是你的亲娘，就真是你的亲娘了吗？但他没说，他们哥儿们几十年了，他从来没扫过王红旗的兴。这话被王飘飘给说了出来，那是在二十多天以后。

北里屯镇政府的干部们听说了他们的想法，觉得不能纯粹地把这件事情当笑话看，就给他们一个答复，说等他们讨论一下再说。他们主动留下了姓名电话，要干部们讨论出了结果就告诉他们，人家也点了头。但他们回来等了半个月还没接到电话，两人就又去了一趟镇政府。人家很客气，还给他们泡了杯好茶，那茶叶在开水里一个一个地站着，站得亭亭玉立，两人看它们的时间比喝茶水的时间还多。人家说，最近镇里的大事多，所以他们的事情就给拖下了。人家深表歉意，并表示这事儿一定会认真对待的。话说到这儿，他们都知道该走了，但人家的房子里特别暖和，外面的风又那么硬，即使这时候有人说拿轿车送他们回家他们也不想走，因为他们那家，墙太薄，顶不住这刀子样的北风，屋里烧着火炉也还是不抵冷。

想归想，人家并不体谅他们的心思，说那你们就先回去吧，等讨论出了结果我们通知你们。

就走吧。一辆自行车，王红旗驾龙头，张冲锋坐行李架上，两个比平日臃肿了一倍还多的大男人把自行车压得嘎叽嘎叽直叫唤。风从背后刮来的时候，王红旗可以省很多力，最怕的是风从迎面刮来，呼地一下，你就以为鼻子没了耳朵也没了，清鼻涕被风扯出来，往后拉成一根长长的绳，你就感觉有人在后面拉住了那根绳，你驾不动脚下那俩轮子了。

回到家，两人的鼻子都红得赶灯泡，赶紧弄一盆热水烫手烫脚，末了就抱着火炉子打抖。这种情况下两人就越发地怀念刚刚待过的那间有暖气的房子，无比地向往了，说要是这屋子也像那屋子那么暖和，那才叫幸福啊。说皇城的人就是会享受日子，过冬都过得那么高级。说那暖气是从哪儿来的呢，你看见没有，是不是像空调那样得有个机器造热气呢？说没看见有机器哩，还真不知道那暖气是从哪儿来的，怕是拿煤烧出来的？说着别人的暖气，就越觉得自家的这个屋子好冷，火炉子烧得贼旺也烧不暖屋子里的空气。那空气不是空气，干脆就是冰，无形的冰，看不见的冰，无处不在，往你肉里渗，往你骨头里渗。于是老哥俩决定，等他们的儿子回来就提出安暖气。不是叫我们来享福吗？这样挨着冻也叫享福？

王红旗提出要往家里装暖气的时候，王飘飘觉得从他爹嘴里蹦出“暖气”这词儿是有些新鲜了，就问他在哪里看到过暖气了。王红旗说没看到过，但暖过了，那才真叫暖。说，烤火吧，也是烤着的半边暖着，可没烤着的半边是冷的啊，我说的这种情况还是在我们那边呢，在这里，你就把身子放火炉里当煤炭烧着了也不见得暖和呢，嗨，那东西，暖得，暖得……王红旗一时找不到形容词，着急。王飘飘打断他问，爹去哪儿见识了暖气了？王红旗说，镇里，北里屯镇政府。王飘飘说，又去叫他们同意你改村名了？王红旗说，嗯啦。王飘飘说，他们同意了？王红旗说，还没研究，要等。王飘飘说，他们不会同意的，没说你无理取闹就已经不错了。王飘飘这回很认真，脸上不带一点儿开玩笑的意思。他说，爹你得答应我以后不再去办那事儿了，让人笑话。王红旗说，谁笑话了？王飘飘说，谁笑话了？连我都笑话！你说那人本来不是你亲娘你一定要把她当是你亲娘，她就真是你亲娘了？即使你也把她当亲娘别人也把她当是你亲娘，她就真是你亲娘了？她跟你就有血缘关系了？

王红旗给王飘飘噎住了。

王飘飘再没理会他爹，他风一样卷出门，开着他的北京现代进了城，两个小时以后他带回来一辆小货车，货车上装着两台挂式空调和一个安装工。一台装他的卧房，一台装爹的床头上。那晚睡觉的时候，他就让他爹和他的婆娘儿子都感受到了他们渴望的温暖。

## 七

陈倩倩想要拜会王飘飘，请张准准帮拉个线儿。张准准说，怎么了？是咽不下那口气，想找老大的麻烦是不是？这话是在电话里说的，电话又是在工地上打的，张准准的嗓门儿放得很大，话听起来也狠了点。陈倩倩那边回话说，你老兄比我还渣，小人之心度君子之腹啊，我是想在这个地盘儿上混得长久一点儿，想请你们的老大以后也罩着我一点儿哩，这你都看不出来？张准准说，你还没猪蠢。哈哈哈，说吧，你是想安排在哪个地方，金百万？那边说，要不我怎么找老兄你帮忙呢，你看哪个地方合适，坚决不要为我省子儿，不能寒碜，一定要配得上你们老大的身价。张准准说，行啦行啦，就金百万吧。那边说，时间呢？张准准说，时间的问题你得等我问过老大了再告你。

张准准挂了陈倩倩这边就打到了王飘飘那边，王飘飘说，今晚没时间，叫他改天吧。

张准准把这话转告陈倩倩后，陈倩倩说，那我晚上过家里来看看老兄你吧，这冬天来了，兄弟住的地方没暖气，昨天买空调的时候多买了一个，屋子里装不下了，人家又不让退货，搁那儿也是浪费，这不，我知道你们那房子里也没暖气，不如装到老兄房子里去算了。张准准嘎嘎大笑起来，说啊呀呀，前两天我老爹还跟我咕叨过买空调哩，我爹和我们老大的爹是铁杆兄弟，看我们老大买空调挂屋里了，就叫我也买，可这阵儿我手头正紧哩，钱都套在工地上了，我老爹就只好天天跑我们老大家去吹暖气，只差晚上都睡那边了，哎哟喂，老弟这真是叫啥来着？张准准挤皱了额头皮认真想。那边陈倩倩说，老兄是说我真是雪中送炭吧？张准准说，对了对了，就那词儿，放你这儿太恰当了。陈倩倩嘿嘿笑，说那我下午就给你送家去，晚饭就在老兄家吃了。张准准说，行行行，你看什么时候我在家等？陈倩倩说，五点吧。

那天张准准的工地上事儿缠了点儿，结果是陈倩倩在村头等他。陈倩倩坐的是空调派送货车，司机就是安装工。张准准把他们带回家，家门锁着。张准准没想到是这样，平时他回来婆娘没在爹也在，他尤其不喜欢自己带着人来的时候家里却是这般冷清模样。他在兜里掏钥匙，大概是因为太心急，总是掏不着，把身上所有的兜都掏遍了，也没掏着，急得都要冒火了，才发现钥匙挂在裤腰上。我们播州的人都习惯把钥匙挂裤腰上，出来后好多人都把这习惯改了，可张准准改得还不够彻底，有时候还会犯那土气。

开了门，张准准请陈倩倩和安装工到火炉边坐，并热情地为他们张罗茶水。可火炉是冰的，堵在炉子里的一洞煤是死的，没一点儿热气，暖瓶里也没有热水。张准准脸上有些挂不住了，对陈倩倩说，不好意思兄弟，我那婆娘是个欠揍的货。陈倩倩说，老兄不用客气，你先告诉我们空调往哪里安，叫这位兄弟先装着，你再忙别的去。张准准四面看看，最后决定装在老爹的床头上。

然后，他抛下陈倩倩找婆娘去了。

婆娘在打麻将，屋子关得很紧，桌子底下放一蜂窝煤炉，除了四个打的，边上还坐着三个看的，她们全都把半个身子往前倾着，架在桌边儿上，把桌下那一团温暖牢牢地囚住。煤烟在屋子里蜷着一团，大口大口地吞食着空气。

张准准打开门的时候，冷空气趁机也闯了进来，惹得屋子里一片抱怨声。张准准没理会，径直上前抓住了婆娘的头发。屋里煤烟太浓，他也没心情张嘴。他就像个歹徒一样抓着婆娘的头发，把她拖出了那间呛人的屋子，又沿着弯来拐去的巷子把她拖回了家。婆娘一直在喊叫，喊“张准准打死人了”，喊“救命啦，张准准打死人了”，但张准准就当没听见。别的人呢？大概是因为天气太冷，想看一看也只是把窗户打开一个小口，让眼睛贴那小口上去了一下心意而已。张准准爱打婆娘，这谁都知道。每一次挨打他婆娘都会这么喊，而每一次都没见给打死，这也谁都知道。看看，也只是想看看这回子张准准是怎么个打法。男人打婆娘，谁也不会去多管闲事。

张准准就这样把老婆拖回了家，他并没有让她吃拳头，是因为他还需要她赶紧把火炉点上，还需要她烧一壶开水来给客人泡茶。

他婆娘跟了他这些年，脾气没给打收敛了，倒是越发给打得见长，明明看见有俩外人在家，明明看见别人是在装空调，还明明知道张准准今天是因为碍着这两人的面子而忍着拳头，但她还是要扭，扭着不听张准准的话，扭着不给张准准好脸色看，也不给别人好脸色看。张准准说，赶紧把火弄好，烧开水泡茶。她不，她说她的头皮都给张准准揭下来了，她干不了活儿。张准准咬着牙说，你再扭我就把你身上的皮也揭了，她说你揭呀你有种就来揭。张准准把牙咬了又咬，腮帮上的咬肌鼓起来，她还说你今天要不来揭我身上的皮你就不是人。张准准不咬牙了，动拳头，给陈倩倩拉住了。

换别的时候没人能拉住张准准，今天不一样，毕竟拉他的人是陈倩倩，毕竟陈倩倩是来送空调的。陈倩倩说，别跟婆姨一般见识，我们赶着把空调装好，出去吃饭去，我请客。

张准准来劲儿，哪能呢哪能呢，兄弟帮我这么大忙，哪还能让兄弟花钱请吃饭呢？不过现在看来我们是不指望在家里吃饭了，就按你说的办，我们出去吃，但说好了哥头回请吃啊。

陈倩倩说，请老兄吃个饭算什么呢？以后陈倩倩就是你的亲兄弟，有什么用得着的地方尽管吱声就是。陈倩倩说这话的时候眼水里泡着十二分的诚恳，于是，往下张准准说话时就拍了拍陈倩倩的肩。兄弟这么说话哥听着心头舒服，出门在外，靠的就是兄弟，这饭你就不要跟我争了，哥请吃顿饭还来得起。他还说，我再争取一下，最好让老大也赶过来吃饭。听说要请王飘飘，陈倩倩就变得诚惶诚恐，说老大要来那就更得是我请了。张准准板了脸，很不高兴地说，兄弟再跟我争，我就不理你了，你把你的空调拆走，你今后还叫你的陈倩倩，我还叫我的张准准。陈倩倩不争了，好像他很怕自己以后还叫陈倩倩。

婆娘被晾在一边，她却拧着劲儿不走开，打定主意要杵在那儿让自家那狠心的男人看着心头发烦，就是不能让他开心。张准准不能视而不见，走过去走过来的，那脸就乌上一阵，又乌上一阵，看得她心里直乐呵。脸乌过了几回，张准准冲她说，你给我滚远点去杵着！她不滚，她说你有本事你再抓住我的头发把我拖远点儿。这婆娘是真缠得让人倒胃口了，连陈倩倩一边看了都生了想揍她的念头，他老远不客气地把话扔过来，行啦嫂子，你少说两句，这马上就完了，你收拾一下，我们马上出去吃饭去。张准准说，她去吃啥饭，她登不了那堂！婆娘看着张准准挑一下右嘴角，拍屁股出门了。这个时候该去村头接孩子了，天塌下来她也不会把这事给忘了。

见到了张准准的儿子，陈倩倩就一定要让张准准带上老婆孩子，还有他老爹。不答应，他就不去吃这顿饭。张准准就答应了。空调已经装好，试过了，那铁柜子一张嘴，就吐热风，他心里暖洋洋的，是花儿都可以暖得开了的那种暖，这样的心境是可以原谅很多事情的。

张准准决定先把陈倩倩和婆娘儿子送到"金百万"，再回来接他爹和王飘飘一家子。

路上，儿子透过前挡看见了一只大肚子乌鸦，喊起来，妈妈，你看，黑鸟！妈妈心情不好，不理他的茬，他就一直喊，看啦看啦。车都过去了，他还掉转身子朝着车后窗喊"看啦看啦"。张准准从后视镜里看到婆娘还死板着个脸，好心情就凉了下来，说你丧着个脸，是死了爹了还是死了妈了？婆娘也嘴快，说我死了男人哩。嘴还没闭上呢，车嘎的一声就刹住了，张准准不知从哪儿捞了块瓷砖反手就劈来了。幸好陈倩倩反应快，半路拖住了他的手，那瓷砖才没劈到婆娘的头上。劈到副驾驶座的椅背上了，就在陈倩倩的左肩旁边，布裂开猪嘴长的一条口子，惨白惨白的。婆娘是给这一下吓着了，脸皮成了茄子色儿，眼泪哗啦啦淌，她说张准准我们不过了，我们各走各的吧你反正女人多的是。张准准都准备开车了，听她这么说又不开了，扭了身子要揍她。陈倩倩就生气了，是真生气，他一把抓住张准准伸出去的那只手，说老兄你是男人还是娘们儿啦？你要是娘们儿你今天就在这儿打老婆，得，我走，吃饭的事儿我们以后再说。

张准准当然不承认自己是娘们儿，就把手缩回去了。车又往前走了，他狠狠地看着前挡玻璃，嘴上说你跟老子记着，等着老子来收拾你。又说，你还怕老子舍不得扔你？老子扔你就当扔只破鞋。陈倩倩叫他住嘴，他住了。婆娘却闭不住嘴，她这会儿是真伤心，她看着眼前椅背上的那条口子，想象着那口子要是生在自己头上的情景，她想得心尖尖儿直打战。婆娘还受不了自家男人把自己当成一只破鞋来说，她一边抹着眼泪和鼻涕一边叽里哇啦数落张准准的坏，弄得陈倩倩也想一拳头堵了她的嘴。他说行啦嫂子你闭嘴吧，两口子的事情，大家都让让就行了。看外人生了烦，婆娘收敛了些，但似乎还是无法完全平息自己的伤心，一个人在后面一声一声地抽咽。

金百万，那是落在大路边的一座富丽堂皇的酒楼，进这地方吃饭的，都得把自己不当一般人。

那顿饭王飘飘没来参加，尽管张准准说他爹他婆娘儿子都在他也没来。没王飘飘在，饭桌上的气氛就很家常，虽然桌上也有酒，但喝酒的人却明显显得情绪不是很高。陈倩倩倒是总想把气氛掀起来，敬两位长辈的酒蛮勤快的，但无奈一桌子都是家常人，酒喝完了也还是一样。

不过，这一顿饭对陈倩倩来说，有意外收获，那就是王红旗向他提出要去他工地干活。这话，是饭后王红旗把他拉到一边儿悄悄说的。王红旗所以要这样，是因为王飘飘不答应他去他的工地，也不答应他去张准准的工地。王飘飘不让他折腾村子改名的事，女人们又恨他管她们打麻将，他是真想找份活儿干。尤其是工地上那份儿钱让他眼馋，陈倩倩说，最低的也能拿一百五十块一天哩。王红旗不知道他儿子一个月前才打断的那条腿是陈倩倩的，只看到陈倩倩看他的眼神跟看自己亲爹的眼神儿一样，所以还在饭桌上就打定主意了。

陈倩倩高兴得真像白捡了个亲爹一样，说您老人家要是能屈尊到我那儿帮忙去，那是我陈倩倩的造化呀。这样吧，我给你两百块一天，你就在工地上给我看着点儿工人，什么也不用干，你就坐那儿抽烟，眼睛眯着那帮家伙就行。这看人的事儿，王红旗并不生分，他都当了几十年村长了。他说行，我保准给你看好喽。两个人手一握，事情就秘密地定下了。要保密，是王红旗说的，王红旗说千万不能让他儿子王飘飘知道。陈倩倩扮调皮相说，我把嘴贴上封条。王红旗笑起来，呵呵哈哈，拍打两下眼前这年轻人，别一样的亲热了。

## 八

就那晚，王飘飘答应陈倩倩去“野百合夜总会”。“金百万”那顿饭最后还是陈倩倩掏的钱，饭后张准准是真的觉得陈倩倩这人不错了，就跟王飘飘打电话说，人家陈倩倩是真心投靠你呢，眼下他给我装了空调，还请了我们两家子人吃了一顿“金百万”，指不定人家给你准备的是多少呢。王飘飘说，你交兄弟是交人家肚子里的屎啊？但王飘飘还是来了，不过很晚才到，还不是一个人来，另外还有两个，先介绍说这位是哪儿的什么经理，那位又是哪儿的什么主任，后又说，都是他的兄弟。

陈倩倩在蓝幽幽的灯光下冲着两张陌生面孔不住地点头，又赶忙敬烟，烟是软中华，一包一包地敬。拿上拿上，抽着方便，他说。人家接过来又把烟放茶几上，人家是城里人，懂得什么叫得体。陈倩倩在蓝幽幽的灯光下讪讪地笑，赶紧又一支一支地递上，人家接了，也抽上了，他才松了一口气。

张准准叫来了几位细腰身的小姐，说老大你点吧。王飘飘看着他呵呵笑，笑完了跟他带来的两位兄弟说，我们都农民，朴实。那两位也跟着呵呵笑，说老兄说什么话呢，朴实好，我们就喜欢朴实的人。敢情原来那种矜持是装出来的，前后两分钟不到，他们就不想装了，就变得比别人还要朴实了。说来来来，都来坐下，跟我们倒酒。小姐们就欢天喜地了，小鸟一样扑进人堆里，在有限的光线下浑水摸鱼，把一堆男人摸得胸膛一挺一挺的。她们就嘻嘻笑，做出的是一副不小心碰着了人家的样子。她们可是好样儿的，谁也不因为自己坐的是一个农民的双腿而减了情绪，谁也不会因为自己搂的是一条城里人的脖子而情绪更高一点儿，她们像一群没心没肺的鸟儿，落哪棵树上都一样的欢实。

那晚他们玩得很晚，从“野百合”出来的时候全都喝得醉醺醺的，看人时眼睛一律都直着。

到走的时候王飘飘都没给陈倩倩个话，陈倩倩就把他拉住了。陈倩倩有点儿站不稳，拉着他的时候，手上的劲儿紧一下松一下的。

陈倩倩说，王飘飘，你是我们农民工的骄傲，我崇拜你！

王飘飘像一只要打瞌睡的猫一样慢慢扑闪着眼睛看着他，脸上皮笑肉不笑。

陈倩倩说，王飘飘，我是真心想投靠你，我知道你混得像条汉子，你从家里来的兄弟们都给你罩着，混得就比别人舒坦，我陈倩倩混得很狗屁，所以我想请你也罩罩我。

他说，王飘飘，你把我的腿打断的那一刻我就打定主意要投靠你了。

他趔趄了一下，王飘飘把他稳住了。路边的灯昏黄，看什么都不清楚，可王飘飘看见了陈倩倩眼睛里的泪光。他把自己的左手举起来，举到陈倩倩的眼前，问他，看清楚了？陈倩倩把发直的眼睛贴到他手上去看，然后说，他看清楚了，少了三根手指。王飘飘说，看清楚了就行，我不想跟你多说了，你想知道的你打听去。陈倩倩还拉着他，他说，把手放开吧，太晚了，我们都得回家去了。又说，以后不要这么破费了，记住你的钱是要养家糊口的，要花在刀刃上。陈倩倩还不放开他，他的脚下不稳，放开手他就有可能倒地上去。王飘飘叫张准准过来扶了他，说你把他送回去。

第二天清早，王飘飘刚出门，王红旗就骑着他的自行车出门了。昨晚在“金百万”分手时陈倩倩悄悄给了他一张名片，上面写着他的电话。他想，一出门找个公用电话一打，就知道该往哪儿去找陈倩倩了。

他没想到陈倩倩会到村口来接他。

陈倩倩说，这路远着哩，我怕伯找不着。陈倩倩开的是一辆红色的长安车，外面看上去还不错，可里面很破，座椅都是松的，一走起来就直摇晃，让人坐得老不踏实。

王红旗说，你可不要这样，多耽误活儿呀！

陈倩倩说，四个轮比两个轮快，再说伯是第一天来上班，我本该是到家里去迎接呢。

王红旗嘿嘿笑，说你这年轻人，嘴比我们家老大还贫。

陈倩倩说，我可不敢跟老大比，他是龙，我充其量是条蛇。

陈倩倩的车里一大股酒味，王红旗说你车里是不是有酒瓶倒了？陈倩倩说，不是酒瓶，是我的酒肚子，那味儿是从我嘴里出来的。王红旗呵呵笑。

陈倩倩给王红旗准备了一个电暖炉，位置安排在能一眼看得见工场上的工人，却又能避风的地方。那实际就是一个墙角，两面墙，没墙的两边陈倩倩挂了两块棉被。陈倩倩说你每天就坐在这里烤着火，眼睛盯着工人们就行了。王红旗说我还干点儿别的不，就这点儿活儿？陈倩倩说，这工地上也没别的活儿了，切大理石你老肯定不行，我都不行哩，那需要技术是不？又说，就这活儿可不一般啦，一般人看不住啊，你老人家行，你老人家一脸的威，像老虎，坐那儿就能把一林子的猴都给镇住了。王红旗听得哈哈大笑，说看你娃这嘴。陈倩倩就扮一副调皮相给王红旗看，说你老人家可要给我看好摊子。

然后，他把王红旗叫到工场上，对工人们说，从今天开始就由这位老人家做你们的监工，你们可不要偷懒，他可是当了几十年村长的人哦。有人说，工头儿他是你爹吗？陈倩倩说，不是亲爹，但比亲爹还亲，你小子少跟我要嘴皮子，小心我扣你的工资。工场上起来一片笑声，接着切割机叽呀呀叫起来，尘土漫卷，陈倩倩拉着王红旗回电暖炉边儿去了。

王红旗简直不知道该怎么说他那份儿开心，一天挣两百块竟这么容易！他搂着电暖炉算自己一个月能挣多少钱，一年又能挣多少钱，一个十二分简单的数学题，他却算了又算，就图的是计算过程给他带来的那份开心。

没想到他的美差第三天就遭遇了挫折。

陈倩倩顶头那工头卷着款跑了，工程没法干了。陈倩倩原是从一个比自己大点儿的包工头手里接的活儿，结果那包工头刚从建筑公司拿到款，就抱着款跑了，跑得没了影儿。没有钱，这活儿还怎么干？工人们不可能给谁白干，他陈倩倩也不可能给谁白干。可问题是就现在拍屁股不干了也不划算，他们已经干了一半儿了，现在不干，干出去的那一半儿的钱也没了影儿。陈倩倩去找公司经理，那经理却说不关他的事，他没扣工人的钱。陈倩倩给人噎了回来，脸和脖子充血半天。工人们已经不干活了，全都围着陈倩倩问他们的工钱怎么办。他们再不能让陈倩倩也跑了，他们辛苦了半个月了。陈倩倩也不知道该怎么办，那人既然要跑，那就没安心让你找着，找他肯定是没戏的。陈倩倩在工人们围成的圈子里蹲下来，把头当球一样抱着，还擂。擂半天头，只想出了一个招，完全是下下招，那就是揍公司经理去。他冲一脸白土的工人们说，走吧，咱们揍那经理去！有什么理由去揍人家经理？人家给钱了，一分也没少，该什么时候付就什么时候付，时间也没耽搁。工人们觉得陈倩倩是在支傻瓜跳崖，不干。陈倩倩说，你们不打他那怎么办？我手里没钱给你们，我的钱全投进去了，这半个月来你们的吃、用，天冷了给你们餐里加荤，床里加被，哪一样不花钱？工人们说，你别搅那些不中用的，我们只找你要工钱。陈倩倩说，你们今天替我去揍那经理了，我就去借钱来发你们的工钱。我要给你们钱，你们也得替我出口气吧？工人们还是不干，打人的事不是谁都能干的，我们打了人谁去替我们坐牢啊？

陈倩倩两头受气，恨不得一头撞死。

后来他一个人去见了经理。经理还是那副模样，对他的遭遇漠不同情，说不关他的事。陈倩倩其实还是希望他能给予一点儿同情的，哪怕说一句帮着他找一找那个该死的包工头也行，但那人看来天生就缺乏同情心，并没这么做。陈倩倩在他的面前全身打着抖，抖了好半天才聚齐了勇气打出了他的瘦拳头。陈倩倩这拳头还从来没伤过人，一年前，它们握起来还是为了写字，那时候它们还属于一个大学毕业生，和主人一起在沿海的大小城市里闯荡，替主人填过很多的表，写过很多次简历，现在，它们要替主人收拾面前这个缺乏同情心的经理，它们还很嫩，才二十二岁不到，一年来它们虽然也摸过砖头，摸过大理石，但它们还没来得及长满老茧。如果它们有眼睛，主人把它们打出去的时候，它们应该是闭着眼睛的。那是一种豁出去了的姿态，它们的确是豁出去了。它们没有经过正规的拳击训练，全凭那股豁出去的劲儿了。

结果出乎陈倩倩的预料，他闭着眼豁出命去揍的不过是一个面瓜，他甚至都不记得对方有过反击，到他再也打不动的时候，对方已经给他扫净了尊严——他鼻青脸肿，口里流血甚至还裂了裤裆。

他怎么就裂了裤裆呢？事后陈倩倩想了很久也没想明白，他不记得自己踢过对方的裆，他对张准准说这事儿时特别表明他是绝不会做那种下流事儿的，他说他虽不会打架，但他看不起打架时使黑脚的人，他说那样的人不是真正的汉子。张准准在跟王飘飘说这事儿时学着陈倩倩的腔调把那几句话说了两遍，王飘飘就把有疤的那边嘴角挑起来笑，他说，这小子用不着人罩了。

更意外的胜利是并没有人拿了手铐来抓陈倩倩进公安局，也没有人来找陈倩倩算账。陈倩倩一口气就长了很多信心，觉得自己变强大了。建筑公司有很多小经理的，他找了另外的经理要了另外一份活。原来的工程撂下了，白干的那半个月他认了，撂下的让面瓜经理自己去认倒霉。

发生了这样的事以后，王红旗就不给陈倩倩干了。他说陈倩倩也不容易，他在那儿坐一天就拿两百块他心里不安。他说的是真心话，那件事情在他心里莫名其妙地添了很多忧郁，他再一次产生了强烈的想回家的渴望。

## 九

哪能回呢，我花这么大的劲儿就是为了接你们来享受的，这里是北京哩，以往在老家那边，一听说谁家有个人在北京哩，所有的人看他们时眼神儿都不一样。现在我们把一个村庄都搬北京来了，多了不起的事噢，你却要回去，回去干啥？王飘飘说。

王红旗是觉得自己有点儿过分，但他说服不了那个老念着家的自己。他支支吾吾，说老家这阵儿小麦把地都染绿了吧？

王飘飘说，你想种小麦了？你种了大半辈子小麦谷子的，就真不想好好地轻闲儿阵？

他还说，你是觉得我做儿子做得不好，不想给我面子吗？

他还说，你说要我改邪归正我就改邪归正了，我都听你的话你怎的不听我的话呢？有句话不是讲互相尊重吗，爹？

爹给他问得一脸涩，舌根发麻答不上话来。一边的婆娘看了替爹抱不平，说，爹想回家我支持，我跟他一起回去。

王飘飘扯一下嘴角，扯出来一脸的不正经。他说，那谁跟你睡觉啊？婆娘一泡口水吐到他脸上，说，我才是想走了不见狗屎心不烦哩！王飘飘把脸伸过去，伸到婆娘的面前去，说，替我把狗屎擦了，快，还不擦我就要给臭死了。婆娘看一眼爹，去替王飘飘拿毛巾。拿来了却并不替他擦，把毛巾扔他脸上。王飘飘自己擦，一边擦一边说话，说我王飘飘混得真惨啦，我以为我混得不错哩，能把婆娘儿子老爹都接到北京来呀，哪想到倒混成了一泡狗屎了。婆娘说，比狗屎不如。王飘飘还是一脸不正经，说才一秒钟不到，就连狗屎都不如了，婆娘你说比狗屎不如的是啥东西呢？他把擦过了脸的毛巾放鼻子跟前闻闻，装一副臭不可闻的样子，一脸难受地把毛巾扔给婆娘说，快拿开，真是比狗屎不如。婆娘这阵不喜欢他这种吊儿郎当的态度，把毛巾扔到一边儿去，扭屁股进里间去了。

王飘飘对他爹说，看吧，都是打麻将惹的，这婆娘家凑一堆没事儿都要生事儿，爹你走不了了，你得管管这帮女人，一定得管好她们，要不，我们这帮男人在外面混，指不定哪天就后院起火。

王红旗说，怎的回事？

王飘飘说，你问问你那乖儿媳，是不是打麻将时听别的婆娘乱嚼舌头了。特别是准准那婆娘，那舌头天生就是搅屎棍。

躲进里间的婆娘又回来了，她对王飘飘说，你要没那些臭事，人家舌头再臭也搅不到你。

王飘飘说，话不能这么说，那搅屎棍搁哪儿都臭，你就是一杯香茶，她一搅也肯定臭了。

婆娘说，你的意思是你没那些臭事儿？

王飘飘不理她，他跟爹说话。他说爹啊，你说一个男人在外面混哪就那么容易？你想想你当村长那些年，是不是很多时候都身不由己啊？江湖规则嘛，人在江湖混，哪能不遵守？我再怎的，到最后这百多斤身子骨还不都交给你了？最后一句他是冲着婆娘说的，说完了他就打算出门了。他走到门口又回头对婆娘说，我今晚又得出去鬼混哩，你要不要跟我一起去？婆娘做一脸高傲对他。他笑笑说，你不去？不去就算了。

听王飘飘的车往远处飘去了，王红旗对儿媳说，我看你就不要去打麻将了。儿媳悄没声儿地消失在卧室门口，他又不好意思把头伸得更远些，就只好冲着那门口高了嗓门儿说，农村婆娘家，屁股落哪儿都还是个农村婆娘，不能跟城里婆娘比，各人有各人的活法，我们不能学城里婆娘，整天凑一起搓麻将。

儿媳在里面说话了，打麻将我可以不去，但你也得管管飘飘，他可是经常在外面整别的婆娘，这我可没冤枉他。

王红旗哑巴了，这样的话题他不好跟儿媳讨论。

他去了张冲锋那里。

他对张冲锋说，看来还得禁止婆娘们打麻将。

得想个办法，张冲锋说。

王红旗说，罚款不行，以前我是想把那钱拿来修牌坊，把村牌换了，现在不行了，老大不让我整，说那可笑。

张冲锋说，你想得通？

王红旗说，想是想得通，但我还是希望这个地方叫三桥，它叫三桥我这心里才踏实。

张冲锋说，嗯，是那回事，我们老了，就像树叶念根，总念着要把脚放在家的那块地上心里才踏实。

王红旗脸色暗了下去，说，可这地方太不像我们家里的模样了，我们那边，这时候小麦苗苗都拱出头来了，那地里看去是一片绿哩。

张冲锋说，是的，这里缺地，庄稼人没了地，就会浑身不自在，这也是你总觉得这地方不是家的原因。

两人约好了第二天去庄子北面租地。说只要有了地，老家伙们就不再闲得心慌，也有理由不让女人们打麻将了。

那是一大片地，很平，很宽阔，一眼望不到边。他们走到地边，也看到地头有小麦苗苗的头，怕冷似的，缩着脖子。他们好高兴，像他们看到的不是小麦苗苗的头，而是他们的亲儿子的头哩。

可别人不租给他们，别人说他们的地他们自己要种，不租。

接下来，北京二〇〇六年的第一场雪降临了，一夜之间，满世界白皑皑。王红旗一个人在村子边儿上转了几圈儿，觉得地都藏起来了，他找不着了。

下雪那晚，王飘飘没有回家，第二天晚上也没有。恰巧那晚张准准的婆娘也没回家，而且第二天晚上张准准的婆娘也同样没有回家。人们把两人的失踪往一块儿捏捏，弄得张准准和王飘飘的婆娘都很痛苦。第三天中午王飘飘回来了，车上坐了张准准的婆娘。王飘飘的婆娘当时正从超市买了瓶醋往家走，看到了。两个婆娘是有过对视的，但张准准的婆娘后来又假装没看到她，她心里的醋瓶子当时就翻了。她提着醋瓶追车，一直追到张准准家门口。张准准的婆娘下了车，明明看见王飘飘婆娘了，却再一次装着没看见。事后她自己解释是不好意思跟王飘飘的婆娘搭讪，但王飘飘婆娘一直都认定她当时是故意做给她看，因为她竟然当着她的面伸手去拉王飘飘，还弄了一嘴的媚腔叫王飘飘，说老大哩，你得下来跟他爹说清楚，要不然我可能进不了屋的。事过很久王飘飘的婆娘还盯着她问，你当时是不是真想给王飘飘垫床？

关于这个问题，张准准的婆娘从来没认真回答过，她觉得事情后来已经很明白了，解释和不解释都没什么意义。

那事情是这样的，张准准的婆娘前些时候听人说，代销什么化妆品比她男人装修房子赚得还快还多，还听说做这桩生意的总公司设在邯郸，就自作主张悄悄跟人跑去了邯郸。可去了之后，那里只有一大堆和她一样想去赚钱的女人，她们全挤在一间二十多平方米的屋子里，睡地铺，吃大白菜。有时候，里面有人会带一两个去见另一两个，那另一两个据说是做化妆品代销赚了大钱的，这一两个去见她们，是去看她们怎么大手大脚地花钱。只有赚了大钱的人才可以大手大脚地花钱呢，她们看到了就会这么想，带她们出去的人也正是要她们这么想。然后，她们全聚在一起听别人讲课，讲他们的理念、理想，讲得热血沸腾，激动时就挥起手来喊口号，讲课的喊，听课的就跟着喊。然而，她们见不着什么化妆品。化妆品没有，自由也没有，出门时被人带着，进门大门就锁上了。有人告诉她们，赶快叫家里人寄钱来吧，有投资才有钱赚啊，小投资只能赚小钱，大投资才能赚大钱啊，最好是叫你的朋友啊亲戚啊都加入进来，有团队才有势力，谁的团队最大，谁就是最大的老板，想不想做最大的老板啊？

张准准的婆娘感觉如醍醐灌顶，大大地长了见识，就打电话给张准准，叫他给送钱过去。张准准不知怎么的不搭理她，她就跟那边说要回家拿钱，不想别人不让她走，说钱只能叫家里人寄过来，或者你叫他们也加入我们的团队，但她绝对不能回家。这一下，张准准的婆娘又糊涂了。挨着她睡觉的那女的告诉她，如果你要出去，得家里人拿钱来，没几千块钱拿来你回不了家的。人家说的是真的，因为她就是家里没那么多钱来取才一直没能回家的。张准准的婆娘说，那你待在这里怎的做生意？人家说，打电话呀，发短信呀，全按照这里面的人编的瞎话去蒙朋友啊亲戚啊，他们加入了，他们也像我们一样去蒙别人啊，就像蜘蛛织网一样。张准准的婆娘害怕了，说这到底是做的什么生意啊？人家说，传销，你听说过吗？她没听说过，露白痴相。人家说，犯法的。她说犯法的那还做？人家说，你不做就叫你男人拿钱来领你出去吧。她就使劲打张准准的电话。她不知道张准准这边听别人说她和王飘飘裹着跑了，早觉得脸皮丢尽，怎么会接她的电话？

那女人说，你男人不是东西，要我男人在，他一定会来接我出去的，他就是去偷去抢也会凑了钱来取我。

张准准婆娘受不了人家那贬，顶人家，说你男人对你再好可惜不在了是不？人家说，就是啊，可惜不在了。要不是他不在了，我也不会陷到这里来。我儿子要上大学，我是想赚钱来供儿子上大学呢，所以就鬼迷了心窍。

张准准不接电话，她就想到了王飘飘。王飘飘接过张准准婆娘的电话以后打张准准的电话，张准准也不接。王飘飘不能因为张准准不接电话就不管他的婆娘，他就自己带了钱走了一趟邯郸，把张准准婆娘给接回来了。

事情虽然属实，但说这件事情的是王飘飘和张准准的婆娘，别人就不太愿意相信，他们更愿意相信是王飘飘和张准准的婆娘合起伙编来骗人的。对于张准准婆娘来说，最要命的是张准准不相信她那些话。张准准狠狠地揍了她一顿，还说要跟她离婚，也不理王飘飘了，他甚至不回家住了，也不知道晚上他住在哪里。王飘飘这边呢，婆娘自然也不相信他那一套说法，给脸色看不说，也提出要跟王飘飘离婚。王飘飘觉得很没面子，去找张准准，问他还相不相信他大哥。张准准不理他，显然是不打算相信他了。他心一横就抡了张准准一拳，那一拳打在了张准准的嘴巴上，张准准吐了好几口血。王飘飘看张准准吐血，自己也吐口水，专门往张准准的面前吐。他说，你是头猪！我王飘飘是什么样的人你还不知道？我是那种人吗我？

撂下这话，王飘飘走了。

看着王飘飘远去的车屁股，张准准想，可能自己真的是头猪。

当晚，他扛了一箱啤酒去了王飘飘家，两人借着酒把脸皮又抹了回来。但事情并没有从此就彻底解决，婆娘还跟王飘飘拗着，张准准也还跟婆娘扭着，也不知道哪天才是个头。

## 十

这件事情搅得整个善各庄好一阵子不得安宁，尤其让王红旗和张冲锋得了胃癌一般，天天闹心口痛。两人在家里待不住了，就往身上裹两件棉衣去外面走。

王红旗说，必须得有地了，庄稼人的婆娘得有地，就像娃得有娘。

张冲锋说，可人家不租给你呢。

王红旗说，这附近有些小块儿的空地，我记得它们还有地的模样，修整一下就出来了。

张冲锋说，那些，不成气候。你不可能只让我们两家的婆娘有地吧，你可是村长。

王红旗往空中看，雪很晃眼，他不得不把眼睛眯起来。他说，这雪把地下这么一盖，你看我们这些屋顶，是不是也有了地的模样？

张冲锋跟着他的视线去看那些屋顶，还真有地的模样，平平整整，一块一块的。他说，像是像，可雪一化它们还是屋顶。

王红旗说，如果那上面盖的不是雪，而是土，那不就是地了？

张冲锋惊讶得脸上皱纹盛开，说对呀，在家里的时候也有人在屋顶上种谷哩。

王红旗说，这边不能种谷，但我们可以种小麦种玉米呀。

两人的胸口突然就不痛了，眼前那些白花花的屋顶都变成了绿油油的玉米田，他们眯着眼，在自己想象出来的景象里陶醉了好一阵。

第二天，他们找了一块在他们的记忆中还保留了几分地的模样的地方刨雪，把雪刨开了，他们试着往下挖。土很松，一挖就开，泥脚还很深。他们像考古人发现了宝贝一样地兴奋，就回家冲自家那心情还处在零度以下的儿媳喊，别丧着脸了，走，跟老子刨土去。拉出了自家的儿媳还不算，还在巷子里吆喝别的人，婆娘们都出来跟我们去刨土啊，快啊。王红旗还加了一句，我以村长的名义号召大家啊，不出劳力的可不行啊。

大冷的天怎的想起刨土来了？又刨土来做什么呢？满村子的嘴都在这么问。王红旗和张冲锋就冲着满村子的耳朵说，刨土来盖房顶，盖房顶上做地，以后就往房顶上种庄稼。

不是吃撑了没事儿干吗？满村子人都捂了嘴笑，还说那张冲锋一辈子都像王红旗的走狗一样，王红旗一撅屁股，他就跟着放屁。还说，那王红旗还以为这是在三桥啦，他那村长到了北京也还有效？

遇到阻力了，这块地不叫三桥，王红旗这个三桥村的村长就不生效了。

怎么回事呢？在三桥是这帮人，在善各庄的也是这帮人啊，我在三桥是他们的村长，到了这善各庄就不是他们村长了？王红旗想不通。

在善各庄这个地方，他们可能更习惯听王飘飘的吧？张冲锋说。

王红旗找儿子，老大，你得帮爹一回，他们不听我的了。王飘飘就跟村里的婆娘们说，都跟我爹刨土去，按他说的在你们的屋顶上造一块地，来年种出庄稼来，换的钱全作为你们的私房钱，用做添耳环项链啥的。婆娘们就都去摸自己的耳朵，耳朵空着的，积极性很高了，耳朵没空的，想起前一阵儿找男人想再买一副别的款式的，但男人没答应，就想不如自己挣它一副，不为别的，就为挣给男人看看。

全村的婆娘凑一起，那还是好大一支队伍呢。这么大一支队伍凑一起干活儿，那壮观也是可想而知的了。王红旗当几十年村长，像这样净光光把全村的婆娘集中在一起指挥还是头一次，看着自己这支娘子军，他从来没有过的陶醉。人多力量大呀，这话是毛主席说的，现在王红旗看到婆娘们两天就把他指定的那块空地刨成了一个巨大的坑，他就把毛主席的话当书背。

北京的雪跟别处的雪不一样，看着是软的，踩上去是硬的，他们把土盖上去，雪一点儿也不显吃劲儿。王红旗说，不管它，这样倒好，我们垫够了土，到时候这雪一化，就当浇一回地呢。

第二场雪在他们正干得酣的时候下来了，很大，一个晚上就把他们刨出的坑给盖了，把他们在屋顶造出的那些地也盖住了。天冷得很，他们休息了一阵儿，想等雪化化再干。这一阵儿过去雪也没化下去多少，他们就不想等了，继续干。王红旗的意思，得保证每家都能在开年赶种上小麦，他想当然地认为，这大冬天的拱出头来的小麦苗苗也并不见得能长个儿，等到一开春，他把小麦种下去，他的小麦苗苗也不会落后很多。

但那些天风突然间变得比平时更像刀子，抽哪儿哪儿就起一块青紫，像脸皮和嘴巴这样的地方更是经不起它抽，一下就能起一片血口子，婆娘们拼命往脸上抹油抹霜也顶不了事儿。这样的风从雪地上刮过去，那雪就不是雪了，成了冰，冰滑，像浇了水的玻璃，满地的雪现在都变成了浇过水的玻璃了，车轮子上绑上铁链，勉强还能走，人是没法走的，人轻，站到这样的地面上就更是轻得像鸡毛，脚刚沾地就滑倒了，先觉得自己像一片鸡毛一样飘起来，等屁股后脑或者别的什么地方的钝痛慢慢上来，你又觉得自己像一块石头一样重。

这样的天哪能干活？

就继续休息，等天气转好。这之间婆娘们也凑一起打麻将，但王红旗不跟她们计较了，这点儿时间小玩一下，是可以原谅的。

赶不上小麦，总赶得上玉米的。王红旗对张冲锋说。

前面至少有一片玉米林可以盼着，心就踏实了，好好过了个年，冰也化掉了很多，那东一块西一块的残冰，娃娃们去捡来玩，用喝可乐剩下的吸管儿堵在冰块上吹，就吹出一个洞来，再找妈要截毛线把冰穿了，提着当锣敲。一敲就碎了，光闪闪碎了一地，娃娃们就张大嘴巴笑。

王红旗又把婆娘们从麻将桌上叫下来，开始刨土造地了。

那天来了一个房东，看自家的房顶垫了厚厚一层土，问他们这是要干什么，他们说造地哩，在你家屋顶上造一块地来种庄稼哩。房东一听脸就灰了，说屋顶怎么能拿来种庄稼，把我的房子弄塌了怎么办？别人还没回答把他的房子弄塌了怎么办哩，他就喊起来，你们赶紧把我的房顶打扫干净了，我不允许你们在上面种庄稼。他们说，都造好了，这土搬上来也不容易，再说了，我们租你的房不是连屋顶一起租的吗，我们有使用权的呀。房东说，那我不租给你了，你找别人租去。租房的给吓着了，脸比房东的还灰，说我去别的地方租不是就不能跟大伙一块儿了吗？我们是一个村的人，全是一个村的，我们全都凑一起多好啊。房东不管他们是不是一个村的，硬说不租了。旁边人看不惯房东了，说你这破房子还翘市是吧？你要是不租了，我们一个村的人就都不租你们的房了，你问问别人同不同意？

没想到房东不是吓大的，不甩你这套账。说你们爱租不租，反正我这房子不让你们往屋顶上种庄稼。

急了，也有人就给激灵醒了，说，租你这房是签了协议的，你不租给我们也可以，得赔违约金。远在天边的播州人也能说出这样的话来，是房东没有想到的。我们村的人来到这里，想的不是暂时在这里住上一年半载，租房时最少签的也是五年的合同，房东想就为这点儿事赔违约金还是不划算的，嘴上就软了，说我租房给你们是让你们住人，那屋顶是用来遮风挡雨的，不是要你们拿来种庄稼的。说你们怎么都得把那土给我打扫干净了。

人家不答应，他也没坚持，叽叽哝哝走了。

这人长的是鸡肠子蚂蚁胆子啦，哪有在房顶上垫点儿土就把房子压塌了的，连蚂蚁窝还能顶一块地呢。

并不是他胆小，主要是他生了鸡肠子，见不得人好哩。

不理他，继续干。

天气变得暖和起来的时候，整个善各庄的屋顶都顶了一头灰黄色的土。成就非凡啦，那些一块一块的灰黄色屋顶凑起来就是好大好大的一片地哩！王红旗突然就想起了一个十分久远的人物——陈永贵，他说你们知道有个陈永贵吗，毛主席那阵叫全国人民都向他学习，就是因为他在大寨那个地方造了好大一片地。大家就笑他，说那你是不是也想让全国人民都向你学习呢？王红旗就把脸红了，嘿嘿地笑。笑完了又说，从来没见过整整齐齐的屋顶都长上庄稼禾是个啥景儿。大家就说，长上了再看不就见着了？

时令只允许种春玉米了，那就种春玉米吧，玉米高，长起来更好看。

来阻止他们往屋顶上垫土那房东回去以后大概就把那事给忘了，过了很久又才想起来，就带了好几个房东一起来看他们的房子。远远地他们就看到村子的上空浮着一片绿，阳光下，就像魔术师悬浮在空中的一块块绿色的魔毯啊。等走近了，他们仰视着空中那一片一片生机逼人的玉米林，竟然就有那么一段时间，忘记他们是来这里干什么了。一股北风吹来，他们才清醒地意识到这样的美景跟自己没有关系，要是这跟自己没有关系的美景长在别处也就罢了，可它偏偏又是长在自家的房顶上，这就不能怪他们心生妒忌了。把房顶上的玉米通通拔掉！把土铲掉！这是他们众口一词的要求。怎么能拔掉呢？那玉米长那儿多可人啊，再说我们费了多大的劲儿才弄出了这一片景啊！我们不干，坚决不干。后来他们说不拔也行，但得交地租。不管这地是不是你自己造的，但这地长在他的房顶上。这是有些欺负人了，但看看空中那绿得醉人的景儿，我们妥协了。

我们按地的面积，每户都补了地租，他们也就走了。

这事儿让王红旗十分郁闷，于是，那种想让这个地方叫三桥的念头又黏糊糊地找上他了。那一阵，他总是郁郁寡欢，就是盯着头顶上空的玉米也不能让他的心情好起来。儿子王飘飘看穿了他的心事，抽了一个晚上把家家能做主的人都叫到一起开了个会，会的内容没有别的，就是问大家想不想把自家现在租住的房子买下。想怎么不想啊，但那哪是我们能想的啊！全都朝王飘飘瞪着眼露惊愕状。王飘飘说，我只问你们想不想。大家就忙说想啊。王飘飘就说，想就好，今后这就是我们的目标，以后挣了钱不要乱花，买下了这房，爱怎么花都行。又说，给你们一年时间，我要你们明年就住在自己的房子里。

会后，他对王红旗说，爹，只要我们把这善各庄买下了，你就可以名正言顺地把村名改成三桥了。王红旗的脸立刻就有了光，问，真的？王飘飘说，真的。

（选自《人民文学》2009 年第 2 期）

**王 华**

女，仡佬族。鲁迅文学院第七届高级作家研讨班学员，贵州文学院专业作家，中国作家协会会员。作品散见于《当代》《人民文学》《中国作家》《山花》等期刊，著有长篇小说《桥溪庄》《傩赐》《家团》，小说集《天上没有云朵》等，已发表小说近两百万字。

# 合水渡

杨少衡

## 一

本地有个土话名词叫“坎站”，说的不是门坎，也不是台阶，是坎子，一个人在他某个人生节点上遭遇的障碍。这种障碍有时极具风险。

那段时日里，合水渡成了刘克服的一个坎站，过这个坎对他有如噩梦。

合水渡是什么？一个地名，古时候的一个渡口，地处本县县境东沿临江区域。所谓“合水”指当地有水相合，本县两条主要河流在该地汇流，其中自北向南的一条从县境山地流出，自西向东的一条由县境另一侧丘陵地带流来，于合水渡一带汇合后，往东南方向流往市区平原，再长驱入海。合水渡一带水阔流急，水下地质情况复杂，水中多有旋涡。这个渡口历史上曾经很有名，是本省山区内地往沿海平原方向去的一个重要渡口，进入近代后，由于陆地交通发展，该渡口逐步废弃，20 世纪 70 年代合水大桥建成，摆渡木船从此绝迹，合水渡只余一个地名。

一年多前，合水渡附近两个村庄间闹出一场风波，沸沸扬扬闹得几乎不可收拾。风波起自香蕉，时间在夏秋之交。有一天夜里，两个小偷摸进位于当地一处香蕉园，趁夜深人静之际实施盗窃。这两个人胆子很大，一般小偷通常光顾山园远地，边边角角地方，蕉主鞭长莫及，难以管顾到，偷来比较安全，这两个居然潜到人家村边蕉园来参与收成，因为这里的香蕉与边角地相比格外丰硕。本地蕉农通常以“弓”为香蕉果实读数单位，称一串香蕉为一弓，村边蕉园香蕉长得好，一弓重可比外围蕉园两串。两小偷很识货，要偷就偷最好的。

这片蕉园位于村庄边，这个村庄位于河流下游，叫合水大社，也称大村。上游方向，前方有几座山丘，山脚下还有一座村庄，叫合水小社，也叫小村。大社小社之间有一条村道相通，两个村子都属合水镇，历史上曾经合为一个行政村，后来拆分为二。大社有三千余人口，小社人口大约只有其一半。两村相邻，下游的大社地势较平，土地肥沃，拥有大片香蕉园，经济状况较好，小社地处上游，丘陵多，地瘦，灌溉较差，蕉园较少，村民多种地瓜、木薯，收入不高，为合水镇里的穷村。

当晚两个小偷骑一辆旧摩托车，顺村道从上游小社方向而来。其时是半夜两点，四下里黑洞洞一片，蕉园里静悄悄的，鬼都不见一个，这种时候最好下手。两个小偷把摩托车开进蕉园的小路，停在路旁，下车劳动，几分钟时间，一弓香蕉到手，赤裸裸一串砍下来，扛了就走。两小偷上了摩托，前边那个驾驶，扛蕉串的坐在后头，车子一发动，拜拜。没想到刚要走开，近侧忽然响起锣声，“咣咣咣咣”，静夜之中锣鸣如雷，那声响称得上惊心动魄。

原来蕉园里有人守夜，虽然半夜三更，守夜的并未睡死，他听到动静了。当地蕉园地头搭有若干简易窝棚，是各户蕉农为守园值夜备建的。平日里窝棚大多放空，无人值守，其功能与稻草人相似，主要起吓阻作用。那一段时间因为香蕉屡屡被盗，蕉农相约加强防范，景象才比较热闹。守园人都备有棍棒等防卫性冷兵器，还有大锣，一旦有事，可以互相传唤，共同驱贼。

只一会儿时间，整片蕉园锣声响彻。蕉园各个方位角落被惊醒的守夜人纷纷跑出窝棚，一边拿他们手中的棍棒死命敲锣，一边联合围捕小偷。围捕方位很清晰：蕉园里哪里有摩托车灯和发动机声，小偷就在那里。这一大片蕉园小路纵横，出口众多，想在此间围堵两个摩托车小偷并不容易，稍不留神人家的车就从哪条田埂窜上路口，扬长而去。不想当晚两个小偷霉运当头，他们一听遍地响锣，顿时心乱，慌不择路，没朝外跑，反朝里窜，想从靠大社村庄的另一边大路逃走，结果在路头处撞上了堵截者。堵截者把路旁几块条石搬到路中拦道，两小偷骑着摩托车冲来，见到拦道石时已经来不及了，连人带车一起撞上去，翻倒在路上。

他们居然舍不得到手的偷窃成果，始终扛着那弓蕉串在蕉园里逃窜，人车俱翻之际，蕉串才甩脱小偷之手，在地上摔砸成几段。

当时路口上跑过来十几个抓贼的，因为路口靠着村头，村头住家村民听到动静，都爬起身跑到外头，大呼小叫，威吓小偷。一看摩托车飞窜而至，两家伙携带他们盗窃所得赃物一头撞来，摔下车在地上翻滚，村民们怒火顿生，谁也顾不着客气，没有人问一声“吃了没有?”大家发一声吼，一拥而上，拳打脚踢，棍棒齐下，痛打小偷。

两小偷惨叫、求饶。这时哪里有用? 一个小偷被当场打死于地头，另一个重伤，奄奄一息，被急救车送到县医院后死在那里。

不久天亮了。上午九点，事情到了刘克服这里，传递的方式比较特别。

那天刘克服不在县里，率队在市区开会。市政府召开乡财工作会议，会议规格很高，规模很大，由各县县长率各乡乡长出席。刘克服只是常务副县长，本无资格率队参会，恰本县县长出访在外，县委书记应远决定刘克服带队去，就这么来了。两天会议，头天大会传达，领导讲话，典型发言，第二天上午是讨论，讨论中出了事情。

岭兜乡乡长王毅梅的手机铃响，当时她恰在发言。她把铃声按掉，继续发言，只几秒钟，那铃声又响了起来，她再次按掉铃声，手还没放，又来了。刘克服当即摆手，让她赶紧出去接电话。

“这是哪个约会?”刘克服问，“这么缠?”

王毅梅脸红，说刘书记别冤枉人，是家里的电话。

“告诉你们家老吴，管太严了。”

她否认，说不是老吴，是老家那边。

王毅梅习惯管刘克服叫书记，早几年她和刘克服在岭兜乡班子共事，刘克服当乡书记时，她是副书记，刘克服走后她当了乡长。两人共事期间处得不错。本县最年轻的这位女乡长一向把自己收拾得很端庄，发型很整齐，衣着很正式，穿套装，总像是开乡人大坐主席台候选乡长时一般。市里会场里里外外打转，以众多男乡镇长们为陪衬，万绿丛中一点红，也是很风采很醒目。

她跑到会议室外接电话。刘克服没在意间，突然听到外头“哇”的一声，有人在那边失声痛哭。

“谁啦? 怎么回事?”刘克服不禁吃惊道。

县政府办主任赶紧跑到外头查看，声音没有了，会议室里继续讨论。几分钟后主任进了门，悄悄走到刘克服身后，低下头说:“刘副能出来一下吗?”

“干什么?”

“王乡长，她有事。”

刘克服记起刚才那一个异常声响，知道别有情况，当时没声张，即起身出门。

王毅梅站在门外，眼眶红肿，一看刘克服出门，情不自禁“哇”一下又哭出声来。

“别哭。”刘克服即低喝一句，“这像什么话!”

她伸手把嘴巴堵住。

刘克服把她叫到一旁房间问，这才知道王毅梅家里出事了，不是丈夫女儿出事，是老家那边。她的侄儿昨晚突然死亡，说是被人打死的。

“才，才十九，呜呜。”她哭诉，“就，就一个。”

什么意思呢? 这个侄儿是王毅梅大哥的儿子，她是孩子的姑。王毅梅有三个姐妹，只一个哥哥，一门男女婚嫁后，除了大哥生了一个儿子，其他都生女儿，因此这个侄儿是全家的宝贝，王家香火的唯一继承人。不说得亲生父母喜欢，王毅梅这个当姑姑的也特别疼爱。哪想突然给打死了，这消息，对王乡长有如晴天霹雳。

她向刘克服请假，要求赶回家去处理。刘克服没有犹豫，当即批准。

“你冷静点。”他交代，“哭不顶用。”

她点头，呜咽，匆匆离去。

当时刘克服根本没想到自己会跟这件事扯上关系。

当天下午会议结束，代表各自回县。刘克服因为隔天还有事要办，留在市区宾馆不动，没有回县。晚十点，他在市宾馆接到了县委书记应远的电话。

“你马上回来。”应远说，“合水镇出事了。”

刘克服询问是出了什么事？应远告诉他，昨晚合水大社村民打死了两个偷香蕉的，都是小社人。死者家属不服，把一具尸体抬到合水大桥头，堵塞国道，交通全面瘫痪，大桥两侧，车辆滞留了数公里之长。

刘克服立刻想起王毅梅，不觉脱口问：“是王毅梅的侄儿吗？”

果然，死者之一是王毅梅的侄儿。书记已经下令王毅梅立刻到合水镇配合做工作。

“你赶紧过去。”他交代刘克服，“陈副书记也赶去现场了。”

刘克服感觉有些棘手，因为他已经跟市财政局的局长约好明天一早见面，谈争取省财政转移支付事项，比较要紧。该局长本来要去出差，为刘克服特意留了一个上午，刘克服自己怎么好变？

“跟他打个电话，改期，以后再说。”应远毫不含糊，“合水镇这种情况，我考虑陈副不太方便，你上比较合适。”

还有什么可说的？刘克服即回答：“我马上动身。”

当时宾馆房间里不只刘克服一人，县政府办主任也在，两人一起商量明天去财政局的事情。刘克服接完应远电话，抬头看了一眼，那位主任正盯着他，情不自禁张着嘴巴，一张脸上全是惊讶。

“怎么了？”刘克服问。

“你，你，你不舒服？”主任指着地上问。

刘克服一低头，这才发觉是自己失态了。刚才他坐在宾馆沙发上，一边接电话，一边下意识地给自己倒茶水。他的手发抖了，水壶里的水洒在茶几桌面上，茶几面洇了半边，茶水顺茶几脚流到了宾馆的地毯上。

刘克服不禁摇头：“这他妈的。”

他告诉对方自己没事，身体一切正常，但是合水渡出事了。

“很要紧吗？”主任问。

刘克服回答，不是要紧，是要命，所以搞得地毯一摊水。这不是吗？一接电话止不住手抖，这叫恐惧，或者叫害怕。

主任瞠目结舌，不知如何回话。

刘克服匆匆收拾行李，连夜返县。他没有进县城，直接赶往合水镇。还在半路就有几个电话追来，其中有副书记陈铭，他在合水镇镇政府里，坐镇指挥。

“刘副要不要到镇政府碰头一下？”陈铭问刘克服。

刘克服说，镇政府有陈副坐镇，调度指挥，他还是直接到现场吧。

“这样好。”陈铭说，“只好劳驾刘副，你比较有把握。”

刘克服称不敢自认有把握，试试吧。

“我有前科，只怕人家不认。”他说。

他到了合水大桥，公路早被滞留车辆挤得水泄不通，他让司机走小道，进了合水大社。合水镇一位副镇长守在村头等候，在那里刘克服弃车步行，由副镇长领着，靠两支手电筒照明，摸黑穿过一片蕉园，到了公路边的一座小山头，此刻这里成了前线指挥部，合水镇几个头头，大社小社的村干部以及警察、路政部门人员都聚在这里，黑天暗地站了一片，等待刘克服到来。

刘克服找一个人："王乡长呢？"

他问的是王毅梅。王毅梅是岭兜乡乡长，合水镇村民闹事本来没她的事，只因她是合水小社人，两个死者中有一个是她侄儿，眼下她的乡亲在聚众闹事，所以应远书记征用她过来配合县镇领导，参与做工作。

现场人员都摇头，不知道王毅梅在哪里。刘克服估计她可能是随陈铭守在镇政府那边，他即交代镇干部给镇政府打电话，让她马上来这里。

现场人员报告情况。今天凌晨，乡派出所接到合水大社报案，得知蕉园失窃，村民打死两个小偷。民警迅速赶到现场处置，死者身份很快得到确认，果然是小社村民。两个都很年轻，是村中的问题青年，小混混，不学好。据说当晚他们偷香蕉的直接动机是摩托车加油：车去加油，钱没带够，欠了人家油钱，两人可能嫌回家要钱麻烦，不如到大社偷一弓香蕉，换几个钱补上。于是就摸过去了，不料撞进锣阵，死于非命。其中死在村头的那个才十七岁，王毅梅的侄儿死在县医院，今年十九，这小子平日并不缺钱花，但是从小得家人娇宠，缺乏管教打理，长成歪瓜裂枣，在本村本乡惹是生非，居然也混得全县小有名气。去年，该小子满十八岁，其家人动员他报名应征，其姑王毅梅通过各种关系，想办法让小子得以过关，入伍当兵，希望通过军营教育，逼浪子回头，改邪归正。不料小子新兵当没几天，吃不了苦，居然擅自离队跑回家来，后被部队以退兵处理，成为本县十多年第一个受到退兵处理的应征青年。这小子回村后破罐破摔，胡乱闹腾，终至酿成今天事端，自己惨死。

此时情况相当严重。两青年因偷窃惨死后，小社村民不服，认为俩孩子偷窃有错，罪不至死，大社人下这种毒手是丧尽天良。死者亲属无法接受现实，特别是两死者于夜间遭众人棍棒拳脚群殴，活活打死，头破腰断腿折，死相极惨，全无人形，让亲属不敢正视，旁人也看不下去。第一个死者抬回村时，全村人见了个个落泪，群情激愤。等到县医院传回消息，知道第二个也死在那边，更是火上浇油。死者亲属用门板抬上村里这个死者，前往大社理论，村里人呼大唤小，倾巢而出，浩浩荡荡奔对方而去，要讨公道。却不料大社那边早有准备，知道对方来者不善，已经全村动员，举着锄头砍刀列阵于村头，禁止对方人员进入。镇干部和乡派出所民警随即赶到，力劝双方停止对峙，各自回去，通过调解和法律手段解决问题。小社这边毕竟人少，无法强行突破，一怒之下就转向公路，把死者尸体抬到合水大桥桥头，堵塞交通，声称不得到公正处理，不把杀人犯逮捕法办，他们绝不离开。县、镇、村大批人员到现场劝导群众，群众不听，始终不走。从上午十点到晚间此刻，已经十三四个小时过去，公路交通全面中断，全县公安交警紧急出动，从两头疏导，引开车流，维持秩序，却仍有大批车辆滞留，进退不得。因为阻塞的是国道，交通枢纽，事件已经惊动省、市领导，上级严令迅速解决。

刘克服特别询问大桥头尸体到底是一具还是两具？得知王毅梅的侄儿还在县医院太平间，并未抬回来凑热闹，他放心了。

“王乡长到底在哪里?”他追问。

经联络，她不在镇上，陈铭副书记也在找她。

刘克服当即打开手机，给王毅梅挂电话，对方电话已关机。刘克服挂王毅梅家的电话，家中无人接听。想一想，挂了王毅梅丈夫吴志义的手机，这个电话通了。

“我是刘克服。”他问，“王毅梅怎么样?”

原来她住院了。今天上午王毅梅从市区赶回县城，在县医院看到侄儿的尸体，当时痛哭流涕。家人唤她出来商量事情时，她忽然身子一歪昏倒在地。当乡长的人什么场面没见过？见过的活人不计其数，死人应当多少也见过几个，居然一碰到自己的侄儿就撑不住，那孩子死了，她跟着也死了过去。医生说她可能是疲劳，加上悲伤过度，情绪过于冲动，忽然就休克了。下午醒过来后，她还是不吃不喝，浑身发抖，医生要她休息恢复，给她打了镇静针，她现在还在昏睡。

刘克服问：“应书记要她到合水镇来，她不知道吗?”

知道，从下午到现在，一个又一个电话，不停地来。侄子给人打死了，自己伤心成这个样子，还不放过，难道要把她弄死才成?

刘克服问：“她现在死了没有?”

吴志义叫：“你什么话!”

刘克服告诉他，如果王毅梅还活着，有一口气，那么就马上把她弄起来。如果她醒不过来，那么就去找一副担架，抬上车，立刻送到这里。

“老吴你当过我的领导，你懂。”刘克服警告说，“我不是跟你开玩笑。”

他把电话关了。

这时候不能指望别人，刘克服决定自己上。镇书记有些担心，说黑灯瞎火，好不好上去？弄不好让县领导稀里糊涂挨一顿棍棒石头，可就坏了。能不能等一会儿，天亮了再试试?

刘克服苦笑：“有那么舒服？耗到天亮，该撤谁的职了?”

他执意抓紧，不惜挨一顿黑揍，于是领着镇村干部及几个相关人员下了小山包，穿过车阵人群，走到了桥头。

这儿黑压压聚了数百村民。深夜时分，疲困交加，男女老少均席地而坐。桥头横着那张门板，门板上一条毛毯把死者从头到脚裹了起来，门板边还放有一个香炉，香炉上插着燃香。

刘克服的到来即引起惊动。围在门板边的死者亲属一起站起来，围上前。周围听到动静的村民呼啦啦一阵，一片片站起在暗夜里。还好，没有暗器飞来。

刘克服让随行人员打亮手电，不照别个，照他，让村民知道是刘副县长来了。有谁想扔石头，也好有个目标。当着众人的面，他从死者亲属手上要了一束香，让镇干部用打火机点着，他自己亲手把它插在香炉上。

“孩子的父亲是哪个?”刘克服问。

是个四十多岁中年农民，人很瘦，一双眼睛全是红的。

刘克服问事主是否认识他？事主点头。刘克服问事主让自己的孩子这么躺在野地里好吗？事主咬牙切齿，只说要替孩子讨命，杀人要偿命。刘克服告诉他，替孩子讨命不好在这里，应该另找个地方。

周围的村民围了过来。刘克服指着镇、村干部，让他们一起劝说。他自己盯住事主，坐在死者门板旁边地上跟其父交谈。死者其他亲属围着他俩，七嘴八舌，又哭又说。也许因为疲乏困倦，此刻大家的情绪已经比较低落。

刘克服建议村民回村商议，不要在公路这里。这里堵车时间越长，情况越严重，麻烦就会越多，不是解决问题的好办法。今天这件事很不幸，怎么处理才公平，大家可以说，他到这里来，还有这么多镇、村领导一起来，就是要跟大家商量一个公平的处理办法，大家一起到村里谈吧。

劝说了近一个小时，死者亲属情绪渐渐稳定。刘克服即起身指派，让身边三个年轻力壮的镇干部过来，加上他自己，一起去抬那副门板。死者的父亲还不想松口，镇村干部在一旁七嘴八舌一起发话，强调县领导亲自前来为他抬人，这么大的面子，几辈子才能碰到？再不听是说不过去的。

死者的父亲掉下眼泪，说他不是不讲理，他是要讨个公道。

刘克服再次拿手电筒照自己的脸，让对方看他的眼睛。

“你们记得的。”他说，“这两个眼睛一样大。”

死者亲属最终听从。

刘克服没让别人替，自己亲自动手抬门板，门板被抬下桥头。死者亲属尾随着，一起放声大哭。

事件至此终于折转，开始向好。半小时后村民渐渐散去，车辆开始通行，一小时后全线恢复通畅。

刘克服于清晨离开合水小社，当晚彻夜未眠。

事件后续事项由合水镇负责处置，县委副书记陈铭亲自过问掌握，刘克服没再介入。当晚他到闹事现场属应急上阵，任务完成之后自当退走。

有一个后续事项的处置他没法绕开，就是王毅梅的处理。王毅梅在事发一个月后被免去乡长职务，调县计生局担任主任科员。王毅梅时为本县最年轻的女乡镇主官，已经进行相关程序，拟重用为乡镇书记，却因家乡这起事件彻底栽倒。据县里相关部门调查，合水小社村民闹事时，县里有数位领导分别打电话要求王毅梅返乡，协助县、镇领导做村民工作，她因自己侄儿之死闹情绪，以种种理由为托词，拒不到场。合水大桥堵塞十几个小时，造成恶劣影响，上级严令彻查、重处。王毅梅对该事件虽不负领导责任，但是其行为性质也很严重，难逃处分。

刘克服是出事当晚下令王毅梅到场的县领导之一，刘克服给王毅梅之夫吴志义打电话，提出只要王毅梅还活着，有一口气，哪怕醒不过来，也要去找一副担架，抬上车送到现场。对方没有听从他的警告。

但是到了研究处理的时候，他却为王说话，主张放她一马。

“她侄儿偷东西有错，罪不至死。她也一样。”刘克服说。

应远书记很不高兴：“这是把她打死吗？”

刘克服坚持己见，建议取消重用安排，再给个处分，留任原职吧。

“你以为过得去？”应远说，“市领导的意见你知道的。”

刘克服主张想办法向上级说明利害。他所谓的“利害”比较特别，指王毅梅是合水小社人，她那地方风水不好，眼下只出她这么一个官。该村风水还有一个特点，最会计较，老百姓不计较钱多钱少，很计较眼睛大小。他在这个村碰过事情，知道那里村民不服，要求最强烈的只一条：两个眼睛一样大。

应书记制止道：“不说了。”最终没保住，王毅梅黯然去职。

## 二

合水小社村民闹事时，刘克服远在市区开会，隔天另有要务，县里还有副书记陈铭等人可用，为什么应远非把刘克服叫回来应急不可？如刘克服自己所说，他有前科，在这个村碰过事情，知道一点儿情况，有一些基础，所以让他上。

刘克服的前科相当特殊。

此前一个春天，刘克服接到来自合水镇的一封群众来信，用大信封寄达，厚厚一叠。信的内容并不特别多，其厚度主要在落款，连着几页，为该镇合水小社各家农户户主签名，名下均按有手印。浩浩荡荡汇集了这么多签名手印，反映的却不是什么惊天动地生死攸关的大事，涉及的只是该村小学的一项称号，叫“革命老区荣誉小学”。

所谓“老区”是一个特有概念，与历史相关。20 世纪 30 年代前期，也就是历史教科书上的土地革命时期，本地曾为红色根据地的边缘游击区，先后有多支红军小部队和游击队于本地活动，许多贫苦农民参加革命队伍，在这一带开展武装斗争，与前来“剿共”的白军及地方保安队作战。此后武装斗争几经起落，一直延续到解放战争时期。解放后，当年革命队伍活动区域被视为“革命老区”，当年支持革命队伍，为之付出大量牺牲的老区人民得到了相关政策扶持。由于历史具体情况，本地老区多位于交通不便的边缘山区，一些丘陵、平原地带农村也因当年革命队伍活跃而被列入，例如合水镇的一些村庄。

为了培养老区人才，发展老区教育事业，本市相关部门制定实施了多项措施，命名“革命老区荣誉小学”为其中之一。合水村小学符合条件，被列入荣誉名单，这所学校位于合水大社。当地还有一所小学叫合水村第二小学，位于小社，这所学校未曾得牌。小社村民因此愤怒不已，联名上书，指责市、县有关部门处置不公。

刘克服接到的这封信是复印件，估计发放的份数当不会少。信件语气激烈，在责怪有关领导和部门大小眼时，竟然指名道姓，抨击县委副书记陈铭，说他不公、造假，滥用职权，是罪魁祸首。写信者怒气冲冲，要求重新审理，让合水村小学摘牌，给合水村二小授牌，因为当年小社是有名的“红社”，大社是出名的“白社”。如此颠倒红白，是让当年杀人魔头九泉之下扬扬得意，让革命烈士英灵难得安宁，政府教育主管部门必须为此向村民道歉，责任人必须处分，包括陈铭。如果无视他们的意见，他们将上访，打官司，不惜到中央告状。

刘克服把信件转给政府办，请他们注意。几天后政府办主任向他反馈，说同样的信件他们手中有好几份，有直接寄给他们的，也有领导批过来的。根据他们了解，信件反映不准，比较偏激。合水村大社小社早年同属一村，是老区村，后来拆成两村，两边都算。合水村原来只有一所小学，拆村后才建了合水村二小，目前也不是完小，只有低年级。教育行政部门早就规划将两校合并，只因小社村民有意见，还未实施。因为不是完小，还准备合并，所以未把合水村二小列为老区荣誉小学，也属情理之中。

刘克服让他们多留意，只怕这件事不那么简单。

那天也巧，王毅梅给刘克服打了一个电话，从她的岭兜乡长办公室打来。当天是星期五，接下来是双休日，因为乡里有事，她不能回县城家中，打算让女儿到岭兜她那里玩一天。她女儿上小学了，还没见过牛怎么走路，所以想让她到乡下看看。

“我干儿子好点，看过牛走路，但是没听过牛叫。他说过想听一听，大领导太忙了，管不到，交给我一天好吗？”她问。

刘克服爽快答应，没问题，批准，交王乡长做乡土教育。

他们讲的是刘克服的儿子，这孩子比王毅梅的女儿大几岁。王毅梅管刘克服的儿子叫干儿子，那是开玩笑，并不真有那么回事，就跟她常说的两家要结亲，让刘克服把儿子给她当小女婿一样，说说而已，却让刘克服感觉挺近乎。刘克服不幸丧偶，妻子前些年意外车祸去世，留下一个儿子，刘克服事多，儿子主要放在亡妻的娘家，由孩子外婆和大姨帮着带。王毅梅常在节假日以认干儿子、招小女婿为名，把刘克服的儿子带到外边，跟她女儿一起玩，搞些好吃的，让他吃个腹胀如鼓。

刘克服忽然记起王毅梅的籍贯。

“你老家是合水镇吧？”他在电话里问，“大社还是小社的？”

王毅梅说她从来不敢跟大社攀，小就小了，不敢图大。

“是小社的。”刘克服点头，“听说过你老家小学校那件事吧？”

她的情绪一下子上来了，当即在电话里抱怨，说再怎么有钱有权有势，最多也只能欺负人，不能去欺负鬼。这么颠倒黑白，老家人不服，她听了也非常不服。

“你们领导大小眼，也不能大小到这种程度。”她说。

刘克服问：“这是说我吗？”

王毅梅一口咬定：“你也是。”

刘克服想一想，人家说的也没错。老区荣誉小学名单好像是县政府办公会上通过的，当时没有谁注意大社小社这个事。他是常务副县长，当然也有一份。

“王乡长这么不满，”刘克服问，“跑回去跟乡亲们一起按手印了吗？”

王毅梅称自己脑子还清楚。她一回家，大人小孩找她发牢骚，她都是劝告大家，从来不敢有一句出格的，只怕村民闹起来不好。她在县领导面前从不谈老家那些事，因为官小气短，只怕陈副书记听了会有意见，把她骂死。但是跟刘书记不一样，可以说。她知道刘书记是左撇子，左手右手有区别，但是他的两个眼睛一样大，她最服气。

“这就好。”刘克服交代，“记着你不只是个女乡亲，你还是个大乡长。”

王毅梅叹气，说觉得自己很没用。

王毅梅这个电话让刘克服心里挺惊讶，因为她表现出来的情绪。他知道这个人情绪容易上来，却从来是个明事理的干部，心善，实心眼，好相处，并不争强好胜。让她意见这么大，不会是一般的不讲理。

刘克服悄悄找人了解背景，果然有些情况。

原来合水大社与小社面水相邻，曾同归一村，却渊源有别。小社村民以姓王为主，大社则以纪姓为多。由于地理环境和其他因素，大社一向富庶，小社比较贫穷。富裕村庄读书人多，人才辈出，历朝历代，大社外出经商做官的人一茬一茬，村庄里牌坊古屋座座相接。明朝时，这里有一位子弟学业有成，高中状元，以后官至尚书，名列史册，最为显赫。小社光景则不同，历史上出家奴、苦力、佃农、刁民和盗贼，读书做官经商出人头地者不多。所谓富易骄横，穷则思变，大社人以往看不起小社人，一些有钱有势者恃财弄权，欺凌对方的事例屡见。这就引发小社人的不满与愤恨，两边屡起纠纷，积累了不少旧怨。20世纪30年代“闹红”，奋起造反，参加红军游击队的，以小社贫苦农民为多，所谓土豪劣绅则集中于大社这边，红军游击队打土豪分田地，土豪劣绅们则联手出钱出枪，修筑“土围子”，组织保安队，倚仗“剿共”正规军与红军游击队作战，在本地打出了一些残酷战事，其中最惨烈的一次，“剿共”部队和保安队在小社后山一带遭游击队伏击，死伤十数人，他们认为小社“资匪”，与游击队共谋，连夜包围，血洗村庄，痛加报复。村民逃跑藏匿未及者三十多人被杀，包括妇孺和老人，史称“合水惨案”。所以才有所谓当年小社是“红社”，大社是“白社”之说。

解放后，乡村政治经济格局发生巨变，合水大社小社间的历史旧怨得到根本缓解，但是双方感情上还有痕迹，不时还有些纠纷。早些年把合水村拆成两村，让大社小社各自管理，也是顾及以往和现实情况。如今两村之间落差还比较大，大社这边除了经济状况好，人才优势尤其明显，这个村出外读书做官有传统，至今强盛，粗略统计，从这里出去，目前在省、市、县领导机关工作的有近百人，握有实权的重要领导干部数得上十几个，他们为家乡办了不少事，大社修桥铺路盖教室安自来水，办什么都有人关照；要钱有钱，要人有人。小社在这方面相形见绌，因此不满，他们的不满以所谓“大小眼”说为代表，认为大社有钱出官，事事都被看中，小社无钱少势，就被人漠视，不当回事。这些言辞当然不乏情绪化，有所放大。这种情绪此刻因小学校荣誉称号集中爆发，如王毅梅所说，再怎么有钱有权有势，最多只能欺负人，不能去欺负鬼。小学门口的一面荣耀牌，牵涉起历史上的事情，包括“闹红”时的三十多个死者，比什么都让村民不能接受，很可能酿成大事。

因此刘克服就多嘴了。

那天县领导开会，会间休息，闲聊时陈铭提起了小社村民的那封信件，很不高兴。陈铭说写信的不算刁民，起码是告刁状。他根本不知道老区荣誉小学那件事，从头到尾没问过一次，怎么就把他扯上了？指名道姓，说他不公，造假，滥用职权，是罪魁祸首。上级领导看了，还以为他管得宽乱插手。事情这么多，工作这么重，今天蓝的绿的都管不过来，哪里管得着昨天红的白的？这些人简直就是诽谤。

刘克服开玩笑，让陈副书记息怒。如今当领导的，哪个没给告过？写几封信不要紧，别闹起来就好。

陈铭说：“这还有什么闹的？道理很明白。”

陈铭比刘克服年龄还小一岁，是从市里下来任职的，跟刘克服一样老家在市区，本与什么大社小社无关，不幸该领导不只会做重要讲话写重要批示，还娶了一个重要老婆，籍贯恰为本县合水大社。陈铭是白净脸，戴眼镜，激动起来，脸会发红，他的职位比刘克服高，年龄资历却浅，两人常会开点玩笑，这天刘克服一看他脸红就打趣。

“建议陈副书记今后不要戴眼镜。”他说。

陈铭追问为什么？刘克服说，陈铭是四个眼睛，加上镜片太厚，让老乡们观察起来很吃力，所以不免有误会。以后把眼镜摘了，这就一目了然，到底是不是大小眼，不用多说，看一眼就知道了。

陈铭也笑，说旁人一目了然没关系，他怎么办？眼前一片模糊，栽跟头吗？

刘克服又多了一句，主张陈铭不摘眼镜也行，但是还应该想点办法，让老乡知道他的眼睛很正常很明亮，这才好摆平。刘克服说，告状信他也看了，情况有所耳闻，他觉得小学校挂个牌子不算什么大不了的，但是后边那些因素不太简单，试着从人家的角度看,免不了会觉得厚薄有别。

陈铭很惊讶:“你也这样说?”

刘克服解释,没有其他意思。他跟陈副没法比,陈副是贵人,福星冲天,他不一样,这些年没少磕碰,死了老婆,亏了孩子,因而要自责,总在检讨自己。所以他主张设身处地,多点考虑。评荣誉学校是好事,好事应当做好。

应远书记摆手招呼:“别说了,接着开会。”

应书记人很沉稳,不多话,却是什么都听在耳朵里。两天后他让秘书给刘克服来个电话,让刘克服到办公室找他。刘克服去了,不见他在,他的秘书对着刘克服把手往天花板上一指。刘克服点头,明白了,即走上楼梯,直去办公楼顶层。

应书记在顶层活动室打乒乓球。应远是乒乓高手,接近专业级水准。刘克服也打球,两人时有交手。那天顶楼上有个年轻干部陪书记打球。见刘克服到,年轻人自觉下场,掩门离开。应远笑了笑,告诉刘克服:“这年轻人也是左手。”

刘克服也笑:“应书记用人别具一格。”

应远果然一边打球一边用人。他跟刘克服讲合水镇,说小学校荣誉称号那件事没处理好,合水小社不太平静,想要刘克服尽快去过问,跟镇里领导商量一下对策。

刘克服感觉挺突然,因为他并不挂钩合水镇,也不分管教育、老区建设等工作,跟合水小社这件事不太搭界。

应远解释:“我考虑你比较合适。”

他告诉刘克服,合水镇这件事已经惊动上头,市里纪副书记亲自给他打了电话,要求派出得力人员,迅速处理好,防止激化。他考虑,陈铭出面不太合适,交别的领导处理当然也可以,但是他还是倾向于让刘克服去,估计群众比较容易接受。

“你主张设身处地,这个对。好事不能办成坏事。”他问,“是你说的吧?”

刘克服说:“是的。”

应书记用的是商量口气,刘克服却不能推辞。说到底,这件事也是他自找的,如果他自觉置身其外,不去多嘴,可能就没他事了。

打完球回到办公室,桌上有一份急件,需要刘克服签意见。他在靠背椅上坐下来,从笔筒抓出支笔,那时突然手抖,他能听到笔尖在笔记本的纸面上不停地抖动,但是并没有写出一个完整的字来。

这就是恐惧,或称害怕。

他去了合水镇。

果然如他所料想,根本不是来听听情况发表一点儿意见,几乎已经是要应急处置了。合水小社村民联名上书之后,县、镇相关部门都曾到村了解情况,做种种解释,村民觉得来的人只是敷衍,并不把他们的反映当真,小社无钱无势,没让人放在眼里,因之情绪更大。村民们已经准备绕开县、镇,集体往市政府上访,不行的话再往上走。

刘克服问镇领导："你们都做什么了？"

镇里已经向县里急报信息，也派出干部下村说服。给小学校授荣誉称号不是镇上能决定的，镇干部无法明确表态，所以难显效果。

刘克服当机立断，带着镇领导，直接去了合水小社，在那里与村干部及村民代表座谈，当面沟通，以求平息事端。

刘克服以往多次到过合水镇，情况并不陌生，直接处理合水村事务却是第一次。他发觉这个村的人和事比较特殊，用本地话形容，比较"个样"，很容易情绪化。为了本村小学比邻村小学少挂一块牌子，居然会闹得这般激烈，县、镇领导出面商谈，他们也不顾忌领导脸面，态度强硬，很难通融，协调起来特别吃力。

刘克服表了态，明确承诺把合水村第二小学列入老区荣誉小学名录。这件事批准权在上边，但是他保证县里以及他本人会全力支持，一定会做到。他了解过历史情况，合水小社确属老区，当年村民为革命做出过重大牺牲，这是历史事实，没有任何理由可以剥夺该村小学校享有相应荣誉。县里在这件事上不会大小眼，但是确实存在考虑不周、工作不细的问题，伤害了小社村民的感情，应当想办法弥补。无论是活者还是死者，如今的小社村民以及他们村历史上的烈士都不应当被伤害。

他表现出了极大善意，村民却不接受。他们不只要求自己要有，还提出对方不能有。当年小社是红社，大社是白社，大社人领着白军杀小社人。如今要评老区学校，当然红社该有，白社不该有。应当把合水村小学已经挂上的荣誉牌摘下来，将该校从荣誉名单上除掉，这样才公平。

刘克服劝告村民不要过分计较，还是应当两个眼睛一样大。据他了解，当年"闹红"，小社的贫困农民是主力，大社则有保安队与白军站在一起。但是情况不只一方面，小社这边，也有叛徒出卖自己人，大社那边也有参加红军的。当年这一带一支红色游击队以小社人为主，领头的游击队长出身于地主家庭，识文断字，却是大社人，末了牺牲了。所以小社学校荣誉称号应当给，也不能剥夺大社那边小学校的荣誉资格。

这一点儿村民没有过度坚持，尽管有情绪，毕竟还得讲理。但是他们抠住一个细节事项，死活不愿松口。

当时市里主管部门下发了一笔专款，扶助老区荣誉小学盖教室，凡列入名单者，每校有二十万元，专款由市里下到县里，将由县主管部门拨到各校。按原先名录，大社小学将得到这笔钱，刘克服保证小社学校在列入名录后同样也会得到，村民不能接受。他们认为历史事实是明摆的，理在他们这边，命名已经搞错了，发钱绝对不能再有先后。别家拿多少钱，他们不能少一分，别家什么时候拿到钱，他们只能更早，不能拖后。刘克服让了一步，同意由县里想办法先拿钱垫付，跟上级给大社的专款同时下发，让小社同步盖教室。村民还不同意，他们不要没名堂的钱，不管多少，要只要上级给的老区荣誉小学专款，那笔钱不能给大社，必须给他们。县里愿意拿钱垫给谁他们可以不管，荣誉学校的专款只能给他们，这才叫分清事实。

钱是上级戴帽下达的专款，定给哪家必须给哪家，县里不能随意处置。但是以此推托，村民又不服。刘克服决定把这件事先放一放，答应回去与有关部门研究，为大家想一个都能接受的办法。村民对刘克服表示认同，承认刘副县长没有大小眼，确实想帮他们解决问题。他们答应听从劝告，不走极端，继续商量，妥善解决问题。

刘克服匆匆返回，当晚即召开县里相关部门协调，最后拍板，决定将市里下拨给合水村小学的二十万元一分为二，大社小社两所小学各十万，由主管部门以扶助老区荣誉小学的名目分别下达两家。县里另外再拿二十万，一家补给十万。这样处理两家都有名堂，总量也不少，但是操作上挺麻烦，这边要扣那边要补，节外生枝。

据说成语朝三暮四与哄猴子有关，猴子听说早上三颗晚上四颗就起哄，换成早上四颗晚上三颗可以吗？猴子接受了。大社小社如此分钱，跟猴子分食物也差不多，实际还不都一样吗？刘克服说不管一样不一样，人家是要名正言顺，要公平。只怕哄得了猴子哄不了人，人家还不接受。

他给王毅梅打了电话，让她放下乡里的事，回村去一趟，帮助做工作，说服她的乡亲接受县里这个方案。

“我是岭兜乡长，怎么让我管合水镇的事？”王毅梅问。

刘克服反问：“合水镇的事不是咱们县里的事吗？”

她叹气，问刘克服为什么要去管这个事？如果叫她，死活是不管的。

刘克服说他不管也成，但是过不去。为什么？王毅梅清楚。

王毅梅闷声道：“好吧。”

她回到村里，当晚给刘克服打了电话。经她劝说，村民接受了。

“他们要一口气，不能总让人压着。”她说。

“这口气要到了没有？”

王毅梅说，许多村民还感到有气，但是他们记住了刘副县长的眼睛。

事情终告了结。

半个多月后，刘克服到市里参加外经工作会议，会议期间，于会场外见到市委副书记纪全洲，刘克服问候纪全洲时，领导很严厉，劈头盖脸批评。

“你胆子不小哇。”领导说。

刘克服吃了一惊：“是哪里不对了？”

“哪个大小眼？谁伤害谁？什么意思你？”

刘克服一时张口结舌。

“你以为你是谁？打抱不平的？眼科医生？”

纪全洲身高一米八几，人们私下里管他叫“纪大个”。纪全洲不只个儿大，这人从基层起家，当过乡镇书记、县委书记，目前为副书记兼副市长，是本市书记、市长之后的第三号人物。这位领导资历深，本事大，手握重权，性格强悍，直言不讳，批评起人不留情面，下级很怕他。市、县官员中流传六个字，叫“第一恶，纪大个”，说的是本市上层领导中，数这个纪最凶。如此形容虽含贬义，却很传神。纪全洲是合水大社人，为该村所产众多当今杰出人物中的代表性人物。本县县委副书记陈铭不是合水人，却被归为合水一路，这与纪全洲有关：陈铭娶的是他的妹妹，他是陈铭的大舅子。

刘克服介入合水渡事务之前，跟纪全洲打的交道不多，只限于分管的工作范围，有事请示汇报，开会见面问好，没有个人接触，从没被所谓“第一恶”恶着过。处理“革命老区荣誉小学”让他一头撞上纪全洲。显然有人把意见反映到纪全洲那里去了，让纪副书记觉得所谓“大小眼”一说有影射他之嫌。纪全洲是本市最高级别的合水籍领导，如果真有厚此薄彼，当然会波及他。

“什么都没搞清楚，就敢胡乱扯？”他训斥刘克服。

刘克服说明，他在小社表示要一视同仁，并没有说谁大小眼，没有自命为治疗大小眼的眼科医生，更没有涉及上级领导的意思。即使以往有什么问题，对小社村民有所伤害，也是下边县和镇的责任，包括他自己，不是上级。

“你还知道责任？”他不放过，“要把那两个村搅起来，我看你找哪里哭！”

刘克服不说话了。

刘克服并不是什么都没搞清楚，包括纪全洲的事情，他也知道一些。纪全洲起自乡间，堪称爱乡模范，多年来为家乡做了许多事情，大至修桥铺路，发展产业，小至村民儿女读书上学，凡找到他，几乎有求必应，不计亲疏远近。但是他也不失规矩，并不姑息纵容亲属。纪全洲有一个在老家当农民的亲哥哥，前几年他哥哥的儿子因恋爱挫折，一怒之下扼死女方，被逮捕起诉，办案人员知道案犯是纪副书记的亲侄儿，非常为难，外界高度关注。当时纪全洲在一份相关报告里批了一行字，要求严格依法办事，绝不手软。这起案子办得很轰动，最终他的侄儿伏法，被处死刑。

对家乡大社小社之间的关系，纪全洲很清楚，也很留意，总说大社小社都在合水渡，都是他的父老乡亲。纪全洲为家乡办的不少事既有利大社，也惠及小社。修桥铺路之类事项，总是周边都好。早年小社搞自来水，经费不足，镇里找上他，他一手帮成。小社村民子女读书务工，求到他头上，他也视同本村乡亲相求。包括这一次，得知小社群众对老区荣誉小学问题大有意见，准备闹事时，他直接给县委书记应远打电话，要求高度重视，迅速派得力人员，妥善解决。所以指称他在老家事务上厚此薄彼大小眼，对他无异于严重冒犯。但是现实情况摆在那里，大社小社间利益得失差别明显，强弱分明，大小失均，不因纪全洲个人为对方做过什么就不存在了，否则小社村民包括王毅梅这样的基层官员怎么会有那么大的落差感？

刘克服却不能跟纪全洲论理，他是下级，人家是上司，号称“第一恶”，下属官员谁敢跟纪副书记多嘴。刘克服明白该领导不是在意当地小学校的荣誉之争，是担心触及所谓大小眼、受伤害，会挑起两村百姓间的旧怨，激化两村的矛盾，要真是这样，刘克服真会哭都找不到地方。当着纪全洲的面，他不敢多话，返县之后更不敢懈怠，除了要合水镇当地领导注意掌握，稳住大社这一方，他还着意让王毅梅起作用，帮助稳住小社一方。如土话所说，小心无大差，合水渡学校之争终于平稳渡过。

刘克服暂时未曾寻无哭处，纪全洲却把他记住了。

## 三

王毅梅的侄儿与另一个小社青年因盗窃香蕉被大社人打死，引发抬尸堵桥阻碍交通事件，刘克服受命处置，再次以“两个眼睛一样大”方式化解了事件。事后不久，纪全洲驾临本县，在县级领导干部会议上高调提及，说到了刘克服。这一次是先表扬，再严词训斥，真是语重心长。

纪副书记说刘克服值得表扬，但是不需要多表扬，为什么？大家是什么身份？领导干部，这种时候，哪怕让你去死，你也不能有二话。干得好是应该的，干不好是不应该的。这回谁没干好？合水镇当地领导处置不力，反应迟缓，没在第一时间阻止事件发展。还有女乡长王毅梅，关键时刻经不起考验，不能摆正位置，把自己的私家情感置于大局利益之上，可恶。

“这里边谁没有侄儿？”他问，“因为死个侄儿就闹情绪，不认职责，不听召唤，不服从命令，指挥不动，这种干部有什么用？不撤还行？”

纪全洲有资格说这个话，他自家恰好也曾死过一个亲侄儿，死罪当毙，该领导态度坚决，绝无二话。

这一天纪副书记到县里开会，主题并不是表扬刘克服批评王毅梅，为香蕉园事件做总结表彰。他只是借题发挥，拿它当引子，为另一件事做足铺垫。这件事同样牵扯到合水渡。需要强调服从命令，所以纪副书记声色俱厉，拿表扬和撤职作他的关键词。

这是件什么事呢？区划调整，事关大局，本县合水渡正面临切割。

刘克服所在的这个县地处内地山区与沿海平原过渡地带，县东南合水镇一带与市区和邻县接壤，旧称三县地。市里出于中心城市经济发展需要，经上级同意，决定从相邻县区各划出若干地域，增设一个区级行政单位，直辖于市，合水镇将划出本县版图，归属新区。合水镇是个大镇，拥有大片平原和水面，历来以种植经济作物为主，因接近市区，工贸比较发达，经济状况较好，是本县数一数二的富庶乡镇。把这个乡镇划出去，县里很多人不能接受，有人开玩笑，将其比之为当年中日甲午战争之后的割让台湾。这种比喻虽属不当，却也表露大家心里的懊丧和不甘。

纪全洲是市里负责协调新区建设的领导。纪大个身份高，既是副书记，又兼副市长，手握大权，可以协调各方，做出相关决定。他的个性强悍，处事坚决，号称“第一恶”，谁都怕他，有利破除新区设置过程中的种种障碍。他又是本县合水镇人，他来负责，本县与合水镇的事情好摆平。纪全洲经验丰富，他到县里开大会，一上来给个下马威，表扬刘克服服从大局，严斥王毅梅不服从命令，以撤职警示，会场上都是领导干部，谁不知道这是什么意思?

当天刘克服为受表扬对象，没过多久，他就摔在合水渡这个坎子上。

事情还是发作于合水小社。与上回争荣誉学校的方式相同，该村村民联名上书，盖了数页手印，把上书状寄往从中央到地方的各级领导机关，提出了一个特殊要求，反对将本村随合水镇全镇划往新区，要求单独留在本县行政区域里。

纪副书记大为恼火，下令追查。

这里头有些情况。

市里筹组新区，提出划合水镇并入新区之后，本县作为下级，大的方面必须坚决服从，决策过程中，在还没有拍板定案之前，也有权根据自身情况，对与本地利益攸关事项提出意见建议，供上级决策参考。行政区划调整是大事，主要领导亲自掌握，刘克服作为常务副县长，具体的不归他管，重大事项却要参与研究。在县里头头讨论时，刘克服提出了一个建议，主张大处服从，小处争取，同意把合水镇交出去，但是把其中的两个行政村留下来，并入相邻的本县另一个镇。留下的两个村就是古合水渡边的合水大社与合水小社。刘克服的这一主张得到了县里头头们的赞成。

合水渡两个村人口地盘都不算大，其中小社相对还穷，为什么县里想留？因为两村地位比较特别，它们位居江畔，扼于旧日合水渡的渡口边。渡口早已废弃，并无交通利益，不需要特别考虑，留这两村主要考虑的是取水，合水渡为当地重要水源地。

合水渡一带汇流的两条河流水质有别，自北向南的一条称“青溪”，出自山区，水量丰沛，水质较好。自西而东的一条从丘陵流出，水质略差，颜色显黄，被称为“黄溪”。二十多年前市里于合水渡投建引水工程，取水地点设在汇流处之上，取的是青溪的优质水。所取水被导入引水渠，出合水镇后分为两支，一支向市区供水，一支则流向本县另两乡镇，是当地数万人口饮用、数万亩土地灌溉的主要水源。水利向称命脉，淡水在世界范围内已成稀缺资源，县里出于保障辖下两乡镇居民饮水灌溉出发，希望把取水地留在自己辖区内，今后掌控得住，不必受制于人，从一县角度考虑无可厚非。

但是水源区划给新区，等于市里直接管住，对市里当然更有利。因此县里的主张不为认同，市里相关协调部门认为，新区承担对城区供水任务，水源地归进来为妥，县里两个乡镇的饮用灌溉需要，可以由市里协调解决。

双方意见不合，纪全洲下令："可以听听当地意见。"

纪副书记很有经验，也高明，他心里有数，不急着强作决定，只要求分别开开座谈会，听听合水镇及相关村当地干部群众的意见。这意见还用听吗？基本一边倒，支持划归新区，特别是镇、村干部。区级财政一般较县级为好，待遇较县里高，不说别的，划给新区后，比照目前市郊标准，村主任的补贴顿时可以多近一倍，大家何乐而不为？

于是意见基本确定，县里的提议被否决，合水镇还拟整体划归新区。

这时忽然枝节横生，合水小社村民变卦了，联名上书，反对划入新区，要求留在本县。纪副书记非常恼火，认为不正常，背后可能有人捣鬼。如果是县里官员试图通过这种方式打民意牌，对上级施加压力，性质就严重了，纪大个哪里允许。

一天下午，临下班前，应远给刘克服打电话，问他走了没有？刘克服告诉他自己还在办公室。应远说："过来吧，顶楼。"

刘克服顿时心情沉重。

他去了办公楼顶层，乒乓球室里只有应远一个人，独自练发球。刘克服在屋角落柜子里找出自己常用的那把拍子，握在手里比了两下，两人各自站好，开始练球。来回推挡几下，书记即发觉异常。

"你怎么了？不舒服？"他问。

刘克服苦笑，看着自己的手："不太得劲儿，手抖了。"

"为什么？"

"紧张吧。"

"紧张什么？"

刘克服表示不只是紧张，是有些恐惧，害怕。书记球技太高，抵挡不过。

应远不吭声，好一会儿，他问："你觉得我怎么样？"

刘克服说："书记也难。"

他们说的是球吗？不是，他们以球说事，讨论眼前的棘手事项。合水渡这件事怎么办好？作为负责官员确实两难。所谓屁股指挥脑袋，坐在县里位子上，如果不为本县利益相争，必然遭到大家怪罪，被视为只听上头只顾自己不顾辖下百姓。但是过分相争肯定有不服从大局之嫌，会招致上级的责难，最终对自己不利，特别是碰上"第一恶"，哪个不头痛？如何在两端之间把握，有如接受大考。应远是第一把手，主要责任人，首当其冲。他还有个特殊情况：本市在任县委书记里，他的资格最老，年纪最大，有传闻说即将提拔到市人大当副主任，要紧时刻碰上这种事情，让他格外为难。不尽力为本县一争，下边意见大了，可能影响上进。反过来也一样，如果让市里领导不满意，机会也可能失去。

这时候能怎么办？应书记打个电话，把刘副县长叫到了顶楼。刘克服一握球拍就显得紧张，自称是恐惧。应远让他放松，别紧张，可以先分析一下情况。

分析哪方面情况呢？合水小社。应远认为刘克服比较熟悉，让他说。刘克服分析，合水小社村民联名上书，看起来很异常。所谓水往低处流，人往高处走，为什么小社村民倒是就低不就高？这里边的因素并不奇怪：小社与大社有历史纠葛，一向为所谓“大小眼”不平。他们可能担心划到新区后还被大社压住，所以不如借此机会分开，各归各的，不再你大我小。分开不一定是最好办法，但是从心里说，他理解，也同情。

“你觉得市里会同意吗？”

刘克服认为不可能。小社虽穷，位置却重要，偏于上游，青溪引水工程取水口在小社地界。不把小社划入新区，等于没掌握水源地，市里不会接受。尽管市里不让，他认为本县还应当再争，即使不成，也能促进上级，包括今后的新区更多照顾小社村民利益，以及本县的利益，有利确保今后本县下游两个乡镇的用水。

应远点头。

他作了决定，要调整分工，加强力量，增派刘克服挂钩合水镇，同时负责协调该镇行政区划调整事项。应远要求刘克服尽快介入，去合水镇了解小社村民上书情况，然后去市里向市政府副秘书长江平汇报。江平负责协调新区筹建工作，直通纪大个。

刘克服苦笑，称自己今天握拍子发抖，怕的就是这个。

应远说：“这种时候需要你这种人。”

刚打完那场球，有一个电话到，是王毅梅。

“刘书记还不下班？”她问，“打算以办公室为家？”

昔日王乡长如今是王主任科员，这大半年诸事不顺，她不时找刘克服诉说；通常都以开玩笑开始，模样很开朗，如今天夸奖刘克服以办公室为家。但是谈到最后多半会抹眼泪，泣不成声。毕竟是女干部，感情不比男士坚强。

刘克服问：“你在哪里？”

她说在刘克服他们家小区下边兜风，看到楼上没灯光，估计刘克服还没回来，所以打一个手机问问。

“你别走，刚好有事问你。”刘克服说，“我马上到。”

他收起桌上的笔记本，匆匆离开。

十几分钟后到家，他让司机把车停在小区外，自己下车走进大门。进大门后东张西望，没看到王毅梅的影子，他径直上楼，在楼梯转角口碰上了。

那儿没灯，王毅梅黑乎乎一团贴墙站着，悄无声息。刘克服还在转角处拾级往上，她就在上边发笑：“你别怕，是我，不是杀手。”

刘克服问：“我是谁？”

她说她知道，刘书记爬楼梯从来都这样，脚步很重。

刘克服自嘲，说好在没干坏事，不怕杀手躲在这里下手。

他掏钥匙开门，请王毅梅进门。

王毅梅还是收拾得很端庄，发型很整齐，像是特意去梳理过，衣着很正式，穿套装，还像当年开乡人大坐主席台候选乡长时一般。只是额头上已经隐约有风霜起伏，眼神不再那么明亮，笑声有些勉强，不像当初那般确切。

她来送一份材料，说要听一听老领导意见，请求老领导关心。刘克服看了一眼她送的东西，厚厚一叠，题目是"请求落实干部政策的个人申诉"。刘克服翻都不翻，当着她的面把材料一撕两半，扔进沙发前的废物篓里。

她的眼泪当即落了下来，她拿纸巾擦眼睛，就那么哭，不说话，也不出声。

"这材料还没送出去吧?"刘克服问她。

她点头。

"你还算有头脑。"刘克服说。

她抽鼻子，说了话："可是太不公平。"

刘克服斥责："这就公平了?"

他指着废物篓里那份材料，问她这是谁的主意，谁替她写的？是不是她丈夫?

她点头。

"告诉你们家老吴，这一套不管用了，不是什么落实政策的事。"他说，"让他不要瞎掺和，你自己拿主意就行，他的智商不比你高。"

她表示不服气。

"不服也得服。"刘克服说，"不知道吗?"

他给王毅梅倒开水，开水壶一提，里边还有小半壶，倒到杯子里却不行，已经没热气了。王毅梅把眼泪一抹，起身要去烧开水，刘克服把她唤住。

"算了，不管它。"

"你还没吃吧?"她问，"我干儿子呢?"

刘克服告诉她，儿子在外婆那里。吃饭什么不着急，他有事问她。

刘克服打听合水渡情况。王毅梅听到老家什么动静没有？村民联名上书，不进新区，为什么？还是"大小眼"吗?

王毅梅点头。

"刘书记问这个干吗?"她问。

刘克服告诉她，应书记决定把这件事交给他。王毅梅大惊："你怎么就接了!"

她替刘克服着急，因为知道事情挺麻烦。这种时候哪里可以去管合水镇！以刘克服这种脾性，不想被村民骂死，就得让纪大个压死。凭什么好事都是别人，坏事才想起他？书记县长，他们为什么自己不去应付？怕挨上级批，怕在百姓中留骂名，他们怎么也知道让别人去挨批顶骂名？还有陈铭，号称副书记，浑身都重要，时候到了只会躲在后头，让刘克服去顶枪子，这算什么东西？

刘克服制止她："说什么呢。时候到了，总得有些不怕死的。"

"为什么该你不怕死？"

"因为我是左手，死老婆。"他自嘲，"所以该我。"

"你心里有东西放不下。"她说，"也不必这样找死嘛。"

刘克服不禁失语，好一会儿说不出话。

"你最清楚。"末了他苦笑，"命中注定。"

王毅梅反对，认为刘克服不能这样。他不怕死，她怕。刘克服要是死了，她找谁说？她的事谁还会管？

"你还有什么事？"刘克服说，"落实政策？别指望。"

"有这么不讲理的？"

"这种事没理可讲。当时怪你自己，现在认了吧，就这样。"

她又掉了眼泪，还说自己非常憋气。

"人都有坎站，你得过这个坎。"刘克服说，"我也一样，都得过去。"

她擦眼泪，不服。刘克服说不服也得服。他这里可以让她哭，其他地方不行，不能这样表现。她一边哭一边点头，表示明白。几分钟后哭够了，她起身告辞。走之前她打开带来的包，那包挺大，不是一般女士挎的。她从包里掏出个纸袋，纸袋外裹着塑料袋，她把纸袋留在茶几上。

"这是啥？"刘克服问。

她没说话，开门走了。

刘克服看茶几上的东西，是一只盐焗鸡，包着锡箔纸，里边还是热的。

当晚就吃那个，没煮粥，一只鸡让刘克服全部吃尽。

第二天他带着几个人去了合水镇。

一星期后，他到市里，找市政府副秘书长江平专程汇报情况。江平管新区筹建，事前刘克服跟他通过电话，约好两人先谈。哪想一到情况变了，江平握手时笑了笑。

"纪副说，他要亲自听。"

刘克服大惊。

所谓是祸跑不过，这种时候，只能硬着头皮上，刘克服跟着江平去了纪全洲的办公室。门一关上，纪全洲当头一棒，给了刘克服一个下马威。

"你脑子里还有几个馊主意？"他指着刘克服问。

刘克服不解："纪副书记批评什么呢？"

纪全洲问刘克服，建议留下合水渡两个村子，起初是不是刘克服提出来的？

刘克服承认，是他，他在县常委会上提出的。

"现在你准备鼓捣小社？再当眼科医生？"

刘克服表示自己没那水平。小社的情况很复杂，纪书记最清楚。

“你还说过什么鬼话？比如割让台湾？”

刘克服否认，他没把划走合水镇与当年清政府割让台湾相比。他知道有人这么说，虽然是牢骚话，也属非常错误，很不妥当。

“你觉得自己有多大？”纪全洲问。

刘克服表示自己很小，常务副县长，任职经纪副书记等市领导研究过。

纪全洲说，在一个县里，常务副县长这个乌纱帽不算小了，含金量很足，许多人看得脖子酸，也还看不上一眼。古时候打仗，有时候需要砍一两颗违令将官的脑袋，警示激励将士。如今法制社会，以人为本，不好就砍脑袋，那就砍乌纱帽吧。他已经准备好了，有谁敢不听号令，暗中鼓捣，立刻砍乌纱帽示众。

刘克服咬紧牙关听训。

“现在你清楚了吧？”纪全洲问。

刘克服点头，他清楚了。

“说吧，什么情况。”他让刘克服汇报。

这还敢说吗？建议上级考虑一下小社村民的合理要求？为下边再争取一点儿利益？此时此刻不是找死是什么？但是刘克服是哪一种人？他这种人是干什么用的？应远为什么不叫别人上顶楼打乒乓球？

刘克服谈了情况，提了要求，没有松口。整个汇报期间，纪全洲盯着他看，一声不吭，没有训斥，也没有插话。

“纪副书记有什么指示？”末了刘克服问。

他把手一摆：“你走。”

刘克服感觉到自己脖颈间快刀落下的凉意，不禁身子发抖。

半个月后，合水渡出了大事。事情发生于晚间，位于江边的青溪引水管理处发生了一起恶性案件，有人把一包炸药从围墙外扔进院内，炸药在院墙边炸出一个洞，没有造成人员财产重大伤亡，却震惊四方。公安部门迅速介入调查，两天后破案，是小社一个年轻人干的，原因是工程纠纷。

青溪引水管理处建于合水小社地界内，当年征地建设过程中，工程部门与当地群众留有一些利益矛盾。管理处为市属单位，上级部门考虑需要加强与地方协调，特地派了一位合水籍干部到这里当头，这人却是大社人。管理处常有维修渠道等工程，这些年多由大社的施工队承接，小社这边人有意见，认为管理处设在小社地界，有活儿却用大社施工队，可见大小眼。这一次管理处又有一个维修项目，小社有人想揽活儿，最终还是让大社人拿走。未揽到活儿的人年轻气盛，一怒之下找来一包私藏的工程炸药，点着火扔过墙，制造了一起爆炸案。

这起事件与正处于胶着状态的区划调整事项联系起来，纪全洲下了重手。他赶到县里召开领导班子成员会议，宣布市里决定，即日起刘克服停职检查，接受相关调查。

为什么拿刘克服开刀？因为引水管理处爆炸案的表面原因是工程利益纠纷，深层次原因在于区划调整特殊时期领导不力。刘克服身负重任，只顾局部利益，没有服从大局，不能摆正位置，没有正确引导群众，不去妥善化解群众情绪，反而助长错误倾向，激化两村旧有矛盾，造成思想混乱，责任不可推卸。

纪大个果然如其所称，砍乌纱帽警示激励，号令三军。

刘克服黯然无言。

## 四

几个月后，合水镇再度生事，时为秋末冬初，又当蕉园收成季节。

事件出在星期六，其发生似非偶然。

收蕉时节，合水大社蕉园如历年一样，香蕉串屡屡被盗，蕉农再次进入高度戒备状态，园头地角的看园窝棚夜夜有人，棍棒响锣严阵以待，随时准备应贼而起。

这一天很特殊，偷蕉贼不是在半夜三更趁黑摸进蕉园，他们在光天化日之下公然行窃，一车两人，摩托车马达轰隆作响，于下午三点来钟大摇大摆进入蕉园。他们选中了靠路边的一片蕉园，下车后猖狂行事，既偷又毁，一弓香蕉被他们砍下扛走，旁边的几株香蕉也遭了灾，株上所挂蕉串遭他们乱刀横砍。小偷和摩托车的体力都有限，通常一次只能偷一弓大蕉串，无法多多益善，按照蕉园小偷以往之不成文规则，偷走了算自己的，偷不走的还应当留给人家合法主人，不好欺主太甚。眼下这两个小偷连这个规则都不要了，偷不走就毁；行径极其恶劣。

下午时分，蕉园并不是无人之地，到处有蕉农劳作。被窃蕉园的主人当时大意了，跑到邻近蕉园的窝棚跟人喝茶，直到有人进来提及有动静，主人才赶紧跑出去，一看即大叫，敲锣。两个贼听到锣响并不慌张，发动摩托溜走时，没忘记扛上所盗蕉串。

由于是白天，光线很好，有利小偷驱车逃跑。白天时蕉农防范意识反倒薄弱，连锣声也不如晚间激动人心。几分钟工夫，蕉园里还乱哄哄如沸腾一般，小偷的摩托车已经窜出蕉园，冲上大路，顺着小社方向扬长而去，蕉农们只看到摩托车后头鼓起的尘土，还有两顶黄色的安全头盔。

这时能怎么办？自认倒霉，权当让小偷玩一回吧。主人却咽不下这口气，他在蕉园跳脚，破口大骂，恨不得把两个小偷立时拍死在眼前，因为他损失的不只是一弓香蕉，居然是毁了一片。很快主人的姐夫骑着摩托车赶到了，姐夫小舅子两人怒气冲冲，坐一辆摩托冲出蕉园，直扑合水小社而去。

所谓兵贵神速，捕贼也差不多。两个小偷毁了一片香蕉，扛着一弓蕉串跑掉，此时不可能跑远，肯定还在他们的贼巢。香蕉串不是什么细软，它又重又大，不可能藏在裤衩里边，更不能一直扛在肩膀上，小偷需要为它赶紧找一个去处。生鲜货品不是收藏品，也不是自己要吃的，最好能迅速脱手变现，小偷很可能会直接把它送到蕉商的手上。小社那边也有若干蕉园，有几户经销商，可以协助小偷销赃，被盗蕉串此刻可能已经丢在经销商家的院子里了。赃物在它的销赃处不可能待太久，慢则一两天，快则几个小时，蕉串就会被运走，远销外地，那就无从寻找了。

因此失物主人快速行动，跟踪追击，捍卫自己的私有财产。蕉农一天到晚在自己的园地里劳动，看着自己的劳动果实一天天成长，蕉串有如他们的亲生儿女，其大小长短全在脑子里，从成堆蕉串中一眼认出它没有任何问题，就像从放学拥出校门的小学生里一眼认出自己的儿女一样。追贼追赃需要证人和帮手，被盗蕉农找来他的姐夫，这是个合适人物，他姐夫年富力强，会一点儿拳脚，还有个特殊身份，是大村一个村委，在村委会里分管治安和社会稳定，防盗事项他管得着。

两个人心急火燎，奔小社而去。还没到村口，远远的居然就发现了嫌疑对象，一辆摩托车，两个年轻人，摩托车架在小社村头路边，两个年轻人站在路旁喝矿泉水，他们戴着头盔，头盔是黄色的。但是没看到蕉串，不知藏在什么地方。

失主开足马力，朝两个疑犯追过去，打算问个明白。没待他们靠近，疑犯把矿泉水瓶一丢，上车走人。后边这两个一看，顿时疑心大增，所谓做贼心虚，不做贼跑什么？于是奋力前进，穷追不舍。两部摩托车一前一后，穿村而过，直往山边而去。

山边是小社的腹地，附近有两个小山包，山包前是田野，村道沿山而修，村道边建有一幢幢农舍，有平房，也有两层楼房。村道另一头向山包延伸，山包后边就是河，青溪流水哗哗而过。追赶者的摩托车驶到山边，发现前边逃窜的人和车忽然都不见了，不知藏进哪个旮旯里。两人却不气馁，没有轻易放弃，他们顺着村道继续往前，不时停车，向路边过往村民打听询问，问着问着，就到了一座二层砖房门口。

这是一幢尚未完工的新农居，房子的主体结构已经完成，门窗也都安好，还未泥墙，主人已经拿它派上用场，屋外空地上停着一辆小货车，旁边地上放着几弓蕉串，还有一架地磅，一望而知，是一户蕉商。

两个追赃者停了摩托车，仔细查看地上的蕉串。蕉串不多，就四五弓，失主仔细辨别，没看到他们家的“被盗拐儿童”。

屋主人在场，在场的还有主人的儿子，是开那辆小货车的。看到来的两个眼神蹊跷，主人询问他们干什么。两人并不多话，转身想走，其中小舅子眼尖，看到屋主人身后半掩的铁门里，屋子的厅堂地上也堆有香蕉串。

他们不走了，提出要进屋看看。主人一听两人是大社人，园里蕉串丢了，跑到他这里查赃，顿时把脸拉了下来。

“凭什么说东西在我这里？”他问。

两人说在不在看了就知道。

主人哪里肯放他们进去，双方当即吵了起来。吵没几分钟，失主的姐夫脸色变了，他发现不对头，一些人从村道两侧蜂拥而来，手里抄着家伙，有短棍、砍刀之类。

毕竟是村委，在村里管治安和社会稳定，事到临头，知道怎么处置。当下姐夫紧急行动，把小舅子一把推开，不让他跟蕉商父子理论。这时两边通道被堵，已经无路可跑，姐夫将小舅子一把推进主人家的大门，自己随后钻进去，没待主人父子反应过来，咣一下把铁门关上，将自己和小舅子反锁在人家的房子里。

这农宅还没住人，眼下只当仓库，小舅子失物焦急，进门就翻蕉串，还想寻找“被盗儿童”，姐夫大叫，说要死了！别管那个！他们把厅里能搬得动的东西全部推到铁门边，顶住那门，以防外头人破门而入。那时外边已经人声鼎沸，吵吵嚷嚷，一片杀声。

姐夫带着手机，两人慌慌张张，紧急报警。

半小时后，消息到了刘克服的耳朵里。同去年香蕉园打死小偷时一样，又是县委书记应远直接打来电话。

此刻很难办，省里开全委扩大会，县委书记和县长都去了省城，不在县里。本县第三号人物陈铭回市区家中过双休日，已经通知他立刻赶回县来。但是陈铭有所不便，他戴眼镜，因为其妻及以往一些情况，许多合水小社村民认为该领导镜片后边的两个眼睛有毛病，一大一小，所以不太听从。眼下他到现场只怕效果不好，弊多利少。

于是还要刘克服。比较其他县领导，刘克服更了解情况，处理过那里数起事件，号称“两个眼睛一样大”，此时应急，让他去说服那个村子的百姓，当然最合适。

但是有一点儿极不合适：刘克服还在停职之中，正在接受调查，事情并未了结。

刘克服被调查的范围相当广泛，翻出了不少旧事，与大社小社的纠纷相关。例如老区荣誉小学那件事，上级下达给合水村小学的二十万元专款，经刘克服拍板决定，其中的一半给了合水村二小，明确体现在账面上。细究起来，有悖于专款专用原则，涉嫌擅自挪用专款。去年香蕉园打死小偷事件后，县里处理王毅梅，刘克服提出各种理由，替她说话，试图放她过关，有人反映王毅梅认刘克服的儿子为干儿子，两人私交很深，涉嫌私而忘公，徇私讲情。新区筹建过程中刘克服的言论、态度和行为也受到特别注意，从所谓“大处服从，小处争取”，提出留下合水渡两村，到所谓“卖国割台”之类怪论，刘克服明里暗里，到底干了些什么？调查人员找了各方面知情者谈话，认真收集材料，很严肃很正规，绝非走过场。

撞到枪口上，陷入这种处境，刘克服非常痛苦。县里干部包括主要领导对他都很同情，应远一再交代他要沉住气，事情总会过去，在上面也帮他说话。刘克服自然不会坐以待毙，接受调查之际，他也东找西找，多方申诉，以求不要栽得太惨。刘克服碰上的这种事比较特殊，不确定因素很多，根本不知道最终会弄成什么样子，此时此刻，以他这种情况，能去合水渡吗？那地方是他的一个坎站，一道难关，大社小社间历史纠葛深重，眼下事件突发，情势凶险，弄不好要死人，严重的话死人会不止一个两个。类似事件特别难办，处理好了算不上有功，干坏了又添一过。因此以安全计，绝对不能接手，一定要绕开。

刘克服发抖，咬紧牙关，止不住全身哆嗦。不是一般的害怕，是恐惧。

他硬着头皮应承下来："我去。"

他赶到合水渡时，太阳西下，已近黄昏。

情况很不好。大社那两个人还被困在山边砖楼里，被小社村民团团围困。接到他们的求救电话后，大社村民倾巢出动，试图前去解救，却因山边地处小社腹地，小社村民阻拦对方人员进村，大批大社村民被拦于村口。有一部分大社村民从蕉园闯出一条路，把摩托车骑上山边后头的小山包上，这里远远可以看见两个受困者困踞的砖房，下山的道路却被对方村民阻断。现场形成了两村村民互相包围的状态，一旦打起来非常危险。接获消息后，镇干部和派出所警察迅速赶到现场，分别布控于小社村头和山边附近的山包上，尽量把两村村民隔开。由于担心局势失控，县公安部门调集警力，包括武警消防的应急力量，全速赶往事发现场。

刘克服直接进入事件中心区域，到了山边附近的小山包上。镇干部领他走了捷径，坐一条小木船从上游顺流而下，在小山包处停船，翻山到了现场，这里位于两村村民对峙中心，山下前方就是被困村民藏身的砖楼。

这时候情况比较明朗了：今天发生的事件与去年小社两青年偷香蕉被打死有联系。当年那起事件发生后，死者家属愤慨不已，抬尸堵桥，要求惩办打死人者。公安部门介入调查，却难以抓捕哪个，一来因为大家普遍认为小偷该打，打小偷不算什么，当时一拥而上，拳打脚踢，在场人人有份。二来因为当时天还没亮，众人摸黑乱打，谁能知道哪个拳头重？哪一脚踢死人？所以没法确定伤害首犯。这里还有一个特殊因素：小偷挨打之前从摩托车上摔下来，他们除了行窃，还涉嫌违反道路交通安全规定，没戴头盔，法医认为两人头部致命伤情可能出于摔伤。因此案子最终没抓人，相关部门协调各方，给死者家属筹了一笔补偿金，如此了结。事后小社这边人尤其是死者家属怨气很大，认为还是大小眼，大社上边有人，所以打死人无罪。他们屡屡放声，说人不能白死，公家不给公平，就私家去讨。

今天这起事件很可能就属"私讨"。今天被盗蕉园的主人是普通蕉农，没有什么特别，他的姐夫却是村委，管治安和社会稳定。去年打小偷时，这个人在场，是指挥捕盗者，有人说他也出手了，他会几下拳脚，出手很重，没准打死人的就是他。有人分析，认为这回小偷偷蕉毁蕉可能是故意的，他们知道这村委是蕉主的姐夫，设计要把人引出来痛打，报去年的仇。如果不是当姐夫的机警，一看不对拉了就跑，把自己和小舅子两个反锁在楼里头，也许早给打成了肉饼。

这个时候，当务之急是想办法把两个被困者弄出来。该任务很紧迫很复杂，与去年情形异曲同工。去年刘副县长在合水渡漏夜处置，是要把一具死尸抬出人群，该死者因偷窃被打死，属小社一方。今年不同，需要弄出人群的是俩大活人，为捕盗者，属大社一头。去年不能尽快抬出尸首，交通将阻塞不通。今年不能及时弄出受困者，俩大活人可能会变成两具尸体，另一方也不知要死几个，事件将越发恶性发展。

在刘克服到来之前，镇、村干部已经百般劝说，让小社村民撤围放人，对方始终不听。小社村民说，这两个家伙太横，去年在自家村口打死人，今年居然闯过地界到别人家里闹事，活该给打死。

两个被困者目前依然存活，因为及时躲进了那座砖楼，暂无生命危险。这座砖楼还未完工，却因主人经商有用，安的是铁门，窗子也有铁栏，可以抵挡一阵。藏进楼里后，姐夫小舅子各找出一根铁管防身，守在窗后与包围者对峙。外头人除了叫骂，拿石头往窗子里扔，暂未发起进攻。如果他们破门破窗硬攻进来，两个人肯定打不过，他们可以退据二楼，守住楼梯口和二楼窗户，还可以抵挡一阵，但是不可能太久。

楼里的情况是两个被困者用手机传出来的。由于惊慌，两人受困后不停地往外打电话求救，长时间通话，手机电池即将耗尽，现基本与外边失去联系。受困者亲属因此极度恐慌，守在小社外围的大社村民也异常焦虑。此刻天已暗下，情势格外急迫，既怕围屋小社村民趁夜攻楼，也怕外围大社村民摸黑冲村救人，双方发生大规模械斗。

刘克服把现场县、镇、村干部和警察叫在一起商量，紧急部署。他下令调车，要一辆警车，设法弄到小山包这边。眼下立刻要一个人，必须是小社本地人，地形熟悉的，信得过的，不怕死的。

于是就推出了一个年轻人，是警校毕业生，通过招警考试了，尚未正式分配工作，县里安排在镇派出所见习，恰为小社山边人，家在前边山脚。这年轻人不错，表现很好，听说这边发生问题，跟着全所干警一起赶到，这种时候，没有害怕。

“不敢去或者不想去，你尽管说。”刘克服说，“不怪你。”

年轻人很镇定：“我是本村的，他们不会跟我过不去。”

刘克服认为可用，当即表扬，把小伙子派了下去。年轻人目前身份，劝说村民起不了大作用，却可以干其他的。刘克服命人当场征用一部手机，配上备用电池，找条毛巾包结实，让年轻人带下山。

见习警察到了现场，声称奉命查看情况，村人没跟他为难。年轻人凑到窗前，向里边喊话，问里边人怎么样，没事吧？喊话中趁机把手机包扔了进去。

被困者与外界的联系恢复了。围聚在村头山边的大社村民得知两个人还活着，目前没事，激奋情绪稍稍平稳，没再吵吵嚷嚷声称要立刻冲进村去。

这时县委办给刘克服打来电话报告，已经按他的要求把名单列出来了，也按要求通知了名单上的所有人，目前正在集中赶往合水镇。

刘克服这个时候搞什么名单？合水小社籍干部名单。刘克服受命救急时，一边赶路一边给县委办主任打电话，让他立刻搞一份名单，把在县直机关事业单位里工作的合水小社干部全部列出来，通知他们全部赶回合水镇，帮助劝说群众，化解危局。

刘克服心里有数，这份名单不会太长，一两张纸而已。以职务论，他所知道的，县一中有一位副校长是合水小社人，县供销社办公室主任也是，机关科局里还有十来个，基本都是非领导职务，以及一般干部。这是小社的现实，假如要的是大社籍干部名单，无疑辉煌百倍，只怕要列个七八张纸，几乎个个显耀。

所以也不能总怪此间村民不平。

此时此刻，刘克服不问其他，只追问一个人："王毅梅通知了没有？"

办公室主任报告："通知了。"

"是不是通知到她本人？"

他们报告，电话是王毅梅的丈夫吴志义代接的。

刘克服直接给王毅梅家里挂了电话。王毅梅被调职后心里不服，手机经常不开，联系多用家里电话。

果然又是吴志义接电话。吴志义一听是刘克服找，没有一句客气话，当即发牢骚。

"有你们这样做事的吗？给人吃的时候想不到，要人死的时候才记起来？"他嚷。

刘克服问："老吴，你嚷谁？这里谁有吃的？谁要死了？"

"不是说你，是说他们。"

吴志义对县委书记应远不满，因为未得重用。吴志义资格老，当过政府办副主任，当时还是刘克服的上司，刘克服跟吴志义夫妻俩的关系比较特别，一对夫妻为人性情很不一样，刘克服跟吴志义并不融洽，与王无论做同事还是上下级都处得很好。

此刻刘克服找吴志义，没待张嘴，吴志义满腹牢骚就出来了。刘克服也没跟他客气，一句话把他顶了回去。吴志义有什么资格跟刘克服讲吃的要死的？无论如何，谁都知道本县该人死的时候肯定有刘克服，有好处时倒不一定。但是刘克服也不多说，此刻火烧眉毛，先得料理急事，他只追一条："王毅梅呢？她还在家吗？"

吴志义闷声道："敢吗？早就走了。"

刘克服放心了。

这时有一个电话挂到刘克服手机上。刘克服接电话时吃了一惊：是纪全洲。纪大个从市里直接给他打了电话。

"你现在在什么位置？"他问。

刘克服报告，他在合水小社山边北侧小山头上。

纪全洲记得那座山，山前是村庄，山后是河流。

“情况怎么样？”他问。

刘克服说，目前还在控制中，但是很危险，天已经黑了，尤其危险。

此刻确实危险。天黑下来后，村庄外围农居和路灯均已亮起，但是山边一带黑乎乎的，有人把这一路电停了，被困的砖楼上一片黑，楼外包围者打着手电，有人点着一条沾了汽油的旧轮胎，把它扔在砖楼门外，废轮胎上火焰升腾，烟雾和臭味到处弥漫，气氛更添紧张。聚到小社四周的大社援救村民担心对方下手，想办法在村外施压，他们把骑过来的数十辆摩托车发动起来，车灯全部打亮，照向对方村庄。村里村外，轰隆轰隆，氛围有如大战。

纪全洲说，他在电话里听到现场声音了，看来不太妙，现在靠刘克服。他已经给赶到合水镇的陈铭打了电话，下令他掌握住大社群众这一方，无论如何，不得冲进村抢人。小社这头要刘克服掌握住。

“有什么问题需要我解决？”纪全洲问。

刘克服说，他会想尽办法，争取处理下来，不给市领导添麻烦。

“有情况赶紧汇报。”纪全洲说。

刘克服答应了。他真没什么需要纪大个帮助解决的吗？有的，此刻有一个很要紧：他是由纪全洲亲自宣布停职的官员，以停职官员身份指挥处置群体事件，这不太好吧？所以除了由县委书记应远口头授予现场处置权外，纪副书记是不是也应当表个态？

刘克服什么都没有提起。

十来分钟时间后，王毅梅赶到小山包这里，跟她一起还有四五个机关干部，都是小社人，凑起来就一小撮，格外势单力薄。

刘克服问王毅梅：“知道让你来干什么？”

她知道，有两个人被困在那边了。

“你听说了吧？其中有一个人参加了打死你侄儿。是吗？”

王毅梅说：“我不知道。”

“你现在知道了。”

她回答：“刘书记放心，是你在这里指挥。”

刘克服当即肯定，知道就好。里边那两个人不能被伤害，伤害他们反过来会更加伤害王毅梅自己的乡亲。谁都不应当受到伤害，任何人都不应当受到不该有的伤害。

王毅梅说：“我知道该做什么。”

刘克服下令，让王毅梅带着那几个小社籍干部，先不下山进村，让他们往山包另一边跑，从山头这里跑到青溪江边，然后往回，再往山上跑，回到这个地方。使劲吃奶的力气，能跑多快跑多快，不要偷懒。

她大惊："这干什么。"

"让你跑就跑。"

于是便跑，有如开运动会。几分钟后几个人回到山头上，个个汗流浃背，气喘吁吁，话都说不出来了。

"现在马上下山进村，要快，冲下去。"刘克服下令。

几个人由王毅梅领头，如百米赛冲刺般往山下村庄冲下去。跑到人群聚集的砖楼外时，几个人都跑不动了，接二连三坐在地上。

村民们围了过去，一看都是本村外出干部，天气已凉，居然一个个跑得浑身是汗，累得上气不接下气，特别是王毅梅，几乎要昏倒在地。村民乡亲全急坏了，有人大叫，说不能坐，要搀着走，缓缓气。于是大家一拥而上，把人扶起来，在村道上走。还有人叫唤，要矿泉水，要开水，快拿过来！

王毅梅人还晕着就急忙开口："大大大家听听听我说。"

刘克服在山头上观察，下了决心："车，行动。"

刘克服调来的警车早已在一旁守候，听到命令立刻启动，缓缓驶下山包。

刘克服下令给困在砖楼的两个人打电话，让他们立刻行动，把他们堵在大门后边的障碍物搬开，要抓紧，悄悄干，别让外边人发现动静。然后让他们守在门后，听到命令就开门跑出来，上车撤离。

接电话的那个人居然失声痛哭，说他们害怕。堵门的东西一搬开，万一走不脱，人家闯进来，他们都得死。

刘克服着急："告诉他们，听话，他们的命我负责。"

这时手机响了，是应远从省城挂来的。

他非常不安，询问现场情况如何。刘克服告诉他，正在采取最后措施。天黑了，拖下去非常危险，他决定行动，孤注一掷，也许可以弄下来。

应远说："你要确保里边两个人安全。"

他告诉刘克服，他刚听到情况：被困两人中的一个，在合水大社当村委管治安的那个人情况比较特殊，是纪副书记的亲侄儿。纪副书记的哥哥已经过世，他哥哥生有两个儿子，老大当年犯案，纪副亲批严办，被枪毙了。现在这个是小的。

刘克服大惊，原来如此，难怪大领导亲自打了电话。

应远告诉刘克服，纪全洲也给他打了电话，却没直说。他是听出一点儿异常，才特地找人了解内情。这一打听真是分外着急。

刘克服感叹道，眼下有什么办法？哪怕困在里边的是纪副书记的亲爹，这时候也一样，看运气了。

开下村庄的警车没有受到阻拦，一直缓缓前行至砖楼外边，在围观群众的注视中掉了个头，停在楼外。砖楼门突然开启，阻在里边的两个人窜出大门，没命逃奔，飞也似的钻进警车里。

王毅梅在人群中大叫:“别管他们,大家听我说!”

警车启动,全速驶上村道。

除了挨几个矿泉水瓶袭击,没有其他意外。解救行动圆满告结。

刘克服坐在地上,只觉上下汗湿,浑身发抖不止。

## 五

作为停职干部,刘克服还得接受处理。

合水渡发生意外,两社差点儿爆发械斗,经多方努力,事态终于平息。刘克服奉命处置该案,关键时刻冒了点儿风险,事后证明措施正确。但是救一次急不能解决所有问题,该他面对的他跑不掉,并没有一笔勾销。

市里派来的调查人员基本实事求是,他们就事论事,没有添油加醋。形成的材料跟刘克服见面,刘克服没有异议。几位调查人员更多的是在帮他澄清情况,根据他们的材料,刘副县长有些工作失误,存在认识差距,有些具体情况,应于今后改进。

刘克服不知道这个结果是否符合纪大个初衷。当初纪大个严厉斥责,很有杀鸡儆猴的意味,确实是想砍落一个乌纱帽,警示全县领导干部不得屁股重于脑袋,必须服从指挥。事情查到后来,火力渐渐减弱。所谓雷声大雨点小,这件事会不会不了了之?刘副县长这般忍辱负重,在合水渡拼命为领导排忧解难,搭救了人家仅存的一个侄儿,纪副书记会不会就此手下留情?

市里一位同僚给刘克服打来电话,说听到传闻,一些领导对刘克服有看法,认为他虽然能做点工作,在新区建设这件事上起的作用不好,就现有调查情况,恐怕还不必严厉处分,但是不宜继续待在县里,调整一下工作为妥。领导正在考虑怎么安排。

刘克服立刻找了书记应远,表示难以接受。目前听到的只是传闻,他很担心。估计上级处置他之前会征求县委书记意见,书记可以帮他说上话。应远听了刘克服的申诉,口气很轻,问了一句话:“调整一下不好吗?”

刘克服回答,这样离开很丢脸,感觉很难受。

应远说:“人有时需要另一块天地。”

刘克服表态,他宁愿挨个处分,不甘心这样离开。他是市区人,大学毕业分配来到本县,已经认准一辈子在本县过了。这里有他的家,他妻子死在这里。

应远闻声黯然,他答应帮助。

几天后,刘克服专程到市里求见纪全洲,表达个人诉求。明知“第一恶”很恐怖,谈不好可能更糟,事到临头,硬着头皮还得去找。

纪全洲听了申诉，不开尊口，只问："就是你个人这个事吗?"

刘克服说："还有其他事。"

是关于合水镇。刘克服说，新区方案已经基本确定，合水镇将划归新区，包括合水渡的大社小社，目前已经没有疑问。合水镇划出去后，本县不再需要去管两个村子间的纠纷，它们却不会消失，反可能越发激化，因为新区初建，可能管不过来。纪副书记是市领导，也是合水镇人，不会愿意家乡总是风波不断，结怨越结越多。

纪全洲问刘克服，合水渡的事情已经不是他们县可以过问的，为什么还要讲?

刘克服称放不下，合水渡是他的一个坎子，不讲心里过不去。合水渡事情屡发，总是牵扯所谓"大小眼"，涉及公平。这一说法不管对不对，已经成为现实症结。纪副书记曾问他是不是自命眼科医生？他也曾想试试，现在检查，自己没做什么，充其量只算救火队员。他非常希望自己不是救火队员，是眼科医生。在合水渡几次应急救火，虽然没有解决要害，体验却越发深，总靠救火队不是办法，那里需要救火队，更需要眼科医生。眼下确实需要一个办法，或者说，需要找个合适的人去治那里的症结。他斗胆向领导推荐一个人，可能行。

"谁?"

王毅梅。刘克服建议把王毅梅调到合水镇工作，直接重用为镇党委书记。王毅梅是小社人，让她到那里主政，她不会伤害自己的乡亲。小社人会认为受到重视，他们的利益会得到保护，双方的落差感会减小，有助于协调和消除隐患。王毅梅有工作经验，原任岭兜乡长，本来已经准备转任书记，资历能力都可以胜任。她本人可靠，头脑也够，不会也不可能倒过来以小欺大。这人素质不错，足以信赖，这一次风波中，如果没有她及时赶到，很可能会是另外一种结局。

纪全洲看着刘克服不出声。

刘克服说，他这个想法也跟应书记谈过，县里没法办。合水镇已经决定划归新区，近期干部不出不进，这是规矩。王毅梅本人是合水镇人，通常不能在本籍地任主要领导。加上她本人去年受处理，眼下只是计生局的主任科员，县里无法做这个安排。所以他直接向纪副书记推荐，建议根据特殊情况做特殊安排。

"你跟这个女干部到底是什么关系?"

刘克服说，他跟王毅梅共过事，上下级相处时间也不短。这位女干部救过他的命，当年他在乡里任职，辖区移民新村所在的大畅岭发生一场泥石流灾害，房倒人死。他带乡干部上山抢救，给压在倒塌的房子里。王毅梅年轻，刚当副乡长没多久，当场吓傻了，别人四散逃开，她没跑，一边哭一边喊人扒土，把他从泥堆里挖出来。

"我替她说话，主要不因为这个，是因为她合适。"刘克服强调。

"死个侄儿，甩手不干，很合适?"

刘克服说，经受过摔打，有过教训的人可能更有用。他认为王毅梅合适去合水镇“处理眼科”，关键两条：有一颗心，给一点儿权。有心可以理解诉求，有权可以维护公平。

纪全洲直截了当：“现在不讲她。”

为什么不讲她？因为目前还不到考虑镇一级官员的时候，那不是市里管的事情，应当交由今后区里去研究，现在市里考虑的是区级官员配备。纪全洲牵头搞新区筹建，干部事项也在他考虑之列。万事开头难，新区麻烦多，根据他的观察，他认为刘克服处理得了，准备提议把刘克服调过去，职位可以安排得比县里更高一些。

“这还有意见吗？”他问。

刘克服大吃一惊，原来外边传闻不是假的，领导确实要让他走，确实要砍他头上这顶乌纱帽。但是人家还要再还他一个，居然比现在这个更大一些。

他当即明确表态，感谢关心，希望念及他一再请求，不要让他离开本县。

“为什么？”

他提出几条理由，包括他妻子死在该县等等。纪全洲听了摇头，认为没有任何一条理由站得住脚。

“你们书记都替你说了。”他说，“都不是实话。”

刘克服苦笑，强调应书记也愿意他继续留在县里。

“他的情况你不清楚吗？”纪全洲问。

刘克服知道，此刻应远的提任已经没有悬念，基本定局。应书记曾经面临两难之境，既要服从上级，又要为本地争取利益，一旦处理不当就会伤及自身。此刻困难境地已经安然渡过，难得他把握得当，也亏得他会打球更会用人。没有刘克服硬着头皮艰难抵挡，承受压力，品尝苦果，提供缓冲，结果很可能不是这样。

纪全洲让刘克服说老实话，到底为什么，应当有一个合理的解释。刘克服终究没有抵挡住。他承认自己是出于恐惧，或者说是害怕。他在基层工作犯过错，他与王毅梅遭遇的那场泥石流背后有些情况：当年那座移民新村是他建的，当时图好看，想表现，心存侥幸，把新村建在地质薄弱地方。新村遭受泥石流灾害，死了四个人，因为一些具体情况，也顾及他进入危房救人险遭活埋的表现，后来没有处理他，他自己始终心惊胆战。那个地方后来做了很多除险加固防范，但是至今刮风下雨，他还是最担心听到那边的电话，所以他很怕离开。

“感到自己有前科，伤害了最不该伤害的，心理负担很重。”他说。

这情况纪全洲也知道一点儿：“让你走，也是帮你解脱。”

刘克服觉得永远无法解脱。留在县里，随时注意可能还好，只怕一离开就要出事。

“真是这么想吗？”

刘克服提到了自己的亡妻。他说，老婆不幸死亡对他打击很大。那以后有个念头让他一直无法摆脱，总怀疑自己是在遭受报应，接受惩罚，因为自己的过失。

他是个小领导，大学读的是物理，不是哪个乡旮旯里的无知老妇，这种念头却怎么也无法摆脱。所以他恐惧害怕，却不敢怕死。他觉得自己再怎么努力，再怎么做都是应该的，但是有些东西无论什么都无法弥补。

“行了。”纪全洲打断他，“你刚才说个什么？心啊权啊？”

刘克服瞠目结舌，不知道纪全洲怎么忽然打岔了。

原来纪全洲是联想起刘克服推荐王毅梅时的话了。“有颗心，给点权”，看来刘克服也属有心，是不是还缺点权？有这两味药方就管用，天下公平万事大吉了？

刘克服无言以对。

一星期后，王毅梅调任合水镇书记。

刘克服留在县里。

（选自《上海文学》2009 年第 6 期）

**杨少衡**

1953 年生于福建省漳州市，祖籍河南省林州市。西北大学中文系毕业，中国作家协会会员。1969 年上山下乡当知青，1977 年起，先后在乡镇、县和市机关部门工作，现为福建省文联副主席、福建省作家协会主席。1979 年开始发表小说，出版有长篇小说《相约金色年华》《金瓦砾》《海峡之痛》，儿童文学长篇小说《危险的旅途》，中短篇小说集《彗星岱尔曼》《西风独步》《红布狮子》《秘书长》《林老板的枪》《县长故事》等。

# 我们的村庄

刘庆邦

## 一

立了秋，秋风一吹，黄瓜就该拉秧了。有的人家，菜园里的黄瓜秧子还没有拉去，那是他们忙着收秋，一时没腾出手来。没拔掉的黄瓜秧子，像是不甘心一辈子就这样完了，花儿还在开，黄瓜还在结。但由于季节的关系，黄瓜的花儿开得有些苍白，也有些薄气。黄瓜呢，不可能往长里长，也不可能往粗里长，刚坐纽儿就弯下来，就现出疲态。在秋天，依然坚挺的黄瓜也有，那是黄永金家的蔬菜大棚里生长出来的。大棚里用芦苇搭了黄瓜架，黄瓜一伸秧就往架子上爬，呈现的就是上升的态势。不知这茬黄瓜是当年的第二茬，还是第三茬，反正黄瓜叶子碧绿碧绿，黄瓜花儿金黄金黄，黄瓜一结出来就浑身是刺。黄瓜长得已经足够长了，也足够粗了，但身上的刺并不怎么收敛，顶端的花儿还俏模俏样地戴着。这样的黄瓜真是喜人！除了有黄瓜，黄永金家的蔬菜大棚里还种有茄子、辣椒、西红柿、芹菜、香菜、长豆角等等。他们家专门和老天爷较劲，专门和季节反着来。老天爷不让种什么了，他们就在大棚里种什么。季节管得着外面的花开花落，管不着大棚里种什么菜。别说秋天了，就是在大雪飘飘的冬季，屋檐下的冰条子结得有尺把长，大棚里仍温暖如春，各种蔬菜仍绿汪汪的。掀开厚厚的棉布帘子，再打开一扇玻璃门，一走进大棚，迎面扑来的就是湿乎乎的热气，热气里有花香、菜香，也有粪香。

黄永金蔬菜大棚里产出的菜这样新鲜，这样水灵，叶桥村的人却不爱买。拿黄瓜来说，在黄瓜大量上市的时候，三毛钱就能买一斤。到了冬天从黄家大棚里出来的菜呢，三块钱一斤都买不来。叶桥村的人不愿花那个钱，家里来客人的时候，也有人尝过黄家大棚里的菜。他们一尝过就摇头，对大棚菜评价不高，说瓜没瓜味儿，菜没菜味儿，一点儿都不好吃。除了认为大棚里的蔬菜不好吃，他们还说，现在肉没肉味儿，面没面味儿，一切的一切，都变味儿了，都不如以前的东西好吃。

叶桥村的人不爱买黄家大棚里的菜，还有一个原因，是他们对黄永金一家有些看法。盖一个蔬菜大棚要花不少钱，一般人家盖不起。据说黄永金的闺女黄正梅在城里当鸡,黄永金就成了有钱人。当鸡是干什么的,是卖肉的。两条鸡腿一分,钱就进来了。黄正梅的鸡肉老也卖不完,钱就进得源源不断。有人看见,黄正梅并不是往家里带现钱,只交给黄永金一张银行卡。黄永金把银行卡往银行门口的取款机里一插,一百块一张的大票子哗哗地就往外吐。有钱的人想让钱再生钱,便在叶桥村盖起第一个蔬菜大棚。叶桥村的人怀疑,用当鸡赚来的钱盖大棚、种菜,菜里会不会有一些鸡毛味儿呢?

小杨带着老婆小孙躲避计划外生育,临时住进叶桥村外一家菜园的小屋。老婆提出想吃黄瓜,小杨马上到黄永金家的蔬菜大棚里给老婆买了两根。老婆已生了两个闺女,这次怀孕,他指望老婆能生一个儿子。老婆正在害口,老婆提出想吃什么,他都会满足老婆的要求。大棚里的黄瓜是贵一些,无所谓,再贵他也要给老婆买。他把为老婆做什么都看成是投资,有好的投入,才会有好的产出。只有舍得往老婆身上投资,老婆才有可能给他生一个带把儿的。小杨是外省人,老家离这里三百多里路。他骑上带木篷的三轮摩托车,七拐八拐,走了两天,才来到了叶桥村这个相对偏僻的地方。他在叶桥村没有熟人,也没有亲戚,他找的就是这样人生地不熟的地方。鱼游进了陌生的水域,它不认识别的鱼,别的鱼也不认识它,鱼才有可能生存下来。而每一家亲戚都是一条线索,他要是投奔了亲戚,管计划生育的人就会顺着线索找到他老婆,把他老婆捉回去,把老婆肚子里的孩子计划掉。小杨把黄瓜送回小屋,开上摩托车,到镇上做生意去了。要躲到把孩子生下来,不是短时间所能解决的问题,恐怕要在这里住好几个月都不止。这样,他就必须做点儿生意,挣点儿钱,买米买面,买油买菜,把外面的日子当成家里的日子,一天一天过下去。他的生意是到镇上用摩托车拉客人,挣点拉脚钱。

小杨刚走一会儿,叶海阳就踏进了菜园的小屋。叶海阳上身穿红秋衣,黑色西服在臂弯里搭着,左手抓着双截棍。他的脸色有些发白,脖子里汗津津的,显见得刚在河堤的堤面上练过武。现在叶海阳每天都要练一阵子武,他练的是双截棍的棍术。他的双截棍是用两根二尺来长的、擀面杖粗细的荆条原木制成的,连接两根荆条原木的,是一条黑铁链子。双截棍的优点,是可伸可缩,有刚有柔,且能够折叠,便于携带。叶海阳练武,没有拜师父,也没什么套路,不过乱抽一气。他抓着双截棍的一端,做跳跃腾挪状,左抡一下,右抡一下,上抡一下,下抡一下,然后啪的一声抽在地面上。村里人看出来了,叶海阳练武,是有力无处使,不过是耀武而已。地里长起一根桐树条子,他抡起双截棍,一下子就把桐树条子抽断了。拦腰被抽断的桐树条子,即时散发出一股难闻的腥气。不知谁家的一头猪,跑到他家地边,偷吃他家的玉米苗子。他追过去,用双截棍对猪一阵猛抽。把猪腿抽断还不算,他接着抽猪的脑袋,直到把猪的脑壳子抽得瘪下去才罢手。叶海阳问小杨的老婆小孙:你是谁?小孙没有回答。她愣住了,像是一时想不起她是谁。她本来正吃着黄瓜,把一根黄瓜吃掉了半截儿,还剩下半截儿。叶海阳一进来,她不敢再吃,把吃剩下的半根黄瓜在手里握着。她吃进嘴里没有嚼碎的黄瓜，也不敢再嚼，就那么在舌头底下压着。她觉得进来的人有些厉害，像是要找她的事儿。自从她肚子里第三次有事儿之后，她仿佛觉得，天底下的人都在找她的事儿，她看见谁都害怕。叶海阳又问：你到我们这里干什么来了？到这里干什么，小孙更不能说。她把肚子往里吸了吸，说：我丈夫出去了，等我丈夫回来，你问他吧。叶海阳说：不行，我就要问你。我考验你一下，看你说不说实话。他已经听村里人说了，这两口子到这里是逃避刮宫的，准备在这里生孩子。他原以为小孙是个大肚子婆娘，看来小孙的肚子并不大。小孙又白又胖，大屁股大奶，长得还可以。小孙不愿意接受叶海阳的考验，说她丈夫一会儿就回来了，说着，嘴动了动，把压在舌头底下的黄瓜嚼碎，咽了下去。

叶海阳看见屋角的案板上放着一根黄瓜，黄瓜顶着花儿，带着刺，颇有硬度。他的口气稍微缓和些，向小孙提了一个新问题：黄瓜除了吃，还能干什么？小孙说：不知道。真的不知道吗？真的不知道。小孙以为叶海阳想吃黄瓜，让叶海阳把黄瓜拿去吃吧。叶海阳说，他才不吃黄瓜呢！他看着小孙的嘴，自己的嘴角笑了一下，说：给黄瓜戴上避孕套，你就知道黄瓜还可以干什么了。小孙想了一下，好像明白了，脸上一阵红，说：你说的这是啥话，你走吧！叶海阳说：你想撵我走吗？我还想跟你多待一会儿呢，我看你这个小娘儿们懂事儿不懂事儿。你带避孕套了吗？小孙说：你的话我不懂，我什么都没带。我是怀孕的人。叶海阳随手把双截棍放在地上，臂弯里搭着的衣服也扔到了床上，说：你说我的话你听不懂，我看你什么都懂，你很有灵性。你的意思是不用戴避孕套了，对不对？说着，向小孙身边凑去。小孙看出叶海阳不怀好意，吓得脸色发黄，直往后退，说：你要干什么？不许碰我！我跟你说过了，我是怀孕的人。你老婆要是怀孕，你还找她的事儿吗？叶海阳说：没事儿，花儿是花儿，果儿是果儿，互不影响。摘一朵花儿，不会把果儿碰下来。我轻一点儿，你放心好了。小孙已经退到了床边，不能再退。她说：人不能不要脸，你再不出去我就喊，我喊啦！叶海阳说：你最好不要喊，你要是敢瞎喊，我就用我的袜子塞住你的嘴。我告诉你，我的袜子可是有点儿臭，不如黄瓜的味道好。你没看出来吗，我是练过武的人，想拾掇你容易得很，像拾掇小鸡儿一样。我愿意动你，是老子看得起你，是你的福气。你要是表现得好，我可以保护你，在叶桥，你想住多长时间都可以。你要是表现不好，那就不好说了。你要知道，叶桥是我的地盘，我叫谁瞎，谁就得瞎；我叫谁瘸，谁就得瘸！好了，脱吧！我不给你脱，我让你自己脱。小孙的双手不由得向裤带摸去。她不是要解裤带，而是摸摸裤带系得紧不紧。她不是为了自己，而是要保护肚子里的孩子。

门外有摩托车的声响，小杨回来了。他正好拉了一个客人回叶桥村，客人下了车，他也顺便回小屋看看。看见叶海阳，他的第一个反应是给叶海阳掏烟，说：过来了，您吸烟，您吸烟。叶海阳接过烟，安在嘴上。小杨打火，把烟给派头十足的叶海阳点着。叶海阳把烟吸了两口，拉着脸子问：你们是从哪里来的？小杨说了一个省的名字。叶海阳又问:谁同意你们住在我们村的?小杨说:我跟村长说过了,是村长同意的。我们借贵方一块宝地,暂住些日子。叶海阳说:村长同意算个屁!村长同意,我不同意也不行。听叶海阳的口气,小杨以为叶海阳也是村里的干部,问叶海阳在村里管哪方面的工作。叶海阳说:我啥都管,计划生育的事也归我管。小杨说:对不起,对不起,我不知道,改天我一定登门拜访。叶海阳问小杨,给了村长多少钱。小杨说没给村长钱。叶海阳说:你蒙谁呢,你以为我不懂这里边的规矩。小杨把自己的头把子摸了一把,说:这不好说。叶海阳说:你不想说,就算了。你只说准备给我多少钱吧?小杨说:真不巧,我今天才拉了一趟活儿,才挣了三块钱。要不这样吧,这三块钱您先拿去买盒烟吧。说着,把烂豆叶似的三块钱从口袋里掏了出来。

小孙插话:别给他钱,他不是东西!

小杨没问小孙,叶海阳怎么不是东西,却先喝住了自己的老婆小孙,命小孙住嘴,说:你跟领导怎么说话呢!

叶海阳也说:你老婆很不懂事,你要好好管教管教她。他不接小杨递给他的钱,说:可笑,你以为你打发叫花子呢,你太小瞧我了吧!小杨说:不敢不敢。我刚买了车,刚出来拉活儿,真的没挣到钱。叶海阳说:我不管你挣没挣到钱,本土地不跟你多要,你给本土地三百块吧。不然的话,我把你们捆起来,押回你们老家去,让你们人财两空。小杨只好把三块钱装回口袋,说哎呀,这怎么办呢?您看缓一缓行不行,等我挣到了钱,我一定给您。叶海阳说:你别跟我耍滑头,耍滑头滑不过去。你记着本土地的名字,本土地的名字叫叶海阳。小杨说:好好,记住了,叶大哥。叶海阳说:第一次记不住没关系,第二次我就让你记一辈子。

小杨再出去拉活儿时,没有把老婆一个人放在小屋里。他把老婆扶上后面的车厢,走到哪里,带到哪里,权当让老婆帮他押车,和他做伴。小杨这样的三轮摩托车,叫大屁股车,也叫大篷车。贴车厢两侧,有两排座位,一排座位可以坐三个人。车厢中间的空儿处可以放行李,也可以坐人。最多时,小小车厢里可以塞进十多个人。车厢里坐满人的时候极少,一次能拉到三五个客人,就算是很大收获。小杨把老婆放在车上,并不影响他的生意。相反,有一个女人在车上坐着,对别的客人等于是一个招徕。小杨后来听村长说了,叶海阳不是村里的什么干部,是一个混子。叶海阳自称本土地的土地爷,是个恶道人。叶海阳喝醉了酒,连自己的亲娘都敢骂,都敢打。村长举了一个例子,有一回,叶海阳到他娘的小卖店里偷酒喝,他娘不过说了他几句,他一巴掌抽在他娘的耳门子上,把他娘戴的金耳环都抽掉了。这样的人上不敬天,下不怕地;上不敬神,下不怕鬼。整天把脑袋提在手上,一个劲往下出溜,谁敢惹他呢!听村长这么一说,小杨着实吃惊不小。对每个人来说,娘就是天,娘就是神。连自己的亲娘都敢打的人,什么样的事干不出来呢!小孙把那天差点儿发生的事也对小杨讲了,亏得小杨回去及时,不然的话,后果恐怕不堪设想。

对叶海阳这样的人，没有别的好办法，只有躲。躲开一天算一天。小杨两口子躲避叶海阳的办法是不跟叶海阳打照面。他们一早出去，到晚上才回到小屋。一回到小屋，他们就闩上门，拉灭灯，休息。

小屋的门口太矮，也太窄。小杨两口子能进去，带大篷子的摩托车却进不去。小屋门口一侧有一棵桐树，小杨用一根白铁链子、一把黑锁，把摩托车的前轱辘固定在桐树上。

这给叶海阳提供了机会，没搞成小杨两条腿的老婆，他要把小杨的三个轱辘的摩托车搞一搞。他带了一把锥子，摸到小屋门前的车边去了。摩托车的轮胎很鼓，也很结实，大概和小孙的屁股差不多。噗叽一下子，尖锐的锥子就扎进轮胎里去了。如同扎进了小孙的屁股，这让他深感痛快。锥子扎进去的同时，轮胎就开始放屁。轮胎的屁放得有些长，叶海阳把锥子拔出来了，屁还在放。轮胎放出的屁里夹杂着一些熟橡胶的气味。叶海阳扎的是后轮的一个轮胎，随着轮胎渐渐瘪下去，摩托车后面的车厢就倾斜下来。叶海阳暗笑，心说：我让你开，开你妈的屁吧！

叶海阳扎了小杨的摩托车，并不躲避。第二天，小杨推着摩托车到镇上去修理，叶海阳还故意问小杨：你的车怎么了？小杨估计，可能是叶海阳暗地里使了坏，把他的车轱辘扎破了。他没指出车轱辘是被人扎破的，只说车轱辘跑气了。叶海阳说：可能是你老婆的身子太沉，把车轱辘压破了。小孙这次没有上车，在车厢后面，帮着丈夫往前推。小杨说：可能吧。叶海阳说：不是可能，是一定，别让你老婆坐车了。小杨听出来了，叶海阳贼心不死，还在打他老婆的主意。一阵恼恨顶上来，顶得小杨脸都黄了。他没有再搭理叶海阳，只管推着车走了。

这天夜间，叶海阳再次出手，把小杨的摩托车的三个车轱辘都捅了锥子。

小杨在叶桥村不能再住下去了。不怕贼偷，就怕贼惦记。这句俗话的意思是，贼偶尔偷你一次并不可怕，可怕的是，贼瞄准了你，接二连三地偷你，不把你偷个底儿掉不罢休。他们如果再住下去，惦记他们的贼不一定再扎轮胎，有可能撬开拴摩托车的铁链子，把整个摩托车偷走。如果那样的话，他们在外面就无法生活了。他们把铺盖卷儿和锅碗瓢盆收拾到车上，趁天还不亮，推着摩托车，悄悄离开了叶桥村。

## 二

让外省人小杨猜准了，这天半夜里，叶海阳真的准备去撬小杨的摩托车。把摩托车撬走，转手卖掉，连车带大篷，卖一千块钱应该不成问题。他向小杨要三百块钱，小杨拖着不给，对不起，他只能采取这个措施。他不带锥子了，锥子太短，也太细。他带了一把捅煤火用的火锥，火锥是铁打的，二尺来长，前头尖，后面粗，很像公牛的生殖器。不过呢，公牛的生殖器只适合撬母牛的水门，撬锁恐怕不行。而用火锥撬锁则非常合适，把火锥的前端插进锁鼻子里，利用杠杆的原理，把火锥的后把猛地向下一压，锁鼻子就会被豁了。这样的事叶海阳以前干过，他有着丰富的撬锁经验。

叶海阳的老婆叫张开朵。张开朵见叶海阳提着火锥出门，知道他半夜出去又不干好事，不是溜门，就是撬锁。张开朵把叶海阳喊住了，问他出去干什么。叶海阳说：老子想干什么就干什么，你管不着。张开朵指出：你是不是又要去犯罪？什么他妈的犯罪，叶海阳不爱听这个，他说：犯你妈的屁。张开朵说：你就作吧，啥时候作到吃一个枪子儿，你就算作到头了。叶海阳把火锥在地上剟了一下，把地面剟出一个洞，说：再胡说我捅死你。张开朵好像一点儿也不怕捅，她把被子一撩，从床上坐起来说：你捅吧，不捅死我你就不是人造的，是狗造的，老娘早就不想活了。张开朵上身没穿衣服，下身只穿一件裤衩。她比叶海阳大三岁，已经四十出头。她眼角已经有了皱纹，腰间也有了赘肉，叶海阳对她已不感兴趣。叶海阳说：你想让我捅你呢，想死你！有那力气，老子去捅一头母猪，也不会捅你。叶海阳提上火锥，还是出门去了。

张开朵对叶海阳也没了兴趣。知夫莫若妻，张开朵认为，叶海阳已经变成了一个坏人。叶海阳头上长疮，脚底板流脓，已从头顶坏到了脚跟。至于叶海阳是从什么时候变坏的，张开朵也说不清楚。反正他和叶海阳刚结婚的时候，叶海阳还不是这样。那年，叶海阳十六岁，初中刚毕业，她是十九岁。按说他们还不到结婚年龄，公社是不给他们办结婚登记手续的。叶海阳的爹叶挺坚在公社里托了熟人，为他们虚报了年龄，他们就顺利结了婚。结婚头一晚，他们两个都有些怯手怯脚。张开朵说：咱先说好，我可是不会。叶海阳倒很自负，他说他会。既然他会，就让他来，其实他也不会。上得身来，他慌里慌张，笨手笨脚，老也找不准地方。张开朵说：你不是说你会吗？我看你也不会。她一推，就把叶海阳推下身去。她又高又壮，叶海阳又瘦又小，她的力气比叶海阳大得多。被推下去的叶海阳好像有些失落，埋着头不说话。她问叶海阳：你以前干过这事吗？叶海阳承认没干过，说：我只看见过羊爬羔儿。她笑话叶海阳：羊是羊，人是人，人能跟羊一样吗？叶海阳说：我想着差不多，都是弄那一片地方，弄得时间长了，就进去了。那，你打算弄多长时间？我也不知道。我比你大，你不嫌我吗？不嫌。人家说，女大三，抱金砖。她问：谁是金砖？叶海阳说：你是金砖。她说：我是金砖，你抱得动我吗？叶海阳说：抱得动。她说：你才是金砖呢！既然双方都认为对方是金砖，那就互相抱一下试试。两个人在婚床上翻来覆去抱来抱去的结果，张开朵突然呀了一声，说：坏事了，进去了！叶海阳吃不准似的，说：进去了吗？张开朵说：连进去了都不知道，你真是个傻瓜！叶海阳十六岁结婚，十七岁就有了儿子。有叶挺坚的面子在那儿撑着，生产队里安排叶海阳当了记工员。记工员虽然不用干活儿，工分却不少挣，粮食也不少分。张开朵把叶海阳叫成我们家海阳儿，海阳儿这，海阳儿那，叫得很亲切。儿子吃奶，她叫海阳儿也吃奶，把海阳儿当成了她的大儿子。海阳儿也乖，她让海阳儿叫姐，海阳儿就叫姐；她让海阳儿叫娘，海阳儿就叫娘。在多数时候，海阳儿愿意把她叫成金砖。海阳儿一叫她金砖，就是想搬砖，想干那件事。她任着海阳儿的性，海阳儿什么时候想搬，她就让海阳儿搬；海阳儿想搬几回，她就让他搬几回。那时他们家的日子过得不错，几乎称得上美满。要是照那样的日子一直过下去，也许叶海阳不会变成现在这个样子。

张开朵和叶海阳的这桩婚事，说来还是张开朵的娘介绍的。张开朵的娘在叶桥村有亲戚，有一次她到叶桥村走亲戚，碰见了叶海阳的娘。叶海阳的娘托她给自己的儿子介绍对象。在农村当娘的都是这样，儿子稍大一点儿，她们就托这个，托那个，给儿子介绍对象。那是有枣儿没枣儿打一竿的意思。然而张开朵的娘上心了，她听说了，叶挺坚是叶桥村出了名的富裕户。叶家的大儿子还没找好对象，叶挺坚已经为大儿子盖好了四间浑砖到顶的大瓦房。那时候许多人家连饭都吃不饱，别说盖瓦房了，连草房都盖不起啊！四间大瓦房，天爷，那是多么大的诱惑。肉包子打在脚面上，张开朵的娘不能把肉包子踢掉，得把肉包子捡起来。她不能把肉包子给别人吃，得给自己的闺女吃。闺女吃肉包子，她不指望能沾闺女多大光，至少能帮着闺女闻点香味儿。她曾担心叶家不一定会看上她闺女，不料想，叶家看她闺女长得人高马大，竟同意了。人人都说，有福不用忙，张开朵算是掉进福窝儿里去了。福窝儿要多大有多大，要多深有多深，张开朵仰着趴着都是福，手抓脚蹬也是福。张开朵可着劲享福去吧，想从福窝儿里爬出来都不容易。张开朵承认，她的运气确实不错。在姐妹们面前，她也骄傲过。遇到运气不好的姐妹，她还劝人家：人一辈子咋过不是过呢！那时她虽然也说一辈子，但并没有把一辈子往深里想，不知道一辈子到底有多长。她原以为，她的一辈子就这样了。谁知道呢，世界说变就变，世界越变越让人心慌，丈夫越变越坏。在变化中，张开朵才体会到了，原来人的一辈子竟是这么长。长得像漫漫长夜，长得像脚下撒满了蒺藜，她不知道何处才是尽头。人说娘把她领到了福窝儿里，现在来看，她进的不是什么福窝儿，而是火坑。她正在火坑里扑腾，连个救她的人都没有，她光想哭。

叶海阳摸黑向村外走时，引发了一阵狗叫。先是一只狗叫，接着全村的狗都叫起来，叫得相当热闹。叶海阳不怕狗叫，他知道，各家的狗都在院子里关着，有的狗还用铁链子拴着，它们跑不出来。夜本来就黑，空气中的水分如一盆水泼在煤堆般的黑夜里，使黑夜黑得更结实，也更有黏度。叶海阳来到小屋门前的桐树旁，伸手去摸摩托车，一摸是空的，再摸还是空的。咦，这是怎么回事？他不用手摸了，改用火锥探。火锥横着探了一遍，也没探到什么。他蹲下身子，摸到了那棵桐树。他把桐树上上下下摸了一圈。桐树光光的，哪有拴摩托车的铁链子呢！他妈的，难道摩托车的轱辘换成了翅膀，摩托车扇着翅膀飞走了？他突然想到，是不是他把小杨的摩托车的轱辘扎破了两次,小杨把车轱辘修好后,驾车逃跑了呢?想到这里,他向小屋门口摸去。可不是嘛,小屋的门开着,他用火锥在门上抽了两下,小屋里一点儿反应都没有。叶海阳原打算把摩托车卖掉后,先买一部手机,再买两瓶酒和一块咸牛肉,现在他的计划全部落空。叶海阳未免有些后悔,后悔自己不该和小杨进行猫放耗子的游戏,后悔第一天没把小杨的摩托车推走。说来说去,他下手还是不够果断,不够狠。对小杨太客气了一点儿,他这个人也太仁义了一点儿。

火锥拿出来了,没有派上用场,叶海阳不大甘心。叶海阳把怨气发泄到那棵桐树身上去了。小屋是叶老堂家的,桐树肯定也是叶老堂家的。叶老堂让外来的人住在小屋里,他对叶老堂也很有意见。叶海阳像握着一把匕首那样把火锥握着,一下一下往桐树身上刺。桐树的树干还嫩着,他一刺就刺了进去,每次刺得都不浅。他看不见所刺的效果如何,但他知道,他每次把火锥从桐树里拔出之后,桐树上都会留下一个洞,洞里都会流出汁液来。桐树受的是外伤,也是内伤。到了冬天一冻,桐树就会死掉。即使不死掉,桐树身上也会留下许多疤痕,再成材就难了。

刺完了桐树,叶海阳不想回家,还想干点儿什么。他两眼瞪得大大的,精神头儿很好,一点儿都不瞌睡。现在他不怎么干活儿,白天除了练武,就是睡觉,然后夜里出来活动。叶海阳与正常人反着来,他基本上成了一种夜行动物。他像一只野猫,夜间到处走来走去,却不逮耗子。他像一只黄鼠狼,竖起耳朵,走走停停,发现哪里有鸡,就逮一只。叶海阳之所以白天不愿出来,是他不愿意被村里人看见。村里人只要一看见他,就问他,怎么没出去打工。问的人多了,叶海阳就很烦。怎么,老子不出去打工,难道就有罪了!叶桥是我的村庄,难道就不许我住了。菜园的小屋在村子的西南角,叶海阳岔进庄稼地里一条小路,向村子的东南角走去。黄永金家的蔬菜大棚在村子的东南角,他去看看,能不能对蔬菜大棚做点儿手脚。

地里种的大都是玉米,有的玉米棵子砍去了,有的还长在地里。在生产队当记工员时,叶海阳拿着记工本,每天在地里走来走去,对每一块地都很熟悉。他知道,旁边的这块玉米地里有一块坟地,坟地里埋着几十座坟,有老坟,也有新坟。听村里人讲过,这块坟地里鬼很多,以前在阴天的夜里,有人看见鬼火闪烁,还有人看见挺大的阴灯笼在空中飘来飘去。小时候叶海阳也怕鬼,听大人讲鬼故事,他也很恐惧。现在他不怕鬼了,鬼既然是人变成的,有什么可怕的呢!叶海阳夜里出来,不但不怕鬼,还希望能碰见鬼,和鬼交流一下。最好能和鬼喝点儿酒,交上朋友,进一步和鬼互拍肩膀,互相握手。他向黑暗的坟地里看了看,那里静悄悄的,一点儿动静都没有。只有个别蟋蟀,东叫一声,西叫一声,与传说中的鬼的声音相去甚远。

东边大路上传来一阵警笛的叫声,因警笛叫得有些突然,叶海阳的头皮不由得麻了一下。他不怕警笛,只是他刚才想着鬼的事情,警笛猛的一响,他以为是鬼的叫声,还是吃了一惊。前些天,有一个村发生了一桩命案,一家四口都被人杀死了。不是用刀,用的是锤子一类的钝器,据说大人孩子的头都被砸塌了。县里来人破案，破不了，就让乡派出所夜里下乡巡逻。呜哇乱叫的警车是乡派出所的。叶海阳对警车的叫声很反感，他觉得一点儿用处都没有，不过是虚张声势而已。比如各家的狗都会叫，它们是叫给主人听的，表示它们对主人很负责，没有白吃主人家的饭。至于能否真的为主人看家护院，只管叫了再说。开警车的是叶海阳的一个堂弟，堂弟并不是警察，是临时被借到派出所开车。但堂弟穿的是警服，手里提的是警棍，挺胸端肩很威风的样子。堂弟对叶海阳说过，夜里开警车出来很好玩，有一种当百兽之王的感觉。堂弟还对叶海阳说，让叶海阳有什么摆不平的事只管找他，他替叶海阳摆平。叶海阳没找堂弟办过任何事，他认为堂弟是小人得志，狐假虎威。他听人说过，这个堂弟手长得很，你托他办一个钱的事，他至少得从你这里拿走十个钱。他的眼睛只认钱，连亲爹亲娘都不认。除了响警笛，还闪警灯。在漆黑一团的夜里，警车上面的警灯乱闪一气，大老远就看得见。别说杀人犯没藏在这里，就算藏在这里，听见警笛，看见警灯，人家早退避了。警车到南边转一下，还会折回来。叶海阳要是站在路边等堂弟回来，而后要求到警车上坐一坐，到别的村兜一兜，堂弟大概不会拒绝。但叶海阳想了想，没有站在路边等堂弟。他担心车上坐的还有真警察，真警察见他半夜里提着火锥在村外转悠，找他的麻烦就不好了。当然堂弟会为他开脱，那样他就算沾了堂弟的光，并欠下了堂弟的情。他拿什么还堂弟的人情呢？

叶海阳来到黄永金家的蔬菜大棚外面，透过覆盖的塑料膜，见大棚里面有灯光。因塑料膜比较厚，还有些发黄，灯光显得朦朦胧胧，像一架糊了油光纸的巨大灯笼。叶海阳没敢贸然往大棚里闯，他知道，有人睡在大棚里。看守大棚的不是黄永金，是黄永金的大儿子黄正军。据说黄正军在床头放着长矛，还有打兔子的火枪。谁敢半夜里偷菜，他不是动矛，就是开枪。叶海阳不是傻瓜，他不会往枪口上撞。他用带来的火锥，锥尖向塑料膜扎去，他没有猛扎，而是悄悄加力。他把塑料大棚想象成了一只充满气的大气球，担心扎得太猛，“气球”会砰地一家伙发生爆炸。而他悄悄加力，把“气球”里面的气放出一些，爆炸就不会发生。很好很好，不错不错，他把塑料膜扎破了，把火锥捅进去了。塑料膜刚扎破时，他觉得有些紧，有些收缩性。火锥一旦捅进去，就顺利了。由塑料膜，叶海阳想到处女膜。以前他不知道处女膜为何物，更没有见过处女膜。等他听说还有处女膜这回事时，他老婆的处女膜早就不存在了。他问张开朵：你的处女膜呢？张开朵说：这要问你。你不要把肉吃到肚子里去了，还问肉在哪里。叶海阳说：反正我什么都没看见。人家说处女膜破的时候会流血，你流血了吗？张开朵说流了。叶海阳说：我怎么没看见。张开朵说：你没看见，是你没长眼，是你不懂事，不知道关心老婆。叶海阳说：你比我大，比我懂得多，你为啥不提醒我看一看。张开朵说：你吹着你什么都会，我以为你比我懂得还多呢！叶海阳一直心存怀疑，张开朵的处女膜到底是不是他弄破的。要不是他弄破的，那岂不是太对不起自己了。蔬菜大棚既然是用黄正梅挣的钱建成的,叶海阳就把塑料膜想象成黄正梅的处女膜。他就这样把黄正梅挺结实的处女膜弄破了。他把火锥抽出来,弄破的地方便留下了一个洞。可惜,洞口没有流血。他的脸凑上去,用一只眼对着洞口往里瞅。他没瞅到黄瓜架,瞅到一片东西像柿子椒。柿子椒说甜不甜,说辣不辣,他最不喜欢吃。同时,他觉得洞口处有一股热乎乎的气息正往外冒,气息里有一种说不出的腥味儿。他想起来了,弄破黄正梅处女膜的成就不属于他,不知属于哪一头驴,或者哪一条狗。黄正梅年纪轻轻的就到城里去了,城里人很多,不知黄正梅被多少城里人弄过了。叶海阳不是把大棚扎一个洞就完了,他还要接着扎下去。他把塑料大棚看成是黄正梅的肚子,他改扎黄正梅的肚子。大棚里面静悄悄的,黄正军大概睡得正香,没人干扰他的秘密行为。他扎一个,又扎一个,所扎的洞洞组成了一个图案,是一个圆圈。他用手指把洞与洞相连的地方扯破,一块像肚皮一样的塑料膜就扯了下来。小洞变成了大洞,这个大洞足可以探进一个人的脑袋。叶海阳可惜眼下不是冬天,要是在滴水成冰的冬天,北风呼呼吹,雪花漫天飘,北风和雪花一个劲儿往他撕开的洞口里灌,要不了多长时间,蔬菜大棚里的花花朵朵、瓜瓜果果、蔬蔬菜菜,就会全部冻坏。那是何等的解气!

## 三

地里的玉米穗子差不多掰完了,有不少玉米秆子还在地里长着。玉米秆子已经枯焦,发白,风一吹哗哗响,是破败的景象。在生产队那会儿,不光玉米是好东西,玉米秆子也是好东西。队里把一部分玉米秆子铡碎,做高温堆肥;一部分留着喂牲口;还有一少部分,分给社员当柴烧。那时候,玉米秆子可是好柴火,人们藏着掖着,平日舍不得烧,只有到了过年过节,或家里来了客人,才拿出来烧锅。别说玉米秆子了,留在地里的玉米的根疙瘩,人们还要一棵一棵刨出来,拿回家当柴烧。后来分田到户,各家的玉米秆多了一些,但仍不失为好东西。玉米秆可以烧锅,也可以喂牛。再后来,有了拖拉机,有了播种机,就用不着牛了。不用玉米秆喂牛,玉米秆就多余出一部分。也有个别家庭喂牛,不是为了用牛犁地耙地,为的是卖牛肉。村里牛一少,喂的牛还不够贼人偷的。如此一来,大家都不敢喂牛了。再再后来,有的人家烧锅也不用玉米秆子了,嫌守着灶口往锅底续柴火费事,柴草炯子也太大。做饭烧什么呢?烧蜂窝煤。有钱的人家还买来煤气罐和不锈钢灶具,烧液化气。像黄永金和黄正军家,就是烧液化气。那么玉米秆子怎么处理呢?他们放一把火,把堆在一起的玉米秆子烧掉了。或者把玉米秆子当成无用的垃圾,随便扔进地头的坑里。

然而,叶海阳家做饭还是用玉米秆子。他们家买不起蜂窝煤,更买不起液化气。在时代的变化中,叶海阳家落伍了,从人民公社时期全村首屈一指的富裕户,变成了如今为数不多的贫困户之一。叶海阳家当年之所以富裕,并不是叶海阳有多大本事,他沾的是他爹叶挺坚的光。那时,叶挺坚在公社粮店当会计,农民到粮店卖点粮食,或卖点棉花,都要通过他。他收下粮棉,并不马上付给农民现钱。他写一张纸条,上写收到粮棉多少斤,合现钱多少,盖上粮店收购站的章,交给农民,就让农民走了。至于农民什么时候可以凭纸条到粮店领钱,他让农民经常到粮店门口看着点儿,到时候粮店门口会贴通知。等通知贴出来,农民到粮店领钱时,发钱的人不是叶挺坚,换成了粮店的出纳。这没关系,仅凭一张三指宽的纸条,叶挺坚就可以把文章做足。卖小麦的来了,叶挺坚一看是叶桥村的熟人,给熟人使过一个眼色之后,熟人拿来的小麦本来是十二斤,他给熟人开的条子是三十六斤。熟人会意,等三十六斤小麦的钱领出来之后,就把多得的钱送给叶挺坚一些。这个窍门在叶桥村私下里传递,有人什么东西都不卖,空着手就到粮店去了。趁跟前没有别人,叶挺坚也能给他开条子,称他交来棉花多少多少斤。公社粮店离叶桥村不太远,叶挺坚下班后时常骑着自行车回家。他回家时,顺便带一些盖了章的条子回家。这样更方便了,有的人连粮店都不用去,只要到叶挺坚家里,就算向国家卖了粮食,就可以领到卖粮食的条子。当然了,不是叶桥村所有的人家都可以从叶挺坚的手里领出条子,叶桥村的地富反坏右分子,外姓人,和叶家关系不好的人,叶挺坚不信任的人,想从叶挺坚那里拿到一张废纸都没门儿。在这些人面前,叶挺坚打着官腔,做得一是一,二是二,仿佛是维护国家利益的第一人。那时,不少人把叶挺坚看成是叶桥村的财神,家里缺灯油了,没盐吃了,就去求叶挺坚。他们拿着条子领回了钱,得到的是很少的一部分,得大头儿的永远是叶挺坚。叶挺坚家就是这样富起来的,给叶海阳盖的四间大瓦房,也是在那种情况下盖起来的。富裕人家养娇子,叶海阳还是光屁股娃娃时,在村里就很受宠,地位就很优越。上学了,别人都穿粗布衣,叶海阳穿洋布衣。别人穿不起球鞋,叶海阳穿得起。冬天别的同学都没有围脖,叶海阳的围脖又长又漂亮。好多同学一年都吃不到一块糖,而叶海阳同学口袋里的糖果一抓就抓出好几块儿。现在不行了,人民公社取消之后,叶挺坚退了休,得了脑栓塞,成了半身不遂,已卧床不起。叶挺坚的辉煌时代一去不复返了。而一直靠爹娘接济的叶海阳家,也逐渐衰落下来。还是拿房子来说吧,想当年,叶海阳的四间瓦房是全村最好的。现在,村里不少人家盖起了楼房,盖起了带廊厦的平房。不管是楼房还是平房,院子门口都安装了大铁门。大铁门开关时隆隆作响,隆重得很。相比之下,叶海阳的起脊的老式瓦房就不算什么了。反正村里草房已经没有了,像叶海阳这样的房子,不是村里最差的,也很一般,很一般。叶海阳和张开朵有三个孩子,两个儿子,一个女儿。他们的大儿子已经到了该找对象的年龄。如今儿子找对象,家里没有楼房是不行的。可是,叶海阳和张开朵,一没有砖头,二没有钢筋,三没有水泥,四没有沙子,五没有玻璃,六没有……他们拿什么盖楼房呢！他们有腿，腿里有骨头，但腿里的骨头不能当钢筋使。要是玉米秆子能当钢筋使就好了，他们家的玉米秆子总算不少。

因叫惯了，张开朵现在仍然把叶海阳叫海阳儿，但与以前的口气大不一样，一开口，她的口气里就带出了对叶海阳的看不起。这天午后，张开朵见叶海阳带着双截棍又要出去练武，说：海阳儿，快该种麦子了，咱家的玉米秆子还没砍。你去把玉米秆子砍一砍，拉回来。叶海阳不说话。张开朵说：我说的话你听见了吗？叶海阳还是不说话。张开朵说：你耳朵眼儿里塞驴毛了吗？叶海阳这才说话了，他说：驴毛塞你娘的嘴！张开朵没有和叶海阳对着骂，一对骂，就可能开打。如果单比摔跤，叶海阳还没有张开朵力气大，垫底子的还是叶海阳。但叶海阳现在狠劲大，叶海阳一发起狠来，就不管不顾。有一回，因外出打工的事，两个人吵恼了。叶海阳抄起锨，砍在张开朵的头上，把张开朵砍得皮开肉绽，露了骨头。张开朵到医院缝了十多针，才把头皮缝上，还住了两天医院。在张开朵住院期间，叶海阳一次都没有到医院看过她。叶海阳这个驴日的，他的心变得这样狠，往日的夫妻情义一点儿都不讲了。张开朵把满腹的怨恨压抑着，说：你不把玉米秆子砍回来，咱家就没烧的。叶海阳说：没烧的，不烧！这叫什么话！没烧的，就做不熟饭。不做饭，难道把脖子扎起来不成！张开朵说：你不要光说气话，只要还有一口气，日子就得过下去，就得烧锅。你要是给家里买了蜂窝煤，买了煤气罐，我保证不让你下地砍玉米秆子。咱先说好，等种上了麦，地里没啥活儿了，我就出去打工。家里总得有人出去打工，不打工，不挣钱，现在的日子就没法儿过。又来了，又来了，张开朵说来说去，还是想把叶海阳撵出去打工，叶海阳最烦的就是这个。叶海阳说：滚吧滚吧，要滚早点儿滚，老喋喋不休干什么！我现在不能看见你，一看见你够八辈子。你给我滚得远远的，我永远看不见你才好呢！张开朵说：没用的东西，人家都是男人出去打工，女人在家里守着。你倒好，把自己的老婆往外撵。我要是出去，这个家非散摊儿不可！叶海阳说：张开朵，你太高看你自己了，你以为离开你的屁股别人就不栽红薯了，照样栽！

叶海阳去河堤上练武，要经过他家玉米地地头。刚走到玉米地，他就有了用武之地。他看见一台旋土机，正在叶老堂家的地里旋地。现在玉米秆子砍去之后，不用拖拉机拖着双铧犁犁地了，也不用拖拉机拖着耙床来回耙地，只用旋土机旋上一遍就行了。旋土机后面安有若干个轮子样的刀片，旋土机运行时，刀片便切进土里，并在土里旋转。旋转之后，土地等于犁过了，也耙过了，而且又松又软，比犁子犁得还深，比耙齿耙得还细。这样的地不必再进行任何整理，只须晾上两天，即可用播种机种麦。叶桥村没有旋土机，旋土机肯定是从外乡开过来的。现在一到收割季节或播种季节，外乡的大型农业机械就到他们这里来了，用机器挣他们的钱。现在的叶海阳反对一切外来人到叶桥村挣钱。他自己挣不到钱，也反对别人挣钱。一见有外面的大型机械开进来，如同叶桥村受到侵略一样，他就心生排斥。别说这些坦克、装甲车一样的农业机械了，连一些到叶桥村做生意的小商小贩，他也想把人家撵走。叶海阳外出打了两次工，回来就变成了这样。他以后不到别的地方去，别的地方的人最好也别到叶桥村来。甚至从叶桥村上空飞过一群大雁，他都想借黄正军的火枪，把大雁打下来。他跑到旋土机前，挥着手中的双截棍对司机说：停！停！

开旋土机的是一个年轻人，年轻人见有人拦在前面，只得把旋土机停下来。但他没有给机器熄火，也没有从驾驶室里下来，只是从驾驶室里探出头来，问叶海阳怎么了，有什么事。叶海阳命令年轻人下来。年轻人犹豫了一下，还是从旋土机上下来了。叶海阳问：你是从哪里来的？年轻人转过身，把来路指了一下，说那边。叶海阳又问：你是从地上开过来的，还是从天上飞过来的？年轻人见叶海阳手里提着双截棍，样子也很凶，不由得有些害怕，他老老实实回答：从地上开过来的。叶海阳冷笑了一下，说：我还以为你开的是飞机呢，还以为你是从天上飞过来的呢！这是我的玉米地，你知道不知道？叶海阳用双截棍往旁边的玉米地指了一下。叶海阳的地与叶老堂的地搭边，叶老堂开始旋地准备种麦子了，叶海阳家的玉米秆子还在地里长着。年轻人说不知道。叶海阳说：你把我的玉米轧倒了，你说怎么办吧？因地头留的小路极窄，旋土机从小路上开不进来，旋土机一侧的轮子只有跨着叶海阳家的地头，才能开到叶老堂家地里。这样一来，叶海阳家干枯的玉米秆子就被轧倒了一些。叶海阳成天憋着找事儿，这下总算把事儿找到了。叶海阳天天发愁没窟窿下蛆，现在终于有窟窿了。外来的旋土机在和他没有发生任何关系的情况下，他都想把旋土机赶走，现在旋土机竟然轧到了他的玉米地上来了，他当然不会放过它们。他妈的，这是好事儿！他心里有些欣喜。但他脸上装作很恼怒，仿佛旋土机轧倒的不是玉米秆子，而是他们家的房子。怎么办呢？年轻的司机不知道怎么办，招着手喊他叔叔。

叔叔和叶老堂正在地头吸烟，听见司机喊他，他们一块儿走过来。叶老堂见拦在旋土机前面的是叶海阳，知道叶海阳不好惹，示意叔叔赶快给叶海阳递烟。他对司机的叔叔介绍叶海阳说：这是我孙子。不料叶海阳说：胡扯，谁是你孙子！叶老堂说：我跟你爷爷是一辈，你不是我孙子是什么！叶海阳说：我不认识你，你不要在这里瞎掺和。叶老堂说：人家在给我旋地，你拦在前头不让旋了，是我瞎掺和，还是你瞎掺和？叔叔把烟递在叶海阳面前，说：吸烟，吸烟。叶海阳用双截棍把烟挡开了，说：你赔我的玉米！叔叔一时没闹明白，问：什么玉米，玉米不是都收完了嘛！叶海阳说：玉米收完也不行，你轧倒了我的玉米秆子，就是无视我的存在，就是欺负我，你今天一定要给我一个说法。叔叔往叶海阳家的地里看了看，不知道叶海阳要什么说法，求救似的看着叶老堂。叶老堂说：玉米秆子反正也要砍掉，留着也没用。叶海阳把眼一瞪，说：叶老堂，你给我一边待着去，这里没有你插嘴的地方！叶老堂气得哆嗦起来，说：你你你，你怎么跟长辈人说话呢，你还敢打我吗？叶海阳把双截棍抖开了，一截抓在手里，一截拖在地上，说：你怎么就不能打，我打你，跟打老百姓一样。叶老堂说：给，你打吧，我看你敢打我一下试试，我看你无法无天了！叔叔往后推叶老堂，说算啦算啦，有话好说。他转过身向叶海阳道歉，说：对不起，实在对不起，我们不知道这是你们家的玉米地。我们错了还不行吗？您就高抬贵手，原谅我们这一回吧！叶海阳说：那不行，你们必须拿出实际行动来，赔偿我的经济损失。我不多说，每轧倒一棵玉米秆子，你赔给我三十块钱就行了。走吧，咱们现在就去查数儿，有一棵算一棵。

叔叔一听，头顿时蒙得好大。别说是干枯的玉米秆子，就算是没掰去玉米穗子的玉米，就算一棵玉米上结十个穗子，也值不了三十块钱呀！他心里暗暗叫苦，知道坏了，碰见不讲理的地头蛇了。他没有跟叶海阳到地头去查数儿，苦着脸对叶海阳说：大兄弟，这台机器不是公家的，是私人的，是我们好几家凑钱买的。我们出来挣点钱不容易呀！到这个村，这是我们干的第一份活儿。不瞒您说，我们旋一亩地，才挣三十块钱，去掉柴油费，我们挣的钱连二十块都不到。我们也愿意赔您钱，可我们没挣到钱怎么办呢！叶海阳说：没钱好办，这不是有机器嘛！你把机器留在这儿，咱来个现场拍卖，你把拍卖得到的钱赔给我。多了，我退给你；少了，你回头再补给我，这叫多退少补。乖乖，这人贪心不足蛇吞象，竟把主意打到他的机器上头来了。叔叔吃不准叶海阳是不是跟他说笑话，但他得当成笑话化解一下，他咧了一下嘴说：大兄弟真会说笑话，我知道大兄弟是跟我说笑话，是拿笑话吓唬我。您看这样行不行，您不想让我们在这个村干活儿，我们现在就走。叶海阳说：谁跟你说笑话，谁有工夫跟你说笑话！说笑话不是这个说法。想走容易，你们两个现在就可以走，只是机器不能走。机器还在响着，站在一旁的司机把手上的一双破手套揪下又戴上，戴上又揪下，像个傻子一样。叔叔对他说：关上关上，把机器关上，活儿又干不成了，还开着发动机干什么！叔叔对侄子的态度很粗暴，他同时让叶海阳知道，他也是有脾气的人。侄子上去把发动机关掉了。叔叔对叶海阳说：如果你想要我的命，你可以把我的命拿走，你想把旋土机留下，恐怕不好办。叶海阳说：我不要你的命，你的命不值钱。怎么，你想跟我拼命吗？叶海阳把双截棍抖了抖，威胁说：你也不瞅瞅我是干什么的！

叶老堂又凑了上来，说：最好别动武，动武对谁都没好处。我说一个意见，你们看合适不合适。等叶海阳家的玉米秆子砍去之后，你们过来，免费把叶海阳家的地旋一下，不要耽误叶海阳家种麦。我是党员，还是参加过解放战争的退伍军人，我是诚心诚意为你们解决问题，希望你们达成和解。

叶海阳首先对叶老堂的意见嗤之以鼻，说狗屁，你的意见连狗屁都不如。我不让你插嘴，你为什么还要插嘴，你还有完没有！

叶老堂说：人家在给我旋地，你拦着不让旋，我当然要说话。整地种麦是当前的大事，耽误了我种麦，谁负责？

叶海阳说:我负责。

叶老堂说:我看你负不了责。我去找村长,让他来看看这问题怎么解决。如果村长解决不了,我就去乡政府找乡长去。

村长还没来,村里一些人听说叶海阳与旋地的人起了纠纷,纷纷到地里看究竟。现在村里的青壮男人几乎没有了,来看纠纷的人多是一些老头儿、老太太、妇女、孩子和个别身体有残疾的人。他们看到叶海阳和旋地的人没有骂起来,也没有打起来,还处于对峙的状态。这种状态与他们希望看到的状态相去甚远。他们知道叶海阳每天把双截棍耍得嗖嗖的,武功已相当厉害。但练功千日,用功一时。叶海阳的双截棍得落实到具体人的头上,才能看出叶海阳的武功到底有多厉害。于是有人喊:打,打,看谁打得过谁!有人喊着叶海阳的名字,让叶海阳发挥一下双截棍的威力。还有一个抱孩子的妇女,指着旋地的人脖子里挎着的挎包说:把他的挎包夺下来,挎包里面都是钱!

旋地的人不由得抬起双手,把挎包捂住了。他的挎包是黑色的人造革做成的,革面已经发白,上面沾了不少土。挎包的拉锁也坏了,包口老是咧着嘴。他的手又从挎包上放下来了。但是已经晚了,他那一捂是一个暴露,也是一个证实,使人们相信挎包里肯定有钱。

叶海阳的目光朝挎包盯去。挎包不太大,但装钱足够了。若是把挎包装满,恐怕够数一阵子的。叶海阳说:别愣着了,把钱掏出来吧,人做事情要自觉一些。

旋地的人往远处看了看,不见叶老堂回来。叶老堂说是去找村长,找乡干部,找到哪里去了呢?难道村长和乡干部都不愿意来?而不请自来的这帮人,村向村,邻向邻,都在给讹他的人帮腔,没有一个人站出来,为他说一句公道话,这让他非常失望,非常寒心,还有些害怕。他抬头看了看天,天很高,太阳已经偏西。太阳一偏西,就是走上了下坡路,离落下去就不远了。他说什么也不能在这里困到天黑。太阳落,狼下坡,天要是黑下来,他恐怕更难走脱。他说:我包里一共有二百三十二块钱,是我们准备加油用的。给你二百,剩下三十二,我们爷儿俩在路上吃顿饭。叶海阳说:不行,都拿出来!旋地的人快要哭了,问:我把钱都给您,您放我们走吗?叶海阳说:把钱拿出来再说。那人把包里的钱都掏出来,整了整,递给叶海阳。叶海阳接过钱,把嘴撇了撇,好像对这点儿钱有点儿不屑一顾,问:就这一点儿?那人说:我一分钱都没留,不信你看看。他把挎包递过来了,口朝下往下倒。从挎包里掉出一个记账用的软皮本,掉出半盒烟,还倒出一些细碎的烟末,果然一分钱都没有了。他说:我求求您,饶我们这一回吧。这个村我们再也不敢来了。

旁观的人堆里有人喊:别让他走,让他给你磕头!

叶海阳没让旋地的人给他磕头,他收起双截棍说:滚吧滚吧!

## 四

中秋节的前一天，黄正梅从城里回来了。黄正梅两年多没有回来过，连今年过春节都没回来。据说黄正梅在城里很忙，生意不错，不知她怎么舍得回来看看。黄正梅一回来，叶海阳就得到了消息。他妈的，不好好在城里当鸡，回来干什么？难道黄正梅在城里把钱赚足了，要回来嫁人不成！村里还有一个闺女在城里当鸡，当了四五年，花花绿绿的票子挣了不少。她大概觉得当鸡不是长久之计，就回村准备嫁人，过正常人的日子。不料周围村庄都知道她是当过鸡的人，说一个，又说一个，男方都不同意。后来又说一个，她答应给男方买一辆跑运输的货车，男方才娶她。人说当过鸡的人子宫都被人家弄坏了，再也不会生孩子。她还好，结婚才一年多，就给人家生了一个儿子。黄正梅上次回来是前年春天，叶海阳没有看见黄正梅。那段时间，叶海阳外出打工了。叶海阳回村后，听许多人谈到黄正梅。好像平地里长起一棵树，一夜之间开得满树花，人们想不看都不行，想不谈都绕不开。人们共同的看法是，黄正梅变了，变得真好看。黄正梅穿得好看，戴得好看，描得好看，画得好看，走路好看，站着也好看，哪儿哪儿都好看，都说比电影明星好看。以前黄正梅没有出去的时候，人们看她不过是一个一般的黄毛丫头。谁知道呢，一到城里就变了，变得这样花枝招展。黄正梅这次回来，叶海阳决不会饶过她，他要抓住机会，看看黄正梅好看到什么样子。难道黄正梅长了勾魂眼，经她的眼一勾，就把男人的魂勾走了？难道黄正梅带了软骨的药，男人一见她，骨头就变软了？要是那样的话，他一定要把黄正梅会一会，尝尝当鸡的女人究竟是何滋味。既然黄正梅在城里当鸡，她回到老家，也可以开展这项业务吧！

叶海阳这天白天不睡觉了，他要主动出击，去找黄正梅。他洗了脸，洗了头，还抹了老婆用的搽脸油，把自己收拾打扮了一番。他虽然看不起黄正梅，自己在心理上处于优势地位，但他还是愿意在黄正梅面前保持一下自己的形象。问题是，他到哪里去找黄正梅呢？黄永金家现在有三处宅基地。一处是老宅，在村子的底部。老宅的草房扒掉后，黄家没有在老宅盖新房。黄永金请风水先生看过，说老宅的地势太低，风水也不好，不宜盖新房。黄永金就在院子里栽满了杨树，加上原来的椿树、桐树，把老宅子变成了树园子。黄家另两处宅基地都在村外，一处盖成带廊厦的六间平房；一处盖成了两层小楼。除了三处宅基地，黄家占面积挺大的蔬菜大棚，也跟房子差不多，黄正梅也有可能到蔬菜大棚里去。叶海阳觉得最好能一次找到，要是一处一处找，老也找不到，就不太好。别人会想，叶海阳急着找鸡干什么呢！他还要为自己留一点儿面子。叶海阳估计了一下，黄正梅有可能会住在那座楼房里。楼房是黄永金二儿子黄正山的房子。黄正山在楼房里结了婚，两口子就一块儿到城里打工去了，整座楼房在那里空着。黄永金晚上到那里住一下，为的是给二儿子看房子。黄正山的楼房在村外的东南角，叶海阳没有直奔楼房而去。他背道而驰，向村后走去，打算翻过村后那段干坑，从村外的路上向楼房迂回过去。

路过黄永金家老宅的院子门口，叶海阳见院门开着。平日里，这个成了树园子的院子，墙头上长了草，门楼上长了草，连院门外的地上都长了野草，院门很少打开。这会儿是谁把院门打开的呢？会不会是黄正梅呢？黄正梅可是从小在这个院子里长大的。叶海阳往院子里一瞅，见院子里背身站着一个女子。女子腰身长长的，上身穿一件鸽白色半长大衣，下身穿紧紧缚在腿上的黑色牛仔裤，脚上穿的是深勒软皮的鹿皮皮靴。女子留的是披肩长发，但头发不是无拘无束地披着，中间扎起一些，扎起的部分别着一枚玉红的卡子。这样的身材，这样的装束，不是黄正梅，又能是谁呢？叶海阳在院子门口站下了，问：正梅，是你吗？

在院子里默默站着的正是黄正梅，听见有人喊她，黄正梅慢慢转过脸来，说：是我。

叶海阳看见了，黄正梅没戴金耳环、金项链，也没有描眉，没有画眼，没有抹口红，一切都素素净净，与传说中的黄正梅大不相同。更让叶海阳惊奇的是，黄正梅两眼泪汪汪的，像是正在为什么伤感。叶海阳走进院子里，问：正梅，你还认识我吗？黄正梅说：看海阳哥说的，我怎么能不认识海阳哥呢！叶海阳又问：你怎么了？我看你的情绪不对呀！黄正梅这才笑了一下，说没什么，来到这个院子里，我想起小时候的一些事。说着，她拉开随身背着的一个小皮包，从包里捏出一张雪白的、印有花纹的、折叠成小方块的面巾纸，用面巾纸把两个含泪的眼角搌了搌。搌罢眼泪，黄正梅没有随手把面巾纸扔掉，装进上衣的口袋里去了。黄正梅的指甲长长的，指甲面染成了银灰色。院子的地上长了很多草，草已经枯黄。草丛里有一层树叶，大片的杨树叶片居多，也有尖尖的椿树叶，圆圆的杏树叶，还有明黄色的洋槐树叶。无风，树叶还在往下落。杨树叶下落时有些飘摇，有一片飘到墙头外面去了。不知从哪里传来斑鸠的叫声，咕咕，咕咕，显得古典而悠远。叶海阳知道，黄正梅小时候家里很穷。黄正梅好像连根头绳都扎不起，刺蓬着一头黄毛。别的孩子敢跟叶海阳要糖吃，黄正梅不敢，躲在一边看着他。别的孩子吃完了糖，黄正梅跟人家要糖纸。包糖块的糖纸又甜又花，人家连糖纸都舍不得给她。叶海阳看不过，就把黄正梅叫过去，给了黄正梅一块糖。黄正梅小心地把糖纸剥开，把糖块含进嘴里嘣一下，马上吐出来，吐到糖纸里，按原样儿包好。停一会儿，黄正梅把糖纸剥开，再嘣，再吐，再包。就这样嘣了包，包了嘣，一块糖不知黄正梅能吃多长时间。现在黄正梅不同了，你给她再好的糖，恐怕她都不会要。

黄正梅问叶海阳：我去年回来的时候，听说你到外面打工去了，怎么样？什么时候回来的？

叶海阳不想提外出打工的事，含糊其词地说：我只是到外面看了看，早就回来了。他问黄正梅:你这次回来,感觉怎么样,咱这里有变化吗?

黄正梅说:当然有变化,变化还不小。黄正梅的话很快打了转折,她说依她看,老家的人显然比以前富裕了,不缺吃了,也不缺穿了,但现在的叶桥好像还不如以前的叶桥可爱。她举了一个例子,她说她刚才从村后过来,见坑的半坡扔了不少衣服。那些衣服有绿的,有红的;有单的,也有棉的。既然衣服不要了,不如烧掉,或者埋掉。随便扔在那里,十分难看。过去可不是这样,别说还能穿的衣服了,连一块破布片,一根布条,人们都舍不得扔,攒起来垫鞋底子。她小时候,因为家里穷,她娘成天为没有破布垫鞋底而发愁。要是搁过去,那些扔在坑半坡的衣服早被人捡走了。

叶海阳说是的,以前到城里拾破烂的人回老家,都是大包小包的旧衣服往回带。旧衣服一带回来,好多妇女都去挑,都去抢。现在没人往老家带旧衣服了,就是带回来,也没人稀罕了。现在农村人也明白了,城里也是啥人都有,城里人淘汰下来的旧衣服,农村人也不爱穿。

黄正梅又举了一个例子。她说:在过去,粪可是好东西。庄稼一枝花,全靠粪当家嘛!各家各户都像攒金子攒银子一样,把粪攒起来,然后上到地里,好让地多打粮食。现在有了这化肥,那化肥,大家见粪就不亲了,不拾粪了,也不攒粪了。我听说,好多人家都是把粪便倒进水坑里。乍听说我还不太相信,刚才我去坑边走了一圈,差点儿没把我熏晕。坑里的水又黑又稠,咕嘟咕嘟冒黄泡儿。黄泡儿一破,从里面散发出来的都是臭气。我看咱们村的水坑都变成大粪池了,这可怎么是好!我小的时候,坑里的水一年四季都是清的,水里有鱼,有虾,有苇子,有菱角。中午在坑边的树下吃饭,往水里扔一根面条,能引来一大群鱼。从地里干活回来,可以到水坑边洗脸,也可以到水边洗衣服。现在别说洗脸洗衣服了,连看都不敢看,连闻都不敢闻。

叶海阳不想与黄正梅讨论这些问题,你黄正梅又不是城里的干部,又不是下乡来视察,管那么宽干什么!叶海阳觉得,有一种香气,一股一股朝他的鼻子扑来。他想闻,香气却没有了。不经意间,忽的一下子,香气又扑进他的鼻子里,并到了他的肺腑里。现在是秋天,又不是春天,院子里又没有花儿,哪儿来的香气呢?他想,香气一定是从黄正梅身上散发出来的。叶桥村周围的水坑是臭的,黄正梅身上却是香的。别以为黄正梅脸上没涂脂,没抹粉,很可能是她涂得细致,抹得高明,别人看不出来罢了。不然的话,这香气是从哪里来的呢,难道她把香水搽在自己身上了!这种香是一种暗香,在看不见摸不着的情况下,香气就袭来了。叶海阳说不清这种香是什么香,反正一闻到这种香,他的鼻孔不知不觉就张圆了,他的肺好像也变得特别活跃。他想打断黄正梅的话,跟黄正梅讨论一些别的问题,比如说黄正梅在城里到底是干什么工作?上白班还是上夜班?工作累不累?等等。

然而,黄正梅意犹未尽似的,又拿她家的宅基地说事儿。她说这片宅基地挺好的，从河坡里拉点土，把地垫高一些，完全可以盖房子。没必要到村外占一块地，又占一块地，把好好的可耕地都盖成房子。我看咱村儿的人现在占好土好地盖房子的很多。盖了房子又不住，在那儿空着。照这样下去，好好的土地都被钢筋水泥占据了，还怎么种庄稼，后来的子子孙孙吃什么？

叶海阳脑子里嗡嗡的，对黄正梅的话越来越听不进去。他咳了一下喉咙，吐了一口唾沫，终于把黄正梅的话打断了，说：正梅，你现在了不得呀！上次你回来，别人都说你像电影明星一样，我还不太相信。现在看来，你比一些电影明星还漂亮。黄正梅的脑子像是转了一下弯，说：哪里呀，那是村里人笑话我呢，海阳哥也跟着笑话我。叶海阳说：我没有任何笑话你的意思，我是实事求是。你不光长得漂亮，穿得很得体，说话也很有水平，很有魅力。哎，我问你，这一股一股的香气，是不是从你身上散发出来的？黄正梅低头瞅了一下自己，说没有呀，我什么香水都没用。叶海阳说：不对吧，这里为什么这样香，你是自来香吗？这样说着，叶海阳踩着地上的树叶，离黄正梅近一些，他要就近把黄正梅身上的香气闻一闻。同时，他向院子门口瞥了一眼，觉得这地方敞天敞地的，连个遮挡都没有，不太合适。他应该和黄正梅到一座房子里去，好好和黄正梅聊一聊。他不能带黄正梅回家，他老婆有可能在家里。他和黄正梅去叶老堂那间菜园的小屋，也许好一些。

这时，张开朵过来了，张开朵一见叶海阳和黄正梅在树园子里待着，便长长地咦了一声，说海阳儿，你个狗东西，我到处找你，找不着你，原来你躲到这里来了！

叶海阳大为扫兴，说：喊什么，喊什么，我还没死呢，找我干什么！

张开朵说：是你爹让我找你，他要和你谈话。

叶海阳说：他都快成棺材瓤子了，还谈什么谈，我不跟他谈！

张开朵说：别说成棺材瓤子，沤成土也是你爹。你个不要脸的东西，你是不是一见人家就走不动了。

黄正梅说话了，她微微笑着，一副处变不惊的样子，说：嫂子你好！嫂子还是这么年轻。

张开朵说：我都快成老黄瓜种了，给猪，猪都不啃。哪个像你，一掐一股水儿。哎，我听说你的工作好，挣钱也多。你是不是给你海阳哥也找个事干干，你吃肉，我们也帮着喝点汤儿。

什么他妈的吃肉喝汤儿，一派胡言。叶海阳厌烦地往院子门外挑挑手，说：走吧走吧，我一会儿就回去。

张开朵说：不行，你现在就得跟我走。我不能眼看着你往泥坑里掉。

叶海阳威胁说：你走不走，不走我劈死你！

张开朵说：给，劈吧，有种你现在就劈我。

黄正梅说：真是不吵不闹不成夫妻，好了好了，咱们都走吧，我也该回去了。

## 五

吃过晚饭,天黑透了。应该有月亮,却不见月亮出来。天是阴天,黑云把月亮和星星都遮住了。有一盘月亮老是在叶海阳的脑子里转,那盘又大又圆、又白又亮的月亮是黄正梅。黄正梅的脸是月亮,眼睛是月亮,牙也是月亮,哪儿哪儿都是月亮。黄正梅这盘月亮把叶海阳心头照得亮亮的。叶海阳往外走,张开朵问他干啥去。叶海阳说:你不是说老头子要找我谈话嘛,我去看看,他是不是要安排他的后事。你不知道,老头子最怕火化。张开朵对叶海阳的话表示怀疑,问:你该不是又去找那只鸡吧?叶海阳跟张开朵打哑谜,说:什么鸡?我又不是黄鼠狼,找鸡干什么!张开朵说:你不要跟我装蒜,找什么鸡,你自己心里最清楚。还说你不是黄鼠狼,我看你比黄鼠狼见到鸡还下作。你看着那只鸡,眼里都快伸出爪子来了,别以为我看不出来。你看她那样子,明明是个叉腿货,装得像演员一样。明明是只母鸡,装得像只公鸡。叶海阳装作这才明白了张开朵的话意,说:嗐,你把我看成什么人了。摸一摸,涮三涮。城里人的粪窑子,白送给我,我都不要。我还怕染上艾滋病呢!要是不放心,你跟我一块儿去吧,你也去看看老头子。张开朵说:我才不去呢。你去去赶快回来,今天晚上不许在外头转悠。你要是敢去找那个鸡,我把你的鸡巴割下来喂狗。

叶海阳到娘开的小卖店里去了。小卖店开在村口路边,村里人买东西很方便。小卖店门面不大,但货物很齐全。娘住在小卖店里,可以说一天二十四小时值班。半夜里,有人只买几毛钱的东西,娘也开门卖给人家。叶海阳往小卖店的柜台前一站,不喊娘,也不跟娘打招呼。倒是当娘的先跟他说话,问他是不是又馋酒了。叶海阳说:我不白拿你的,我给你钱,说着从口袋里把钱掏了出来。娘问他要一瓶还是要两瓶。他说先来一瓶。娘把酒拿出来,放在柜台上。叶海阳把钱付给娘,他付的钱多出几毛,娘在一个盛零钱的小纸箱里扒拉,给他找零钱。娘一边扒拉,一边说:你儿子,你闺女,放了学老跑到我们这里来吃饭,有时还偷店里的泡泡糖,这个账怎么算?你是不是也应该给点钱?叶海阳说:这个账以后再说。娘问:哪以后?以后到啥时候?叶海阳把酒瓶抓在手里,仿佛已经闻到酒的香气。不知从什么时候开始的,叶海阳喝酒已经有些上瘾,一闻见酒香,他就脚软腿软,走不动路。他把酒瓶的瓶盖拧开了,一股子酒的香气忽地蹿将出来。这香气与黄正梅身上的香气不一样,酒的香气比黄正梅身上的香气浓烈多了。既然把酒瓶打开了,不喝一点儿是说不过去的。他把瓶口对在自己嘴上,舌子也迎上去,舍不得多喝似的,轻轻喝了一小口儿。如久旱的禾苗得到了甘霖,他肚子里的枝枝叶叶顿时支棱起来。他妈的,得劲,痛快!他看出来了,娘不想找他零钱,想让他发话,零钱不用找了。娘现在就是这样,完全掉到钱肚子里去了。娘掉到钱肚子里,仍不忘吸收钱的营养,恨不能钱把她也变成钱生出来。不行,零钱必须找,少找一分一厘都不答应。他说:你不想让他们吃你们的饭,你可以撵他们走嘛!只要你做得出来。别忘了,他们是我的儿子、闺女,还是你的孙子孙女呢!娘说:一辈儿人养一辈儿人,我生了养了你们几个,就完成任务了,你还想让我替你养孩子吗?叶海阳说:我请你生我养我了,是你自己愿意。叶海阳又喝了一口酒。娘骂了叶海阳的娘一句,说:不生你我着急,我贱,行了吧。想喝酒拿回家喝去,别在我这儿喝。喝了酒,你又该管不住自己了,你又不是你了。娘把四个钢镚子放在水泥柜台上,推给叶海阳。叶海阳把钢镚子一一收起来,说:酒是我花钱买的,我想在哪儿喝,就在哪儿喝。管不住我自己怎么了,管不住我自己,我还是我自己。

小卖店是两间屋,外面一间卖东西,还有一个套间放床,住人。叶海阳的爹娘就住在套间里,套间的门口挂着一块布帘子。叶海阳的爹叶挺坚听见了叶海阳说话的声音,问是海阳儿吗?喊海阳儿进屋。叶海阳不想进去。娘说:你爹喊你呢。叶海阳说:他喊我干什么!娘说:你是他的大儿子,他喜欢你呗。叶海阳提着酒,硬着头皮进了套间。套间里是黑的,叶挺坚让叶海阳把灯拉开。叶海阳摸到墙上的灯绳,把灯拉开了。叶挺坚在床上侧身躺着,身上盖着被子。叶挺坚脸色苍白,白得像地窖里长出的白蘑菇一样。不过叶挺坚的眼睛似乎还很亮,在叶海阳拉开灯的一刹那,叶挺坚的眼睛也亮了一下。叶挺坚问叶海阳:我让你老婆喊你过来,她通知你了吗?叶海阳说没有。叶挺坚一听,顿时生气了,他掀开被子,以胳膊肘子支床,坐了起来,说:这个阳奉阴违的女人,我让她通知你,她答应得好好的,为啥不通知你!叶挺坚上身穿一件灰秋衣,下身光着,连条裤衩都没穿。叶挺坚很瘦,显得骨头有些粗。叶海阳问爹:你找我有啥事儿,说吧。叶挺坚说:你把尿壶给我拿过来,我先解个小手。叶海阳手里拿着酒瓶子,不想给爹拿尿壶。然而爹当干部时的威严还保持着,他不敢违背爹的意志,只得放下酒瓶子,把尿壶给爹递过去。叶挺坚尿出来了,尿壶里陈尿、新尿的臊气一齐散发,难闻极了。为了把尿臊气抵抗一下,叶海阳拿起酒瓶,又喝了一口酒。叶海阳想走,他今晚的目标是找黄正梅。

叶海阳还没找出离开的借口,爹问他:你怎么干喝酒?叶海阳说没事儿,习惯了。爹说:干喝酒不好,会对胃造成伤害。他冲外屋喊:海阳儿他娘。娘的口气很不耐烦,说:啥事儿,说。你大儿子不是在屋里嘛!叶挺坚说:你给海阳儿拿点儿就酒的东西。娘说:没啥就酒的东西。叶挺坚说:你卖的不是有炒花生吗?给海阳儿抓一把。娘说:炒花生卖完了。叶挺坚说:咸鸭蛋也行,你给海阳儿拿一个咸鸭蛋。娘说:一个咸鸭蛋值一块二毛钱呢!叶挺坚说:钱钱钱,你他妈的就认钱。跟自己的孩子,你论这么真干什么!娘说:不是我跟他论真,是他先跟我论真。刚才买酒,不找给他四毛零钱他就不走。叶挺坚说:这样吧,把买咸鸭蛋的钱记在我账上,等这月的退休工资发下来我还给你。娘这才给叶海阳拿了一个咸鸭蛋。娘没有把咸鸭蛋递给叶海阳，把咸鸭蛋往刚才放尿壶的方凳上放。咸鸭蛋是椭圆的，放在方凳上有些滚。娘不管它，任鸭蛋滚，自己只管回到外屋去了。结果鸭蛋滚到了地上，啪的一下子摔破了皮。叶海阳没有把咸鸭蛋捡起来，说：现在在我娘眼里，我连一条狗都不如。叶挺坚说：话不能这么说，你娘除了脾气不太好，其他方面还是不错的。叶挺坚让叶海阳把咸鸭蛋捡起来。叶海阳说，他不爱吃咸鸭蛋。叶挺坚说：什么不爱吃，我让你吃，你就吃嘛！叶海阳这才把咸鸭蛋捡起来，剥去一部分皮，咬了一点儿鸭蛋青儿。鸭蛋青儿齁咸齁咸，咸得像盐丁子一样。叶海阳就了一口酒。

叶挺坚重新躺下，他说：我让你来，要跟你谈一件很重要的事情。说到这里，叶挺坚停住了，苍白的脸上似乎出现了严肃的表情。叶海阳不知道爹要和他谈什么很重要的事情，难道爹私下里还有存钱，要把秘密告诉他吗？要是那样的话，他希望爹说话小声一点儿，别让在外屋小卖店的娘听去。叶挺坚说：这个这个这个啥呢，这个事情我想了好久了，主要就是你要当干部的问题。叶海阳说：当干部？不会。他把一瓶酒已喝下小半瓶，咸鸭蛋也吃到了鸭蛋黄儿。

叶挺坚不允许叶海阳持这样的态度，他骂了叶海阳一句，说：我告诉你，现在对你来说，正是好时机。村里年轻力壮的人大都外出打工去了，能跑腿办事的人不多了，虽然有个别人没出去，他们也掉到钱眼儿里去了，顾不上考虑。目前摆在你面前的只有两条路，一个是出去打工，另一个是在村里当干部。你既然不想出去打工，就得想法儿当支书。只要你当上了支书，你的日子就不用发愁，别人盖楼，你也可以盖楼。不但你不用发愁，你的孩子也不用发愁。我的意思你明白吗？

叶海阳说：不明白。他想溜，说：我出去撒泡尿。

叶挺坚说：不用出去了，那不是有尿壶嘛。

叶海阳可不愿意和爹尿到一个壶里。

叶挺坚对叶海阳的教导并没有打住，他说：村里留下的那些机动地，还不是支书说了算，他想卖给砖窑，就卖；他想给谁当宅基地，就划给谁。你想买地烧砖，拿钱来；你想要宅基地，也得拿钱来。这下你明白了吧？

这一次叶海阳没说明白不明白，他说：不行不行，我憋不住了。说着转身出了套间。咸鸭蛋吃完了，一瓶酒没喝完。他把瓶盖拧上，往小卖店的柜台上一墩，对娘说：我的酒没喝完，先在你这儿存着，我回头再喝。

娘说：你还是拿走吧，我不给你保存。回头你说酒少了，又是麻烦事儿。

叶海阳说：你就得给我保存。酒少了，你赔我！

娘见叶海阳喝酒又喝得差不多了，就不敢惹他。这孩子，没喝酒之前是条狗，喝了酒就变成了狼，谁惹他，他咬谁。她问叶海阳：你去哪儿？

叶海阳说：撒尿！

娘说：我听说黄正梅那婊子回来了，你不要去尿她。你花不起那个钱，惹不起那个臊。

叶海阳已钻进黑暗里。

## 六

叶海阳喝酒，是为黄正梅而喝，他要用酒把自己的脸面盖一盖。他和黄正梅毕竟是一个村，他是看着黄正梅长大的，如果不以酒盖脸，他担心自己会碍面子。酒不是一块黑布，并不能遮人的脸。但把酒喝到一定程度，确实能达到一种自我遮蔽的效果，仿佛连自己是谁都不认识。不但不认识自己，似乎连六亲都不认识了。叶海阳喜欢喝酒，可他的酒量并不高。今晚喝到这份儿上，可以说恰到好处。他头轻，脚轻，走起来有一种飘飘欲飞的感觉。夜来的秋风拂在脸上，他不但感觉不到一点儿凉意，反而像给机器里加了油一样，使他的头脑更加膨胀。什么支书、村长，什么黄永金，包括叶挺坚，统统不在话下。在叶桥，只有我，叶海阳，才是大爷。我想跟谁睡，就跟谁睡；我想灭谁，就灭谁。你们他妈的，都走吧，都滚到城里去吧！有一条，得把你们家的女人都留下，你们不犁，我替你们犁；你们不耙，我替你们耙。你们放心，我不会让地荒着，老子有这个能力。

喝了酒的叶海阳像是有了一种神力，并得到神的指引，他一找，就把黄正梅找到了。黄正梅是回来过中秋节，她至少得等到过罢中秋节再走。黄正梅没有闩门，也没有睡觉，正在小楼一层的客厅里看电视。客厅模仿城里人的布置，两侧摆放沙发，沙发前放茶几。说来黄正梅有些放松警惕，在只有她一个人的情况下，她应该把院子的大门闩上。也许黄正梅习惯了这样，她是开放的姿态。来的都是客，招待十六方。来人怕什么呢，她不怕来人，怕的是不来人。所以叶海阳推门进来，她一点儿都不吃惊，说：海阳哥，你喝酒了。叶海阳说：是吗？我喝酒了吗？我是喝了一点儿。黄正梅说：你一进来，就带来一股子酒气。叶海阳问：你不喜欢酒气吗？黄正梅没说喜欢不喜欢，她问叶海阳喝不喝水。叶海阳说不喝。黄正梅说：那就看电视吧。叶海阳虽然在沙发上坐下了，但他说，他不喜欢看电视，看电视没劲。黄正梅不再接他的话，只管看着电视。叶海阳不允许黄正梅不理他，说：小梅，你怎么不理我，你是看不起你哥吗？黄正梅说：看海阳哥说的，谁敢看不起你呢，在咱们叶桥，谁不知道你是大公子呢！叶海阳说：什么大公子二公子，你不要讽刺我。我问你，你在城里到底干什么？黄正梅说：我在一家公司工作。什么公司？软件开发公司。什么软件硬件，你别当我不知道。你看我是软件还是硬件？海阳哥，你喝酒喝多了，我不跟你说这么多。我看你还是回去吧，不然的话，嫂子找到这里来，对谁都不好。叶海阳说：怎么，你敢撵我走吗，你看我没钱是不是？实话告诉你，我就是没钱。就是有钱，我也不会给你。我喜欢你，你小的时候，我就喜欢你。叶海阳站起来了，捉住黄正梅的一只手，往起拉。黄正梅坐在沙发上不起来，说：海阳哥，这样不好,真的不好,要是被村里人知道了,谁脸上都不好看。叶海阳说:什么脸不脸的,你少跟我来这个,有些人的脸早就装进裤裆里去了。黄正梅说:海阳哥,你说话真难听。叶海阳说:我劝你乖着点儿,不要挣,再挣我就不客气了。怎么,城里那些狗日的可以弄你,我怎么就不能,我的能力比他们一点儿都不差。黄正梅笑了一下,说:你这样说话真没意思,显得一点儿教养都没有。有一句话叫强扭瓜不甜,你该听说过吧?叶海阳说:听说过是听说过,我也知道甜瓜好吃,你不主动把甜瓜给我,我只好自己动手摘。叶海阳说着,在黄正梅的奶子上抓了一把。黄正梅说:算了算了,给你。我没想到你会变成这样,我觉得你连人性都不讲了。你去把大门闩上吧。

叶海阳认为这还差不多,他把院子的大铁门插上了。他以为自己关门很轻,一出手,却关得很重,大铁门轰隆响了一声。

进了里间屋,叶海阳有些急不可耐,上来就要脱黄正梅的裤子。黄正梅问他带雨衣没有。他说:外面没下雨,带雨衣干什么!这雨衣不是那雨衣。黄正梅问:你真的不知道雨衣是什么吗?叶海阳说知道,不就是下雨天穿在身上挡雨的东西嘛。你不要考我了,快点来吧。黄正梅说:看来你是真的不懂,雨衣就是安全套。叶海阳说:你不要跟我说黑话,我从来不戴那球玩意儿。黄正梅说:那不行,不戴安全套绝对不行,打死我也不行!黄正梅的口气很坚决。叶海阳问:怎么,你是怕怀孕吗?黄正梅说:那只是一个方面。没带你去买吧,等你买回来再说。这真是出难题,外面黑乎乎的,他到哪里去买。一只破鸡,你还把自己当玉女了。叶海阳把黄正梅抱住了,欲往床上放,他的嘴也在找黄正梅的嘴。黄正梅几乎把脸扭到脖子后面,拒绝叶海阳亲她的嘴,说别急别急,让我看看我包儿里还有没有。她拿过自己的包儿,拉开拉链,手往里一伸,就捏出一个安全套,说:你运气不错,还真有一个。叶海阳猜,黄正梅包儿里的安全套一定很多,她的工作就是给男人下套的。叶海阳说:看来你很专业嘛!黄正梅说:废话!你要快一点儿,我最烦喝了酒找事儿的人。

黄正梅像玩魔术一样,叶海阳还没看清怎么回事,就给套上了。很快,她又把叶海阳套进一个更大的套子里。叶海阳说好,不错,很不错。黄正梅说:好个屁,你快点儿。叶海阳不着急,他说:慌什么,好不容易才和你在一起,我想玩得时间长一点儿。黄正梅说:我不想时间长,我烦。叶海阳问:你的工作记账吗?你一共接待过多少客人了?黄正梅说:你真不要脸!你还做不做,不做滚蛋!

院子门口的大铁门响起来,一响就像滚滚的雷声一样,有些震天。打门的不是别人,是叶海阳的老婆张开朵。她一边踹,一边大声喊:海阳儿,开门!海阳儿,你个驴日的,快开门!海阳儿,我知道你在屋里,你开门不开,再不开门,我把全村的人都喊来,让大家往你脸上吐唾沫。

黄正梅说:快去开门,你老婆来了。

叶海阳说:不要管她,咱只管干咱的。

黄正梅说：不行，她这样喊，全村的人都会跑来。要是让村里人知道了，以后我还怎么回来。

叶海阳说：没事儿，谁来我都不怕。谁敢干涉我，我灭谁！

张开朵踹铁门踹得更重些，如果刚才是响闷雷的话，这会儿成了炸雷，传向叶桥村的各家各户。

黄正梅一把将叶海阳推开，说：你不去开门，我去开，你就说来找我说话。她抓过裤子，把两条长腿往裤腿里伸。

叶海阳恼了一下，说：这个臭娘儿们，一定是活腻了，我去收拾她。

叶海阳抢在黄正梅前面，把门后又粗又长的铁门闩拉开了，打开铁门，说：喊什么，喊什么，你找死呀！说着抡起拳头，用右勾拳向张开朵的耳门抡去。张开朵干扰了他的好事，他非常气愤。他要用拳头封住张开朵的耳，也封住张开朵的嘴。

张开朵是带着手电筒来的，叶海阳一出来，她就用手电筒的光柱指准了叶海阳的丑恶嘴脸。她不会让叶海阳的拳头击打到她，当叶海阳的拳头抡过来时，她往旁边一闪，躲过了。叶海阳在明处，她在暗处，她打叶海阳倒方便些。她抬脚踢了叶海阳一脚，并把手电筒往叶海阳头上敲。她把叶海阳踢倒了，也把叶海阳的头敲到了，叶海阳的头梆的响了一下。然而，张开朵敲在叶海阳头上的手电筒还没拿开。叶海阳就把张开朵持手电筒的手抱住了，他顺藤摸瓜似的，把张开朵的腰也抱住了。这样一来，两个人便纠结在一起，很快进入肉搏阶段。叶海阳的酒劲儿还没过去，还在犯傻，他不该和张开朵短兵相接。他的身高、臂长和张开朵比有很大差距，体重也不是一个量级。以前两人短兵相接，叶海阳是屡战屡败，从没占过便宜。这一次也不例外，张开朵搂住叶海阳的头，双腿一圈，圈住叶海阳的腿，身子往前一扑，就把叶海阳压倒了。张开朵本来要拿黄正梅出气。黄正梅这只飞来飞去的鸡，在城里卖鸡毛卖不够，又把鸡毛卖到她丈夫这里来了。她计划抓黄正梅的脸，撕黄正梅的衣服，把黄正梅的鸡毛择一择。现在叶海阳愿意为黄正梅当挡箭牌，她当然要把挡箭牌砸一砸。她骑在叶海阳的肚子上，两手抽叶海阳两边的脸，一边抽，一边骂：我叫你不要脸，我叫你不要脸！

叶海阳使劲鼓着肚子，想把张开朵翻下来，可翻不下来。他想用脚踢张开朵的头，可踢不到。他想抓张开朵的奶，张开朵乱打一气，不让他抓牢。叶海阳大骂张开朵。他叫着张开朵的名字，骂的声音很大，把张开朵骂成母猪、母狗、母老虎、母夜叉，他和张开朵势不两立。张开朵的嘴巴也不闲着，她也很会骂。她把叶海阳骂成猪日的、狗日的、驴日的、牛日的、蚂蚁日的、老豆虫日的。每抽叶海阳一下，她就换一种骂法。

听到打骂声，村里不少人过来了，如此难得的热闹，他们可不愿意错过。有人手里拿的是手电筒，有人拿的是充电的手提式电灯。那些灯都像舞台上的追光灯一样，从不同角度，集中指向"舞台中央"。他们都是好观众，没人说话，没人咳嗽，连喝彩声都没有。他们只用眼睛看，只用耳朵听。他们都在戏台上看过武松打虎，觉得这一幕和武松打虎有点儿像。只是打虎的英雄是一个女的，老虎似乎也不够凶猛。

也有人把灯光往院子里照，希望再热闹一些。他们估计，还有一个角色应该出场，她的名字叫黄正梅。整个戏是黄正梅引出来的，黄正梅应该处在戏的中心位置。然而让人失望的是，院子里静悄悄的，黄正梅没有任何出场的迹象。也许趁张开朵和叶海阳扭打在一起，黄正梅早就溜走了。

叶海阳不骂人了，他说：我不行了，我快死了！说着两眼一闭，停止了挣扎。

张开朵说：别说死你一个，死你一百个都没人埋你。她不知叶海阳装死，遂从叶海阳身上站了起来。

张开朵刚起身，叶海阳身子一翻，就从地上爬了起来。他头乱扭，眼乱瞅，在找顺手的家伙。他的双截棍不在手边，旁边也没有铁锨，他没瞅到什么有杀伤力的武器。旁边扔有一些玉米秆子，他只能捡起一棵玉米秆子，向张开朵头上抽去。玉米秆子不是铁锨，砍不破张开朵的头，张开朵迎着叶海阳抽来的玉米秆子，又向叶海阳抓去。她说：你个活狗日的，你是装死呀，看我打不死你！叶海阳抓住了张开朵的一只手，张开了嘴，要用牙咬张开朵的手。张开朵猛地把手抽了回去，说：你真要当狗呀！她把手电筒装进口袋，一手卡住叶海阳的脖子，往下一摁；同时，用膝盖往叶海阳屁股上一顶，就把叶海阳整了个狗吃屎。不等叶海阳再度爬起，张开朵两腿一叉，就骑到了叶海阳的背上。她抡起拳头，在叶海阳背上、头上，一阵猛揍。

后来，叶海阳的娘跑过来，对张开朵说：你这个疯女人，想把你男人打死吗？张开朵这才不打了。

鼻青脸肿的叶海阳，回家取来了双截棍，到处找张开朵。可是，张开朵躲起来了，他找了一处又一处，都不见张开朵的影子。有人告诉叶海阳，说张开朵往村外跑了，可能跑到她娘家去了。叶海阳就近登上一家平房的房顶，向着张开朵娘家村庄所在的方向破口大骂。他不仅骂张开朵，把张开朵娘家人的祖宗八代都骂到了。天仍然很黑，夜空黑得像铁桶一般。叶海阳的骂声传播效果不是很好。但躺在床上的叶挺坚听到了，他认为叶海阳表现不错，有一种霸气，有英雄主义的气概。

## 七

鸡分两种，一种是家鸡，一种是野鸡。他们这里有一句从戏曲里听来的俗话，叫家鸡打得团团转，野鸡不打往外飞。他们说的鸡不是真正的鸡，而是拿鸡喻人。家鸡，指的是自己的老婆；野鸡呢，指的是老婆以外的和自己有染的女人。以这样的指谓来衡量，张开朵是叶海阳的家鸡，黄正梅无疑是一只野鸡。的确，叶海阳与

家鸡张开朵不知打过多少次架了，两人互有胜负。不管张开朵吃多大的亏，事过之后，白天她还是给叶海阳做饭吃，晚上还是和叶海阳睡一张床。比如那次叶海阳用铁锹砍破了张开朵的头皮，张开朵在医院住了两天，又到娘家住了两天，就回家来了，回家时还带回了一大兜子红薯。张开朵扒开头发，把头上的伤疤指给叶海阳看，叶海阳连一句道歉的话都没说，事情就算过去了。这一次，按叶海阳的预想，过不了两天，张开朵也会乖乖回来。他并没有打到张开朵，是张开朵打了他，张开朵有什么理由不回来！当然，等张开朵回来后，他还要和张开朵算账。不能因为他要和张开朵算账，张开朵就不回来。

黄正梅就不同了，自从那天晚上他与黄正梅仓促开交，半途而废，他没有再见过黄正梅。据说黄正梅第二天一大早就走了，又飞回城里去了。

事情的发展有些出乎叶海阳的预料，两天过去，张开朵没有回来。五天过去，张开朵仍没有回来。他妈的，难道张开朵扎了翅膀，也变成野鸡飞走了不成！叶海阳需要张开朵给他做饭吃。一天三顿饭不可少，不管是炎炎夏日，还是隆隆寒冬，每天一大早，都是张开朵从床上爬起来做饭。他在家里当大爷当惯了，从来不帮张开朵做饭。有时张开朵让他帮着烧烧锅，他都不干。张开朵不回来，家里面临的第一个问题是开不了伙，吃不成饭。他的孩子可以到爷爷奶奶那里去蹭饭，他不想去。他一去，娘又要和他算经济账，爹又要和他谈政治问题。实在不行了，他就跑到镇上的小饭馆吃一顿，然后买回几包方便面，在家里干啃。方便面这玩意儿，啃一包两包还可以，又香又脆，有点儿像过年时炸的馓子。可老啃就不行了，扎舌头扎嘴，干得连屁眼子都张不开。叶海阳决定，去张开朵的娘家把他的老婆喊回来。

张开朵的娘家在小张庄，离叶桥不过五六里路，叶海阳走一会儿就到了。叶海阳没给丈母娘带什么礼物，却带上了他的双截棍。叶海阳带双截棍干什么？他总不能追到丈人家打老婆吧。叶海阳在装样子，他装作在堤面上练武练累了，顺便到丈母娘家来看看。同时有一点儿示硬的意思，表示他在张开朵面前并不服软。

老丈爹外出打工去了，只有丈母娘在家，看着两个小孩子。两个孩子，一个是丈母娘的孙子，一个是丈母娘的孙女。孙子孙女的爹娘都外出打工去了，就把孩子交给丈母娘看管。丈母娘对叶海阳很冷淡，不让叶海阳坐，也不问叶海阳渴不渴，只问叶海阳提着一副驴夹板子做什么。驴夹板子是毛驴拉套时用的，丈母娘故意把叶海阳的双截棍说成是驴夹板子，借以贬低叶海阳的武功。叶海阳没解释他拿的不是驴夹板子，说他在河堤上练了几个套路，练热了，到这里来看看。他前后左右看看，没看见张开朵，便问：开朵呢？丈母娘说：你问我，我还问你呢？叶海阳说：她不是回来了吗？丈母娘说：嫁出去的闺女，泼出去的水。嫁鸡随鸡，嫁狗随狗，她嫁给你了，就随着你，回来干什么！叶海阳眨眨眼皮，把眉头皱起，问：她是不是外出打工去了？丈母娘说：可能吧。她到哪儿打工去了？我也不知道。她外出打工，怎么跟家里连个招呼都不打呢！丈母娘说：她倒是想打招呼呢，有人掂着驴夹板子，把她撵得满街跑，满村跑，她把命保住就不错了，哪里还顾得上打招呼呢！叶海阳听出来了，张开朵向丈母娘告了他的状。他辩解说：根本不是那么回事，不是我打她，是她打我。她把我的脸都打青了，耳门都打肿了，我的耳朵现在还嗡嗡的。丈母娘说：不会吧，兔子不急不咬人，她要是跟你还手，一定是你把她逼急了。人要脸，树要皮。人要是不顾脸面，不往人上混，就不算人了。不为着开朵，为着你的儿女，你也得讲一点儿脸面。不能啥破的烂的腥的臭的都沾，不能自己端着屎盆子往自己头上扣。叶海阳把脸皮厚了厚，装作没听懂丈母娘的话是啥意思，说：家里离不开开朵，开朵不在家，没人给孩子做饭吃。丈母娘说：你现在知道离不开开朵了，晚了。家里总得有人出去打工，出去挣钱。你不出去，开朵就得出去。你儿子该说亲了，家里没钱盖房子能行吗？你打听打听，现在谁家的孩子找对象，家里不都是先盖好楼。你不盖楼，你儿子就找不着对象。靠在家里种那二亩地，打不了多少粮食，卖不了多少钱。指望着种地盖楼，我看再等二十年也盖不起。叶海阳说：盖不起就不盖。丈母娘说：说这话，没志气，这不是你这当爹的人该说的话。你想想，当年要不是你爹为你盖好了房子，我们家开朵就不会嫁给你。现在你爹老了，过景了，你不能再靠他。你自己得把门头顶起来，把事儿立起来，有个当爹的样子。叶海阳不想再听丈母娘絮叨，说：等开朵来了电话，知道了开朵在哪儿，告诉我一声，说罢转身走了。

张开朵早就嚷嚷着要出去打工，急得像一只春来发情的猫。叶海阳一直反对张开朵外出，他认为城里没有张开朵干的活儿，因为张开朵笨手笨脚，什么都干不成。他甚至说张开朵已经老了，不值钱了，白给人家，人家都不会要。谁稀罕呢！更主要的是，这个家都是由张开朵操持着，离不开张开朵。有张开朵在，这个家就在；若是张开朵不在家，这个家像不像个家就很难说了。他妈的，张开朵不管不顾，到底还是跑了出去。

叶海阳也出去打过工，而且不止一次，是两次。他两次外出打工都不成功，出去时间不长就回来了。第一次，他是跟着邻村的一个包工队，到一个小煤矿挖煤。下到黑咕隆咚的井底，他恐惧得很，心里不停地打哆嗦。他左看看，右看看，哪儿哪儿都是黑的。他用矿灯上照照，下照照，上下都是石头。他想，上面的石头若是塌下来，他连躲都没地方躲啊！就算支着木头柱子的地方塌不严，留下一个容人的小窝，可他想出去就难了。头上的石头有几百米厚，他怎能钻得出去呢！恐怕跟活埋差不多。因为自己胆小，他有些看不起自己，也在心里骂过自己。他骂自己是胆小鬼，没出息。骂过之后，他稍稍镇定一些，可以用锨攉煤。可是，哪里呼啦一响，他心头又大跳不止。后来他想了一个办法，就是拿别人给自己打气。他是人，别人也是人，同在一个地方挖煤，别人不害怕，他有什么可怕的呢！别人没有死，他也不一定会死。实际上，他是拿别人作参照，以别人的存在证明自己的存在。然而事故还是发生了，一次冒顶，和他一个场子干活儿的老乡被砸死了。他很幸运，活着跑了出来。老乡死了,参照物失去了,仿佛他自己也不存在了。他再也不敢下井。老乡的魂还在井下,他怕老乡拉他做伴,让他和老乡一路同行。他只在井下干了一个多月,就卷铺盖回家了。他连一分钱的工资都没领到。包工队半年才发一次工资,他干的时间离半年尚远,又是擅自离矿,谁会发给他工资呢!

第二次到城里打工,他跟的还是一个包工队。不过,这个包工队不是挖煤队,是建筑队,是给城里人盖高楼。楼盖得再高,叶海阳都不害怕,因为他没有技术,只是个小工,爬高下低的活儿轮不到他。包工队交给他的任务是在材料场筛沙子。筛沙子的活儿并不轻,甚至比在井下攉煤还重一些。但有一条,筛沙子安全不成问题。他看看天,天很高,不会塌下来。他踩踩地,地很厚,不会陷下去。只要不把命搭进去,吃点苦,受点累,他能够忍受。这一次,他打算长期在建筑队干下去。在城里为城里人盖楼,目的是挣了钱回家为自己盖楼,叶海阳的目标相当明确。有一天,风比较大,叶海阳筛沙子时是逆风。他把一锨沙子扬到筛面的顶端,一部分细沙没有漏下去,被风吹回的沙子落在他的头发里,掉进他的领口里,钻进他的鼻孔里,还迷进他的眼里。叶海阳的眼睛已被沙子迷了两次,为了防止沙子再次迷眼,他只好低着头往上抛沙子,或扭着脸往筛面上抛沙子。这样抛得不太准,有的沙子抛到铁筛子的木框外边去了。他躲避风沙的样子被一个小工头看见了,小工头质问他是怎样干活儿的,并说:一看你就不像个干活儿的样子。叶海阳见不到大包工头。据说大包工头已成了老板,在城里买了大房子,买了轿车,还买了小老婆,很少在工地上露面。在工地负责指挥和监督民工干活儿的,只是一些小工头,是老板的喽啰。这些喽啰厉害得很,他们动不动就对民工吹胡子瞪眼,动手动脚。叶海阳知道,这些小工头并不是城里人,他们也是从农村来的。既然都是从农村来的,应该互相照顾才是,那么厉害干什么!叶海阳对小工头有些看不惯,他说:我怎么不像干活儿的了?风这么大,你来筛两锨试试。小工头说:你他妈的还敢犟嘴,我筛,要你干什么!叶海阳说:你嘴里干净点儿,我是来干活儿的,不是来挨骂的。我有妈,你也有妈。小工头又结结实实骂了叶海阳一句妈,说:我就是骂你了,怎么着,不想干滚蛋!叶海阳停下筛沙,和小工头对着骂,也骂了小工头的妈。小工头骂叶海阳的奶奶,叶海阳也骂小工头的奶奶。小工头说:我揍你。叶海阳拿着铁锨说:给,你揍吧!小工头当时并没有揍叶海阳。说:好吧,你等着瞧!当晚,在民工住的木板房里,有一个民工故意撞了叶海阳一膀子。叶海阳并没有说什么难听活,可那人却说叶海阳走路不长眼,对叶海阳挥拳就打。不是一个人打叶海阳就完了,好几个民工都围过来,对叶海阳拳打脚踢。他们已经把叶海阳打翻在地,犹不尽兴似的,又把叶海阳踢打一阵。一开始叶海阳还喊:干什么,干什么,我又没得罪你们,你们为啥对我下狠手?没人回答他的问题,只用拳脚跟他说话。只一会儿,叶海阳就头昏眼花,四肢发麻,说不出话来。叶海阳想起来了,一定是那个小工头买通这些人,唆使这些人打他。这些民工几乎都是叶海阳的同乡,都是到城里打工,他们为何变得这样凶残呢？这就是说，欺负他的并不是城里人，而是和他一起进城打工的乡下人，这让他非常想不通。

叶海阳挨了打还不算，他在木板房躺了一天多，接着被包工队开除了。这一次，叶海阳又是一分工钱都没挣到。再次打工的经历，让叶海阳伤透了心，他咬了牙，再也不出去打工了。只要老家有地，他就饿不死。只要饿不死，他就再也不出去了。他们叶家祖祖辈辈没人出去打工，不是也活下来了吗？他相信他也能活下来。

## 八

老婆飞走了，叶海阳的日子还得过下去。别人到城里打工为的是挣钱。他在老家就不能挣钱吗？也能挣。他瞅准了黄永金喂的几只羊，一只母羊和两只小羊。小羊也不小了，三只羊都吃得很肥，叶海阳决定把黄永金的羊搞走。现在羊肉成了好东西，一斤羊肉比一斤猪肉贵一倍还多。叶海阳估计，三只羊不卖一千块，也能卖八百块。

黄永金除了晚上给二儿子黄正山看楼房，白天就到地里放羊。村里人对黄永金天天放羊看不惯，认为黄家挣钱没够，富了还想富。有人当面对黄永金说：你闺女那么能挣钱，你的两个儿子那么能挣钱，你不好好在家待着享清福，还出来放羊干什么？黄永金没有否认自己有钱，他解释说，他天天出来放羊，一不是为挣钱，二不是为吃肉，主要是出来活动活动，锻炼身体。现在生活好了，吃大肉，喝大酒，不活动不行呀。黄永金还说，他放羊跟城里人养狗的意思差不多。城里人养了狗，就要天天下楼遛狗，遛狗的同时，也遛了自己，等于锻炼了身体。他呢，就是把狗换成羊而已。黄永金说的这番话，叶海阳也听到了。说来说去，原来黄永金是在向城里人看齐，要过和城里人一样的生活。叶海阳不能让黄永金过得太舒服，他要给黄永金的心里添点儿堵。

这天晚上，村里有一家给孙子做满月，放电影。叶海阳决定趁黄永金去看电影时对羊下手。电影开始放映了，是一个戏曲片。看电影的人不多，稀稀拉拉，像羊拉的屎蛋儿一样。叶海阳到电影场子里看了看，没看到黄永金的身影。这老家伙，他难道没出来看电影？叶海阳遂来到黄永金住的小楼外面看了看，听了听，看见小楼里有灯光，听见里面传出电视的声音。这守财奴，原来在家里看电视。没办法，叶海阳只能等黄永金看完电视睡觉之后才能下手。

电影散场了，黄永金也熄灯睡下了，叶海阳仍没有马上下手，他要对黄永金进行一点儿疲劳战术。只有前半夜把黄永金搞得很疲劳，黄永金下半夜才会睡得比较死，他的牵羊行动成功的把握才大一些。叶海阳采取的战术是拍小楼院子门口的铁门。第一次，他拍门用的劲儿并不大，有些文质彬彬。可他刚拍了两下，黄永金就听见了，黄永金问：谁呀？叶海阳当然不会说他是谁，他的回答是把门又拍了两下。黄永金说：你不说你是谁，我不会给你开门。这深更半夜的，有啥事儿明天再说不行吗？叶海阳脖子一缩，差点儿笑出声来。叶海阳没有接着拍门，得留出一定的间隔，把老家伙抻一抻。这跟熬鹰的道理是一样的，看鹰要打瞌睡，就在鹰的鼻子上敲一下，把鹰敲得睁大眼睛。待鹰又要打瞌睡，便在鹰的鼻子上再敲一下。叶海阳绕着院墙转了一圈，进一步观察了地形，过了十几分钟，又拍响了铁门。这一次黄永金有些烦了，说：真烦人，还让人睡觉不让了？你到底是谁？叶海阳心说：哎，对了，我就是不让你睡觉。你这会儿不睡觉，下半夜才睡得好。叶海阳觉得这像是一个游戏，这个游戏挺好玩的。他把铁门又拍了两下，拍完就走了。叶海阳第三次拍铁门时，黄永金手持一杆铁矛从院子里冲了出来。亏得叶海阳想到了老家伙有可能会冲出来，他拍过门之后，快速拐过墙角，找一个地方躲了起来。黄永金没看到人，就开骂：混蛋，再敢捣乱，老子就捅死你！

叶海阳的疲劳战术到此为止，待黄永金睡熟之后，他开始在院墙外面掏洞子。他不能翻墙头，墙头比较高，上面还插满锋利的玻璃片，他要是翻墙头，有可能会被玻璃扎伤。另外，他若是翻墙进去，要牵羊出来，必须打开铁门。而铁门像一面巨大的锣，一动就发出声响。所以，最好的办法是掏洞。叶海阳用带来的撬棍，没费多大劲，就把洞掏成了。叶海阳事先踩过点儿，知道黄永金的羊圈靠墙搭建，他选择掏洞子的地点，进去就是羊圈。一切都很顺利，他摸到拴羊的绳子，把绳子从木头橛子上解开，就把羊牵走了，三只羊都牵走了。他把羊往洞外面拉时，只有那只母羊叫了一声，两只小羊都没叫。和羊圈相连的是一个扁嘴子圈，圈里的扁嘴子有好几只。那些扁嘴子看见有人往外牵羊也没叫，只是从卧着的地方站起来，举着头慌乱了一阵，很快便平稳下来。叶海阳的疲劳战术效果不错，整个牵羊过程，小楼那边静悄悄的，连一点儿动静都没有。叶海阳没有把羊往自己家里牵，在夜色的掩护下，他牵着羊向村外走去。

第二天，黄永金向派出所报了案。警察来了，叶海阳的那个堂弟也来了。警察把掏开的墙洞照了相，向黄永金询问了情况，安慰黄永金说，只要没伤到人就好。

看到来了警察，村里的大人小孩都跑过来围观。他们从各个角度把墙洞子看来看去，似乎都对墙洞子很感兴趣。黄永金悟出来了，他说：我日他姐，我说为啥小偷前半夜光拍我的门，原来这是小偷使的计策。有人问啥计策，让黄永金讲一讲。黄永金把小偷拍门的过程讲了一遍，大家听得都很高兴，认为偷羊的小偷不是一般的小偷。有人问警察：你们怎么不牵来一只狗呢，听说警狗的鼻子厉害得很，让狗顺着小偷的脚印一闻，不就把小偷逮到了嘛！叶海阳的堂弟接话：什么警狗，警犬。乡里派出所没警犬，县公安局才有警犬。你们以为警犬是那么好用的，警犬出一次警，得花不少钱呢！既然请不动警犬，警察的鼻子不能代替警犬的鼻子，偷走几只羊又不是什么大案，这个案子就放一放再说吧。

叶海阳到镇上赶集，碰见了堂弟。堂弟对他招手说：来，我跟你说句话。两个人站在街边，堂弟问叶海阳：挖黄永金家的墙根子，这事儿是不是你干的？叶海阳脸上寒了一下，说：你不要胡说，你听谁说的？堂弟说：你别管我听谁说的，你只说是不是？叶海阳说不是。堂弟说：你敢再说一句不是，牵黄永金家的羊，除了你，没有第二人。叶海阳还是不承认，他说：你别跟我说这个，你要是想喝酒，中午我请你喝二锅头。堂弟说他不想喝酒，又问：听说你把黄正梅干了，怎么样，她跟你配合得好吗？叶海阳说：没干成。她非让我戴安全套，我不想戴。堂弟说：你又没说实话。我听村里人说，嫂子逮住你的时候，你还在黄正梅身上没下来呢！叶海阳明白堂弟的意思，他今天要是不出点儿血，堂弟就不会放他走。他只好买了一条烟，送给了堂弟。堂弟得了烟，仍不放他走。叶海阳有些心烦，不知堂弟还要干什么。堂弟给他出主意说：我看黄永金养的还有几只扁嘴子，扁嘴子也很肥，下一步你可以把扁嘴子弄走。叶海阳说：扁嘴子不值钱，我不干那事儿。

叶海阳说是不干那事儿，过了几天，他再次挖墙掏洞，把黄永金的扁嘴子弄走了。一种战术只能用一次，叶海阳这次没采取疲劳战术。他换了一种新的战术，叫关门战术。后半夜，把墙洞挖开之后，他没有马上下手，而是先悄悄摸到小楼门口，搭上门鼻儿，并用一节电线，把门搭吊和门鼻儿缠到了一起。这时，他才返身到扁嘴子圈里，往一条大口径的编织袋里捉扁嘴子，扁嘴子扇动着翅膀，嘎嘎地叫起来。睡在小楼里的黄永金被惊醒了，他拉亮电灯，抄起长矛，就往门外冲。上次他没刺到偷羊贼，这一次他要看看偷扁嘴子的贼往哪里逃！然而，门拉不开，他再使劲咣当也拉不开。他只好一边咣当门，一边冲着门缝大骂，并大喊：快来人哪，小偷又来了，小偷又把我家的墙掏开了，快来抓小偷哇！

不知村里人听到黄永金的喊声没有，反正没有一个人出来。

叶海阳把扁嘴子一只又一只塞进塑料袋子里，塞得一只不剩，才背起塑料袋，从墙洞子里钻了出去。

直到天色大亮，邻居才帮黄永金把门打开。这一次黄永金没有报案，挖开的墙洞子也迟迟没有堵上。黄永金说：这下省心了，羊没有了，扁嘴子也没有了，贼没有什么可惦记的了。黄永金好像终于松了一口气似的。可有人提醒黄永金说：你屋里还有电视机呢！这一提醒，黄永金的心情似乎又沉重起来。

春节前，叶海阳得到消息，他老婆张开朵竟然跑到北京去了，在北京城里到处捡废品卖钱。直到过年，张开朵都没有回来。张开朵打回了电话，电话是叶海阳的女儿接的，张开朵说：过节时，城里人扔的废品多，平时捡废品的人都回老家过年去了，她正好可以趁这个机会多捡点废品。张开朵让女儿转告给叶海阳：一是要往人上混；二是自己学着做饭吃。叶海阳对张开朵的话很不屑于听，这个女人，真是一跑就野，过年都不回家，连家都不要了。

麦子熟了，夏风一吹，遍地涌起金色的波浪。现在种麦子比过去容易多了。人们不必再拾粪,不用再往地里上粪,只给麦子施两遍化肥就得了。人们也不用给麦子锄草,把封闭性的除草剂喷上一遍,直到麦子成熟,野草都发不出芽儿来。什么是科学种田,大概这就是科学种田,什么是现代化,大概这就是现代化。您别说,这样种出来的麦子,产量却比以前大大提高了。生产队那会儿,一亩地能打二百斤麦子,就算是高产。现在一亩地打一千斤麦子,都不算稀罕事儿。不得了,不得了,现在一亩地所打的麦子是过去的五倍啊!但是,人们普遍反映,现在的麦子没有以前的麦子好吃,麦没麦味儿,面没面味儿,馍没馍味儿,吃到嘴里像嚼锯末一样,一点儿都不香。也有人说,这是人在作精。没有白馍吃的时候,天天想白馍。现在白馍足吃,又嫌白馍不好吃了,不是作精是什么!

过去收麦,人们需要顶着毒日头,一镰一镰贴着地皮割。割完了,还要捆,还要运到场院里去,摊开,驱牲口拉上石磙,一遍一遍碾。碾完了,还要扬,还要垛麦秸垛。一个麦季下来,人累得差不多能脱掉一层皮。现在简单了,省事了。一亩地花上几十块钱,雇一台联合收割机,在地里开上几个来回,前面把麦穗麦秆吃进去,下面屙麦秸,上面吐麦子,不消一会儿,一亩地的麦子就收完了,打完了,并分装进口袋里去了。

麦子运回家了,撒了一地的碎麦秸怎么办呢?麦秸在过去是好东西,那是牲口的口粮。现在不喂牲口了,也不用麦秸烧锅了,麦秸成了无用的东西,或者说成了一种负担。因为必须把地里的麦秸清理了,才能种玉米,麦茬更是讨厌的东西。收割机收麦,留下的麦茬又比较深,不把麦茬清理掉,同样影响种下一季庄稼。于是乎,人们把麦秸归拢归拢,胡乱倾倒进地头的河坡里去了。麦茬怎么处理呢?人们放一把火,就地烧掉。有那省事的懒人,满地的麦秸也不归拢,和麦茬一块儿烧掉。

这样做很快带来两个不好的后果。一个后果是,当年秋天下暴雨,发大水,河坡里胡乱抛弃的麦秸冲积到桥眼那里,把桥眼堵塞住了。眼看大水漫过桥面,并向庄稼地里灌,往村里灌,亏得乡里紧急动员未外出打工的男劳力,连夜用钉耙把堵塞桥眼的麦秸掏出来,大水才泄下去了。另一个后果是,大火烧得狼烟惊天动地,遮天蔽日,公路上连汽车都没法开。

新的麦收季节到来之前,上面下了通告,一律不许往河坡里倾倒麦秸,一律不许点火烧麦茬。如果发现有人往河坡里倾倒麦秸,或点火烧麦茬,罚款二百元。

罚二百不算少,一亩地打下的小麦,扣去成本,也就挣个二百块钱。若被罚去二百块钱,一亩地的麦子等于白种。所以好多人不敢往河坡里倒麦秸,也不敢点火烧麦茬了。

叶海阳不怕,他相信那个敢罚他款的人还没有生出来。什么麦秸容易堵塞河道,把河道都塞满才好呢,把人都变成鱼鳖虾蟹才好呢!什么烧麦茬会影响空气质量,狗屁,空气在哪里呢,是黑的还是白的,是稠的还是稀的,你抓一把给我看看!这里的人祖祖辈辈不讲什么空气质量,不是照样活得好好的嘛!叶海阳认为,把麦秸和麦茬一块儿烧掉很不错，这个办法简单易行，只用打火机打一次火就可以了。把麦秸和麦茬烧成灰，还可以少买点儿化肥呢。去年夜间，叶海阳到地里烧自家的麦秸和麦茬时，登上河堤，顺便在地里看了一会儿，看到了异常壮观的一幕。因为各村的村民都在烧麦茬，东边是红的，西边是红的，北边是红的，南边是红的，东南西北都是红的。满地的火焰映红了天空，过年时放再多的焰火，也达不到这样壮观的效果吧。叶海阳站在河堤上转着圈儿地看，满地的熊熊火光似与他的愿景有所对应，他想看的就是这样的情景，太好了，真是太好了！他甚至有些激动。

这年雇联合收割机收完麦子之后，叶海阳又到地里烧麦秸和麦茬去了。时间还是在夜里，野外黑乎乎的，只有那些还没收割完的麦子看去有些发白。上面说不让烧，村民就不烧了，这些人是太听话了！只有他一个人到地里点火，他多多少少有点儿寂寞。叶海阳掏出打火机，把散落在地头的一摊麦秸点着了。白天太阳晒过，麦秸已经干透，很好点。他不只点了一处火，而是点了三处火。三处火着起来之后，很快把仍在地里长着的麦茬引燃了，三点互相衔接，连成了一线。这种情形像是放焰火时在地上拉火鞭，火鞭拉向哪里，哪里便出现一条火龙。火龙翻滚着，腾跃着，显得异常生动，异常辉煌。

这晚的风有些大，风从东北方向吹来，向西南方向吹去。在风的煽动下，叶海阳点燃的火龙不只在他家的地里翻滚腾跃，火龙爆起的火花被风吹到了邻家的地里，结果把邻家还未收割的麦子也引燃了。满地的麦芒麦穗像带捻的爆竹一样，更容易起火。转眼之间，那满地的“爆竹”便噼噼啪啪响起来。叶海阳有些傻眼，他的愿景里没有这个，这有点出乎他的意料。

火借风势，越烧越旺。大火把邻家的麦子烧完，又向更大的面积蔓延而去。看样子，大火烧完了本村的麦子，还要接着烧外村的麦子。叶海阳想把大火止住是不可能的，点火由他，灭火就由不得他了。祸惹大了，让人知道了，恐怕不是罚他二百块钱的问题。叶海阳怎么办？他是不是到外边躲一躲呢？他要是躲到外边，还能回到他的家乡吗？

（选自《十月》2009 年第 6 期）

**刘庆邦**

1951 年出生于河南沈丘农村。1990 年加入中国作家协会。2001 年调到北京作协，成为专业作家。现为《阳光》杂志主编，中国煤矿作家协会主席，北京市作家协会副主席。

1978 年开始发表文学作品。著有中短篇小说集《走窑汉》《心疼初恋》《河南故事》《落英》《梅妞放羊》《遍地白花》《响器》《鞋》，长篇小说《断层》《高高的河堤》《远方诗意》《平原上的歌谣》《红煤》《遍地月光》等。短篇小说《鞋》获第二届鲁迅文学奖。